L'ÎLE AUX PALMIERS

DU MÊME AUTEUR
CHEZ LE MÊME ÉDITEUR

Orages d'automne
Plantation

Dorothea Benton Frank

L'ÎLE AUX PALMIERS

Roman

*Traduit de l'anglais (Etats-Unis)
par Martine Céleste Desoille*

PRESSES
DE LA CITÉ

Titre original : *Isle of Palms*

© Dorothea Benton Frank, 2003
Tous droits réservés, y compris le droit de reproduction pour tout ou partie de l'ouvrage, sous quelque forme que ce soit.
Édition publiée avec l'accord de The Berkley Publishing Group, un département de Penguin Group (USA) Inc.

© Presses de la Cité, un département de place des éditeurs, 2006, pour la traduction française
ISBN 10 : 2-258-06496-1
ISBN 13 : 978-2-258-06496-6

A mes merveilleux enfants,
Victoria et William

Là où réside l'incertitude, nous nous éveillons la nuit.
La pluie tombe délicatement,
Comme si elle ne voulait déranger personne.
Au loin gémissent les cornes de brume.
La lumière du phare balaie l'île.
A mesure que les heures passent,
Les vagues mélancoliques déchirent la terre
Sur laquelle nous prenons pied.
Ecoute la mer – le clapotis de la pluie
A travers le brouillard suspendu à l'orée de la terre,
Sur un cercle de sable qui nous ramène doucement vers le
rivage.

Marjory Wentworth

Prologue

J'ai rêvé de ma mère ; quand elle m'apparaît ainsi, c'est qu'elle cherche à me faire un petit coucou depuis l'au-delà. Papa et elle faisaient la nouba dans une salle des fêtes gigantesque et avaient l'air de s'éclater. Papa était gai comme un pinson et maman belle comme un cœur. Elle m'a souri de loin. Il y avait un tas de questions que j'aurais voulu lui poser, mais je n'ai pas pu. Je n'avais pas de voix.

L'instant d'après, j'ai senti la lumière du matin qui cherchait à s'immiscer sous mes paupières. J'ai résisté et me suis accrochée à mon songe en essayant de m'en remémorer chaque détail. Comme toujours, je me suis demandé s'il recelait un sens caché. Mon patrimoine génétique est pour moitié allemand, mais c'est l'autre moitié, celle originaire des Basses Terres, qui cherchait à tout prix à trouver une explication cosmique. Ma vie était-elle sur le point de changer ? Les grands-mères racontent que lorsqu'on rêve d'un mariage, c'est qu'il y a de la rupture dans l'air. Encore ? Non, merci, j'ai déjà donné !

Du coup, je me suis réveillée pour de bon. Il faut dire que, question bouleversements, j'ai eu ma part. Je ne me voyais pas remettre cela encore une fois. Nous avions tant bien que mal survécu à Thanksgiving – qui n'avait pas été de tout repos –, mais maintenant, il fallait tenir le cap jusqu'à Noël. Comme dirait Bettina, notre manucure – elle est de New York, et vous allez l'adorer : « Trop, c'est trop ! »

Enfin, bref, je me suis levée pour me préparer une tasse de café – pur Colombie, avec une gousse de vanille jetée dans le filtre –, puis je suis sortie chercher le journal et regarder la couleur du ciel. La première chose que j'ai remarquée, c'est que les plates-bandes commençaient à déborder, et à monter à l'assaut des arbres et de la façade. Un vrai miracle. Remarquez, dans le genre Jack et le haricot géant, cela ne manque pas de charme. Le ciel était clair, pas d'orage ou autre turbulence en vue. La journée s'annonçait belle. J'ai observé le soleil se lever sur l'île aux Palmiers. Et c'est alors que j'ai eu la révélation. Bon sang, mais c'est bien sûr ! Le temps était venu pour moi de raconter mon histoire. Alors tenez-vous prêts, parce que je commence.

Vous ne me connaissez pas encore, mais quand je vous aurai tout dit, vous verrez que je ne suis pas du genre à gaspiller inutilement ma salive et encore moins à colporter des ragots. Car les commérages finissent toujours par se retourner contre vous. Or moi, les embrouilles, je préfère les tenir à distance. Enfin, disons plutôt que j'essaie, même si j'ai eu ma part de mésaventures. Ma parole que parfois on aurait dit que le diable en personne était à mes trousses. Mais toujours est-il que ces derniers temps il semble avoir rangé sa fourche. Je ne suis pas superstitieuse, mais bon ! Mieux vaut quand même ne pas crier trop fort que tout va bien.

J'ai passé ma vie à encaisser les coups en mettant mes ambitions en veilleuse. J'ai pris mon mal en patience. Mais n'est-ce pas le lot commun à toutes les femmes ? Nous autres, mères et épouses, faisons passer le devoir en premier. Nous sommes les bonnes âmes, les gardiennes du foyer, celles qui dorlotent et apaisent en répétant à qui veut l'entendre que la vie est belle et que cela finit toujours par s'arranger.

Enfin, quand je dis *toutes* les femmes, je ne parle pas des garces. Celles dont un seul regard suffit pour transformer vos cheveux en serpents. Et cela leur rapporte quoi ? De vieillir avant l'heure et de finir aigries. Oh ! Mais j'ai subi sans broncher ces mégères pendant beaucoup trop longtemps. Et le moment est venu pour moi d'ouvrir mon clapet et de régler mes comptes. Au fait, je m'appelle Anna. Anna Lutz Abbot.

Quand je vous dirai que je dirige un salon de coiffure, vous comprendrez pourquoi j'ai les tympans usés et la langue sclérosée. Il y a près de vingt ans que je fais ce métier, alors, forcément, quand mes clientes éprouvent le besoin de s'épancher, je reste bouche cousue. Car qui, dans ce bas monde, a le privilège de pouvoir lâcher ce qu'il a sur le cœur ? Les cinglés, ma chère, voilà ! Si je leur disais vraiment le fond de ma pensée, je me retrouverais en moins de deux sur la paille. Et d'ailleurs, un peu de compassion envers autrui ne nuit point, si ? Enfin, toujours est-il que j'en ai entendu de belles !

Ai-je une histoire à raconter ? Absolument, alors allez vous servir un verre de thé glacé et calez-vous dans un bon fauteuil. Je vais vous dévoiler un tas de secrets, mais attention ! gardez-vous de les répéter, sinon je sors mes cisailles et vous coupe la langue. Ou mieux, même, je vous l'aplatis à coups de marteau. Ce récit est vrai du début à la fin, ainsi que les noms de lieux et de personnes, afin que les coupables soient clairement identifiés.

L'autre jour, j'expliquais justement à Arthur – l'homme qui me rend dingue et me fait vibrer des pieds à la tête – que je songeais à proclamer haut et fort comment ma vie avait basculé en l'espace de quelques mois. Si cela peut m'arriver à moi, cela peut arriver à n'importe qui, non ? Il a tant ri que j'ai cru qu'il allait s'étrangler et me claquer entre les doigts. J'ai donc demandé :

« Qu'y a-t-il de si comique ?

— Depuis quand parles-tu tout bas ? » m'a-t-il répondu.

Franchement, je n'ai pas trouvé cela drôle.

Outre mes propres découvertes, j'ai songé que la face cachée de l'existence dans les Basses Terres méritait d'être révélée et je vous prie de croire que vous ne serez pas déçu du voyage. Tout ce que vous avez toujours voulu savoir sur la vie dans le Sud a été évoqué et répété entre les quatre murs d'Anna's Cabana – je sais, ce nom évoque pour vous une paillote paumée sur une plage reculée des îles Vierges. Et c'est vrai ! Mais quand vous découvrirez le fin mot de l'affaire, vous comprendrez pourquoi j'ai laissé dire.

Quoi qu'il en soit, ma boutique est une mine pour qui voudrait mener une étude sociologique. Prenez une dose de vieilles pies jacasseuses et une dose de bourgeoises bon teint, mélangez avec un soupçon de touristes et vous obtenez un fameux cocktail. Ce qui s'est passé ici, il y a quelques mois, a fait trembler la terre. Sans blague. Si je prenais aussi cher pour écouter cancaner les clientes que pour les coiffer, j'aurais le plus grand salon de la côte. Si, si !

Et cette histoire n'est pas fondée que sur les potins que j'ai pu glaner au boulot. Non. L'île est un monde à part entière. Nous avons coutume de dire que nous sommes de Charleston, mais en réalité nous nous trouvons à l'est du fleuve Cooper et à l'ouest de la rivière Ashley, non loin d'Awendaw. Ici, c'est tout l'un ou tout l'autre. Les gens vivent soit entassés dans des lotissements qui ressemblent à des décors de cinéma, soit sur une île qui n'est accessible que par canot. Je suis, moi, une îlienne dans l'âme.

Ma famille n'a pas mis les pieds à Charleston depuis des lustres. Nous ne sommes ni à la tête d'une vaste propriété coloniale ni dépositaires d'un trésor qui fut scellé dans un mur durant la guerre de Sécession – en fait, je ne possède même pas une petite cuillère en argent et c'est parfait ainsi, car j'ai mieux à faire que d'astiquer l'argenterie. Mais cela ne nous empêche pas d'aimer l'histoire des Basses Terres au point de nous dire que leurs habitants sont des êtres exceptionnels.

Les parents de ma mère sont originaires de Beaufort, alors que mon père a émigré en Amérique avec les siens juste après la Seconde Guerre mondiale. Ils ont atterri à Estill, où ils se sont lancés dans la culture de la pêche. Papa et mon grand-père ont trimé comme des fous pour parvenir à une vie confortable, mais sans extravagances.

Ce qui est sûr, c'est que je n'ai pas été une enfant gâtée, dorlotée ou autre. Sans doute parce que mon père avait dû se battre bec et ongles pour survivre. Et le fait est qu'il a connu des débuts difficiles, et moi aussi. Prenez l'argent, par exemple. Pour papa un dollar, c'était un dollar. Certes, il a la réputation d'être près de ses sous, mais c'est sa nature et on ne se refait pas. Parfois pourtant, au moment où je m'y attendais le moins, il ouvrait grand son portefeuille. D'abord il en sortait des mites, après quoi suivaient les billets par liasses entières. Il était plein de contradictions, comme tout un chacun. Toujours est-il qu'il m'a appris qu'à force d'économie et de persévérance on finit par pouvoir s'offrir ce qu'on veut, à condition de le désirer vraiment. Et moi, ce à quoi j'aspirais par-dessus tout, c'était revenir vivre sur l'île aux Palmiers.

Cela m'a pris beaucoup plus longtemps que prévu. Mais pour moi, contrairement à d'autres, rien n'est jamais allé de soi. J'ai connu des hauts et des bas extrêmes, et beaucoup de chambardements. Et franchement, j'aimerais bien pouvoir souffler un peu. (Seigneur, j'espère que Tu m'entends, là-haut !) La chose la plus importante, pour être vraiment heureux, c'est de savoir écouter la petite voix intérieure qui se manifeste quand elle sait ce dont on a besoin et refuse de se taire jusqu'à ce qu'on accepte de l'entendre. Ma parole ! Les clientes tendance New Age, je les reconnais à leurs pendentifs en cristal auxquels elles accrochent des noms de personnes, qui leur servent, prétendent-elles, à « se mettre en phase avec l'univers ». « Grand bien leur fasse ! » lâcherait ma fille. Moi, mon nom me suffit. Bref, tout ça pour dire que la voix intérieure a l'air d'un truc bête, mais vous n'avez pas idée du nombre de gens que je connais qui se sont mis eux-mêmes dans la mouise. Car je suis convaincue que le Bon Dieu n'a jamais voulu qu'il y ait autant de personnes insatisfaites sur terre.

Songez un peu. Si vous passez dix années de votre existence à vous dire que vous aimeriez aller en Chine, il y a des chances pour qu'une fois sur place vous y trouviez la nourriture spirituelle que vous cherchiez. Attention, je ne parle pas de ceux qui lancent : « Fichtre, par moments, j'aimerais mieux être en Chine ! » La fuite en avant n'a jamais rien résolu. Le vrai bonheur consiste à se regarder en face et à se demander ce qu'on attend de la vie. Au fait, pour rien au monde je ne me rendrais en Chine, même si on me payait le voyage.

J'ai de la chance, car j'ai toujours su ce que je voulais. Simplement, il m'a fallu un temps fou pour l'obtenir. Pour moi, le comble de la félicité, c'est de me trouver ici, sur l'île. Sans blague. Et chaque fois que je pose la question à d'autres riverains, ils tombent d'accord avec moi. Il n'y a qu'ici qu'ils se sentent vraiment chez eux. L'âme y puise sa force vitale.

Naturellement, j'ai une théorie sur la question. En fait, les insulaires sont des gens à part. Ils éprouvent le besoin de percevoir la présence de l'océan. Tout est amplifié. La brise marine est plus douce, l'air plus lourd, le soleil plus implacable, les nuits plus mystérieuses. Je sais bien qu'on devrait

15

aller à l'église, mais je crois qu'on peut parler au Seigneur n'importe où ailleurs. En particulier sur l'île.

Et puis nous ne sommes pas des poules mouillées. Je dirais même que nous sommes courageux, capables d'affronter bravement n'importe quelle catastrophe que la nature a décidé de jeter en travers de notre chemin. Les cyclones ? Pfft ! Cela paraît dément, mais chaque fois qu'on nous prédit un ouragan, c'est plus fort que nous, il faut que nous filions sur la plage pour contempler le spectacle de la mer déchaînée. Quand j'étais petite, mon père, Doc, suggérait : « Anna, que dirais-tu d'aller voir l'Atlantique avant que la tempête ne touche les côtes ? » Et on allait se planter au sommet d'une dune pour inhaler l'air chargé de sel à pleins poumons. Cela nous faisait du bien. Et pendant les évacuations ? Nous restions chez nous. Jusqu'à la venue d'Hugo. Cette fois, les gens ont levé les bras au ciel en disant : « A quoi bon payer des assurances aussi exorbitantes ? » Quand le phénomène était vraiment monstrueux, on prenait nos cliques et nos claques, sans oublier les photos de famille, et on fonçait se mettre à l'abri hors de la ville. On attendait un jour ou deux que les choses se tassent, puis on rentrait et on remettait tout en ordre. Après quoi, on passait nos soirées les uns chez les autres à se raconter des histoires de perturbations atmosphériques en riant à gorge déployée.

Les îliens savent se reconnaître. Mettons qu'une touriste entre dans le salon de coiffure et m'annonce qu'elle vient de Caroline du Nord, je vais la shampooiner « à la Yankee »... Mais chut, cela doit rester entre nous. En revanche, si elle m'annonce qu'elle est de Wrightsville Plage, elle bénéficiera d'un traitement de faveur.

Les gens de la mer aiment la vie plus que les autres. Si, si ! Ils ont une certaine tendance à l'excès. Ils ne sont pas du genre à grignoter *une* cacahuète en buvant *une* bière et en racontant *une* blague ou à ne prendre qu'un *léger* hâle. De sorte que si quelqu'un me dit qu'il est de la côte, je sais qui il est. Sauf s'il vient de Californie, parce que là-bas cela gigote de partout. Vous pigez ? La tourmente, je connais, mais les tremblements de terre, non merci, très peu pour moi !

Les habitants des îles sont généralement des êtres sans prétention. Une qualité trop souvent sous-estimée. Prenez les

New-Yorkais, par exemple. Ils n'arrêtent pas de se changer. Ils ont un jogging pour courir, un costard pour travailler et des habits du dimanche. Et ils portent du noir ! Ouf ! Je parie qu'ils se font un brushing avant de sortir acheter le journal ! Je ne pourrais pas vivre comme eux. Je ne dis pas qu'ils n'ont pas eu leur part de misère, les pauvres. Mais j'estime que la vie ne mérite pas qu'on fasse autant d'efforts. Ici, dans les Basses Terres, on préfère savourer pleinement l'existence.

Arthur affirme qu'à New York un dîner pour deux dans un resto chic, cela coûte les yeux de la tête. Sur l'île, il y a aussi moyen de sortir pour cent dollars, et plus, pour qui veut se donner la peine d'aller jusqu'à Charleston. Mais les gens apprécient de demeurer tranquillement entre amis, sans qu'on leur mette la pression. De toute façon, la plupart préfèrent rester à la maison et manger la marée du jour accompagnée d'une salade. A cause de la chaleur, le repas principal se déroule à midi, quand on a le temps ; celui du soir est généralement plus léger.

Nous autres, îliens, ne sommes pas comme nos voisins du continent. Nous avons nos habitudes et notre philosophie. Disons pour simplifier qu'on a l'esprit pratique. J'ai toujours su qu'en ouvrant un salon de coiffure je ne serais pas touchée par la récession. Demandez à n'importe quelle femme. Si elle doit choisir entre se faire refaire les racines ou s'acheter une robe neuve, elle opte pour la première proposition, sans l'ombre d'une hésitation. De plus je savais, ou plutôt j'avais bon espoir, que mes clientes de Charleston feraient le chemin jusqu'ici pour venir me voir. Et elles l'ont fait, sans exception. Car s'il y a une chose qu'une femme déteste, c'est changer de coiffeur.

Et puis il y a les « expatriées ». Ces temps-ci, j'ai l'impression que l'Ohio entier a débarqué ici. Chaque fois que j'en croise une qui n'est pas de chez nous, je pense : « Ecoute, petite, tu ne réussiras peut-être pas à t'intégrer à Charleston, mais ici tu seras toujours la bienvenue. » Cela a l'air de plaire. L'attitude, voilà ce qui compte dans la vie. On est tous capables de s'adapter. Même moi. Au cours des six derniers mois, je me suis mise à croire à nouveau au pouvoir de l'amour et aux miracles. Je vous sens sceptique. Eh bien, quand nous en aurons fini avec ce récit, venez donc faire un tour à la maison et jeter un coup d'œil au jardin !

L'autre jour, un type qui travaille pour un magazine d'horticulture du Vermont ou je ne sais quoi a sonné chez moi. Il voulait savoir quel genre d'engrais j'employais. J'ai tant ri que mon mascara a coulé. Je lui ai dévoilé qu'il n'y avait pas une once de fertilisant chez moi, juste l'air du large et la magie de l'île. Il a acquiescé en silence et tourné les talons, persuadé que je me payais sa tête. Pourtant, c'est la pure vérité. Je ne mens jamais. Tout au plus m'arrive-t-il d'omettre certains détails, mais c'est autre chose.

Je parie que vous avez entendu un tas de fables selon lesquelles le Sud était hanté, et que les autochtones conversaient avec les morts et voyaient des fantômes. C'est vrai. Absolument. Il se passe sans cesse des trucs bizarres que nul ne parvient à expliquer. C'est comme dans les Basses Terres. Et plus on se rapproche de l'île aux Palmiers, plus le phénomène s'amplifie. Et c'est tant mieux, car on adore la bizarrerie et l'inexplicable.

Chacun de nous a droit à sa part de misère, comme dirait Mlle Ange, ma voisine et notre philosophe locale, qui a également le don de faire des songes prémonitoires. Je rêve, moi aussi, mais pas comme elle. N'ayez crainte, vous aurez l'occasion de faire sa connaissance. Du reste, j'aimerais vous présenter nombre de personnes.

Je n'ai pas toujours été aussi joviale, tant s'en faut. J'en ai vu des vertes et des pas mûres avant d'apprendre à aimer la vie. Mais je n'ai jamais perdu espoir. Comme je l'ai déjà dit, j'ai connu mes pires années dans l'enfance. Sans elles, je n'aurais pas découvert ce qui valait vraiment la peine ni appris à survivre. Mais pour commencer je vais évoquer ma mère.

Si vous voulez un autre thé glacé, c'est maintenant ou jamais, parce qu'une fois que je serai lancée rien ne m'arrêtera plus. Aujourd'hui, je peux parler de maman sans avoir la gorge qui se serre, mais quand j'avais dix ans ! plutôt me crever un œil que d'entendre prononcer son nom, fût-ce du bout des lèvres.

1

Cœurs brûlés

1975

Ce jour-là, je ne pensais qu'à une chose : rentrer à la maison pour enfourcher mon vélo. A dix ans, passer le plus clair de mon temps enfermée dans une salle de classe bondée me semblait non seulement intolérable mais inutile. On était fin mai et il faisait déjà une chaleur à crever.

A chaque carrefour, on voyait des groupes de planchistes qui se rendaient à la plage. Les estivants commençaient d'affluer et j'avais hâte d'être en vacances pour pouvoir courir pieds nus, moi aussi.

A peine avais-je grimpé dans le bus de ramassage scolaire de trois heures moins le quart que je filais m'asseoir à côté d'une fenêtre. C'est drôle comme la mémoire efface certains détails et en retient d'autres. Par exemple, je me rappelle que je portais ma petite robe jaune paille à smocks verts et une paire de sandalettes vertes assorties. Je n'étais pas peu fière de ma tenue, qui faisait baver d'envie les filles de l'établissement scolaire élémentaire. J'avais peut-être les cheveux trop blonds, le teint blafard, et les cils et les sourcils presque blancs, mais j'étais incontestablement la plus élégante. Cela dit, belle robe ou pas, la température accablante et l'approche des congés d'été me mettaient de mauvais poil.

Tout en essayant de faire coulisser la vitre, je transpirais à grosses gouttes. Pourquoi, me demandai-je, les adultes, qui étaient censés veiller sur nous, se souciaient-ils si peu de notre bien-être ? A l'école, les bancs étaient si durs sous nos fesses qu'on passait notre temps à gigoter, comme si nos culottes avaient été pleines de poil à gratter. Nos cartables, trop lourds, nous déformaient la colonne vertébrale. Quant au réfectoire, c'était une véritable étuve. Nous vivions dans un environnement d'inconfort et de tracas perpétuels. Dans les toilettes, les serviettes en papier, rêches, exhalaient une odeur chimique si forte que nous nous essuyions les mains sur nos vêtements – tout au moins les filles qui, comme moi, obsédées par les microbes, se les lavaient.

Mais le pire de tout c'était le bourdonnement incessant de la voix des professeurs. Fin mai, le cours moyen me sortait par les yeux et j'avais hâte de grandir pour pouvoir faire respecter les droits des enfants. Ce jour-là, j'en voulais particulièrement au monde des grands quand je suis montée dans le vieux bus jaune bringuebalant du ramassage scolaire. Heureusement, il y avait le beau Léon au volant. Il était super-mignon, avec ses cheveux châtains qui lui tombaient devant les yeux. Nous en étions toutes folles et notre cœur se mettait à battre la chamade quand il nous décochait des œillades. Léon, élève de terminale, travaillait à mi-temps comme chauffeur. Comme j'habitais à l'autre extrémité de l'île, je descendais la dernière et restais plus longtemps avec lui que mes camarades. Mais parfois il démarrait la tournée par l'arrêt le plus éloigné puis revenait sur ses pas. Et c'est précisément ce qu'il a fait ce jour-là.

A l'arrière du véhicule, Eddie Williams (celui qui descendait en premier) était en train de faire une brûlure indienne à Patty Grisillo, qui se défendait en lui mordant le bras. Tous deux poussaient des cris d'orfraie. Et tandis que les copines de Patty bourraient Eddie de coups de cartable, ses potes s'esclaffaient en lui disant d'arrêter. Léon s'est mis à crier :

— Hé, c'est fini, ce bazar ! Eddie, ramène-toi ici, tu veux ? Ça va bientôt être à toi. Je commence par l'île !

Le bus avançait dans Middle Street à une allure d'escargot, gémissant et ahanant à chaque changement de vitesse. Quand un automobiliste impatient doublait, nous lui faisions des grimaces en l'abreuvant d'injures. Comment des chauffards osaient-ils dépasser un car scolaire ? C'était une preuve de plus du mépris des adultes envers les mômes. Une bonne contravention, voilà ce qu'ils méritaient !

Nous avons traversé le pont et pris la direction de la Quarante et Unième Avenue, au bout de l'île. Au fond, le chahut continuait de plus belle, malgré les rappels à l'ordre réitérés de Léon :

— Vous allez la fermer, bande de petits sagouins !

Au même moment, quelqu'un, Sparky Witte, je crois, a dit :

— Hé, regardez les bagnoles de police !

Le silence s'est fait d'un seul coup. Il y avait un attroupement du côté de chez moi. Des camions de pompiers ont surgi en rugissant et Léon s'est rangé pour les laisser passer. C'étaient les services d'urgence et de premiers soins de la caserne de Sullivan's Island. L'incendie devait être gigantesque. On les a suivis en roulant un peu plus vite, cette fois. Au niveau de la Quarante et Unième Avenue, un barrage interdisait le passage. Tous les gens étaient dehors. Léon a hésité, puis s'est arrêté et a attendu un moment. J'ai commencé à trembler, songeant qu'il était peut-être arrivé quelque chose chez moi.

— Soyez sages ! a lancé Léon.

Il est descendu et s'est approché d'un policier, sans doute pour lui expliquer qu'il avait une gamine qui habitait dans cette rue et lui demander ce qu'il devait faire. Le flic s'est approché du bus avec Léon, est monté à bord et a lancé :

— Anna Lutz ?

— C'est moi.

Je me sentais tout engourdie.

— Viens ici, petite.

A cet instant, quand j'ai regardé l'homme en uniforme qui portait un pistolet sur la hanche, j'ai eu le pressentiment que quelque chose de terrible était arrivé. Lillian, ma meilleure amie, a voulu m'accompagner, mais le gars a refusé.

— Non, seulement Anna !

Lillian s'est mise à pleurer et moi aussi. Je la revois en train de sangloter, tandis que les autres s'écriaient :

— Oh non ! Qu'est-ce qui s'est passé ? Tu nous appelles, Anna, d'accord ? D'accord ?

J'étais complètement affolée. Je me suis approchée du flic, qui s'appelait Bo. Quand il a pris ma main moite dans la sienne puis m'a débarrassée de mon sac à dos, j'ai commencé à craindre le pire. Et quand nous avons tourné au coin de la rue, j'ai vu que la maison était encerclée par les véhicules de police. J'ai eu si peur que j'ai eu envie de me mettre à courir. Mais je suis restée plantée là, avec Bo, attendant que quelqu'un m'explique. Pourquoi ce remue-ménage ? S'agissait-il d'un cambriolage ? Avait-on arrêté les coupables ? Nous avaient-ils dévalisés ? Y en avait-il encore sur place – ce qui aurait expliqué la présence policière ?

Les voisins étaient sortis dans la rue et se tenaient immobiles telles des statues. Les ambulanciers attendaient dehors avec une civière. Quand j'ai aperçu la voiture de papa, j'ai eu un coup au cœur. Etait-il à l'intérieur ? Et maman ? Où était-elle ? Où étaient mes parents ?

Puis mon père est apparu comme par enchantement. Il m'a soulevée de terre et prise dans ses bras. Il respirait si fort que j'ai paniqué. Je ne comprenais pas ce qui s'était passé, mais je savais qu'il y avait eu une catastrophe. Il a dit :

— Maman a… Maman a eu une crise cardiaque. Je suis désolé, Anna chérie.

Cela signifiait-il qu'elle était morte ? Il tremblait et avalait sa salive avec difficulté en me serrant contre lui. Puis il a toussé. Il a sorti son mouchoir et s'est mouché de toutes ses forces.

— Mon Dieu ! Pourquoi ? Comment ai-je pu laisser faire une chose pareille ?

Je n'arrivais pas à parler. C'est à peine si je parvenais à respirer. Papa avait-il quelque chose à se reprocher ? J'ai écarquillé les yeux sans rien dire. Maman était *morte* ? Mais non, c'était impossible. Les médecins sont entrés dans la maison. Peu après, ils en sont ressortis avec un corps sur le brancard. C'était maman. Ils l'avaient recouverte d'un drap. Les ambulanciers l'ont enfermée dans une sorte de sac à glissière. Quelques minutes plus tard, des policiers sont ressortis avec un homme. Sa chemise était déboutonnée et il m'a semblé qu'il portait des menottes. Qui était-ce ? Je me suis mise à crier.

— Qu'est-ce qu'il a fait à maman ?

— Chut ! s'est exclamée Miss Mavis, la voisine.

Elle a fendu la foule et m'a prise par le poignet comme si elle voulait m'emmener chez elle, à quelques mètres de là.

— Ce n'est pas un spectacle pour une enfant, Douglas ! Vous avez perdu la tête ou quoi ? Vous auriez dû l'amener directement chez moi. Viens, ma chérie !

Elle a commencé à m'entraîner au loin, papa fermant la marche. Il y avait longtemps que maman n'adressait plus la parole à Miss Mavis. Elles s'étaient disputées. De quel droit se mêlait-elle de tout ? Maman affirmait qu'elle avait la langue aussi longue qu'un câble téléphonique et qu'elle irait en enfer à force de cancaner. Mais quand j'ai vu que papa nous suivait, je n'ai pas osé protester. Ce n'était pas le moment de tenir tête aux adultes.

La maison de Miss Mavis m'avait toujours intriguée, mais je n'aurais pas aimé y vivre. Miss Mavis avait recueilli une telle quantité de chats qu'elle se sentait obligée de mettre une cartouche de désodorisant en forme de grenouille ou de coquillage sur chaque table, et il y avait des bols de pot-pourri dans tous les coins. L'odeur qui régnait dans ce lieu me portait sur le cœur. Quand Miss Mavis nous invitait à entrer pour prendre un biscuit, mes copines et moi, on se bouchait les narines. Et puis une fois dehors, vite, vite, pfft ! on reprenait notre respiration. On rigolait et on faisait mine d'avoir des haut-le-cœur.

L'espace était divisé en deux, le haut et le bas. Miss Mavis habitait à l'étage, d'où on apercevait la mer, et Mlle Ange, la bonne, vivait au rez-de-chaussée. Elle était beaucoup plus intéressante que Miss Mavis. Ses ancêtres avaient été esclaves et elle tressait des paniers comme personne. Elle connaissait un tas d'histoires, qui elles-mêmes en contenaient d'autres. Elle passait ses journées dans le jardin, sur l'arrière de la bâtisse, à faire de la vannerie, ébarber des épis de maïs ou éplucher des haricots. Quand il faisait trop chaud et qu'on était fatiguées de jouer à chat, mes amies et moi, on se faufilait jusque chez Miss Mavis pour faire un brin de causette à Mlle Ange.

— Eh les chipies ! Z'avez pas mieux à faire qu'embêter mam'zelle Ange ?

Elle nous dévisageait une à une, des pieds à la tête.

— Non, m'dame.

— Alors, je parie que vous voudriez un petit coup à boire ?

— Oui, m'dame !

Elle posait son ouvrage en soupirant, puis nous la suivions en file indienne jusqu'à la cuisine. Et presque aussitôt, elle se mettait à nous raconter des récits.

— Quand j'étais petite, on allait chercher l'eau à la pompe...

Une fois qu'elle était lancée, on ne pouvait plus l'arrêter.

— Eh oui ! Mon papa me disait : « Ange, comporte-toi comme tel et va remplir ce seau d'eau pour moi. Grands dieux ! Cette petite est forte comme un bœuf ! » Ah, mais vous n'avez pas idée comme les temps étaient difficiles ! J'espère que vous aidez vos mamans quand elles vous le demandent, hein ?

— Bien sûr, m'dame !

Nous mentions en chœur.

— C'est bien. Et pour vous récompenser, Ange va vous faire goûter sa limonade maison. Justement, ce matin, Ange s'est dit : « Je parie qu'il va faire une chaleur à crever ! Mieux vaut préparer un petit quelque chose pour ces gamines quand elles vont rappliquer, car c'est sûr qu'elles vont se pointer. » Allez, buvez-moi ça, et ouste ! Laissez-moi travailler !

De la limonade maison ! Miam ! Mlle Ange nous réservait chaque fois une surprise.

Miss Mavis était tout le contraire. Maman estimait qu'elle « se donnait des airs ». Elle avait une fille étudiante à l'université et un fils marié en Californie, qui voulait devenir une star. Elle aimait bien me montrer son press-book en prétendant qu'il avait décroché un rôle dans tel spot publicitaire ou telle série télévisée. Papa disait qu'il était complètement idiot d'avoir changé son nom, Thurmond, en Fritz. Moi, je trouvais les deux ridicules.

Bien qu'ayant toutes deux la langue bien pendue, Miss Mavis

et Mlle Ange n'en demeuraient pas moins des figures respectables et respectées du quartier. Mais n'en déplaise à Mlle Ange, qui ne voyait en nous que des fillettes pourries gâtées, j'ai connu ma part de misères.

Miss Mavis nous a précédés à l'étage, papa et moi, et aussitôt, une odeur de fleurs séchées et de pin des landes nous a pris à la gorge. Je me suis assise sur le canapé en pleurant et en hoquetant. Miss Mavis m'a tendu une boîte de mouchoirs dans un étui brodé au petit point qui représentait des magnolias sur fond rouge. C'était une adepte des travaux manuels.

— Je ne comprends pas. Qui était cet homme ? Est-ce qu'il a assassiné maman ? C'est un cambrioleur ?

— Non. Il ne l'a pas assassinée. Dieu nous en préserve ! Tu regardes trop la télévision !

J'ai éclaté en sanglots. Quelle réflexion déplacée ! Je n'étais pas en train de pleurer à cause d'une série télévisée ! Maman était morte ! Papa me frottait le dos comme s'il avait voulu faire un trou entre mes côtes. Il était sous le choc, lui aussi, et incapable de prendre la moindre décision.

— Allons, allons, Anna, nous allons nous moucher, à présent. Ton père et moi allons retourner chez toi pour voir ce qu'on peut faire. Toi, tu vas rester bien sagement ici jusqu'à notre retour, d'accord ?

— D'accord, ai-je répliqué.

Je songeai que les adultes avaient parfois des réflexions stupides, comme « *nous* allons nous moucher ». Miss Mavis était bien gentille, mais parfois elle me tapait sur les nerfs.

Lorsqu'elle et papa ont refermé la porte derrière eux, je me suis sentie très seule, confuse et désorientée. Je ne savais pas quoi faire pour m'occuper en attendant qu'ils reviennent. Regarder un programme télévisé me semblait incongru, comme téléphoner à Lillian. J'étais sonnée et ne comprenais pas comment une telle tuile avait pu m'arriver. Je me sentais si lasse que j'ai cru que mon cœur allait s'arrêter de battre. Imaginez que maman et moi mourions le même jour ? Je ne voulais pas disparaître. Il fallait que je me détende.

Le guéridon de salon de Miss Mavis était couvert de magazines et il y avait une profusion de cadres avec des photos sur les deux tables en bout de canapé. Les portraits de famille ne m'intéressaient guère, mais mon œil fut attiré par une photo de Miss Mavis en robe de mariée. En la voyant si jolie et si jeune, je me suis dit que le cliché devait dater de Mathusalem. Maman racontait que le mari de Miss Mavis était un sacré coureur, et qu'il avait fini avec un foie comme un caillou. Après son décès, Miss Mavis s'était mise à crier sur tous les toits que c'était un saint. Mais tout le monde savait que c'était faux. Même moi.

Papa, qui connaissait autant d'histoires que Mlle Ange, m'avait raconté celle du pirate Stede Bonnet. La légende voulait qu'il soit devenu aventurier pour échapper à sa mégère d'épouse. Résultat, il avait fini au bout d'une corde. Je n'ai jamais compris comment quelqu'un de cruel avec sa famille – et son foie – pouvait devenir un saint. Je n'étais pas absolument certaine du sens de « sacré coureur », mais je supposais que cela avait un rapport avec les femmes. Stede Bonnet aurait certainement conseillé au mari de Miss Mavis de rester chez lui et de se comporter dignement. Quoi qu'il en soit, toutes ces photos de personnes souriant béatement me rendaient triste, parce que maman prétendait que Miss Mavis et ses proches étaient de vrais débiles.

Maman. J'étais si fatiguée que je ne pensais qu'à m'allonger et à dormir. Au même moment, Mlle Ange est entrée, alors que je me croyais seule dans la maison, et m'a lancé :

— Allons, viens, petite. Ange t'a préparé un morceau à manger.

Mlle Ange disait rarement « je ». Peut-être pensait-elle que je n'arrivais pas à me souvenir de son nom. Je l'ai suivie jusqu'à la cuisine, où m'attendaient une part de tarte aux pêches et un verre de lait. Mlle Ange était l'unique cuisinière digne de ce nom de mon entourage. La tarte était si bonne que je l'ai engloutie en trois bouchées. Après quoi, j'ai tout vomi par terre et sur le devant de ma belle robe.

— Je suis désolée. Je suis allergique.

Je me suis remise à pleurer

— Ma pauvre chérie. Ce n'est pas grave. Le pollen est redoutable, cette année. Et il peut rendre très malade.

En réalité, j'avais usé d'un gros mensonge, car je ne voulais pas avouer à Mlle Ange que j'avais commencé à me sentir nauséeuse lorsque j'étais descendue du bus et que l'odeur des chats avait achevé de me retourner l'estomac. Ne percevait-elle pas cette puanteur ? Apparemment non. Elle m'a essuyé la figure avec une serviette en papier humide. Voyant que je tentais de retenir mes larmes, elle m'a dit :

— Viens.

Elle m'a emmenée dans la chambre de Merilee, la fille de Miss Mavis, a fouillé dans les tiroirs et en a sorti un grand tee-shirt, qu'elle m'a tendu.

— Ote ta robe. Je vais la passer tout de suite à la machine. Elle sera propre en moins de deux.

Elle était si gentille qu'il était difficile d'être mal à l'aise, mais je ne voulais pas me déshabiller devant elle. Alors j'ai attendu. Voyant qu'elle ne bronchait pas, j'ai persisté.

— Tu veux que je me retourne ? Très bien, mais tu sais, Ange en a vu d'autres.

— Désolée, c'est que je...

Elle s'est doutée que j'allais sangloter, parce qu'elle a répliqué :

— Allons, allons ! Vas-y, Ange va patienter dehors.

Elle est sortie de la chambre. Je me suis changée en quatrième vitesse et lui ai tendu le vêtement plein de vomi.

— Et maintenant, allonge-toi et essaie de dormir un peu. La journée a été rude, pas vrai ? Je viendrai te chercher quand ton papa reviendra. D'accord ?

Elle a refermé la porte derrière elle. Et pour la seconde fois ce jour-là, j'ai obéi aux ordres sans émettre la moindre protestation.

La chambre de Merilee était pleine de trucs que les filles ont l'habitude de collectionner. Les murs étaient couverts d'affiches d'Audrey Hepburn et autres stars de l'ancien temps. Audrey Hepburn était la seule que j'aie reconnue, parce que j'avais vu tous ses films avec maman. C'était une des rares choses qu'on faisait ensemble qui l'amusaient vraiment, car elle aimait ce qui était glamour. Son autre passe-temps préféré était le shopping et elle m'habillait chez Evelyn Rubin, dans King Street, à Charleston. Soudain, j'ai senti que ces après-midi de complicité allaient me manquer. Mon cœur s'est serré dans ma poitrine, car je ne m'imaginais pas courant les magasins avec papa.

Le lit de Merilee était couvert de lapins de Pâques et d'ours en peluche. Il y avait des livres, de vieilles poupées, des pompons de majorette, des photos de classe et des médailles de natation suspendues à un fil fixé au-dessus du miroir de la coiffeuse.

En temps normal, j'aurais fourré mon nez absolument partout, mais pas ce jour-là. J'avais les jambes en plomb et les paupières lourdes. J'ai grimpé dans le lit, poussé les nounours de côté, et posé ma tête sur l'oreiller frais et doux. Dès que j'ai fermé les yeux, l'image de la maison et des voitures de police m'est revenue. Maman est morte. Ma jolie maman a eu une crise cardiaque. Merde ! ai-je songé. C'était la première fois que je proférais un gros mot, même si ce n'était qu'en pensée.

— Merde à tout !

J'ai crié cela très fort, parce que j'en *avais le droit*. Je me sentais moite et nauséeuse, comme si j'allais recommencer à vomir. Alors je me suis tenue immobile et j'ai récité ma prière favorite plusieurs fois de suite. J'ai entendu une voix douce qui m'appelait dans la pénombre :

— Je suis désolée, Anna. Je suis désolée.

J'ai cru que c'était maman qui me parlait, qui me disait que ce n'était qu'un malentendu et que tout allait recommencer comme avant, mais c'était Miss Mavis. Elle était assise au bord du lit. Il faisait nuit et j'avais fini par m'endormir – et sombrer dans un sommeil noir et sans rêves. Elle a repoussé une mèche qui me tombait devant les yeux.

— Il est huit heures, Anna. Tu as faim ?

— Non, merci.

Je m'étais forcée à me montrer polie. Brusquement, j'étais hors de moi.

— Je t'ai préparé un bouillon de poule avec des toasts et un verre de Coca sur de la glace pilée. Je faisais toujours ça pour mes enfants, quand ils n'allaient pas bien.

Miss Mavis avait l'air si sincère et compatissante que j'ai hoché la tête. Elle a allumé la lampe de chevet, puis est sortie comme si elle pensait que j'allais la suivre. Mais moi, j'aurais bien balancé les animaux en peluche de Merilee par la fenêtre et fracassé la tête des poupées. J'avais envie de hurler. Où était papa ? Comment se faisait-il qu'il ne soit pas là ?

J'ai tiré sur le tee-shirt de Merilee pour me couvrir les cuisses et pris la direction de la cuisine. Miss Mavis m'a installée sur un tabouret, puis elle est allée ouvrir la porte d'entrée. Assise devant le bol de soupe fumant, je regardais Mlle Ange qui astiquait les comptoirs jusqu'à ce qu'ils brillent comme des miroirs. Ma robe, lavée et repassée, était accrochée à un cintre suspendu à une poignée. Je n'ai rien dit. Elle non plus. Rien ni personne n'aurait pu me rendre mon sourire. Je me suis mise à boire le Coca en regardant Mlle Ange.

Elle était aussi grande qu'une femme pouvait l'être sans se cogner la tête au plafond. Elle se tenait droite comme un I. Quand les garnements du voisinage et moi chapardions des prunes dans le verger chéri de Miss Mavis, elle nous menaçait d'appeler la police et nous faisait détaler comme des lapins. Mais certains jours, quand elle était bien lunée, elle venait nous chercher dans la rue pour nous faire goûter ses incomparables biscuits à la noix de coco et au chocolat.

« Je veux être sûre qu'ils sont mangeables, disait-elle avec un clin d'œil, parce que je veux les envoyer aux enfants de Miss Mavis. Alors, si jamais vous tombez malades, dites-le-moi, pour que je les jette à la poubelle, d'accord ? »

Nous riions sous cape puis nous jetions sur les gâteaux telle une meute de toutous affamés. Nous savions pertinemment que Mlle Ange les avait cuits pour nous. C'était quelqu'un qui savait se faire respecter.

Elle portait les cheveux tirés en arrière et rassemblés en un chignon serré. Son corsage blanc contrastait avec sa peau lisse, de la couleur des noix de pécan. Je lui donnais environ quarante ans, un âge canonique. Elle n'arborait jamais le moindre maquillage, détail que je trouvais fascinant. Peut-être parce que ma mère, elle, en abusait. Mais Mlle Ange n'avait besoin d'aucun artifice pour paraître plus belle. Ses cils fournis et recourbés formaient comme un dais au-dessus de ses yeux clairs, qui semblaient porter en eux la sagesse du monde.

— Tout ira bien, tu verras, dit-elle, rompant finalement le silence. Petit à petit, ça rentrera dans l'ordre. Maintenant, il faut manger.

— J'aimerais, mais je ne peux pas.

— Le bon Dieu prend soin de ses enfants, pas vrai ?

— Sauf votre respect, mademoiselle Ange, le bon Dieu ne va pas me renvoyer ma maman. Elle est morte. C'est fini !

— Ta mère était une belle femme, Anna, et la meilleure jardinière que j'aie jamais connue. Désormais elle est au ciel, en train de cultiver les fleurs du bon Dieu. Allons, avale ta soupe. Ce n'est pas bon quand c'est froid.

Mlle Ange m'a regardée si durement que j'ai cru qu'elle allait se fâcher, mais elle a changé d'avis et est venue s'asseoir à côté de moi. Elle a poussé un gros soupir et fait claquer ses mains sur ses cuisses.

— Tu veux que je te dise ?

— Quoi ?

— Ça ne met pas en appétit, un truc pareil.

— Quoi, la soupe ?

— Non, ma petite. Cette journée. C'est un vrai gâchis.

— C'est bien vrai.

J'ai posé la cuillère à côté du bol. Mlle Ange m'a contemplée un long moment au fond des yeux, comme si elle voulait me transpercer du regard pour voir le mur qui se trouvait derrière moi.

— Dieu sait que je suis croyante, Anna, et que je vais chaque dimanche à l'église. Le pasteur affirme que le bon Dieu a des plans, que les voies du Seigneur sont impénétrables et tout ça. Mais moi – que la foudre me frappe ici même, dans cette cuisine –, je crois qu'il se passe des choses qui ne sont pas l'œuvre de Dieu. Les gens agissent de manière terrible, invraisemblable, et ce sont les innocents qui trinquent. Rien de tout ça n'aurait jamais dû arriver.

— Non.

Mes larmes ont jailli à nouveau et je me suis essuyé les yeux avec la main. Pourquoi Mlle Ange disait-elle cela ? Je n'arrivais pas à fixer mon attention. Je parvenais à peine à tenir assise. J'avais les jambes en coton, mais Mlle Ange continuait à faire comme si j'avais envie de l'écouter.

— Non, ça n'aurait jamais dû arriver, répéta-t-elle en me tendant un mouchoir en papier. Je suis si triste. Pleure, Anna, pleure, va. Ça fait du bien.

J'ai croisé les bras sur le comptoir, puis j'ai posé la tête dessus et sangloté. Pourquoi disait-elle que cela n'aurait jamais dû arriver ? Savait-on ce qui s'était réellement passé ? J'aurais voulu me lever et prendre mes jambes à mon cou. Si je me mettais à courir droit devant moi, sûrement que je me sentirais mieux. Je voulais qu'il fasse jour, pas nuit. L'obscurité m'inquiétait. Plus rien n'était comme avant. Je désirais rentrer chez moi, claquer la porte de ma chambre et m'enfermer à double tour. Je voulais papa. Et, surtout, maman.

Mon père était probablement à la maison. J'ai subitement compris que je ne pouvais pas y aller, même pour prendre des vêtements. On m'avait dit de rester tranquille. En temps normal, je serais passée outre à ces recommandations, quitte à être punie. Mais ce soir-là, j'étais paralysée par la peur.

— Je n'ai pas le droit de bouger d'ici.

J'ai regardé Mlle Ange ; ma figure devait être tordue, parce que ma mâchoire était si crispée qu'elle me tirait. Je me suis mise à trembler et, pour finir, j'ai éclaté en sanglots.

— Qu'est-ce que je dois faire ? Rester auprès de vous et attendre sans broncher ?

Mon désarroi a dû toucher Mlle Ange, car elle m'a regardée autrement. Subitement, elle a réalisé que la chipie pourrie gâtée n'était qu'une môme qui n'avait plus de maman, ne pouvait pas dormir dans son lit et devrait endurer le chagrin de son père.

— Il ne faut penser à rien, pour l'instant, a-t-elle dit. Ecoute-moi bien, Anna. Ton papa est un brave homme et tu es une gentille gamine. Le Dr Douglas espère que tu te comporteras en grande fille. Ni toi ni lui ne méritiez une telle catastrophe, mais c'est arrivé tout pareil. Et si vous commencez à perdre la boule, ça ne va pas arranger les choses. Alors tu vas te montrer raisonnable. Pas vrai ? Je parie que ton père aussi a de la peine.

— Oui.

La vérité, c'est que je me fichais comme d'une guigne de ce

que pouvaient ressentir les autres. J'étais si sonnée que je n'arrivais à penser à rien ni à personne. J'ai cessé tout net de pleurer et laissé monter la colère que je portais en moi. J'ai serré les mâchoires et n'ai plus rien dit.

Il y avait des gens dans le séjour. Toutes les dix minutes, la porte d'entrée s'ouvrait et se fermait. Papa était probablement de retour, mais pourquoi n'était-il pas venu me voir ? Un grand coup de klaxon a retenti sur l'arrière de la maison.

Mlle Ange a eu l'air contrariée. Elle s'est précipitée et a crié :

— Chut ! J'arrive !

Elle est allée chercher son sac dans le placard et s'est tournée vers moi.

— C'est mon neveu. Je lui avais promis d'aller voir son bébé, ce soir. Pfft ! Le voilà père de famille, lui qui n'a pas deux grammes de cervelle. Tiens, ta robe ! Elle est propre.

Elle l'a montrée du doigt. Je l'avais complètement oubliée.

— Merci, ai-je répliqué en prenant sur moi. Elle est chouette.

— Je suis contente de pouvoir me rendre utile. Ça va aller ?

— Oui.

— Très bien. Miss Mavis et moi, on va vous aider, ton père et toi. Ne t'inquiète pas. Demande juste au bon Dieu de te donner de la force et Il t'en donnera. Compris ?

— Compris, mademoiselle Ange.

Elle s'est arrêtée sur le seuil et m'a décoché un petit sourire affectueux.

— Très bien.

Et elle est sortie.

J'ai jeté la soupe froide dans l'évier, puis je suis allée dans le salon, plein à craquer de voisins. Je me suis approchée de papa. Il m'a caressé la tête et pincé affectueusement l'épaule en continuant à m'ignorer. Personne ne se comportait normalement. Miss Mavis et mon père devisaient au-dessus de ma tête. Voyant qu'ils ne s'intéressaient pas à moi, je me suis éloignée. Papa, assis dans un coin, tantôt parlait tantôt se prenait la tête entre les mains, les coudes posés sur les genoux. Il écoutait en hochant du chef et, de temps en temps, se levait pour échanger une poignée de main. En voyant qu'il avait les yeux rouges et gonflés derrière ses lunettes cerclées de métal, j'ai réalisé qu'il avait pleuré, même si je ne l'avais pas vu verser de larmes. Tout à coup mon cœur s'est serré à la pensée qu'il s'était laissé aller en secret, alors que nous aurions dû nous consoler l'un l'autre. C'était à cause de maman que nous avions tous ces malheurs. Mais pourquoi ? Pourquoi nous ?

Les gens n'arrêtaient pas d'entrer et de sortir. Quand Lillian et sa mère sont arrivées, avec un bouquet de fleurs pour moi, cela m'a contrariée. Elles m'ont tendu un sac de chez Belk ; il contenait une chemise de nuit et des petites culottes. On avait dû leur dire que je ne dormirais pas chez moi, ce soir-là. Quand j'ai compris qu'elles détenaient des informations que j'ignorais, cela m'a mise hors de moi.

Tous ceux qui débarquaient apportaient quelque chose : des fleurs, du Coca, un gâteau. Quand j'ai vu ces présents étalés devant moi, j'ai pris la mesure du changement irrémédiable qui s'était produit dans ma vie. Je me suis mise à respirer de plus en plus vite et fort, comme si j'allais avoir une crise de panique. Lillian a eu peur. Elle m'a serrée dans ses bras, pensant sans doute que cela me calmerait. Mais je me suis débattue. Je suffoquais et j'essayais de reprendre mon souffle.

— Laisse-moi !

— Laisse-la, a dit sa mère à Lillian en l'entraînant au loin. Anna a eu un gros chagrin. Ma pauvre chérie, nous sommes désolées pour toi et ton papa, a-t-elle poursuivi en se tournant vers moi. Ne t'inquiète pas. Les grands vont se charger de tout arranger en un rien de temps.

— Merci.

Je m'efforçais de faire bonne figure, même si j'étais à deux doigts de craquer. Jamais un adulte ne m'avait tenu propos plus stupide. « Les *grands* vont se charger de tout arranger »… Mais n'étaient-ils pas précisément à l'origine de ce gâchis ?

J'avais beau n'être qu'une gamine, je n'en étais pas moins une fille du Sud. Dès la première enfance, on m'avait rebattu les oreilles avec la guerre civile et la lutte pour les droits civiques. Quand un conflit s'achevait, un autre éclatait. Et ni le temps ni les beaux esprits n'y pouvaient rien. Non mais, je vous le demande, comment les *grands* auraient-ils pu arranger quoi que ce soit ? Je n'avais plus de maman. Elle avait disparu dans des circonstances obscures. Sans quoi la police n'aurait pas arrêté un homme. A l'heure qu'il était, notre maison devait grouiller de flics. Personne ne voulait rien me dire et je n'avais pas assez de culot pour oser poser des questions.

Non. Nul ne pouvait rien pour moi. Etait-il possible qu'il y ait des êtres assez idiots pour croire qu'ils parviendraient à arranger les choses ? Oui, apparemment. Comme ma grand-mère paternelle, par exemple. Juste au moment où je songeais que je n'arriverais pas à tirer les vers du nez à qui que ce soit, j'ai entendu papa qui disait :

— Ma mère arrive demain.

Informée par téléphone, Violette, qui vivait à Estill, et qui insistait pour se faire appeler grand-mère – pas mamie, ni grand-maman ni bonne-maman –, serait ici le lendemain matin. Super ! Il ne manquait plus que ça ! ai-je pensé.

C'était la femme la plus désagréable qui soit. Elle passait son temps à critiquer tout le monde. Elle n'aimait pas maman, qu'elle surnommait la « croqueuse de diamants » derrière son dos. Les adultes ont l'impression que les enfants ne se rendent compte de rien, mais même quand Violette chuchotait, ses paroles résonnaient à travers la maison. Dès qu'elle élevait le ton ou éclatait de rire, les chiens du quartier se mettaient à hurler à la mort. Je ne plaisante pas. Je ne cherchais pas à l'espionner, mais sa voix portait tant qu'il était impossible de ne pas l'entendre. Maman n'était peut-être pas issue d'une famille qui se vantait d'avoir réussi par ses propres moyens, comme celle de grand-mère, mais elle avait été reine de beauté et parlait normalement. Et puis, s'il y avait des diamants à croquer quelque part dans la maison, je ne les avais pas remarqués...

Peut-être, me disais-je, que la mort de maman était si brutale et terrible que Violette se montrerait gentille, pour une fois. Mais au fond de moi j'en doutais. Je suis allée me brosser les dents dans la salle de bains du couloir, avec une brosse neuve, trop large pour ma bouche. J'avais décidé qu'il valait mieux que je reste à l'écart des gens, même si je les entendais jacasser par la porte entrouverte.

La femme du pasteur a raconté qu'elle allait organiser une réception en notre honneur. Quelqu'un s'est proposé pour passer les coups de fil. Le meilleur ami de papa, médecin lui aussi, est arrivé avec une bouteille de whisky enveloppée dans un sac en papier et une poupée Barbie. Comme il ne savait pas quoi faire pour me remonter le moral, il avait pensé que cela me consolerait. Du coup, il a été question de moi. Qui s'occuperait de moi, l'après-midi, après l'école ? Une suggestion a fusé dans l'assistance.

— Vous pourriez la mettre en pension.

Je n'en croyais pas mes oreilles. J'étais là, dans ma chemise de nuit neuve, et brusquement, les injures sont sorties de ma bouche telle l'eau d'un barrage quand la digue explose. Je me suis mise à hurler.

— Mais qu'est-ce qui vous prend ? Qu'est-ce que c'est que ces simagrées ? Vous ne voyez pas que je vais mal ? J'ai vomi tout à l'heure ! Qu'est-ce que c'est que cette histoire de pensionnat ? J'ai une école, et je vais y retourner demain ! Je n'ai même pas fait mes devoirs !

Les uns et les autres sont restés interloqués. Jamais je n'oublierai leur expression dépitée quand ils ont réalisé qu'ils m'avaient complètement oubliée. Miss Mavis avait raison : je n'aurais pas dû voir le corps de ma mère emballé dans une bâche à cadavre. Je voulais que tout le monde débarrasse le plancher en quatrième vitesse.

Debout, pieds nus, la brosse à dents dégouttant sur le parquet et les cheveux en bataille, je soutenais les regards. J'étais déchaînée, tel un démon sorti de l'enfer. Ces gens poussaient papa à trancher et moi, j'attendais qu'on me laisse seule avec lui pour pouvoir lui parler. Et puis soudain, comme si quelqu'un avait crié « Action ! », tous se sont remis à parler ensemble et à me prendre à partie :

— Ma poulette, certaines décisions doivent être prises sur-le-champ. Il faut régler les choses, n'est-ce pas, Doc ?

— Ma petite, nous savons que tu aimes cette île. Tous les enfants adorent y vivre. Ne t'inquiète pas. Tu n'iras pas au pensionnat.

35

— Oh ! mais regarde-toi ! Tu as subi un très gros choc !

— C'est plus qu'elle ne peut en supporter, Doc ! Il faut la mettre au lit. Il est dix heures passées.

Papa a fendu la foule et m'a prise dans ses bras.

— Viens, mon petit haricot, a-t-il dit d'une voix fatiguée. Papa va te porter jusqu'à ton dodo et te raconter une histoire. Pas d'école pour toi demain.

Je l'ai laissé parler, parce que je ne voulais pas le contrarier, mais ce soir-là j'ai compris que j'étais trop grande pour me faire border par mon père. Je me sentais minuscule et frêle, mais je ne voulais pas qu'il le sache. Il m'a frotté le dos et m'a murmuré ce que j'avais envie d'entendre.

— On va rentrer à la maison demain matin. Je t'aime, ma chérie, et je ne veux pas que tu t'inquiètes.

— Je vais t'aider, papa ! J'ai presque onze ans, et il y a un tas de trucs que je sais faire. Comme les œufs brouillés.

Dans la lumière tamisée de la chambre de Merilee, je l'ai vu esquisser un sourire.

— Je sais, Anna. Tu as beau grandir à vue d'œil, tu seras toujours mon bébé adoré. Ne l'oublie pas.

Il s'est relevé et s'est approché de la fenêtre.

— Papa ? Papa ? ai-je insisté, car il ne répondait pas.

— Oui ?

Il s'est tourné vers moi. Etait-ce la lueur de la veilleuse qui jetait des reflets bleuâtres sur ses traits ? Il paraissait épuisé. Et vieux.

— Comment est-ce arrivé ?

— Je l'ignore... Je ne sais pas exactement. Tu vas essayer de dormir, d'accord ?

Il m'a embrassée sur le front et est sorti de la pièce sans refermer complètement la porte. Si j'avais besoin de lui, je n'avais qu'à l'appeler, comme quand j'étais petite et que je faisais des cauchemars. Après tout, papa était pédiatre et comprenait les enfants. La plupart des gens l'appelaient Doc, ce qui laissait entendre qu'on pouvait compter sur lui dans les situations difficiles.

Sauf que ce soir-là je n'ai pas pu trouver le sommeil. Et papa n'est pas venu pour s'assurer que je dormais sur mes deux oreilles. Je l'ai appelé une ou deux fois, mais il ne s'est pas manifesté. Jusque très tard dans la nuit, la porte de Miss Mavis a continué à s'ouvrir et se fermer. Les voisins venaient présenter leurs condoléances et offrir leur aide. C'était gentil à eux, mais ils parlaient fort et j'aurais voulu qu'ils se taisent. Et puis, comment se faisait-il que papa ne vienne pas me voir, ne serait-ce qu'une fois ?

J'ai entendu la voix du commissaire Jackson.

— Je suis désolé, docteur Lutz. Ils étaient au lit. Nous avons mis le type sous les verrous, à Charleston. Apparemment, il a fait une injection de nitrite, une substance psychotrope, à votre femme, qui a eu un arrêt cardiaque. On va lui ôter sa licence ; il ne pourra plus exercer comme pharmacien...

Ils étaient au lit ? Maman, avec ce type ! Et il l'avait droguée ? J'avais beau n'être qu'une gamine, une chipie pourrie gâtée, je savais ce que cela signifiait : maman était une prostituée. A partir de cet instant, j'ai su que jusqu'à la fin de ma vie je la mépriserais. J'avais tellement honte que j'aurais voulu mourir. Mais le pire de tout, c'est que papa ne pourrait plus jamais me raconter que cela s'arrangerait.

2

Rien ne va plus

Mai 2002

Si je vous racontais ce qui m'est arrivé depuis la mort de maman, en 1975, vous n'en croiriez pas vos oreilles. Pourtant, c'est la pure vérité. Je me suis mariée, j'ai accouché, j'ai divorcé, je suis retournée vivre chez mon père, j'ai fait l'école de coiffure, j'ai élevé Emily, ma fille, et appris tant de choses que rien que d'y penser j'en ai le tournis.

Sans vouloir me vanter, s'il y a quelqu'un qui a la main verte sur cette terre, c'est bien moi. Côté cuisine aussi, je touche ma bille. Mon poulet et mes travers de porc à la mode de chez nous sont délectables. Mais bon, j'arrête là. Je ne vais tout de même pas vous raconter ma vie par le menu, alors qu'un simple balayage devrait suffire. Balayage... Vous pigez ? Humour de coiffeuse. Déformation professionnelle, si vous préférez.

Où en étais-je, déjà ? Ah, oui ! La situation actuelle. Je vais vous confier un secret connu de moi-même et de la Banque fédérale de Caroline du Sud. En dépit du fait que les intérêts ne volent pas bien haut, j'ai réussi à mettre soixante-quatorze mille huit cent quatre-vingt-trois dollars de côté et à éponger mes dettes. Ma parole, je ne pensais pas que cela arriverait un jour ! Comme quoi, il ne faut jurer de rien. Cependant, il subsistait un obstacle de taille entre mon rêve de maison au bord de l'eau et moi. *Papa*.

Quand j'ai réalisé que j'allais péter un câble si je continuais à vivre avec lui, j'ai décidé de partir. Sauf que j'avais une trouille bleue, pour la bonne et simple raison que je n'avais pas appris à voler de mes propres ailes.

J'adore quand d'aucuns vous balancent « Vis ta vie ! » et autres lieux communs – si vous voulez qu'on vous prenne au sérieux, un bon conseil, évitez les clichés ! Un chauffard fait une queue de poisson à un automobiliste ; « Vis ta vie ! » lui crie-t-il. Quand je vois mon père qui passe son temps devant la télévision, je rumine intérieurement : « Vis ta vie ! » Et vous ne savez pas la meilleure ? Ce slogan débile a fini par me revenir en pleine figure. Il était temps ! Frannie et Jim m'ont ouvert les yeux, avec tout le tact et la délicatesse qui les caractérisent.

Frannie est à Washington et Jim à San Francisco. Ce sont mes meilleurs amis et on se connaît depuis... l'éternité. Chaque mois on fait une téléconférence à trois et la semaine dernière, ils m'ont bien remonté les bretelles. Il faut avouer que je ne l'avais pas volé.

— Anna, hou ! hou ! a lancé Jim. Frannie et moi, on en a plus qu'assez de t'entendre pester contre Doc. Ça commence à sentir le renfermé, tu ne crois pas ? Comme un vieux falzar à carreaux oublié dans un placard.

— Ouais, avec une saharienne mitée et rembourrée aux épaules, a ajouté Frannie.

— Bon, bon, ça va ! ai-je répliqué, sur la défensive. Si on ne peut plus se confier à ses copains, maintenant.

— Oublie ça ! C'est du passé !

Frannie en a rajouté une couche.

— Jim a raison, Anna. Ça va faire deux ans que tu n'es pas sortie. Depuis quand n'as-tu pas mis les pieds au cinéma ? Sais-tu seulement qui est Cameron Diaz ?

— Evidemment, mais je ne vois pas le rapport.

— Ecoute, ma cocotte, Jim et moi, on a l'impression qu'en sortant du boulot, tu rentres direct à la maison, tu fais un peu de jardinage, tu prépares le dîner, et au lit. Et comme ça chaque jour ! Ma parole, une vraie mémé de soixante-dix ans ! Comme dirait ma grand-mère de Waterford, un peu de bon temps ne te ferait pas de mal. Sors, Anna, ça te changera les idées, et tu verras que ton père ne sera plus un problème. Et nous non plus !

— Anna ? Il est temps de t'émanciper et d'en finir avec cette vie de nonne.

J'ai poussé un gros soupir de frustration. Qu'ils aillent au diable ! J'ai horreur qu'on me mette le nez dans ma crotte.

— C'est bon, j'abdique. Vous avez raison. D'accord ?

J'ai commencé à mâchonner une mèche de cheveux, un tic dégoûtant que j'ai pris quand j'étais gamine et dont je n'arrive pas à me débarrasser.

— D'accord. Sache juste qu'on a horreur de te voir dans cet état. Anna, Frannie et moi, on t'aime !

— Jim a raison. Il est temps que tu coupes le cordon. C'est fini l'époque où les femmes vivaient chez leur père jusqu'à la ménopause.

La *ménopause* ! Au secours ! Très peu pour moi ! Parfois, la réalité est redoutable.

— Frannie ? Très bien. Vous avez raison. Ecoutez, je sais que vous allez tomber des nues, mais il se trouve que j'ai justement commencé à chercher une maison sur l'île aux Palmiers.

— Quoi !

— Sans blague ! Depuis le temps ! a renchéri Jim.

Je l'ai entendu qui se redressait sur son siège, alors que Frannie laissait échapper un hoquet de stupéfaction.

— J'espère que tu n'as pas oublié la chambre d'amis, s'est-elle écriée. Avec vue sur la mer, tant qu'à faire.

— Tu peux toujours rêver, mais n'empêche que je cherche en me disant qu'une occasion finira par pointer le bout de son nez.

— En tout cas, ma poupée en sucre, s'il y a une nana qui mérite une baraque au bord de l'océan, c'est bien toi !

J'ai ri quand Jim m'a appelée « poupée en sucre ». Je leur ai expliqué que je faisais régulièrement les annonces et que j'avais mis un agent immobilier sur le coup. On est tombés tous les trois d'accord sur le fait qu'il était essentiel que j'aie une résidence à moi, tant pour ma santé mentale que pour ma relation avec Emily.

— Dieu est grand, Anna, mais sache que si tu déniches la

bâtisse de tes rêves, ce vieux Doc va se mettre à hurler à la mort !

— Eh bien, qu'il hurle ! Car je finirai forcément par m'en aller. Le seul problème, c'est que je ne sais pas comment je vais le lui annoncer.

— Ecoute ton ex-mari, fillette. Tu lui sortiras exactement ce que Frannie et moi t'avons dit.

— Ben voyons ! Et tout va s'arranger comme par enchantement !

Au fait, Jim est effectivement mon ex, mais nous y reviendrons dans quelque temps. Pour l'heure, je vous avouerai simplement qu'il était mon plus grand et cher amour, même si ses hormones le destinaient à une union d'un autre type. Quant à Frannie, chasseur de têtes et membre de l'un des plus puissants lobbies de Washington, elle avait pistonné Emily pour qu'elle entre à l'université de Georgetown, au lieu de se retrouver dans une école pour ratés. En féministe convaincue, elle estimait en effet que chaque femme devait se voir donner sa chance. Elle et Jim m'avaient toujours soutenue, mais je voyais bien qu'ils commençaient à en avoir assez de me servir de béquille.

— En tout cas, je cherche activement. L'argent dont je dispose à la banque me permet de verser un acompte et je suis sûre de pouvoir obtenir un crédit. Après tout, ça fait des lustres que je travaille chez Harriet.

— Si tu as besoin de quoi que ce soit, n'hésite pas, a proposé Jim.

— Merci, mais je veux me débrouiller seule.

— Tu en es certaine ? a repris Frannie.

— Oui. Mais je vous appellerai à l'aide en cas de besoin.

— N'oublie pas de prévoir une chambre pour moi. Je veux que tout San Francisco sache que j'ai un pied-à-terre sur la sulfureuse île aux Palmiers !

— Et avec vue sur la mer, s'il te plaît !

— N'ayez crainte, je prends note.

Et voilà comment j'ai compris que je devais cesser d'accuser mon père de tous mes maux, sous peine de perdre la considération de mes proches. Cette petite téléconférence avait mis le feu aux poudres. Et après avoir raccroché, je me suis sentie investie d'une mission.

Avec une opiniâtreté d'inspecteur du fisc, j'ai commencé à éplucher les annonces, à écrémer la rubrique nécrologique – en tout bien tout honneur, naturellement –, car la seule façon de dénicher une « maison de style » était d'attendre que quelqu'un casse sa pipe. Si le défunt était âgé de plus de quatre-vingts ans, ses enfants, selon toute vraisemblance, seraient déjà installés dans des villas neuves en front de mer, avec double vitrage et portes blindées, et se déferaient du bien familial pour régler au plus vite la succession.

Marilyn Davey, l'agent immobilier, me talonnait sans répit. Dès qu'elle avait repéré une baraque dans mes prix, elle m'appelait et on filait la voir. Trop tard. Le temps d'arriver, elle était déjà vendue. Assise au volant de sa BMW bleu marine, Marilyn pestait en silence. Puis elle descendait de voiture et se répandait en excuses.

— Anna ! Je vous assure que nous venions de rentrer cette offre le matin même !

A quoi je répondais invariablement :

— Ne vous en faites pas. Le moment venu, celle qui m'est destinée finira par se présenter.

J'avais beau savoir que les autres acheteurs raisonnaient comme moi, je gardais espoir, convaincue que la justice divine se manifesterait prochainement par le biais d'une intervention intergalactique et multidimensionnelle pour m'adjuger la place qui me revenait sur cette planète. Hep ! là-haut ! J'ai le droit d'avoir ma chance, moi aussi ! Bien que n'ayant jamais fait partie de ces personnes qui s'imaginent que tout leur est dû, je croyais dur comme fer que mon heure avait sonné. Le destin m'avait exilée, enfant, loin de l'île et plus tard, avait obligé ma fille à vivre sous le même toit que son grand-père, de sorte que chacun de nous avait eu son lot de misères.

Je ne demandais pas une somptueuse propriété ouvrant sur l'océan, pour la simple raison que je n'en avais pas les moyens, mais une maison toute simple aurait suffi à combler mes vœux les plus chers.

Enfin, une excellente nouvelle ! M. Randolph Simmons,

quatre-vingt-huit ans, s'était étranglé avec une bouchée de porc rôti à l'occasion d'un pique-nique familial. Sur le coup, ses enfants, qui étaient en train de jouer au football américain, crurent qu'il était en train de faire une crise cardiaque. Plus tard, lorsqu'ils découvrirent qu'une simple manœuvre de Heimlich aurait pu lui sauver la vie, ils furent dévastés par le chagrin et la honte. Leur culpabilité joua en ma faveur. La demeure me convenait parfaitement. Au moment même où j'avais vent du décès de M. Simmons par une cliente, Marilyn l'apprenait par un membre de la famille. Une coïncidence que j'interprétai comme un signe du ciel, vu que les occasions à un prix raisonnable ne restaient que quelques secondes sur le marché. Et par un curieux caprice du destin, le bien ne se trouvait qu'à quelques mètres de l'endroit où j'avais vécu étant môme. J'ai fait une offre et tope là ! Marilyn et moi sommes tombées dans les bras l'une de l'autre en poussant des cris de joie, telles deux gamines.

Il ne me restait plus qu'à annoncer la nouvelle à papa. J'ai transpiré à grosses gouttes tout au long du chemin. Sitôt arrivée, j'ai filé dans ma chambre pour appeler mes gourous.

— Jim ? Ne quitte pas. Je contacte Frannie.

— Allô !

— Alors ! a lancé Jim. Tu te décides à parler, oui ou non ? Je te signale que je suis en pleine dégustation de merlot et qu'en Californie on ne plaisante pas avec le pinard !

— Oui, a renchéri Frannie. Et moi, je suis attendue au Capitole pour un dîner avec les guignols de chez Merrill Lynch.

— Bon ! J'ai une grande nouvelle.

— Doc s'est trouvé une nana ?

— Ce serait trop beau, a enchaîné Frannie. Et puis, ça ruinerait ses chances de jouer les martyrs.

J'ai ri.

— Non, rien de neuf du côté de papa, mais moi, j'ai débusqué l'objet de mes rêves !

Cris de joie.

— Sans blague !

— Raconte, mais fais vite ! Je dois filer dans deux minutes.

— Ce n'est pas Versailles, mais c'était la seule chose dans

mes prix. Et toutes les suggestions de déco seront les bienvenues.

— Pas de problème. J'ai des meubles à ne plus savoir qu'en faire, a dit Jim. Ça donne sur la plage, au moins ?

— Bien sûr que non, mais un sentier permet d'accéder à la mer, de l'autre côté des dunes. Et puis, il y a un grand jardin, ce qui signifie qu'il est possible d'agrandir. Forcément, il existe un revers à la médaille.

Question finances, Jim et moi ne vivions pas dans le même monde, et les meubles qu'il avait en tête seraient mille fois plus beaux que ce que j'aurais pu m'offrir.

— Laisse-moi deviner, a dit Frannie. Doc va se suicider ?

— En gros, c'est ça.

— Mince ! s'est exclamé Jim.

— Comment dois-je lui annoncer la nouvelle ?

Ils se sont tus pendant un petit moment, puis Frannie a dit :

— Il comprendra, Anna. J'en suis sûre.

— Parle carrément, et gentiment, a ajouté Jim. Ce vieux Douglas t'adore. Ça n'est tout de même pas comme si tu partais vivre en Patagonie !

— C'est vrai. Je vous rappelle demain pour vous tenir au courant.

— Tu ne peux vraiment pas te passer de nous, a plaisanté Jim.

— En cas de besoin, tu peux me joindre ce soir chez moi vers dix heures.

— Allez, merci à vous deux. Je vous aime à la folie !

Comme il faisait encore jour, j'ai décidé de sortir désherber les plates-bandes en attendant le retour de papa. Pour moi, le jardinage, c'est un peu comme la méditation. J'entre en communication avec la nature et mes problèmes finissent par trouver des réponses. Mais d'abord, je suis allée jeter un coup d'œil au poulet que j'avais mis à mijoter. Quand j'ai soulevé le couvercle, un parfum exquis de céleri et d'oignon s'est répandu dans la cuisine. J'ai plongé une fourchette dans la sauce onctueuse et appétissante, et piqué un champignon. J'ai soufflé dessus pour le refroidir, puis je l'ai englouti.

— Fichtre ! Sans vouloir te vanter, cet oiseau-là, tu l'as rudement bien réussi !

Rien de tel qu'une pointe d'humour pour se calmer les nerfs ! Pour finir, je suis sortie dans le jardin et ai commencé à arracher les mauvaises herbes qui poussaient entre les azalées. La voiture de papa a vrombi dans l'allée. Mon cœur s'est serré dans ma poitrine. Le moment de vérité approchait, comme disait mon père quand arrivait mon bulletin scolaire. D'une main, je tenais le basilic que je comptais mettre dans la salade de tomates et de l'autre, le persil pour garnir la volaille. Je me suis approchée de papa, un sourire forcé aux lèvres.

— Salut ! Comment s'est passée ta journée ?

— Bonsoir, ma chérie ! Voyons, a-t-il dit en saisissant sa sacoche de toubib à l'arrière de la grosse Buick. Trois gastroentérites, quatre otites, une série de vaccins contre la polio et une crise d'appendicite. Un jour ordinaire, en somme.

Il n'avait rien remarqué d'anormal. Tant mieux.

Je l'ai suivi jusqu'à la maison et ai commencé à mettre la table pendant qu'il ouvrait le courrier. Chaque soir, c'était la routine, les mêmes mots répétés un million de fois et qui avaient le don de me mettre les nerfs en pelote :

— Si tous les tracts publicitaires étaient des billets de banque, on serait milliardaires. Il reste de la bière ?

J'ai eu un pincement au cœur. Je suis allée jeter un coup d'œil dans le réfrigérateur et après avoir farfouillé un moment, j'en ai ressorti une Corona Light. Je buvais de la Corona et papa préférait la Beck's. A la vue de la canette, il allait s'écrier : « Hum, de la pisse d'âne ! »

— Je vais faire un saut à l'épicerie.

Maintenant, sûr qu'il demanderait quand on passait à table.

— Hum, de la pisse d'âne ! Dans combien de temps dîne-t-on ?

Qu'est-ce que je vous disais ! La crème des hommes, mais insupportable. En tout cas, nos joutes oratoires ne risquaient pas de me manquer quand j'aurais déménagé.

J'ai servi le poulet avec des pains de maïs et on a

commencé à se restaurer. Papa n'allait pas manquer de s'enquérir de mon emploi du temps du jour.

— Eh bien, comment s'est passée ta journée ? C'est délicieux, Anna.

— Merci. Comme d'habitude, aujourd'hui, j'ai écouté mes clientes jacasser. Savais-tu qu'Alex Sanders avait démissionné de l'université de Charleston ? Il s'apprêterait à se présenter aux élections sénatoriales. Il brigue le siège de Thurmond.

— J'ai beaucoup d'estime pour Sanders, mais si Thurmond se sent encore d'attaque, je ne vois pas pourquoi il lui céderait la place.

Nous n'étions pas encore nés, papa et moi, que Storm Thurmond était déjà sénateur. Désormais âgé de cent ans, il semblait bien parti pour durer jusqu'à la fin du monde. Car même s'il avait tendance à piquer du nez pendant les réunions, tout le monde allait voter pour lui. Les Charlestoniens étaient attachés à la tradition. Et tant pis si le reste de la nation se gaussait. Et d'ailleurs, savait-elle seulement ce qui était bon pour nous, la nation ?

— Moi, je crois que Sanders a toutes ses chances.

En fait, je n'en étais pas sûre du tout, mais je le trouvais brillant et plein de charme. En outre, c'était un homme intègre, contrairement à ces messieurs de Washington. Et puis, j'avais besoin de changement, et enfin, cette petite discussion politique était une façon détournée d'en venir au sujet qui me tenait à cœur.

— En tout cas, j'aimerais bien qu'il remporte les élections.

— Sait-on jamais ? Je pense que le candidat qui parviendra à réunir le plus de fonds l'emportera, même si ça n'est pas très équitable.

On s'est tus pendant un moment, puis papa a repris :

— Toi, quelque chose te tracasse.

— Pourquoi ?

— Parce que tu t'es mise à mâchouiller tes cheveux, Anna, comme chaque fois que tu as un problème.

Plus je tarderais à casser le morceau, et plus ce serait difficile. J'ai lâché la vérité d'un coup.

— Très bien, j'ai une nouvelle à t'apprendre. J'ai trouvé une maison sur l'île et je crois que je vais l'acheter.

Il s'est raidi et m'a regardée comme si je venais de lui annoncer que les Israéliens et les Palestiniens avaient fait la paix. Bref, il ne m'a pas crue.

— Tu peux répéter, s'il te plaît ?

— J'ai trouvé une maison sur l'île et...

— C'est bien ce qu'il m'avait semblé.

Il s'est essuyé la bouche avec la serviette et s'est renversé sur la chaise sans cesser de me regarder.

— Pourquoi, Anna ? Tu n'es pas bien, ici ? Il me semblait qu'on s'entendait, tous les deux ? Et puis, ça t'a permis de mettre de l'argent de côté, de t'acheter une belle voiture...

— Ce n'est pas le problème, papa. Et tu le sais.

— Comment vas-tu t'en sortir ? Je veux dire, qui va se charger de la paperasse ? Tu as horreur de ça ! Et qui tondra la pelouse, donnera un coup de peinture aux fenêtres chaque année, curera le broyeur à ordures...

Papa s'est arrêté, s'est levé de table, a posé la serviette à côté de la cuillère.

— C'est comme tu voudras.

— Je suis désolée.

— Tu n'as pas à l'être. Tu es adulte. Je savais que ça finirait par arriver un jour.

Papa est sorti dans le jardin et s'est mis à contempler le port de Charleston en silence. Il réagissait toujours ainsi quand il était contrarié et éprouvait le besoin de réfléchir au calme. Mais cette fois, c'était différent. Papa avait soixante-sept ans et approchait de la retraite. Peut-être se faisait-il du souci pour l'avenir. Peut-être craignait-il de tomber malade, d'être dépendant. C'était là des pensées sombres et inquiétantes. Mais l'idée de vieillir sous le même toit que mon père me semblait aussi effrayante. Avais-je tort d'aspirer à une vie différente pour Emily et moi ? Nous n'avions plus aucune famille de son côté et moi je n'avais qu'une fille. Elle était partie étudier à l'université, et bien que je n'aie aucune certitude qu'elle reviendrait s'installer ici un jour, je voulais néanmoins qu'elle ait une maison à elle et désirais la lui donner moi-même.

47

J'aurais aimé rassurer papa sur le fait qu'il y aurait toujours une chambre pour lui chez nous, mais je savais qu'en disant cela je n'aurais fait que perpétuer les problèmes qui m'avaient décidée à partir. J'avais le droit de vivre comme je l'entendais, sans qu'on m'accable de reproches chaque jour. C'était plus fort que lui, papa ne pouvait pas s'empêcher de critiquer. Les traces laissées par l'immigration et son mariage avec maman l'avaient rendu intransigeant, surprotecteur, paternaliste et rancunier.

J'ai commencé à débarrasser et à rincer les assiettes, avant de les mettre dans le lave-vaisselle. J'ai essuyé la table et le plan de travail en songeant aux innombrables fois où j'avais exécuté ce geste. Un flot de souvenirs m'a brusquement assaillie : papa découpant la dinde pour Thanksgiving et mettant le bréchet de côté pour moi ; Violette et ses spécialités polonaises destinées à nous faire engraisser, papa et moi. Les réminiscences étaient si vivaces qu'en retenant mon souffle j'aurais presque pu apercevoir nos silhouettes en train de bavarder. Combien d'années avaient défilé dans cette salle à manger ? Les anniversaires d'Emily, fêtés autour d'un plat de spaghettis...

« Souffle les bougies, Emily ! Je n'arrive pas à croire que tu as déjà six ans ! »

Emily dans sa plus jolie robe, ses cheveux soyeux de bébé s'échappant de la barrette et lui tombant devant les yeux. Papa, caméra au poing, la filmant tandis qu'elle faisait un vœu en poussant des petits cris de joie qui nous mettaient aux anges...

« Tu veux que je te dise mon vœu, maman ?

— Non, ma chérie, il ne faut pas le dévoiler, si tu veux qu'il se réalise. »

C'était moi qui confectionnais le gâteau au chocolat et à la banane. Tout en léchant les restes de glaçage dans la jatte, Emily me posait mille questions.

« Est-ce que Doc m'a acheté un cadeau ?

— Oui, ma chérie.

— Est-ce qu'il a ôté les roulettes de mon vélo ?

— Va faire un tour dans le garage.

— Est-ce que papa a appelé ?

— Il téléphonera ce soir.

— Est-ce qu'il a envoyé un paquet ?

— Il y a une grosse boîte sous mon lit... »

Tout cela prendrait fin. Désormais, papa s'assiérait seul à cette table qui avait été témoin des moments importants de notre existence.

Je me suis approchée de la baie vitrée et je l'ai regardé. Debout, les mains dans les poches, à côté de la jetée, il contemplait le coucher de soleil. Il était légèrement voûté, comme quelqu'un qui broie du noir. De le voir ainsi abattu, je me suis sentie terriblement coupable. Je ne voulais pas qu'il se croie abandonné. Car même s'il était tatillon et cabochard, je l'aimais de tout mon cœur. J'ai songé que je l'inviterais à dîner fréquemment et que le reste du temps je ferais un saut pour lui apporter son dîner. Comment se débrouillerait-il lorsque je ne serais plus là ?

J'ai fermé le sac à ordures et suis allée le mettre dans la poubelle, sur le trottoir. Demain, les employés de la voirie de Mount Pleasant le ramasseraient. Soudain, je me suis revue en train de pédaler à toutes jambes derrière la benne – le « camion à salade », comme je l'appelais – pour essayer de récupérer les Barbie que Violette avait jetées pour me punir – d'une insolence, probablement. L'éboueur me les avait rendues en me conseillant de bien les cacher. Mon aïeule était dure et distante, et je la détestais.

Quand je suis rentrée, papa était dans le séjour en train de regarder la télévision en faisant défiler les programmes.

— Trois cent soixante chaînes et rien que de la daube.

Au moins, il m'adressait la parole.

— Oui.

Il a éteint le poste et s'est tourné vers moi.

— Ecoute, je sais que tu veux retourner habiter sur l'île. Je l'ai toujours su.

C'était un signal, une façon de me dire qu'il était d'accord. Puis il a continué :

— L'idée que tu ne sois plus avec moi m'est insupportable. Mais tu as le droit de partir vivre de ton côté, et pas uniquement sur l'île. Je vais t'aider. C'est la moindre des choses. Si tu veux bien, naturellement.

— Avant que je file chez l'épicier pour t'acheter un pack de Beck's, j'aimerais te faire un gros câlin !

Je lui ai passé les bras autour du cou et je l'ai serré très fort.

— Merci, papa. J'ai besoin de ton aide. Désespérément ! Et j'en aurai toujours besoin !

Il m'a souri et d'un seul coup, on s'est sentis soulagés tous les deux. Il s'efforçait de faire bonne figure. Il avait peur du jour où il ne pourrait plus se rendre utile. Ne plus servir à rien était pire que tout, pire que la mort.

— Très bien, assez parlé. Va me chercher des Beck's. Tu veux de l'argent ?

— Non, c'est moi qui t'invite.

Les couronnes mortuaires du pauvre M. Simmons n'étaient pas encore fanées que j'avais déjà apposé ma signature sur l'acte de vente. Larry Dodds, le cousin de Marilyn, a fait la fermeture, après quoi ils nous ont emmenés fêter cela au Station Twenty-Two, papa et moi. On a mangé le meilleur plat de crevettes au gruau de maïs qu'il m'ait été donné de goûter. J'étais la femme la plus heureuse de la terre. Marshall Stith, le maire de Sullivan's Island et propriétaire du restaurant, est venu nous saluer.

— Tout va comme vous voulez ?

— C'est un régal ! me suis-je exclamée. Je viens d'acheter une maison sur l'île, c'est pour ça qu'on fait la fête !

— J'ai toujours affirmé que l'île aux Palmiers était ce qu'il y avait de mieux, après Sullivan's Island !

— Ne l'écoutez pas, a lancé Marilyn. Il dit ça parce qu'il est maire !

Vous me croirez si vous voulez, mais j'ai gardé quelques merveilleux souvenirs de l'époque où j'étais petite, avant la mort de maman et le désastre qui s'en est suivi, quand Violette s'est installée à la maison.

Avant que les promoteurs ne débarquent, l'île était un pays de mystère, avec sa plage intacte et ses dunes plus hautes que les maisons, ondoyant à perte de vue dans une sorte de brume déformante. Je pouvais passer des heures sur le sable désert à crier au-dessus de l'Atlantique en direction de Londres. C'était le genre d'endroit où on aurait pu trouver un génie dans une bouteille, ou tout au moins un message.

Parfois, les seules empreintes de pieds qu'on voyait étaient les miennes.

A cette époque, maman était jeune et belle, et papa fou amoureux. Moi, j'étais la prunelle de ses yeux et maman, son rêve devenu réalité. Avec nous deux à ses côtés, il avait relégué les cauchemars de la guerre et de l'émigration dans le passé. Quant à moi, j'avais beau sentir que maman n'était pas toujours bien dans sa peau, je m'en accommodais. Jusqu'au jour où Violette a débarqué.

Toutes les blessures se sont alors rouvertes et c'était comme si les Panzer d'Hitler s'étaient mis à défiler dans Palm Boulevard.

3

Violette

Le lendemain de la mort de maman, ma chère grand-mère a débarqué, avec un plein boisseau de pêches et une énergie à déplacer les montagnes.

Certains événements restent gravés dans notre mémoire comme sur une bande vidéo. Par exemple, le jour où l'homme a marché sur la lune ou celui où Violette a pris notre maison d'assaut. Je revois encore le moment exact où son pied a touché terre. J'étais sur la véranda, en train de ruminer de sombres pensées en grattant machinalement de l'ongle la peinture écaillée de la balancelle.

J'en étais venue à la conclusion que maman ne nous avait guère manifesté d'affection, à papa et à moi. Pour la bonne et simple raison qu'elle ignorait ce qu'était l'amour. Sans doute avait-elle pris son rôle de mère de famille en aversion, car elle semblait toujours faire la tête. Et n'allez pas croire que cela s'explique par le fait que papa et moi n'étions pas dignes de tendresse. Simplement, elle n'avait rien à donner. Elle était comme les oranges de juillet, « sans jus », comme disait papa.

Donc, quand Violette est arrivée, j'étais en train d'essayer de comprendre comment ma vie avait pu basculer de façon si tragique en l'espace de vingt-quatre heures.

La gigantesque Cadillac blanche a débouché au coin de l'allée, puis a pilé net dans un nuage de poussière. Si j'avais eu ne serait-ce que deux grammes d'intuition, j'y aurais vu un signe du destin. L'air a été obscurci quelques minutes, jusqu'à ce que les particules retombent doucement, révélant une banquette envahie de bagages. Violette est descendue de voiture, puis s'est arquée en arrière pour s'étirer le dos, les mains posées sur les reins, lorgnant la demeure d'un air triomphal.

J'ai senti tous les poils de mon corps se hérisser. Sans trop savoir pourquoi, j'ai compris que j'étais dans la merde. C'était la deuxième fois que ce vilain mot me venait à l'esprit. Et le fait est qu'il n'en existait pas de meilleur pour décrire ce que je ressentais.

L'ennemi s'est approché en aboyant :

— Eh bien ! ne reste pas plantée là, les bras ballants. Allons, viens me donner mon sucre et m'aider à porter les bagages !

Le « sucre » que Violette réclamait n'était pas un canard qu'on trempe dans le café, mais un baiser que j'étais censée déposer sur sa joue décharnée, avant de jouer les baudets jusqu'à ce que la Cadillac soit déchargée. Malgré plus de vingt ans passés aux Etats-Unis, Violette ne connaissait pas l'usage des articles. L'ordre inversé des verbes, combiné à son fort accent de l'Est, me rappelait ces horribles émissions allemandes qui passaient à la télévision à deux heures du matin. « *Puis-che fous préssenter* Mme Untel ? » N'ayant pas le choix, j'ai sauté au pied de la balancelle et feint l'enthousiasme.

— Grand-mère ! Est-ce que je peux t'aider ?

Je la connaissais suffisamment pour savoir que la mauvaise volonté ne m'aurait rapporté qu'une remarque désagréable, voire une tape cinglante sur les mollets.

— Certainement, jeune fille.

Elle parlait d'une voix grinçante, comme si elle avait eu des corbeaux parmi ses ancêtres.

Croulant sous un gros carton qu'elle avait placé entre mes bras frêles, j'ai commencé à monter les marches de la véranda. Elle m'a dépassée, une valise dans chaque main, puis a poussé la porte grillagée du pied en appelant mon père. Pas étonnant que mon grand-père n'ait pas survécu à sa femme. Sage décision, en vérité !

— Douggglasss ! Oùùù es-tuuu ?

— Il est en train de faire la sieste, ai-je indiqué en laissant tomber mon fardeau sur le seuil pour filer en chercher un autre.

Ce n'était pas très correct de ma part, mais je m'en fichais. J'ai entendu Violette marmonner un truc du style « Impertinente ! » mais j'ai continué sur ma lancée. J'estimais qu'elle aurait dû laisser papa tranquille. Hélas, elle ne l'entendait pas de cette oreille !

Je suis revenue avec une caisse. Entre-temps papa était descendu. Lorsqu'il a donné le baiser d'usage à sa mère, elle a fondu en larmes. Incroyable ! Moi qui pensais que le vieux chameau avait un cœur de pierre.

— Allons, allons, maman, a dit papa, tout va bien. On a eu un choc, c'est sûr, mais tout va bien.

— Bien ? Alors que le corps de Mary Beth est encore chaud ? Laisse-moi te regarder ! *Ach !* Mon pauvre garçon !

Pendant ce temps, elle m'ignorait. Au bout d'un moment, ayant décidé que papa ne se laissait pas aller, elle a demandé :

— Où dois-je poser mes affaires ? Montre-moi.

Tandis que papa ouvrait la marche, je suivais sans dire un mot.

Sans être un palais, notre maison était relativement plaisante et confortable. En tout point semblable aux autres constructions qui bordaient la plage, elle était montée sur pilotis et pourvue d'une véranda pour arrêter la brise marine. Quand on entrait par la porte principale, on débouchait dans le vestibule, où démarrait l'escalier. Si on continuait tout droit, on aboutissait dans la salle à manger. A droite se situaient le séjour, la cuisine et le bureau, qui donnaient sur l'arrière. A gauche se trouvaient deux chambres à coucher avec une salle de bains attenante ; il y en avait deux autres à l'étage et encore une salle de bains.

Papa a suggéré à Violette d'annexer les chambres du bas.

— Elle va rester longtemps, papa ?

— Autant qu'elle le voudra, ma chérie.

Zut ! Ma vie est fichue. Complètement *kaputt* ! ai-je pensé.

— Il me faut des lampes, mon fils. Les plafonniers me donnent la migraine.

— Pas de problème, a rétorqué papa. Je m'en charge.

Violette a froncé le nez en voyant le papier peint posé aux murs, car le fait est qu'il était décoloré par le soleil et pas joli, joli. Elle a estimé que les placards sentaient le moisi et fait la grimace devant le parquet éraflé. Maman n'avait jamais été ce qu'on appelle une perle du foyer. Violette passait d'une pièce à l'autre en reniflant d'un air si dégoûté qu'on aurait dit qu'elle allait faire un choc allergique.

— Tu veux un kleenex ? ai-je demandé en levant les yeux au ciel.

Elle m'a vue.

— Douglas ! Il est grand temps qu'Anna apprenne à respecter sa grand-mère !

Papa m'a foudroyée du regard. Il était si froid et distant que j'ai compris qu'il avait abdiqué en faveur de sa mère. Violette était devenue le mur de Berlin entre mon père et moi.

— Anna, va chercher un Coca bien frais pour ta grand-mère, s'il te plaît.

— Merci, mon garçon, je n'ai pas soif. Je crois qu'avec un peu d'huile de coude, il y a moyen de rendre ce lieu présentable, a-t-elle ajouté, un petit sourire satisfait aux lèvres. Je vais m'en occuper. J'imagine que tu organiseras une collation après les obsèques. Tu as prévu quelque chose ?

Les obsèques ! Je ne voulais même pas y penser. Pitié, ne prononcez pas ce mot ! Pas devant moi, en tout cas ! ai-je songé.

Sans demander mon reste, j'ai filé me réfugier dans mes quartiers. Je voulais que ma vie retourne à la normale le plus vite possible et n'avais aucune envie d'entendre parler de funérailles – encore moins d'y assister. J'avais perdu ma mère. N'était-ce pas suffisant ?

Violette n'a pas tardé à pointer le bout de son nez.

— Qu'est-ce que tu fabriques ? Au lieu de te tourner les pouces, tu ferais mieux de ranger ta chambre.

— Je la déteste. Elle est moche.

Violette a promené son regard sur le petit lit, les murs bleu turquoise et les rideaux à fleurs, et semblait d'accord. Elle a dit :

— Tu devrais remercier le ciel d'avoir un lit à toi,

55

demoiselle. Il y a de pauvres enfants qui couchent par terre et mangent des navets crus. Ton père, lui, dormait dans une boîte pour les pommes.

— Ça s'appelle une caisse.

Je n'avais pas cherché à la reprendre, mais le mot m'avait échappé.

— Oui, une caisse.

Voyant que Violette était à deux doigts de me raconter une de ses horribles histoires de guerre, j'ai projeté la mâchoire en avant, l'air menaçant, la mettant au défi de se taire. Ne comprenait-elle pas que je souffrais ? Non, apparemment. Car elle n'était pas du genre à s'apitoyer sur les maux d'autrui, fût-ce ceux de son unique petite-fille. Elle m'a fait grâce de son conte moralisateur, mais ensuite, n'a cessé de marmonner que je ressemblais à ma mère. Ses pensées hostiles flottaient au-dessus de nos têtes telle une vapeur maléfique.

— Ma parole, Douglas, cette enfant est le portrait craché de Mary Beth ! Tu ferais bien de lui serrer la vis, si tu ne veux pas qu'elle finisse comme elle !

A ses yeux, j'étais telle la fille d'Eve, porteuse d'une malédiction originelle, et allais devoir filer doux. Cependant, malgré mon anxiété, je fus stupéfaite d'apprendre que je ressemblais à ma mère. Jamais personne ne me l'avait dit jusqu'alors et même si Violette ne l'entendait pas comme un compliment, c'était une révélation merveilleuse.

Maman avait conquis le cœur de papa par son physique. Ils s'étaient rencontrés au festival des eaux de Beaufort, où maman avait été élue première dauphine de la reine, ou je ne sais quoi, et papa avait été invité à se joindre à la troupe. Malgré leur différence d'âge, ils étaient tombés amoureux. Et c'était tant mieux si je ressemblais à maman, car papa avait été fou d'elle – bien que cela n'ait pas été réciproque. En fait, je suis née au pays des reines de beauté. Il y avait une fête de la pêche, de la pastèque et de tout ce qui poussait par chez nous, y compris les azalées. Ces diverses manifestations s'accompagnaient de défilés et de banquets donnés par les héroïnes du jour et leur cour. Car s'il y avait une chose que les adultes prisaient par-dessus tout c'était la beauté, que ce soit celle de leur jardin, de leur chien ou de leur fille. On attendait de cette dernière qu'elle soit bien éduquée et modeste. C'était la différence entre maman et moi. Moi, je soignais mon apparence, tandis qu'elle était coquette. Très tôt, je m'étais juré de ne pas tomber dans la coquetterie, parce que dans mon esprit, c'était synonyme d'égoïsme. On devenait si centré sur soi qu'on finissait pas oublier les autres. Je n'étais pas stupide ; j'étais découragée.

Malheureusement, que je le veuille ou non, j'allais devoir affronter l'enterrement de maman. Ce dont je me souviens, c'est qu'il faisait très chaud et que l'église était bondée. Et aussi que, pour la dernière fois, je portais ma robe jaune.

J'avais beau regarder la bière en acajou avec les poignées en bronze, je n'arrivais pas à me faire à l'idée que ma mère était morte. Je n'ai pas pleuré jusqu'à ce qu'on se rende au cimetière. Là, je me suis mise à geindre comme un bébé. Et quand le cercueil a été descendu au fond de la fosse, j'ai hurlé :

— Maman ! Maman ! Non ! Maman, s'il te plaît, non !

J'étais terrorisée, complètement hystérique. Je voulais qu'on me rende maman, j'avais besoin d'elle. Pour la première fois de ma vie, j'ai cédé au désespoir.

Violette et papa m'ont prise dans leurs bras et serrée si fort que j'ai cru que j'allais tourner de l'œil. Quand j'ai compris qu'on ne pouvait plus revenir en arrière, j'ai été saisie de panique.

— Nous sommes navrés. S'il y a quelque chose que nous pouvons faire…

— Nous allons prier pour vous.

Les gens compatissaient, et moi, je sanglotais.

— C'est terrible, terrible, a dit Violette, tandis que des larmes de colère coulaient sur ses joues desséchées.

Elle m'a tendu un mouchoir et au même moment, deux pensées m'ont traversé l'esprit. L'une était qu'elle avait des mains de reptile, l'autre que le tissu sentait la lavande. C'est la seule fois où j'ai eu un élan d'affection pour elle.

J'ai regardé papa. Il semblait si misérable que mon cœur a chaviré. Il avait aimé maman à la folie, et voilà qu'elle était partie. A cet instant, j'ai réalisé que la passion était dangereuse, voire fatale. Si on épousait la mauvaise personne, on risquait d'en mourir. Si je me laissais emporter par les sentiments, je manquais de me retrouver, comme mon père, au bord d'une fosse. L'amour pouvait briser quelqu'un.

Ensuite, on est remontés dans le corbillard et on est rentrés à la maison. Maintenant que maman était enterrée, j'éprouvais comme un besoin de me venger. Sauf que c'était impossible. J'avais la gorge sèche et râpeuse, et envie de revenir en arrière. Je me disais qu'il valait mieux avoir une mère qui ne vous aimait pas que de ne pas en avoir du tout. Peut-être étais-je en train de faire un cauchemar et découvrirais-je au réveil que rien de tout cela n'était arrivé.

Les voitures avaient envahi la rue et le jardin, et l'intérieur de la baraque grouillait de monde et de bruit. Ceux qui avaient assisté à la cérémonie nous avaient suivis jusqu'ici. Ce n'était pas fréquent qu'une jeune maman meure. Amis et patients étaient venus nous offrir leurs condoléances, désireux, en ce jour effroyable, de nous témoigner leur soutien.

Chacun avait apporté quelque chose, de sorte qu'il y avait de quoi nourrir un régiment – salades d'œufs durs, de thon et de poulet, présentées dans des boîtes en plastique qui, en temps normal, renfermaient des sandwiches ; jambons braisés ; macaronis au fromage ; chaud-froid de poulet dans un plat en Pyrex ; boulettes de fromage roulées dans une panure de noix de pécan broyées ; gâteaux ; chocolats de chez Russel Stover ; caisses de Coca-Cola ; et même une dinde entière, farcie et en sauce. Cette débauche de nourriture me donnait envie de vomir. Quelqu'un avait installé un bar improvisé et commençait à servir les boissons. On aurait dit que les adultes faisaient la fête, comme s'ils avaient eu quelque chose à célébrer, même si l'atmosphère était morose.

Les enfants des voisins, que je connaissais bien, m'adressaient à peine la parole. Ils avaient l'air mal à l'aise et ne savaient pas quoi dire – pas plus que moi, d'ailleurs. J'aurais préféré faire comme si tout allait bien, et me mettre à courir et à jouer. Mais comme cela n'aurait pas été convenable, on restait plantés là, dans nos vêtements d'église fripés et le cheveu en bataille à cause de la chaleur humide. Pour finir, Sparky Witte m'a demandé :

— Ça va ?

— Oui.

J'avais l'impression que tous étaient au courant de ce qui était arrivé à ma mère. Je veux dire que compte tenu des circonstances de sa mort, ils ne paraissaient pas certains d'arriver à s'apitoyer sur mon sort, même si perdre un parent est une chose atroce. De sorte qu'ils semblaient dans leurs petits souliers, sauf Lillian, qui savait que j'étais profondément abattue et tentait de me faire comprendre que la vie continuait.

— Le plus dur est passé, Anna. Les funérailles.

— Non, le pire reste à venir. Tu n'as pas l'air de comprendre qu'on m'a volé ma vie.

— D'accord, mais il n'empêche que tu es vivante ; c'est tout ce qui compte. Tu t'en sortiras. Ma mère affirme que le temps guérit les maux. Bon sang ! C'est la première fois que j'assiste à un enterrement.

— J'espère que ta mère a raison et que tu n'auras pas à remettre les pieds dans une cérémonie de ce genre avant un milliard d'années.

En réalité, je trouvais que sa mère racontait n'importe quoi.

— Les funérailles, ça pue, ai-je ajouté.

Mon vocabulaire se détériorait à vue d'œil.

— Ça, c'est bien vrai, alors !

— Ma grand-mère va rester vivre avec nous.

— Non ! Pour toujours ?

— Oui.

Lillian et moi on s'est regardées et on a soupiré comme deux vieilles.

Violette avait passé l'après-midi à la cuisine en compagnie de Mlle Ange et de Miss Mavis, à essayer de se rappeler qui avait apporté quoi et à s'assurer que les plateaux étaient toujours pleins, afin de faire disparaître le plus de nourriture possible.

Faire *disparaître* les choses me semblait une bonne idée. J'avais moi aussi envie de m'évaporer, mais j'étais coincée.

Dès que les adultes me voyaient approcher, ils interrompaient leurs conciliabules et se répandaient en condoléances. Je savais qu'ils parlaient de maman, qu'ils la traitaient de putain. Elle était partie parce qu'elle était mauvaise. Que je lui ressemble n'était pas bon signe. Quelque chose de mal risquait de me tomber dessus parce que j'étais sa fille.

Je suis entrée dans la cuisine, où j'ai trouvé Mlle Ange en train de découper un rôti en tranches pour le congeler. Je suis restée un petit moment à l'observer sans qu'elle remarque ma présence.

— Comment te sens-tu, petite ?

— Bien.

Elle m'a effleuré la joue en me décochant un sourire plein de gentillesse. J'ai chuchoté :

— Grand-mère va rester.

— Tant mieux, ma chérie. Elle va te donner de l'amour.

— Elle n'aime personne.

Mlle Ange a secoué la tête.

— Si ce n'est pas malheureux ! Vraiment, ce n'est pas juste.

Parfois, quand je pense à Mlle Ange, je me dis que c'est au moment où j'ai senti sa main sur ma pommette que j'ai commencé à accepter mon sort. Maman était morte et ma vie était sens dessus dessous, mais elle continuait malgré tout.

Pour finir, on a recommencé à avancer. L'existence se mesurait à l'aune des bulletins scolaires et du livret de fin d'année – à propos duquel la chère Violette me fit remarquer que les bonnes notes étaient une obligation et ne donnaient lieu à aucune récompense. J'avais attendu le dîner pour montrer mon trophée à papa. J'avais soif d'encouragements.

— Anna, mais c'est formidable ! s'est-il exclamé. Je suis fier de toi, ma chérie.

— Douglas ! Tu ne dois pas te comporter comme si tu escomptais qu'Anna ait des résultats médiocres ! Fais voir ça, a-t-elle ordonné en tendant ses griffes de rapace d'un geste impérieux.

J'avais obtenu un A en littérature, en histoire et en sciences, un B en arts plastiques, et un B- en mathématiques.

— Qu'y a-t-il là de remarquable ? C'est tout à fait moyen et, crois-moi, Anna, ton père sait ce que le mot veut dire. Si tu désires avoir une vie minable, libre à toi. Mais il n'y a pas de quoi sauter de joie. Si ton père avait rapporté un livret comme celui-ci à ton grand-père, il aurait eu le fouet. Le problème avec les enfants américains, c'est qu'ils ne savent pas ce que survivre signifie. Ce sont des faibles.

— On devrait peut-être arrêter de regarder la télévision jusqu'aux vacances d'été, a suggéré papa. Ta grand-mère a raison.

Je n'ai rien répliqué. Le silence s'est fait et un petit sourire narquois a joué sur les lèvres de Violette. L'ennemi venait de remporter une nouvelle victoire.

Prise entre les pensées négatives de mon aïeule et la chaleur accablante, je n'arrivais pas à trouver le calme et la sérénité dont j'avais besoin. Cet été-là fut si torride qu'on aurait dit que la terre entière allait prendre feu et disparaître dans les flammes. J'ai fait de mon mieux pour inciter Violette à m'aimer, et Dieu sait si j'avais besoin de tendresse. Mais l'affection minime qu'elle me dispensait était teintée d'anxiété.

— Anna, je ne veux pas que tu ailles nager seule ! C'est dangereux !

— Ne t'inquiète pas. J'irai avec mes amies.

— Tu ne dois pas t'éloigner du rivage ! La mer change à chaque marée ! Je t'en prie ! Ton père ne s'en remettrait pas s'il t'arrivait malheur !

Pour la première fois de ma vie, je suis devenue prudente – quand je me baignais, quand je grimpais aux arbres, quand je m'exposais au soleil – et ai pris l'habitude de téléphoner quand j'étais en retard, afin que Violette sache où j'étais. Ces petites concessions étaient les seules marques de respect que je pouvais lui donner et ses inquiétudes étaient les uniques signes d'attachement qu'elle me témoignait. Ce n'était pas le Pérou, mais c'était mieux que rien.

J'avais beau redoubler d'attentions pour papa, il ne semblait pas s'en apercevoir. Il était si apathique que j'en suis venue à me dire que je l'avais perdu, lui aussi. Plus j'étais gentille, plus il se montrait distant. Sans doute comptait-il sur sa mère pour combler les vides. J'avais beau comprendre que maman lui manquait, je ne pouvais pas l'accepter. Parfois, en rentrant à la maison, je le trouvais endormi dans le hamac ou sur le canapé. Il passait sa vie à dormir. Au dîner, les conversations étaient ponctuées par de longs silences et les profonds soupirs de Violette et papa. Et si une partie de moi était d'accord pour s'adonner à la tragédie, l'autre aspirait à l'action et ne tenait pas en place.

Et c'est ainsi que, sur un coup de tête, je me mettais à courir entre les jets d'arrosage automatiques et revenais trempée des pieds à la tête. Après tout, il faisait si chaud que la rosée formait un nuage de vapeur au-dessus du gazon. Pour me punir, Violette m'obligeait à rester sur la véranda jusqu'à ce que je sois sèche. Ce qui me convenait très bien.

Un jour que le mercure dépassait allègrement les quarante degrés, Lillian et moi avons décidé de faire frire des œufs sur le trottoir. Mais nous ne sommes parvenues qu'à un beau gâchis qui nous a valu un sermon en règle de la part de qui vous savez. J'ai alors fini par comprendre que la meilleure façon pour moi de ne pas m'attirer les foudres de Violette était de marcher au pas. Quand elle aboyait un ordre, je m'empressais de l'exécuter ; le reste du temps, je m'efforçais de l'éviter. Ainsi, elle et moi sommes arrivées à un semblant de statu quo. Violette était un commissariat de police ambulant et papa, un zombie. Quant à moi, j'étais plutôt docile.

Le quotidien était devenu presque tolérable, jusqu'au jour où Violette a déclaré que nous devrions vivre à Mount Pleasant – ce qui signifiait que sa décision était déjà prise. Elle se sentait méprisée par les voisins, à cause de ma mère, scandaleuse. Elle n'aimait pas me savoir lâchée en pleine nature sans surveillance, bien que je fasse en sorte de l'avertir en temps réel de mes déplacements. Elle était également très contrariée que maman ne se soit pas convertie au catholicisme, alors qu'elle s'était engagée à m'élever dans la foi catholique, et qu'elle n'ait mis les pieds à l'église qu'à Noël et Pâques.

Un soir que j'étais dans mon lit, début août, je l'ai entendue dicter ses projets à mon père. J'ai retenu mon souffle.

— Je préfère te le dire tout de suite, Douglas, je ne tolérerai pas que tu fasses de ta fille une impie ! Elle va finir dans la rue ou je ne sais où si nous n'y mettons pas le holà. Elle a besoin d'être encadrée, disciplinée, élevée dans la tradition religieuse, et de tirer un trait sur ce passé dégradant et sordide.

— Allons, il ne faut tout de même pas exagérer, a rétorqué papa.

— Très bien. Puisque tu estimes que tu peux te passer de mes conseils...

— Maman, je t'en prie. Nous ferons comme tu voudras.

Quelques jours ont suffi à Violette pour mettre la maison en vente et organiser notre installation à Mount Pleasant. Et le 16 août, je faisais mon entrée au collège du Christ-Roi – Stella Maris.

Tout au long de ce premier jour d'école, j'ai eu envie de cracher. Mais au lieu de cela, j'ai commencé à longer lâchement la route infâme du déni et de la survie. Je suis devenue l'élève presque parfaite, car un été entier en compagnie de Violette m'avait appris à courber l'échine en présence de l'autorité suprême et à jouer les hypocrites. Pour commencer, j'ai embrassé la religion catholique. Relayés par les mauvaises langues à l'est de Cooper, les détails de mon passé sordide étaient remontés jusqu'aux oreilles des sœurs de la Charité. Je me trompais peut-être, mais j'avais le sentiment que tout le monde se servait de mes mésaventures comme d'un divertissement. Car les sœurs n'avaient rien tant à cœur que d'arracher une enfant compromise aux griffes de Satan, sauver son âme et s'assurer ainsi une place au ciel auprès de la Sainte Vierge, mère de Dieu. Elles se mirent à l'œuvre sans attendre.

— Ton uniforme te va comme un gant, me dit sœur Rosaire le premier jour.

Je la remerciai, tout en ayant l'impression d'être une martienne.

— Anna, les enfants de Stella Maris répondent « merci, ma sœur ».

Comme je désirais faire bonne impression, je répétai la phrase en ajoutant secrètement en moi-même : « Où diable suis-je tombée ? Et qu'est-ce que c'est que cet attirail ? » Très vite, j'ai compris que le but à atteindre était de ne pas se faire remarquer des servantes de la bienséance. Cela, ajouté à un dialogue intérieur constant, devait me permettre de mettre ma véritable nature en hibernation. Jusqu'au jour où je pourrais m'échapper de cet asile de fous. Comme ambiance, je ne crois pas qu'on pouvait faire pire que Stella Maris, sauf peut-être un internat jésuite.

Il valait mieux que je ne cherche pas à jouer au plus malin avec la mère supérieure, sous peine de m'attirer les foudres de l'enfer. Dès le troisième jour de classe, j'ai eu un aperçu de l'efficacité et du style avec lequel on venait à bout des fortes têtes.

— Puis-je avoir votre attention ? a clamé une sœur dans le haut-parleur.

On a arrêté d'écrire, posé nos crayons dans la rainure du pupitre et levé des yeux apeurés vers l'appareil qui grésillait au-dessus du grand tableau noir.

— Levez-vous !

On s'est exécutés.

— Maintenant, dirigez-vous en silence vers le couloir. Ne bloquez pas les portes des autres classes. Et alignez-vous sans faire de bruit le long du mur.

Sœur Immaculée Conception, notre professeur d'histoire, a inspiré profondément avant de proférer dans un murmure :

— Allons, mes enfants, allons.

En parlant, elle agitait les bras tel un chef d'orchestre amenant une symphonie au crescendo.

Nous emparant précipitamment de nos chandails, nous sommes sortis dans le préau pour assister au châtiment corporel.

Le bouffon du jour était Salvatore Denofrio, dit « Sally », diminutif qui lui avait certainement porté la poisse. Car ici, dans les Basses Terres, si vous aviez le malheur d'appeler votre garçon Sally, vous pouviez être certain que son enfance serait pavée d'épreuves de mortification, de nez éclatés et de coups de trique – en l'occurrence, celle de sœur « je vais vous montrer de quel bois je me chauffe », alias Saint-Pie.

Sally, fraîchement débarqué d'Albany, Etat de New York – un plouc de Yankee qui n'avait pas la moindre idée des convenances et des bonnes manières –, se tenait tout tremblant au centre du préau en forme de croix tandis qu'un grand de quatrième – un malabar à cervelle de moineau, qui finirait très probablement capitaine de l'équipe de foot de Clemson – apportait la lourde chaise en bois massif de la justicière et la plaçait bien en vue de l'assistance, intimidée.

L'air chaud de cette fin août était saturé de transpiration et de relents d'œuf mayonnaise exhalés par cent cinquante-sept collégiens en uniforme. Nous attendions, impatients d'en finir. Je savais, primo, que j'allais assister à un spectacle dont j'avais entendu parler sans avoir jamais pu en vérifier l'authenticité ; secundo, que celui qui avait dénoncé Sally ne pouvait être que Theodore McGee, aspirant ecclésiastique et fayot notoire, dont on m'avait dit de me méfier comme de la peste.

« J'ai vu la vieille Pie prendre McGee à part pour l'emmener dans son bureau », m'a dit Frannie dès le premier jour.

On était dans la cour de l'école, à l'ombre d'un kaki, en train de partager nos sandwiches avec Penny Wilkins et Tommy Proctor. Il soufflait une petite brise fraîche qui nous protégeait des ardeurs du soleil, mais j'étais si passionnée par ce que Frannie Gianaris, ma nouvelle amie, était en train de me raconter que je ne pensais pas à la chaleur. Elle m'avait expliqué que Sally s'était amusé à vider les distributeurs de savon des lavabos des garçons et à boucher les toilettes avec des serviettes en papier.

« Qui est Theodore McGee ? ai-je demandé, la curiosité piquée au vif.

— Un gros cochon poilu, a rétorqué Tommy.

— Berk ! se sont écriées les filles à l'unisson.

— Tommy ! s'est exclamée Penny, scandalisée. Anna va penser qu'on est comme les enfants de la communale ! C'est le petit maigrichon avec les lunettes, qui a toujours de la morve au nez et un falzar à élastiques. »

J'avais effectivement repéré le traître le matin même. Mais sans me laisser le temps de prendre la défense de la communale, Frannie a lancé :

« Je ne sais pas si McGee a du poil, mais il est faux jeton comme pas deux et tout le monde le déteste. Tommy a raison à son sujet. »

L'insulte semblait chose courante parmi mes récents camarades de Stella Maris. Etant une fillette modèle, je n'avais jamais osé m'y abandonner tout haut dans l'enceinte du collège. Mais dès l'instant que je négligeais de les rappeler à l'ordre, je péchais par omission et me faisais leur complice.

Quoi qu'il en soit, à deux heures et demie, juste avant la fin des cours, on nous avait alignés dans le préau afin que nous assistions à la punition de Sally Denofrio. Sœur Saint-Pie est sortie des tréfonds de son antre, la trique à la main, puis elle a lancé, afin de s'assurer que Sally avait compris la raison de cette assemblée extraordinaire :

— Salvatore, te rends-tu compte que s'attaquer à la propriété publique est un délit et un péché ?

— Oui, ma sœur. Je vous demande pardon. Je ne sais pas ce qui m'a pris.

Il était terrorisé et pleurait à chaudes larmes.

— Peut-être le châtiment t'aidera-t-il à te souvenir de ne pas recommencer. Penche-toi en avant, au-dessus de mes genoux.

Comme Sally tardait à obéir, elle l'a saisi par le bras. Mon cœur s'est soulevé, j'ai cru que j'allais vomir. Schlac ! J'ai rouvert les yeux pour voir si Sally était toujours vivant. Schlac !

— Doux Jésus, mais vous allez me tuer ! a hurlé Sally.

On se mordait tous les lèvres. Soudain, Frannie m'a chuchoté :

— En plus, il blasphème.

— Tu n'invoqueras point en vain le nom du Seigneur ! a proféré le bourreau, incrédule.

Juste à ce moment-là, Sally en a profité pour lui filer entre les mains. Il a couru vers la porte puis détalé en direction de l'A 17, où il habitait. Il gueulait comme un putois.

— Police ! Au secours ! Police !

Sœur Saint-Pie n'a pas tiqué. Elle s'est levée de la chaise et a inspecté nos rangs pour s'assurer que personne ne riait.

— Je vais appeler l'évêché, a-t-elle lâché en se dirigeant vers la porte, la mâchoire crispée. Retournez dans vos classes chercher vos affaires. L'école est finie, a-t-elle ajouté en nous regardant une ultime fois d'une manière perçante.

Voilà quel a été mon premier contact avec l'enseignement catholique. Sally a été renvoyé et transféré dans un établissement public. Ce jour-là, j'ai compris que j'avais intérêt à filer doux et à fermer mon grand clapet.

Je ne me laissais pas démonter quand on cherchait à m'asticoter.

— J'ai appris comment ta mère est morte, Anna, m'a balancé la meneuse de l'équipe de basket.

— Ouais, merci de prier pour mon père et pour moi.

Moi aussi, je pouvais jouer à ce petit jeu ! Une fois ou deux, j'ai été prise de court, quand on était aux toilettes.

— Ma mère raconte que ton père sautait sa secrétaire, m'a jeté Denise McAffrey pendant qu'on se lavait les mains.

Sur le coup, pensant qu'elle savait des choses que j'ignorais, je suis restée sans voix. Et puis une porte s'est ouverte et Frannie est sortie.

— Fiche-lui la paix, tête de furoncle. Ta mère n'est qu'une concierge qui bavasse à tort et à travers.

Frannie m'a beaucoup aidée durant la période d'acclimatation.

Quand le printemps est arrivé, j'ai fabriqué un autel dans ma chambre, à la maison, pour honorer la Vierge et réciter des prières le soir, sous la supervision de Violette.

— Et maintenant, demande à Dieu la faveur que tu voudrais qu'Il t'accorde, disait-elle quand j'avais fini.

S'il Te plaît, mon Dieu, fais que grand-mère casse sa pipe. Mon Dieu, si Tu m'aimes ne serait-ce qu'un peu et si Tu ne veux pas la rappeler à Toi, permets au moins qu'elle retourne à Estill.

Cette année-là, j'ai dit suffisamment de rosaires et de neuvaines pour sauver toute la province du purgatoire, des limbes et autres territoires du pourtour de l'enfer. Mais pas assez pour me débarrasser de Violette. De deux choses l'une :

ou le bon Dieu était déjà en ligne, ou mes soucis ne l'intéressaient pas. Il était probablement occupé à démêler une tragédie encore plus grande que la mienne.

Et puis il y avait le problème de papa, qui continuait à pleurer ma mère et m'ignorait totalement. Je savais que plus rien ne serait comme avant entre nous. Et pendant ce temps, Violette pestait à tout propos :

— Anna, tu as fait ton lit ? Pas de télévision tant que tu n'auras pas rangé ta chambre. As-tu nettoyé la salle de bains ? Et les toilettes, naturellement ! Tu me prends pour ton esclave ? Dieu me préserve ! Tu ressembles chaque jour davantage à ta mère !

J'ai imaginé toutes sortes de façons de la faire tourner en bourrique.

— Comment, tu as mangé la tarte aux noix de pécan que j'avais préparée pour ton père ? Tu n'es qu'une égoïste ! Eh bien, la prochaine fois que tu me demanderas quelque chose, tu pourras toujours courir !

Frannie, Jim, un nouveau copain, et moi avions englouti la pâtisserie avec un demi-litre de lait écrémé. Et je me fichais des mesures vengeresses de Violette. Venant de toi, je ne veux rien, de toute façon, songeais-je.

N'ayant pas réussi à gagner son cœur, j'en étais venue à la conclusion que certaines personnes n'aiment simplement pas les enfants. Mais alors que le monde grouillait de femmes charmantes, comment se faisait-il que les deux que j'avais connues m'aient rendu la vie impossible ? J'avais beau faire, à la moindre infraction, Violette me tombait dessus à bras raccourcis. J'aurais aimé pouvoir me confier à Lillian, mais comme elle était incapable de parler d'autre chose que de sa nouvelle amie, nos coups de téléphone se sont espacés puis ont cessé. Une fois, même, ne sachant plus à quel saint me vouer, j'ai appelé Mlle Ange. Mais je suis tombée sur Miss Mavis, qui m'a répondu qu'Ange était sortie. Je n'ai pas retenté ma chance après cela. J'ignore pourquoi. Mais je savais que si Violette découvrait que je me confiais à mon ancienne voisine, elle piquerait une colère noire.

Le temps passant, j'ai fini par m'habituer à sa présence, un peu comme un chien se fait à la laisse. J'étais en quatrième et avais pris l'habitude de récolter des A – avec un B de temps en temps –, en grande partie grâce aux incorruptibles sœurs, qui ne ménageaient pas leur peine. Elles me conseillaient des lectures que j'adorais, dont Jane Austen et les Brontë, et qui me permettaient de m'évader dans un monde meilleur. Je ne relâchais pas mes efforts, car leurs exigences, si grandes soient-elles, me semblaient dérisoires en comparaison de celles de Violette. Et pour finir, j'ai appris à connaître mes éducatrices et à les apprécier. Parfois, même, il m'arrivait de rester après les cours pour leur donner un coup de main. J'aurais fait n'importe quoi pour ne pas rentrer à la maison.

Je fermais les fenêtres des salles de classe, aidais à charger les voitures, à mettre de l'ordre sur les rayonnages de la bibliothèque, à cueillir des fleurs pour l'autel. Je pense que j'ai su me faire aimer, ce qui me plaisait. Mon comportement exemplaire avait laissé penser que j'aurais fait une bonne postulante. Je ne détrompais personne. Après tout, pourquoi pas ?

Quand le conseil des parents et des professeurs s'est réuni, Violette est venue à la place de papa. Voyant que les sœurs se répandaient en louanges à mon sujet, elle s'est récriée, prétendant que je les manipulais.

— Mais, enfin, madame Lutz, les notes d'Anna sont excellentes ! Elle a eu le prix de dictée deux années de suite !

— Et qu'est-ce qui vous dit qu'elle ne triche pas ?

— Allons, voyons, c'est une brave petite !

— On voit que vous ne connaissez pas sa mère.

Voilà la réponse toute faite que mon aïeule donnait à quiconque osait prendre ma défense.

Horrifiées par son intransigeance, les religieuses, qui n'avaient pourtant pas la réputation d'être des tendres, redoublèrent d'attentions à mon égard. Frannie, Jim, Tommy et Penny ne me le firent pas payer. Mieux, même : ayant pu juger par eux-mêmes de la tyrannie dont je faisais l'objet à la maison, ils estimaient que j'étais en droit de recevoir un minimum de commisération. A leurs yeux, mieux valait les rues de Calcutta que la vie avec Violette. Sans compter qu'ils n'avaient pas spécialement envie de s'attirer les faveurs de vieilles biques à l'haleine d'hostie. Bref, tout cela pour dire que grâce aux sœurs j'ai découvert que les femmes d'âge mûr n'étaient pas nécessairement des gardes-chiourme au cœur de pierre.

Dès que j'ai été en âge de monter en voiture avec un copain muni du saint Graal, le permis de conduire, j'ai voulu retourner sur l'île. Au point que c'était devenu une plaisanterie entre nous :

— Ma parole, t'as un amoureux qui t'attend dans les dunes ou quoi ?

Ben voyons ! Comme si les mecs du coin ne rêvaient que de sortir avec un sac d'os boutonneux et affublé de lunettes.

— T'as perdu quelque chose là-bas ?

La vérité, c'est que j'avais tout paumé.

On s'entassait dans une berline empruntée à la mère de l'un ou l'autre et on roulait, vitres baissées, avec la radio beuglant à tout va. Les virées en bagnole avec les potes ont beaucoup marqué mon adolescence, car c'était le passe-temps favori des jeunes des Basses-Terres.

Dès qu'on avait franchi l'estuaire, je passais la tête par la fenêtre pour prendre un grand bol d'air du large. Mes amis voulaient faire un crochet par Burger King pour voir s'ils y repéraient des têtes connues. Mais pas moi. Je ne souhaitais que rester hors de portée de Violette et me griser de brise marine.

Les années passant, je n'ai aspiré qu'à retourner vivre sur l'île et mettre de l'ordre dans ma tête. Il y avait trop de choses que je gardais refoulées depuis trop longtemps au fond de moi. J'espérais repartir de zéro, et balayer au loin mes blessures d'enfant et d'adolescente.

Et voilà que mon vœu a fini par se réaliser, et que papa et moi nous sommes retrouvés en train de décharger la camionnette devant ma nouvelle maison. Et je suis sûre qu'il pensait à maman et au jour où nous avions dû déménager. Moi aussi, je songeais à elle, et à des tas d'autres choses.

Je me suis assise à l'arrière du véhicule sur le pare-choc et ai retracé un à un les événements qui nous avaient amenés à quitter l'île puis qui m'avaient poussée à revenir m'y installer. Tant d'années s'étaient écoulées depuis le moment où j'avais commencé à travailler et à mettre de côté l'argent qui m'a permis d'acheter la demeure de ce pauvre M. Simmons ! Celle-ci, coïncidence incroyable, jouxtait celle où Miss Mavis et Mlle Ange habitaient à l'époque où elles étaient nos voisines. Je me demandais si elles étaient encore de ce monde. Et si elles m'avaient oubliée...

4

Miss Mavis a dit...

2002

— Ange ? Ange ! Où es-tu ? Viens vite !

Celui qui a eu l'idée d'appeler Ange un pareil démon a été bien inspiré, ma foi. Ma parole, cette fille cherche à me faire tourner en bourrique ! Je la paie *plus que correctement*. Elle pourrait au moins avoir l'obligeance de me répondre.

On était jeudi et j'étais sur le point d'arroser les violettes africaines quand j'ai entendu du raffut dehors. J'ai soulevé le coin du rideau pour jeter un coup d'œil dans la rue. Et qu'est-ce que je vois ? Une de ces petites dévergondées qui tortillent de la croupe avec un type qui aurait pu être son père. Ils étaient en train d'emménager dans la hideuse petite maison d'à côté. Si je n'avais pas eu peur d'abîmer mon bel arrosoir peint à la main, j'aurais fait une attaque.

— Ange ? Vas-tu te manifester, tête de mule ?

J'ai traversé le séjour et le coin repas, puis j'ai ouvert la porte de la cuisine d'un geste si brusque qu'elle a cogné contre le mur. Peu importe !

— Et alors ?

Madame était en train d'astiquer les cuivres au-dessus de l'évier, comme si le monde avait cessé d'exister.

— Alors quoi ? a-t-elle répondu, avec son air de ne pas y toucher. Regardez-moi un peu cette casserole ! On se voit dedans, tant elle brille !

Quand je me suis approchée du robinet, pensez-vous

qu'elle aurait ôté sa carcasse de devant l'évier ? J'ai dû la pousser pour pouvoir me servir un verre d'eau.

— Pourquoi ne réponds-tu pas quand je t'appelle ?

— Parce que je n'ai rien entendu.

Elle mentait comme un arracheur de dents.

— Essuie-toi les mains et viens avec moi. Je vais te montrer quelque chose. Pour rien au monde tu ne dois manquer ça.

Ange m'a suivie en marmonnant que son peuple avait été libéré par Abraham Lincoln et le Dr Luther King, et quoi et qu'est-ce, jusqu'au moment où elle a aperçu la jeune effrontée qui remuait du popotin et le vieux machin qui était avec elle. Là, sa mâchoire s'est affaissée d'un seul coup telle celle d'un crocodile.

— Hum ! Cette nuit, j'ai rêvé que des fleurs avaient poussé autour de la baraque d'à côté, a-t-elle lâché en se plantant bien en vue devant la vitre, pour dévisager les arrivants.

— Comment ?

— J'ai dit : *cette nuit, j'ai rêvé que la maison d'à côté était couverte de fleurs.* Vous êtes sourde ou quoi ?

— Pas du tout ! Et je te signale qu'il n'y a que des ronces et des mauvaises herbes dans ce jardin ! Allons, recule, vieille buse. On va te repérer !

Ange s'est retournée et m'a décoché un regard si froid que j'en ai eu la chair de poule.

— Vous avez dit « vieille » ? Vous en êtes une drôle, de *vieille buse* ! Et puis, pourquoi faites-vous toutes ces sima-grées ? Cette fille-là, ce n'est pas n'importe qui ! C'est une institutrice !

— Ah, tiens donc ! Et qu'est-ce qui te permet de l'affirmer ?

Je me suis penchée par-dessus l'épaule d'Ange pour y regarder de plus près. Mais je n'ai rien remarqué qui laisse penser que la demoiselle était dans l'enseignement.

— Ses souliers, vous ne voyez pas ces horreurs ? Ce sont des Birkenstock. Ma petite-fille et ses copines en portent.

— Hum ! Toujours est-il que c'est à cause de femmes comme elle que je n'ai pas pu me remarier.

Je dois dire que j'ai beaucoup souffert de n'avoir pas réussi à me recaser après que mon Percy est parti en enfer.

— Puisque vous le dites, a conclu Ange en rebroussant chemin en direction de la cuisine.

Je n'ai pas relevé. J'ai hoché la tête et l'ai suivie sans rien dire.

— Où vas-tu ?

— Je vais préparer un gâteau pour souhaiter la bienvenue aux nouveaux voisins.

— Quoi ?

— J'ai dit : *je vais confectionner un gâteau*. On n'attrape pas les mouches avec du vinaigre, Miss Mavis. On n'est pas des sauvages, tout de même !

Bon. Je veux bien reconnaître que j'ai des défauts, mais de là à m'entendre traiter de sauvage ! En réalité, venant d'Ange, cela ne m'atteint pas. Il y a si longtemps qu'on vit sous le même toit, elle et moi, que je la connais comme si je l'avais faite.

Quand mon Percy a acheté cette maison, on pensait que ce serait du provisoire. On a loué le rez-de-chaussée à un couple de gens charmants et on s'est installés à l'étage. Les deux appartements étaient tout à fait vivables. Le nôtre disposait de trois chambres à coucher, deux salles de bains et une jolie vue sur l'océan. Celui du bas ne comprenait que deux chambrettes, un séjour salle à manger et une cuisine minuscule. On l'avait réduit exprès pour pouvoir disposer d'un garage où ranger la voiture et d'un atelier. Bien qu'un peu sombre, c'était un logis décent et confortable pour qui n'avait pas la folie des grandeurs.

Quand notre petit Thurmond est né, Ange est venue me donner un coup de main. Elle m'a également aidée à élever Merilee. Puis Percy s'est mis à boire jusqu'à la tombe. Bientôt, les occupants du rez-de-chaussée ont déménagé et Ange s'est installée à leur place. Parfois, j'ai l'impression qu'il y a cent ans que nous cohabitons. Entre-temps, Thurmond a changé son nom en Fritz et est parti vivre en Californie avec sa troisième femme, Karyn – avec un y, s'il vous plaît. Merilee est toujours mariée avec le même banquier d'Atlanta. Ils ne viennent jamais me voir, sauf quand je suis au seuil de la mort. Je n'ai donc droit qu'à la compagnie d'Ange et à une visite en catastrophe tous les cinq ans.

Bon, je reconnais que j'aime bien me plaindre de temps à autre. Cela m'aide à contrôler mon indice de glycémie et à garder le moral. Il n'empêche que la voisine m'avait tout l'air d'une de ces coureuses, briseuses de couple ! Hum !

Cela m'a fichu le moral dans les chaussettes. Si ! si ! vraiment ! J'ai saisi mon arrosoir et commencé à donner à boire à mes petites chéries en lorgnant vers l'extérieur. Pendant ce temps, ma chatte Blanche n'arrêtait pas de se frotter à mes jambes, tandis que Stanley se prélassait tel un pacha sur le rebord de la fenêtre. Les chats sont d'affreux dégoûtants qui viennent vous lécher après avoir fourré leur langue Dieu sait où. Mais ils tiennent néanmoins compagnie aux vieilles dames seules comme moi. Si j'arrivais à me trouver un homme et qu'il était allergique aux matous, je n'hésiterais pas une seconde à les mettre dehors. Et ils le savent. Résultat, ils se tiennent à carreau.

Je me suis installée dans mon fauteuil relax rose et ai allumé la télévision pour regarder Oprah[1]. J'aimerais bien avoir son avis sur le couple d'à côté. Il va falloir que je prenne le temps de lui écrire. J'ai dû m'endormir sans m'en rendre compte, parce que l'instant d'après, j'ai vu Ange qui réglait le climatiseur et jetait un plaid sur mes jambes. Dieu la bénisse, ai-je songé, puis j'ai repris mon rêve. De quoi rêvais-je déjà ? Ah oui ! Anthony Hopkins était en train de m'inviter à danser. Mais bien volontiers...

---

1. Oprah Winfrey, animatrice d'un show télévisé très populaire aux Etats-Unis. (N.d.T.)

5

Déboulonnés

J'ai continué à décharger le camion pendant que papa réparait une baie coulissante en jurant entre ses dents. Le mercure dépassait les quarante degrés et mon père était d'une humeur de chien. Remarquez, il avait de bonnes raisons pour cela. On était si habitués l'un à l'autre qu'on était comme deux éclopés qui se retrouvent subitement privés de leurs béquilles. Car mine de rien, lui et moi, on se rendait une foule de petits services. Qui collecterait les coupons de remise, ferait les commissions, porterait le linge au pressing quand je ne serais plus là ?

Et à force de me répéter que je ne parviendrais pas à me débrouiller seule, papa avait fini par me faire sérieusement douter de moi-même. Un jour viendrait peut-être où je déciderais d'aller vivre à Wild Dunes, dans une de ces résidences où on vous prend complètement en charge. Mais en attendant, j'étais déterminée à m'installer chez moi, dans ma maison, sur mon lopin.

— Imagine que la toiture laisse passer l'eau…

— Je t'appellerai.

— Et où iras-tu en cas d'ouragan ?

— Chez toi.

— Dans ce cas, je ne vois vraiment pas pourquoi tu pars. Avec l'argent que tu as mis de côté, tu pourrais t'offrir des vacances de rêve chaque année. Partir à la découverte du monde, descendre dans des hôtels de luxe. Mais tu préfères te passer la corde au cou en contractant un emprunt !

— Non, papa. Cette baraque est un investissement. Si je dépense mes sous pour voyager, que me restera-t-il pour mes vieux jours ?

— Si tu bouges, tu feras peut-être la connaissance d'un type bien, qui veillera à ce que tu ne manques de rien.

C'était l'obsession de papa. Il était persuadé que maman l'avait épousé pour cela.

— Papa, s'il te plaît. Je n'ai besoin de personne pour assurer ma sécurité financière. En revanche, toi, si tu partais un peu, tu aurais des chances de rencontrer une femme.

— Ça n'est pas à toi de me dire ce que je dois faire ! Vous autres, féministes, avez miné le terrain aux braves filles qui ne demandent qu'à fonder un foyer !

— Ben voyons ! Les féministes ont le dos large. Tu t'en prends systématiquement à elles quand tu sais que j'ai raison.

— Très bien ! Fais comme tu voudras ! Il n'en a jamais été qu'ainsi, de toute façon !

— Eh oui ! Les chiens ne font pas des chats ! A ton avis, je la tiens de qui ma tête de mule ?

Après cela, le silence s'installait entre nous jusqu'à ce que nous soyons revenus à la raison – à force d'être trop dépendants l'un de l'autre, on finissait par s'encroûter. Et même s'il y avait dans notre entourage des parents et des enfants qui vivaient sous le même toit – y compris après s'être mariés ou remariés –, nous savions bien que c'était un pis-aller.

Ces joutes verbales se sont répétées pendant des semaines. Quand papa ne m'encourageait pas à voyager, il me suggérait de reprendre mes études. L'idée que je puisse avoir une résidence à moi lui était insupportable. Total, je faisais de mon mieux pour l'ignorer. Car malgré mes craintes de le voir sombrer dans la dépression lorsque je ferais le *grand bond en avant*, ma décision était irrévocable. Pour finir, un soir, il a accepté de se rendre à l'évidence et trouvé un moyen de justifier mon départ. J'étais en train de ranger des vêtements dans la penderie quand il est entré dans ma chambre.

— Tu sais, Anna, j'ai réfléchi.

Allait-il à nouveau tenter de me faire changer d'avis ?

— A quel sujet ? ai-je demandé en lui décochant un grand sourire.

Je me disais que s'il me voyait heureuse, il n'oserait pas jouer les rabat-joie.

— Au sujet de ta mère. Tu veux un thé glacé ?

— Pourquoi pas ?

J'ai laissé en plan ce que j'étais en train de faire et l'ai suivi à la cuisine.

Je me suis installée devant le comptoir et il m'a servi un verre.

— Merci. Alors, qu'est-ce qui te turlupine ?

— Tu sais qu'il y avait une grande différence d'âge entre ta mère et moi ; j'aurais presque pu être son père.

J'ai pressé quelques gouttes de citron dans ma tasse.

— Aujourd'hui, avec le recul, il me semble évident qu'elle m'a épousé parce que je pouvais lui offrir une vie moins misérable.

— Tu sembles oublier que ses parents étaient des vieux croûtons et qu'elle travaillait comme caissière dans une supérette. Ça n'est pas exactement la vie rêvée pour une jeune et jolie femme. Les gens se marient pour toutes sortes de raisons.

— C'est vrai. Tu veux un sandwich ?

— Non, merci. Ouvre le nouveau paquet de salami, l'autre est périmé.

Papa et moi n'étions pas sur la même longueur d'ondes quand il était question de jeter de la nourriture. Pour lui, tant qu'il n'y avait pas trace de moisi, c'était mangeable. J'ai noté mentalement que j'allais devoir faire un saut chez lui de temps en temps pour nettoyer le réfrigérateur.

— Admettons que des motivations diverses incitent les uns et les autres au mariage, a-t-il repris en saisissant la planche à découper. Il n'empêche que Jim vous aime de tout son cœur, Emily et toi, même si vous n'avez pas réussi à tenir jusqu'au bout.

— Je l'admets.

— Les motifs de ta mère étaient loin d'être aussi purs. En fait, elle a sauté sur la première occasion de mener une vie respectable.

— Ecoute, papa. Je t'aime ; mieux, je t'adore. Et tu le sais.

Mais j'en ai assez de piailler sur la tombe de maman. Si tu veux mon avis, elle était jeune et sans cervelle. Point final.

— Ma chérie, laisse-moi finir. Tu ne m'as pas compris. Je voulais juste dire qu'elle aurait dû essayer de s'en sortir par ses propres moyens avant de s'engager et que c'est regrettable qu'elle ne l'ait pas fait. C'est pourquoi je pense que tu as pris la bonne décision. Mais ne t'en laisse surtout pas conter par le premier gredin qui te promettrait la lune. Et si tu as du mal à t'en sortir, tiens-moi au courant, d'accord ?

— Primo, je ne suis pas en train de te quitter pour essayer de me trouver un mari. Et secundo, les hommes disponibles ne se ramassent pas à la pelle, papa. Soit ils sont déjà mariés, soit ils sont à côté de leurs pompes ou carrément bons à rien. Et puis tout le monde n'est pas fait pour la vie en couple. Moi, je n'aspire qu'à deux choses : habiter sur l'île – j'en rêve depuis que nous en sommes partis – et offrir une maison à Emily. Je n'ai jamais été du genre romantique. Et puis, il ne me viendrait pas à l'idée de me jeter à la tête du premier venu, et encore moins de convoler sans vous avoir d'abord consultés, toi, Jim, Frannie et Emily. Pigé ? Tu me connais suffisamment bien, il me semble.

— Oui, mais il n'empêche que j'ai plongé tête la première dans le mariage quand j'ai rencontré Mary Beth. Je me suis convaincu qu'elle m'aimait.

— Ne t'inquiète pas. Je te tiendrai au courant. Maintenant, mange ce sandwich et aide-moi à déballer mes affaires.

Je n'avais pratiquement pas fermé l'œil de la nuit tant j'étais excitée. Et pour cause. Dans l'après-midi, l'immensité bleue du ciel m'avait donné envie de m'envoler. Les gros nuages blancs et joufflus semblaient inviter les créatures célestes à jouer à cache-cache. Quelle merveille !

J'avais ouvert les fenêtres de la maison en grand et la brise marine avait immédiatement chassé l'odeur de renfermé. L'air chaud délicieusement salé me parvenait, enrobé de chants d'oiseaux et de bruissements de feuilles. C'était un jour d'été parfait.

— Viens, dis-moi si ça te convient ! m'a crié papa.

Il y avait comme une note de défaite dans son ton. Mais je

n'étais pas disposée à me laisser gagner par son humeur de chien.

— J'arrive !

— Hep ! a lancé une voix qui semblait tomber du ciel. Vous emménagez ?

L'interjection, rauque et indéniablement féminine, provenait de la bâtisse voisine. J'ai levé la tête et vu une femme très blonde qui devait avoir mon âge, peut-être un peu plus, penchée au-dessus de la rambarde du balcon.

— Oui, salut ! ai-je lancé en retour. On est en train de s'installer !

— Super ! Ce quartier a vraiment besoin d'un peu de sang neuf ! Je m'appelle Lucy. Et vous ?

Je lui ai adressé un grand sourire.

— Anna ! Anna Abbot !

Bon, d'accord, ce n'est peut-être pas très convenable de parler de cela ici, mais j'ai remarqué que Lucy ne portait rien sous sa robe en voile de mousseline. Non, sérieusement. En temps normal, je me fiche de savoir si une fille a une petite culotte ou pas. Sur le coup, je me suis dit qu'elle ignorait peut-être que le soleil de l'après-midi rendait sa ravissante tenue transparente. Si bien que j'ai fait mine de n'avoir rien vu. Autre possibilité, elle venait juste de prendre une douche et s'apprêtait à enfiler quelque chose de plus habillé.

— Je reviens.

Soudain, le carton que j'avais entre les bras m'a semblé terriblement lourd, puis le diable en personne s'en est mêlé.

— Papa ! ai-je appelé d'une manière innocente.

J'ai franchi le seuil d'entrée d'un pas guilleret et lâché :

— Ça t'ennuierait d'apporter la caisse qui se trouve à l'arrière du camion, à côté de la malle-cabine ? Elle est trop lourde, je n'arrive pas à la porter.

Comme mon père était incapable de résister à une femme en détresse, il a volé à mon secours en ronchonnant. Mais quand il est sorti et a aperçu Lucy, son expression a changé du tout au tout – ma parole, cette fille était un vrai remontant ! J'étais juste derrière lui.

— Salut ! a clamé Lucy en paradant toutes voiles dehors sur l'avancée du premier. Vous êtes M. Abbot ?

Papa a levé le nez. Sa mâchoire s'est affaissée et il a eu un haut-le-corps.

— Je suis Dougle Lutz, a-t-il répondu. Je veux dire Douglas, mais mes amis m'appellent Doc. Je suis le père d'Anna, mademoiselle.

— Ah... Je vois ! a rétorqué Lucy après une longue pause. Moi, c'est Lucy. Enchantée, Dougle, a-t-elle poursuivi dans un éclat de rire. Donnez-moi dix minutes et j'arrive !

Elle a disparu à l'intérieur de la maison et la porte-moustiquaire a claqué derrière elle. Mon pauvre papa avait l'air si ahuri que j'ai dû me mordre l'intérieur des joues pour ne pas éclater de rire.

— Nom d'un chien, a-t-il murmuré, défait, choqué, atterré. Non, mais, as-tu noté qu'elle ne portait pas de... Comment s'appelle-t-elle, déjà ?

— Lucy. Les gens d'ici semblent sympas, tu ne trouves pas ?

— Si !

Les yeux de papa, telles deux vrilles, cherchaient à percer un trou dans le mur, à l'endroit où Lucy avait disparu. Je lui ai donné une petite tape sur l'épaule pour le ramener à la réalité. Il devait y avoir un paquet d'années que Dougle – pardon, Douglas – n'avait pas eu une vision diurne – ou nocturne – aussi torride. Moi non plus, remarquez, mais cela ne regarde que moi.

Papa et moi sommes retournés à nos piles de caisses ; il continuait à marmonner dans sa barbe.

— Mais qui est cette femme ? Où veux-tu que je mette la chaîne stéréo ?

— Je ne sais pas. Dalila ? La stéréo irait bien dans le séjour, non ?

C'était une mini-chaîne que j'avais achetée à un prix raisonnable chez Wal-Mart et qu'on pouvait aisément caser sur une étagère. La seule folie que je m'étais offerte pour meubler ma demeure était une bibliothèque scandinave en bois blond, légère mais solide, au design moderne, que j'avais dénichée chez Danco, à Mount Pleasant. Un bijou. J'estimais que mes bouquins, qui avaient passé des années sur des rayonnages faits de planches et de briques, méritaient un sanctuaire plus digne. Bien que n'étant pas matérialiste pour deux sous, j'avais engrangé une quantité inouïe de manuels de jardinage et de livres de cuisine, sans oublier ma petite collection de classiques reliés pleine peau, à laquelle je tenais comme à la prunelle de mes yeux. A l'idée de pouvoir les ranger dans cette sublime pièce de mobilier, j'étais folle de joie. Car existe-t-il plus noble cause que de rassembler des ouvrages et les préserver pour les générations suivantes ?

J'étais si perdue dans mes pensées que je n'ai pas entendu quand Lucy a frappé à la porte. Lorsque j'ai levé la tête, je l'ai vue, un mixeur à la main, en grande conversation avec papa. Elle s'était changée, et portait une salopette très courte et un tee-shirt moulant. Les mains dans les poches, ahuri, papa la dévorait des yeux tandis qu'elle lui tournait autour en se répandant en paroles de bienvenue.

— Alors, j'ai pensé : « Lucy, tu dois donner un coup de main à tes voisins. » Puis-je vous servir un petit remontant ? J'ai apporté des gobelets en carton, à tout hasard !

— Oh, merci mille fois, a dit papa. Vous êtes trop aimable.

— Oui, vraiment, ai-je renchéri. Merci, Lucy.

Lorsqu'elle s'est penchée en avant pour remplir les godets avec ce qui ressemblait à une mixture à base de fruits congelés, j'ai cru que papa et moi allions découvrir tout ce qu'il était possible de connaître de son anatomie. Elle nous a tendu un gobelet à chacun, puis a levé le sien en disant :

— Bienvenue dans le quartier, chers nouveaux venus, et si jamais il vous prend l'envie de passer un moment en bonne compagnie, pensez à moi. A votre santé !

Le soleil, qui entrait par la fenêtre du séjour, jouait sur la grande bouche tartinée de brillant à lèvres de Lucy. Je n'avais encore jamais rencontré quelqu'un d'aussi flamboyant qu'elle.

J'ai pris une bonne rasade de cocktail et l'ai avalée d'un trait.

— Bon sang, c'est quoi ? ai-je demandé en toussant.

— Une sorte de planteur, mais à ma façon ! Pas mauvais, hein ? Qu'en pensez-vous ?

— Délicieux, a admis papa. Puis-je vous resservir, mademoiselle Lucy ?

— C'est quand tu veux, chéri !

Elle a éclaté de rire. Son attitude était si niaise et sa remarque si déplacée que papa a rougi comme une pivoine et baissé les yeux sur ses chaussures – des spartiates à semelle compensée haute comme une tour, nouées à la cheville par un ruban noir. Ainsi attifée, Lucy évoquait une pin-up de magazine érotique pour gladiateur. Mais peut-être n'avait-elle pas de miroir en pied ?

Elle s'est tournée vers la bibliothèque et a caressé le bois lisse des étagères avec volupté.

— Ouah ! Elle est superbe. Elle est neuve ?

Que voulez-vous que je vous dise ? Une fille qui montrait une telle admiration pour l'objet de mes rêves ne pouvait pas être foncièrement mauvaise. De plus, aucune de mes clientes, y compris parmi les plus excentriques, ne lui arrivait à la cheville. Lucy était une mutante, un spécimen beaucoup trop intéressant pour être mis à l'écart.

— Oui. Et ça va peut-être vous paraître idiot, mais j'en suis folle !

— Ce n'est pas idiot du tout ! Depuis quand est-ce un péché d'apprécier les belles choses ?

Décidément, cette Lucy me plaisait.

Papa lui a tendu son godet.

— Mademoiselle Lucy ?

Elle lui a rendu son sourire en lançant :

— Merci, Dougle, vous êtes un cœur !

Dougle. On était si remontés par la boisson qu'on a éclaté de rire. Il est vrai que papa et moi ne touchions pas une goutte d'alcool dans la journée. Ce qui ne semblait pas être le cas de Lucy.

Gorgée après gorgée, la timidité de mon père s'envolait. La glace était brisée – avouons même qu'elle avait fondu, car il était évident que Lucy n'avait aucune intention de regagner ses pénates. Et c'était tant mieux, car ainsi papa allait avoir de quoi s'occuper. Il ne pouvait décemment pas faire sa tête de cochon alors qu'une aussi jolie poupée le draguait. Je m'amusais comme une petite folle à les observer pendant que je déballais mes affaires. Lorsque Lucy s'est attaquée à l'armoire à linge, papa et moi avons commencé à la bombarder de questions.

Nous en étions à la deuxième tournée de cocktails quand nous avons appris qu'elle était divorcée. Son ex-mari, un promoteur, avait très bien réussi.

— Hugo est la meilleure chose qui soit arrivée à ce vieux Danny. Il lui a permis de faire un malheur.

Lucy se référait à l'ouragan qui avait failli rayer à jamais Charleston et ses îles de la carte du monde, en 1989.

— Et où est Danny, à présent ? ai-je questionné, à mille lieues d'imaginer ce qui allait suivre.

Les yeux de Lucy se sont remplis de larmes.

— Il m'a quittée pour s'établir comme pêcheur à Key West. Il était l'amour de ma vie ! Et puis un beau jour, pfft ! il a pris la poudre d'escampette ! Envolé ! Quand je suis rentrée de mon cours d'aérobic, j'ai trouvé une plaquette d'antidépresseurs vide. Il les avait sifflés avec une bouteille d'Absolut Citron, sa vodka préférée, et m'avait laissé un petit mot sur le comptoir de la cuisine.

Lucy s'est arrêtée, s'est raclé la gorge et a fait mine de lire une lettre.

— « Chère Lucy, je ne te supporte plus. Vivre avec toi est un vrai cauchemar. J'ai pris le bateau et cinquante mille dollars sur notre compte d'épargne. Tu peux garder le reste. Adieu. N'essaie pas de me retrouver. Tout est fini. » Non mais, vous vous rendez compte ?

De grosses larmes se sont mises à couler sur ses pommettes refaites puis sur ses seins siliconés. Papa s'est élancé vers elle, un mouchoir à la main. Comme Violette, il se servait de vrais mouchoirs, pas de kleenex.

— Quel goujat ! me suis-je exclamée.

— Danny était l'homme de ma vie.

— Et c'est un nigaud, mademoiselle Lucy, a renchéri papa, sincère. Un imbécile.

— Et pourtant, j'ai toujours fait ce qu'il me demandait. Absolument *tout* !

Papa s'est éclairci la gorge. Dieu seul savait ce que Lucy sous-entendait par là. Elle a repris.

— Je lui préparais son ragoût préféré – une recette de sa

mère – tous les mercredis. Et puis zut ! Pourquoi faut-il que je pleure chaque fois que je parle de lui ? Vous devez penser que je suis complètement siphonnée !

— Mais pas du tout, n'est-ce pas, Anna ?

— Non, pas du tout.

Carrément à l'ouest ! songeai-je, en réalité. Si mon mari m'avait laissé un message comme celui-là, je l'aurais pourchassé jusqu'en enfer et le lui aurais enfoncé dans les oreilles avec un crayon.

— Je repassais ses chemises, et même ses caleçons...

Lucy a geint et je me suis demandé pourquoi l'évocation des sous-vêtements de son ex lui était si pénible.

Papa lui a passé un bras autour des épaules et elle a posé la tête contre sa poitrine pour pleurer tout son soûl. Son soûl, ses sous ? Et le fait est que la dame valait son pesant d'or. Car dans les années quatre-vingt, Danny, le promoteur devenu pêcheur, avait eu la bonne idée d'acheter des actions de Microsoft et d'America OnLine, qui entre-temps s'étaient séparés puis rabibochés un nombre de fois incalculable. De plus, il n'avait pas dépensé un centime de l'argent qu'il avait amassé à l'époque où son affaire était en plein essor. Avec ce qu'il lui avait laissé, Lucy était à l'abri du besoin pour un bout de temps. L'année précédente, elle avait réalisé son portefeuille de titres.

— Je n'étais pas rassurée pour mon avenir, à l'idée d'un éventuel krach. Et il s'est avéré que j'avais vu juste.

A tout le moins ! La providentielle fortune de Lucy m'apparaissait d'autant plus injuste que je passais ma vie à tirer le diable par la queue. Mais je n'étais pas à une injustice près. Quand elle s'est enfin calmée, papa et elle se sont éclipsés pour aller chercher un ragoût dans son congélateur pour le dîner.

J'étais en train de mettre de l'ordre dans les cassettes et les DVD quand j'ai eu la très nette impression qu'on m'observait. Vous savez, cette étrange sensation que vos cheveux se hérissent sur votre nuque ? J'ai relevé le nez et vu une petite vieille qui se tenait sur le seuil.

— Il y a quelqu'un ? a-t-elle demandé, alors qu'elle savait

pertinemment que j'étais là, puisqu'elle m'observait depuis un petit bout de temps.

Je me suis approchée et l'ai toisée à travers la moustiquaire. C'était une minuscule bonne femme qui devait avoir dans les quatre-vingts ans. Miss Mavis ?

— Bonjour, ai-je répondu, consciente que je devais sentir l'alcool à plein nez.

Et quand bien même ? Après tout, c'était elle l'intruse, et puis je me sentais flotter sur un nuage de rhum.

— J'habite la maison d'à côté et je vous ai apporté un gâteau ! Vous ne m'invitez pas à entrer ?

Le ton acariâtre m'a fait sursauter.

— Mais si, naturellement ! Où avais-je la tête ? Merci, ai-je lancé en tenant la porte ouverte. Bienvenue au pays du fouillis !

La curieuse a jeté un coup d'œil circulaire aux piles de cartons et aux montagnes de papier froissé, puis a déclaré :

— Fichtre, il va vous falloir du temps pour remettre tout ça en ordre. Vous avez un chien ?

— Non. Juste une fille, qui est à l'université.

— Qui ça ? Comment ?

Mon interlocutrice était dure d'oreille. J'ai un peu haussé le ton.

— Non. Je suis seule avec ma fille, qui va à l'université.

— Tant mieux ; je n'ai pas envie que mes chats se fassent courser par un cabot. Vous aimez faire la fête ? Tenez, débarrassez-moi de ça, pour l'amour du ciel.

— Merci, ai-je répété en allant poser le présent sur le seul coin encore disponible de la table de cuisine. Si vous voulez savoir si je suis une voisine bruyante, la réponse est non.

— Tant mieux ; j'ai besoin de calme et aime dormir la fenêtre ouverte.

— Moi aussi, madame… ? Désolée, nous ne nous sommes même pas présentées ! Mon nom est Anna.

— Et moi, Miss Mavis. Je vis sur cette île depuis que je suis née, et ma mère et mon père y ont vécu avant moi. On y venait chaque été.

Elle m'a toisée de la tête aux pieds, les mains posées sur les hanches, puis a repris :

— Je connais cet endroit et son histoire comme ma poche. « Si vous ne savez pas, demandez à Mavis ! » dit-on par ici.

— Je suis ravie de faire votre connaissance, et merci mille fois pour le gâteau, Miss Mavis.

Elle ne se souvenait manifestement pas de moi et je ne savais pas comment m'en débarrasser. Je ne pouvais pas l'inviter à prendre un café, car je n'avais pas encore déballé le percolateur ; je n'avais même pas de thé à lui offrir, n'ayant pas encore eu le temps de faire un tour à l'épicerie. De plus, tous les sièges étaient occupés par des caisses. Et surtout, j'avais un petit coup dans le nez. De sorte que le moment était mal choisi pour renouer avec qui que ce soit.

Miss Mavis a souri et pour la première fois, j'ai retrouvé le visage de la femme qui m'avait si gentiment accueillie le jour du décès de maman. Oui, c'était bien elle. Et même si je n'avais pas envie de revisiter le passé tout de suite, je trouvais merveilleux que Miss Mavis soit en vie et n'ait pas vraiment changé. Elle continuait à se faire appeler Miss Mavis. Toujours aussi insolente et opiniâtre. Et quelque chose me disait que j'avais intérêt à la traiter avec le respect qui était dû à son grand âge et à son glorieux passé d'îlienne. Un jour, je prendrai le temps de lui expliquer qui je suis, songeai-je.

— C'est un gâteau d'Ange. Je ne vous ennuie pas davantage, je n'ai fait que passer.

— C'est très aimable à vous. J'adore le gâteau d'Ange.

— Ah ! mais vous n'avez pas compris. J'ai dit « d'Ange », parce que c'est Ange qui l'a confectionné !

— Dans ce cas, remerciez-la pour moi.

Ainsi, Mlle Ange était encore de ce monde, elle aussi !

— Je n'y manquerai pas. Le monsieur n'est pas ici ?

— Quel monsieur ?

— Il me semble avoir vu un monsieur qui vous aidait à décharger. Vous n'êtes pas une de ces femmes de mauvaise vie qui vivent dans le péché, au moins ?

J'ai éclaté de rire.

— Vous plaisantez ? C'est mon père !

— Ah ! Mais où est-il ? Il ne vient pas dire bonjour ?

— Désolée ! Il est allé chez la voisine chercher un plat pour le dîner.

— Quoi ? Ne me dites pas que Lucy a déjà mis le grappin sur votre père ?

— Pas du tout, vous vous méprenez...

— Hum ! Si j'ai un conseil à vous donner, demoiselle... Cette femme est une... une... Vous feriez bien de garder vos distances.

Miss Mavis semblait très contrariée que papa ne soit pas présent pour la saluer, mais j'ai fait comme si de rien n'était. Je n'avais pas besoin d'elle pour comprendre qui était Lucy.

Miss Mavis a inspiré profondément puis s'est dirigée vers la porte.

— Le monde a changé, Anna, mais moi je suis trop vieille pour me refaire. Si vous avez besoin de quoi que ce soit, n'hésitez pas.

Je l'ai regardée traverser le jardin pour retourner chez elle. Il y avait longtemps que je n'avais pas croisé quelqu'un d'aussi aigri. C'était un vieux crabe de cocotier, un pur produit de Caroline du Sud, mais j'allais adorer l'avoir comme voisine. Elle me raconterait ce qui s'était passé sur l'île depuis que j'étais partie et m'aiderait à recoller les morceaux de ma vie brisée. A condition que je le veuille, naturellement.

Voyant que papa ne revenait pas, j'ai commencé à me demander ce que Lucy et lui fricotaient. J'ai continué à ouvrir des caisses et déballé les ustensiles de cuisine. Puis j'ai branché le percolateur.

Une heure plus tard, Lucy a ressurgi ; elle s'était à nouveau changée. Je me suis abstenue de tout commentaire quand j'ai remarqué que mon père avait les cheveux ébouriffés et évitait mon regard. Pauvre papa ! J'espère qu'il se rendait compte que les femmes comme Lucy sont une catastrophe ambulante : égocentriques, cupides et opportunistes. Mais quelle mouche m'avait donc piquée ? Mon père s'était accordé une petite séance de pelotage en douce ? Et alors ? Depuis combien d'années ne s'était-il pas payé une tranche de bon temps ? Du moment que cela le mettait de bonne humeur, quelle importance ? Jamais l'idée ne m'avait effleurée qu'il pouvait avoir des besoins sexuels. Après la mort de maman, il avait fait une croix sur les filles entreprenantes. Et voilà qu'il se laissait prendre du premier coup par une pro du harpon. Il n'avait probablement même pas cherché à se débattre, et c'était tant mieux. Car s'il y avait une chose dont lui et moi avions besoin, c'était bien de... Enfin, vous m'avez comprise...

Et voici que Lucy était de retour avec son fameux ragoût – à propos duquel j'ajouterai, car je craignais d'être retrouvée morte le lendemain, que c'est la pire ragougnasse qu'il m'ait jamais été donné d'ingurgiter. Il consistait en poulet – un ingrédient en apparence inoffensif – noyé dans un océan de cheddar, purée de haricots noirs et tortillas. Immonde. Mais Lucy était si fière et papa si ébloui que j'aurais eu mauvaise grâce à jouer les rabat-joie. Notre premier repas dans ma nouvelle maison se passa sans encombre et sans qu'il soit besoin d'appeler le Samu. Papa mastiquait gaiement tandis que je chipotais et que Lucy buvait à grands traits les martinis qu'elle avait apportés.

— Lucy, c'est vraiment très gentil à vous.

— Pas du tout.

— Mais si ! a renchéri papa. C'est une soirée à marquer d'une pierre blanche ! Pas vrai, Anna ?

— Absolument. Au fait, il y a du gâteau pour le dessert. Ça vous tente ?

— Du gâteau ? s'est étonné papa. Et d'où vient-il, celui-là ?

— De chez Miss Mavis.

— Sans blague ! Elle est toujours de ce monde ?

— Ouais. Mais elle ne m'a pas reconnue.

— Mon Dieu ! s'est exclamée Lucy. Si j'ai un bon conseil à vous donner : garez vos miches !

Elle n'avait pas eu l'air de réaliser que nous connaissions Miss Mavis, ce qui, compte tenu de ce qu'elle avait ingurgité, n'avait rien de très étonnant.

— Pourquoi ?

— Parce que c'est sœur Pipelette et détective Columbo à la fois, deux en un ! Elle n'arrête pas d'épier mes allées et venues, comme le FBI ! Et puis, il y a ces horribles matous, et la vieille sorcière qui n'arrête pas de jeter des sorts ! Non mais c'est vrai, écoutez-moi quand je parle !

Lucy s'est levée et étirée, révélant son nombril.

— Je crois qu'il est temps que Miss Lucy regagne son boudoir. Anna, je suis bien contente de vous avoir comme voisine !

— Moi aussi, Lucy. Merci pour tout.

— Je sens qu'on va rigoler.

Sûrement, quand tu auras dessoûlé, ai-je pensé.

Pendant que Lucy parlait, papa et moi l'écoutions en hochant la tête. Maintenant qu'elle avait donné le signal du départ, il ne nous restait plus qu'à faire le premier pas.

Papa s'est levé.

— Puis-je vous raccompagner, Miss Lucy ?

— Avec plaisir !

Je les ai escortés jusqu'à la porte et regardés traverser la pelouse puis monter les marches de la véranda. Le clair de lune les enveloppait tel un voile de volupté. Quand j'ai vu papa en train de parler à Lucy, il m'a semblé découvrir un jeune homme en train de tomber amoureux. Je n'ai pas cherché à savoir s'ils échangeaient un baiser. Trop vulgaire. D'ailleurs, si j'avais déménagé, c'était en partie parce que j'estimais que mon père avait droit à son intimité. Il passerait aux aveux s'il en avait envie ; je ne poserais aucune question.

Il est revenu en feignant la mauvaise humeur – un mécanisme de défense destiné à éviter un interrogatoire en règle de la part de sa fille. Je me suis contentée de l'embrasser sur le front en disant :

— Merci, papa ; sans toi, je ne m'en serais pas sortie.

— Va te coucher. Je reviendrai demain.

Il est remonté dans la camionnette que nous avions louée. L'île était silencieuse. Les demoiselles Ange et Mavis à ma gauche, alias les sœurs Pipelette, semblaient avoir sombré dans les bras de Morphée. La maison de Lucy était presque entièrement plongée dans l'obscurité. Je suis sortie dans le jardin et ai pris la direction de la plage.

Cette nuit était la plus importante de ma vie. Demain matin, quand la marée serait redescendue, mon rêve de toujours se serait réalisé. J'ai marché sur le sable humide jusqu'au bord de l'océan. Il faisait nettement plus frais ici que dans le jardin, qui ne se trouvait pourtant qu'à quelques mètres. La brise était plus forte et le ciel plus profond. Chaque détail du paysage semblait amplifié et comme hanté. Je me suis mise à marcher en direction de Sullivan's Island en passant en revue ce qu'il me restait à faire.

Emily allait bientôt revenir de l'université et je possédais enfin ma maison. Je mourais d'envie de raconter à Jim cette première journée et la rencontre avec Lucy. Ma demeure lui rappellerait certainement celle, sur pilotis, que nous partagions au moment de la naissance d'Emily. J'avais hâte d'être au lendemain pour lui téléphoner et lui relater le déménagement.

Contrairement aux femmes qui ne peuvent pas se passer des hommes, je n'avais pas besoin d'un mari. J'avais connu un tas de chic types, mais n'étais pas vraiment tombée amoureuse. La faute à qui ? A moi, sans doute. J'étais trop occupée à travailler et à mettre de l'argent de côté, à veiller sur papa et sur Emily. Un jour peut-être, quand j'aurais réussi à un peu organiser ma vie, j'envisagerais de m'amouracher d'un gars, voire de me marier. En attendant, j'avais beaucoup trop à faire. Je voulais partir du bon pied dans ma nouvelle existence. Il ne restait que trois semaines avant la venue d'Emily, et je consacrerais mon énergie à nous installer un nid douillet et confortable.

Je ne pouvais pas m'empêcher de me demander ce que maman aurait pensé de moi si elle avait pu me voir. Et Violette ? En songeant à elle, j'ai été prise d'un fou rire. Elle devait se retourner dans sa tombe en me voyant ainsi revenue sur l'île. Si elle avait été vivante, j'aurais pu rejeter une grande partie de mes problèmes sur elle. Mais pour le reste, je ne devais m'en prendre qu'à moi-même. La liste des femmes qui m'avaient fait des misères était longue : maman, puis Violette et enfin Trixie, la mère de Jim. Celle-là, s'il y a un stade en enfer, c'est sûr qu'il porte son nom.

6

Lumière du jour

Il était cinq heures et demie et le jour pointait quand j'ai sauté du lit. Je me suis frayé un chemin parmi les piles de cartons jusqu'à la cuisine et ai mis le percolateur en route. Une bonne odeur d'arabica fraîchement moulu a commencé à se répandre dans l'air. Je me sentais toute chose. C'était mon premier café du matin sur l'île.

J'ai enfilé un short kaki et un tee-shirt blanc, puis je me suis lavé les dents et aspergé la figure d'eau. Quelques minutes plus tard, mes pieds foulaient l'asphalte.

Les îliens dormaient encore à poings fermés. Sous les vérandas, des lampes brillaient çà et là d'un éclat ambré. Les avait-on laissées allumées exprès pour quelqu'un qui n'était pas rentré, ou avait-on bêtement oublié de les éteindre ? Imaginer comment les gens vivaient quand ils étaient chez eux, dans l'intimité, était un de mes passe-temps favoris. Prenez Lucy, par exemple. Buvait-elle jusqu'à tomber raide chaque soir ? Etait-elle vraiment aussi malheureuse qu'elle en avait l'air ou n'était-ce qu'une mise en scène destinée à nous manipuler, papa et moi ? Au fait, Doc s'était-il endormi en pensant à elle ? En public, les êtres jouent un jeu ; dès qu'ils sont à l'abri des regards, ils jettent le masque. Et nous autres, habitants du Sud, restons quasi impénétrables. Nous arborons en toute occasion un grand sourire, preuve d'une force de caractère hors du commun, qui nous a permis de nous relever de nos cendres à maintes reprises. Car nous sommes polis jusqu'à la glotte. Est-ce la marque d'un orgueil démesuré ? Nous partons du principe que le monde entier nous envie nos excellentes dispositions.

Les vrais Sudistes baignent depuis leur plus tendre enfance dans le charme et l'élégance. L'argent et autres biens terrestres n'ont jamais été un gage d'éducation. Quelle que soit leur race ou leur religion, ceux d'ici s'attendent à recevoir de la considération de la part d'autrui. Et ils font le distinguo entre les représentants de la vieille école, les *bubbas* et les « cous rouges ». Les premiers révèrent la tradition. Ils portent des mocassins bien astiqués et des chemises brodées à leurs initiales, se parfument et tiennent la porte aux dames. Ce sont des mondains, qui pour certains sont allés à l'université et savent préparer des cocktails. Les deuxièmes, de braves bougres plutôt bedonnants, roulent volontiers en quatre-quatre, lèvent le coude au petit déjeuner et relèvent les défis. Quant aux troisièmes, vous ne les verrez jamais manger les travers de porc ou le poulet autrement qu'avec les doigts. Ils dressent leur clébard à attaquer, tabassent leur femme à l'occasion et entassent leurs gosses dans un pick-up pour les emmener voir des courses de tracteurs. Ce sont presque toujours eux qui lancent les défis.

Mais la liste n'est pas exhaustive. On compte aussi parmi les spécimens du Sud les empêcheurs de tourner en rond, telle Miss Mavis. Un sacré personnage, qui se fiche comme d'une guigne de l'opinion d'autrui à son égard. Elle peut se comporter comme elle l'entend, personne n'osera lui faire la moindre remarque. Je n'ai, pour ma part, jamais eu cette chance. Peut-être que le jour où je dévoilerai mon identité à Miss Mavis, elle se souviendra de moi, se répandra en louanges et me prendra sous son aile.

J'ai marché droit devant moi. Au début, la brume était si épaisse qu'on aurait presque pu l'attraper à pleines mains. On n'y voyait pas à dix mètres. Et puis d'un seul coup, comme si quelqu'un avait crié « Soleil ! », le brouillard s'est levé, révélant le paysage qu'il me tardait de retrouver, vibrant de couleur et de vie. Dans le lointain, j'ai aperçu deux chiens qui pourchassaient des mouettes. Leur maître, l'air jovial, faisait tournoyer leurs laisses et les rappelait de temps à autre d'un coup de sifflet. Les magnifiques setters irlandais s'exécutaient aussitôt, mais dès qu'une nouvelle bande de volatiles se posait au bord de l'eau, ils repartaient à l'attaque et la dispersaient. Ils étaient si drôles à observer que j'ai regretté de ne pas avoir de chien, même si Miss Mavis aurait certainement trouvé à y redire.

Juste au moment où je me demandais si je devais saluer l'étranger lorsqu'il passerait devant moi, il a bifurqué et disparu de l'autre côté des dunes avec ses compagnons à quatre pattes. Une fois de plus, j'avais la plage pour moi. J'ai jeté un coup d'œil à ma montre. Six heures et demie. Mon premier rendez-vous n'était qu'à dix heures. Je songeais sérieusement à quitter Harriet et son Institu'Tif. Non pas que le boulot m'ait déplu, loin de là. Je gagnais bien ma vie et mis à part une ou deux râleuses, les clientes étaient plutôt sympas. Le problème, c'était Harriet. Comme aurait dit l'ex-mari de Lucy, elle me tapait sur le système.

Sur le chemin de la maison, j'ai fait une halte pour ôter le sable de mes tennis. J'étais si euphorique que j'ai eu envie de piquer un sprint. Dès l'instant que j'avais des chaussures de sport, pourquoi pas ? Sauf que je suis le contraire d'une sportive. Il faut reconnaître que depuis que j'ai vingt ans, je passe mes journées à shampooiner des tignasses dans un salon de coiffure climatisé. Mais pour la première fois depuis des années, je bouillonnais littéralement de bonheur.

Lorsque j'ai atteint ma bicoque, coincée entre les deux imposantes demeures de la prude Miss Mavis et de Lucy la fofolle, j'ai fait une pause pour l'admirer. Son jardin avait besoin d'une sérieuse reprise en main. J'étais en train de dresser mentalement la liste des miracles que je devrais accomplir quand le téléphone a sonné. J'ai pensé que c'était papa, qui voulait vérifier que je n'avais pas été enlevée par un psychopathe en pleine nuit. Manque de pot, c'était Trixie.

— Je voulais juste prendre de tes nouvelles et m'assurer que tout allait bien, très chère ! Je viens d'avoir ton père au téléphone. Et je sais tout. Alors comme ça, tu as acheté une maison sans me le dire !

— Eh bien...

— Vilaine cachottière ! Décidément, tu ne changeras jamais.

Dès que j'ai entendu Trixie braire dans le combiné, j'ai compris que j'avais fait une boulette. En ne la tenant pas informée de mes moindres faits et gestes, j'avais enfreint le règlement. Elle était hors d'elle. Je me suis néanmoins efforcée de rester polie.

— J'espère que vous allez me rendre visite ! Je vous demande de me laisser quelques jours pour m'organiser. Il ne faut pas vous attendre à un palais. Je n'ai que deux chambres.

— C'est tout ? Remarque, tu n'as pas besoin de plus.

Ben voyons ! Si tu le dis !

— En fait, ça ressemble davantage à un appartement avec un jardin qu'à une maison. Mais je peux voir la mer, ou presque, et ça fait toute la différence.

— Bah, l'important c'est que tu t'y plaises. Et moi aussi. Que dirais-tu si j'apportais le déjeuner, dimanche prochain ?

— Excellente idée !

Dès lors que la visite de Trixie était inéluctable, autant que je m'en débarrasse le plus vite possible. Et fasse le ciel que les lieux lui plaisent !

Je l'ai entendue feuilleter son agenda.

— Mon Dieu, non ! Pas dimanche. J'ai une régate ! Zut ! Un peu plus, j'oubliais. Tu imagines…

— Ce serait trop bête de la manquer, ai-je répliqué sans avoir l'air de trop insister.

— Bien, il faut que je te laisse, Anna. Mais au fait, comment va *notre* chère Emily ?

Notre Emily, tu parles !

— Très bien ! Elle revient dans trois semaines ! J'ai hâte de la revoir. Ça va faire presque six mois ; nous n'avons jamais été séparées aussi longtemps l'une de l'autre !

— Formidable ! La prochaine fois que tu l'as au téléphone, dis-lui que je l'embrasse et que j'ai envie de la serrer fort, fort sur mon cœur !

Dès que j'ai eu raccroché, j'ai été prise de l'envie irrésistible d'accrocher le portrait de Trixie dans les toilettes. Bon, maintenant, je vais vous raconter une histoire que personne ne connaît – en espérant que vous n'irez pas la crier sur les toits. C'est une version abrégée de « pourquoi il ne faut pas accepter quoi que ce soit venant d'un étranger ni, parfois, d'un membre de sa famille ».

Ceux qui disposent d'argent s'imaginent qu'ils ont le pouvoir. En fait de pouvoir, l'argent a surtout celui de pourrir les rapports humains, voire de briser les foyers. Mais pour en revenir à moi, et bien que je n'aie rien fait pour, j'ai appris ce qu'était la vie après avoir été victime d'un viol – à la suite duquel Emily est née.

Je sais que c'est difficile à croire, mais la drogue du viol existait déjà en 1983. Or, il se trouve que j'ai été la première personne à avoir le triste privilège d'ingérer du Rohypnol – produit très efficace, au demeurant.

Violette s'était chargée de me trouver un cavalier pour m'escorter à mon bal de débutante. Je souligne qu'il s'agissait de ma première sortie avec un représentant du sexe fort, grand-mère étant convaincue qu'une soirée au cinéma avec un garçon n'était qu'un prétexte à une partie de jambes en l'air. L'année où j'ai passé mon diplôme de fin d'études secondaires, je n'avais pas encore eu de petit ami, pas à cause de mon aïeule, mais parce que je n'avais rencontré personne avec qui j'aurais aimé flirté. J'avais une bande de copains et cela me suffisait.

Quoi qu'il en soit, le raté déniché par Violette et qui fit basculer ma vie dans le drame était un certain Everett Fairchild, le fils d'un pasteur d'Atlanta. Le rejeton d'un clergyman ne pouvait qu'être irréprochable, mais c'était compter sans les mœurs estudiantines des années quatre-vingt, réputées aussi folles que celles des sixties. La bonne société de Charleston avait tendance à fermer les yeux quand on évoquait les échanges de coups de poing et la consommation abusive d'alcool des étudiants, mettant ces comportements asociaux sur le compte d'une discipline excessive, du mal du pays et mille autres excuses. Everett partageait sa chambre avec un Sud-Américain spécialisé dans l'import – de médicaments à vocation récréative, je précise.

Muni d'une pleine poignée de pilules, il me conduisit au bal, puis jusqu'à une villa sur la plage de Folly Beach, où la plupart de mes camarades avaient prévu de passer le week-end. Nous avions troqué notre tenue de soirée contre un short et des sandales, prêts à nous éclater comme des fous. Je m'en souviens comme si c'était hier, mais il est vrai que ce genre de moment n'est pas de ceux qu'on oublie facilement.

Everett – blond platine, dents parfaites, yeux vert émeraude et joues creusées de fossettes – m'a semblé plutôt agréable, jusqu'au moment où il s'est mis à siroter du Purple Jesus, une mixture composée de jus de fruit et des divers alcools disponibles. C'est alors qu'il a commencé à m'entreprendre. Je buvais pour la première fois de ma vie et étais si pompette que je me suis sentie flattée. Mes meilleurs amis, Frannie et Jim, assistaient à la scène. Frannie étant trop grosse pour que quiconque ait accepté de l'accompagner et Jim gay, ils avaient décidé de venir ensemble. Et quand Everett approchait ses lèvres de mon cou, ils écarquillaient de grands yeux effarés. Et moi, pendant ce temps-là, je souriais bêtement, telle la grosse dinde que j'étais.

On buvait allégrement, sans chercher à savoir ce qu'on mettait dans nos verres, jusqu'au moment où ce cher Everett m'a entraînée vers une chambre à coucher. Je me souviens de m'être dit qu'un somme ne me ferait pas de mal. Et le fait est que je voyais double et tenais à peine sur mes jambes.

L'instant d'après, je me rappelle avoir aperçu Frannie et Jim penchés au-dessus de moi. Frannie s'est mise à hurler quand elle a remarqué que je pissais le sang. Jim avait un tee-shirt enroulé autour du poing. Apparemment, il avait mis la tête au carré à Everett et lui avait décoché un crochet à l'estomac. J'ai vu Everett qui se dirigeait en titubant vers la porte puis montait dans sa voiture. Frannie et Jim m'ont portée jusqu'à la leur, puis ont filé direct aux urgences de l'hôpital St Francis. J'avais le nez éclaté et me sentais passablement flagada.

« Nom d'un chien ! n'arrêtait pas de répéter Frannie. Qu'est-ce qu'on va dire à ta grand-mère ?

— Ch'uis tombée dans l'escalier, ai-je suggéré à travers le brouillard, que je mettais sur le compte de l'alcool.

— Oui, a acquiescé Jim. On va lui raconter ça. »

Il était plus d'une heure du matin. Frannie et Jim sont restés à m'attendre pendant qu'un malheureux interne, privé de sommeil, s'efforçait de me remettre doucement le nez en place, non sans l'avoir préalablement anesthésié avec de la glace. Après avoir posé une bande adhésive, il m'a prescrit des antibiotiques et suggéré de voir sans tarder un chirurgien esthétique – conseil que je n'ai pas suivi, d'où la bosse qui fait saillie au milieu de mon pif. A aucun instant il n'a songé à m'examiner pour savoir si j'avais subi une agression sexuelle. Mais moi non plus, à vrai dire. L'idée ne m'a simplement pas effleurée.

Frannie et Jim n'avaient fait aucune allusion à ma tenue vestimentaire. Quand j'ai trouvé le courage de leur poser la question, ils étaient si traumatisés par ce qu'ils avaient découvert – Everett soûl, étendu à côté de moi, gisant sur le lit, dépenaillée et le visage en sang – qu'ils m'ont juste répondu qu'ils avaient cherché à me tirer de là le plus vite possible. C'est-à-dire après que Jim avait cassé la figure à Everett. Car il avait beau être gay, il n'avait rien d'une folle. Et nous étions très proches l'un de l'autre. Entre lui et moi, c'était à la vie à la mort.

Papa a gobé l'histoire de la chute dans l'escalier, qu'il a attribuée à ma jeunesse insouciante. Je crois même qu'il a laissé échapper un petit rire et s'est gentiment moqué de moi. Il devait se féliciter intérieurement de voir que sa fille, qui menait une vie bien rangée, avait pour une fois pris des risques. Il a acheté les médicaments et m'a dit en secouant l'index que j'avais eu de la chance de ne pas m'être brisé le cou.

Six semaines plus tard, j'ai cru que j'avais attrapé la grippe. On était à la mi-juillet et il faisait une chaleur à crever. J'avais mal partout et étais si raplapla que j'arrivais à peine à soulever la tête ou à garder les yeux ouverts. Constatant que je passais mon temps à dormir, papa s'est inquiété. Dans un premier temps, il a cru que j'avais une mononucléose, après quoi il s'est demandé si je ne faisais pas de l'anémie. Voyant que cela ne passait pas, il m'a adressée à un confrère interniste, le Dr Goodman, qui m'a soumise à une série d'examens de sang et d'urine. Il ne lui a pas fallu plus d'une minute pour poser le diagnostic. Après m'avoir examinée, il m'a fait asseoir face à lui, dans son bureau.

« Tu es enceinte de dix semaines.

— Si c'est une blague, ce n'est pas drôle. »

Soudain, j'ai bondi hors du fauteuil, comme si j'avais reçu une décharge électrique.

« C'est la vérité, Anna. Quel âge as-tu ? »

Le Dr Goodman était sérieux et songeait sans doute que j'étais une garce d'adolescente qui avait caché la vérité à son malheureux père.

« Mais c'est impossible, ai-je répliqué, sans même réfléchir. *Impossible !* »

Dieu soit loué, et tous les anges du paradis avec, le Dr Goodman a réalisé que j'étais sincère et compris que quelque chose de terrible s'était passé. On était en fin de journée et il lui restait encore un patient à voir. Il s'est levé et a pris mes mains glacées dans les siennes en murmurant :

« Anna, je dois m'absenter quelques instants. Une urgence. Une vieille dame qui a une otite aiguë. Tu vas attendre ici et essayer de te remémorer ce qui s'est passé. Après quoi, toi et moi, nous réfléchirons à ce qu'il y a lieu de faire. Surtout, pas de panique ! C'est moi le médecin, c'est moi qui prends les décisions. »

Dès qu'il est sorti du bureau, je me suis mise à trembler comme une feuille. Cela n'aurait pas été pire s'il m'avait plongé un couteau en plein cœur.

J'ai tenté de me concentrer. La seule fois où un morceau de ma vie m'avait échappé, c'était durant cette fameuse soirée de bal. J'ai compris que je portais l'enfant d'Everett Fairchild. Ce dernier m'avait forcée et je ne m'étais rendu compte de rien. Lui avais-je dit que c'était sans importance ? Qu'allais-je devenir ? Cette question, j'ai dû me la poser un millier de fois. Comment était-ce arrivé ? Et pourquoi moi ? C'était horrible, injuste ! J'étais censée entrer à l'université en août ! J'avais travaillé dur pour gagner ma liberté ! Et voilà le résultat ! Tout à coup, j'ai vu mon avenir s'effondrer sous mes yeux tel un château de cartes. Quelle serait la réaction de papa ? Prendrait-il un fusil et abattrait-il Everett ? Nous obligerait-il à nous marier ? Le pire de tout, c'est que je n'avais aucune envie d'avoir un gamin ! Me faire avorter ? Jamais de la vie ! Car si c'était effectivement un meurtre, je risquais de finir en enfer. Mais si Dieu m'aimait, comment avait-Il pu laisser faire une chose pareille ? Les anges gardiens ? Ah ! ils pouvaient être fiers d'eux, ceux-là !

A mesure que ma terreur décuplait, mes convictions religieuses faiblissaient. Jamais je ne m'étais sentie aussi seule. J'ai entendu l'assistante du Dr Goodman qui lui disait bonsoir et lui rappelait de verrouiller les portes avant de s'en aller.

Quand il est revenu, j'étais dans tous mes états. Je claquais des dents et frissonnais de la tête aux pieds en pleurant comme une Madeleine. Je n'osais pas avouer que j'avais été violée, dans la mesure où je n'en avais aucun souvenir. J'étais impuissante et désespérée. Qui croirait que je racontais la vérité ?

Le Dr Goodman m'a tendu une boîte de mouchoirs en papier et un gobelet d'eau fraîche. J'ai bégayé :

« Vous n'avez pas... Je ne me souviens pas de... Mon Dieu !

— Anna, a-t-il répondu doucement. Ecoute-moi. Je crois avoir compris ce qui s'est passé et désire t'aider.

— Personne ne le peut. *Personne !* Ma vie est fichue !

— Mais non. Quelqu'un a abusé de toi et j'aimerais que tu retrouves comment ça s'est passé. »

J'ignore s'il s'est imaginé que j'étais une de ces oies blanches qui couchaient avec un professeur sans savoir comment on fait les enfants. A moins qu'il n'ait pensé que j'étais dérangée. Toujours est-il que j'ai déballé d'une traite mon histoire, avec le nez cassé et tout. Il m'a écoutée sans perdre une parole. Et quand j'ai eu fini, il s'est renversé dans son fauteuil, a ôté ses lunettes et s'est frotté les yeux. A cet instant, il m'a paru aussi vieux que Mathusalem, et j'ai compris que j'avais franchi un seuil et laissé à jamais l'enfance derrière moi. J'étais si révoltée que je désirais mourir. J'étais d'une tristesse infinie.

« Si nous parvenons à établir la paternité, Anna, nous pouvons envoyer ce type derrière les barreaux. Le viol est un délit très grave.

— Et qu'est-ce que ça changerait ? »

Je me suis mise à tortiller rageusement un mouchoir en papier entre mes doigts. La colère montait en moi.

« Ce saligaud t'a cassé le nez, Anna, passe-moi l'expression. Il t'a violée et engrossée. Songe qu'il pourrait recommencer avec une autre fille. »

Là, c'était trop m'en demander.

« Je ne sais pas. Comment vais-je annoncer la nouvelle à papa ? Il ne s'en remettra jamais !

— Je m'en charge, Anna. Il faut que ce soit moi, pour que ton père garde la tête froide. Je connais Douglas Lutz depuis des années et je sais que c'est un homme raisonnable.

— Vous ne comprenez pas ! Vous ignorez son comportement avec moi ! Depuis que ma mère est morte... Et puis il a connu la guerre... Et ma grand-mère... Mon Dieu ! Qu'est-ce que je vais devenir ?

— Ils ne sont pas idiots, Anna. Ils savent dans quel monde nous vivons. Ils vont comprendre que tu n'y es pour rien. Allons, viens, je t'accompagne jusque chez toi. »

Tout au long du trajet, je me suis repliée sur moi-même en essayant de me préparer au pire. Que pouvait-il encore m'arriver ? Que Violette et papa me jettent à la rue ? Non. Violette peut-être, mais pas mon père. Il m'aimait trop pour cela. Il serait si choqué et furieux, comme moi, qu'il était capable... De quoi, au juste ? Mieux valait ne pas y penser.

Heureusement, le Dr Goodman était là. Il discuterait calmement avec papa et le mettrait au courant. Ensuite, papa déciderait peut-être de contacter la police ou un avocat. Imaginez qu'il aille en justice ? Et que je me retrouve à la une des journaux ? Comme si porter un bébé sans même le savoir n'était pas déjà une épreuve suffisante !

Papa était sur le perron quand il nous a vus arriver. Le Dr Goodman a tourné dans l'allée et s'est garé juste derrière moi. En voyant ma mine défaite, papa est devenu livide. Il pensait sans doute que j'étais atteinte d'une maladie incurable.

« Bonsoir, Douglas ! Tu n'aurais pas une petite bière pour ton vieux copain ? a lancé le Dr Goodman pour le mettre à l'aise. »

Comme par enchantement, papa a repris des couleurs et s'est détendu.

« Mais si ! Entre ! »

Nous nous sommes assis sans rien dire autour de la table de la cuisine. Papa a ouvert deux bouteilles de Beck's et en a tendu une à son ami.

« Alors, quel est le diagnostic ? »

Je me suis mise à pleurer, la figure enfouie dans mes mains.

« Anna est enceinte, Douglas. Elle a été droguée et violée par le garçon qui l'a accompagnée au bal. »

Il s'en est suivi un silence de mort qui m'a semblé durer un temps infini. Puis les questions ont commencé.

« De combien ?

— Dix semaines.

— Anna va bien ?

— Apparemment, oui. »

Papa et le Dr Goodman ont discuté ainsi quelques minutes, puis papa s'est tourné vers moi.

« Je vais aller tordre le cou à ce fils de pute ! »

Il s'était exprimé comme s'il avait dit « passe-moi le beurre ».

« Tordre le cou à qui ? »

C'était grand-mère. Elle est entrée dans la pièce et d'un seul coup, les démons qu'elle portait en elle se sont déchaînés. Elle s'est mise à hurler, jurer et vociférer telle une possédée en me traitant de tous les noms. Papa et le Dr Goodman ont tenté de la calmer en lui expliquant qu'il s'agissait d'un viol. Mais le mot n'a fait que décupler sa fureur.

« Tu t'es déshonorée ! Comment as-tu pu faire une chose pareille ? a-t-elle éructé. Espèce de sale petite putain ! Pourquoi ne t'es-tu pas débattue ? Qu'est-ce qui t'a pris ? »

Mes défenseurs lui ont expliqué que j'avais été droguée, mais elle a rugi de plus belle.

« *Droguée ? Droguée ?* »

Ses yeux se sont révulsés. Elle s'est pris la tête à deux mains, puis s'est effondrée à terre. J'ai cru qu'elle jouait la comédie et papa a mis un certain temps avant de réagir. Il était paralysé, comme chaque fois que sa mère piquait une crise. Le Dr Goodman s'est élancé vers elle, lui a pris le pouls et soulevé une paupière.

« Appelle le Samu, Douglas. Je crois qu'elle a fait une attaque. »

Sainte Marie, mère de Dieu, c'est ma faute, ai-je pensé. Je ne savais pas quoi faire. J'ai poussé la porte de la cuisine et suis sortie m'asseoir sur les marches de derrière. J'ai regardé la nuit qui commençait à tomber sur le port de Charleston. Pour la première fois depuis des années, j'ai regretté que maman ne soit pas en vie. J'ignore ce qu'elle aurait dit, mais elle ne m'aurait pas traitée de *putain*. Je n'en étais pas une !

Le rugissement des sirènes s'est rapproché. Je suis rentrée dans la maison et ai vu grand-mère. Sa figure était figée en un affreux rictus. J'étais si en colère que j'ai eu envie de la frapper. Quand papa et le Dr Goodman sont sortis pour aller au-devant des ambulanciers, j'ai eu la pire réaction de ma vie. Je me suis penchée au-dessus de Violette et ai murmuré :

« Je ne suis pas une *putain*, et tout ça, c'est ta faute, pas la mienne. J'espère que tu vas crever, oui, crever, espèce de garce. »

Une semaine plus tard elle rendait son dernier soupir. Je n'ai pas éprouvé l'ombre d'un remords. Je ne me savais pas capable de haïr à ce point et ce fut pour moi une découverte. Violette était morte sans faire son mea-culpa. Mais il est vrai que les mourants se prêtent rarement à l'exercice.

Si ce que les bonnes sœurs racontaient sur l'au-delà était vrai, après ce que j'avais balancé à mon aïeule, je risquais de passer un moment dans une salle de torture spéciale du purgatoire. L'existence d'une antichambre où les brebis égarées expiaient leurs péchés était l'un des arguments de vente de la religion catholique. Et je savais qu'il faudrait plus d'une visite au confessionnal pour me racheter aux yeux du Tout-Puissant. Tant pis ! Je ferais bravement face aux châtiments que me réservait le Créateur. L'important était que j'aie réussi à me défendre.

Dieu merci, les funérailles de Violette furent célébrées sans tralala. Puis une petite procession l'accompagna jusqu'au cimetière des Magnolias, où elle fut enterrée avec plus de considération qu'elle n'en avait jamais témoigné à personne. A mon grand étonnement, je constatai que papa semblait lui aussi soulagé. Mais sans doute pensait-il que la mort de sa mère valait mieux que la vie végétative qui aurait été la sienne si elle avait survécu.

Il va sans dire que j'étais toujours enceinte et très angoissée. Comble de l'ironie, c'était la femme que j'avais détestée qui, par inadvertance, avait choisi mon violeur. Un détail qui ne m'avait pas échappé, et à papa non plus. Mais entre le moment où elle avait eu l'attaque et celui où elle avait fermé les yeux pour la dernière fois, Violette n'avait pas eu la moindre parole de regret pour les propos indignes qu'elle avait tenus à mon égard. Incroyable ! N'importe quelle autre grand-mère aurait versé des larmes de repentir, mais pas la mienne. Elle me tenait pour responsable de ma grossesse et de son atteinte physique. Et je lui en voulais d'autant plus que je savais qu'accuser quelqu'un à tort était une grave offense.

Je devais mon état à Everett Fairchild, quant à Violette, le sien résultait de sa propre stupidité. La championne toutes catégories de la citation biblique était incapable de la plus infime marque de compassion. Et maintenant qu'on en avait fini avec elle – si je puis dire –, il était temps de discuter d'Everett.

L'après-midi de l'enterrement, papa et moi étions dans la cuisine en compagnie de Frannie et Jim, qui nous aidaient à emballer les restes de nourriture. Le matin même, je leur avais annoncé que j'étais enceinte. Frannie avait pleuré et pesté, et Jim était resté sans voix. Ils me connaissaient bien et savaient que je n'avais rien fait pour mériter ça.

Comme toujours à l'occasion d'un deuil, les voisins avaient tenu à nous témoigner leur sympathie, et les gens n'arrêtaient pas d'aller et venir, qui avec un gâteau ou une dinde, qui avec un jambon ou un plat cuisiné. Je n'arrivais pas à croire que tous venaient pour honorer Violette, et pourtant. Nous aurions de quoi tenir un bout de temps. Lorsque chacun eut regagné ses pénates, le Dr Goodman, Frannie, Jim, papa et moi nous sommes installés autour de la table pour manger un morceau.

« Tu veux du lait ? m'a demandé Frannie.

— Oui, merci. Je ferais bien d'arrêter de boire du Coca.

— Elle est au courant ? » s'est enquis papa.

Il paraissait à la fois abattu par le chagrin et résigné.

« Bien sûr. Frannie et Jim sont mes meilleurs amis, papa. Je te rappelle qu'ils étaient *présents* au moment des faits.

— Oui, c'est vrai. »

Papa a fait une pause et s'est éclairci la gorge avant d'ajouter :

« Nous n'avons jamais eu l'occasion d'en parler, mais je voulais que vous sachiez combien je vous suis reconnaissant pour ce que vous avez fait pour Anna, ce soir-là.

— Merci, monsieur Lutz, a répondu Frannie. On était à mille lieues de se douter de...

— Je comprends.

— Je vais épouser Anna, docteur, si vous êtes d'accord, naturellement », a lancé Jim.

J'ai reçu un tel choc en l'entendant proposer cela que je crois bien qu'une pichenette aurait suffi à me faire tomber à la renverse. J'ai dû rougir jusqu'aux oreilles, parce que d'un seul coup j'ai senti monter ma température. La mâchoire de Frannie s'est affaissée, tout comme celle de papa et du Dr Goodman.

« J'ai dit que j'aimerais bien *épouser* Anna, a répété Jim. L'enfant aura besoin d'un nom et d'un père. Et il est absolument hors de question qu'Anna devienne Mme Fairchild. Je la connais depuis des années et je l'aime profondément, et je pense que je suis le mieux placé pour jouer le rôle du mari.

— Jim ! Moi aussi, je t'aime, mais je ne peux pas accepter ton offre !

— Et pourquoi ?

— Je ne veux pas me caser ! Et puis tu es mon ami ! Je ne peux pas te dire oui. »

Papa s'est raclé la gorge puis a lâché :

« C'est un tort. »

La remarque m'a laissée sans voix. Papa sous-entendait-il que les mariages d'amour étaient un marché de dupes, qu'il avait eu tort de s'enticher de maman et que je devrais m'unir à Jim, alors qu'il savait très bien que celui-ci était gay ? Non seulement je ne pourrais pas aller à l'université, joindre l'amicale des étudiants, avoir des aventures, assister aux soirées et aux matches de foot parce que j'étais tombée enceinte à la suite d'un viol, mais il voulait en plus que je lie ma vie à celle d'un homme qui ne se comporterait jamais comme tel ! Etait-ce parce que les parents ne supportaient pas que leurs enfants aient une vie sexuelle ? Et tout cela pour que le bébé ait un nom ? C'était trop me demander. Prenant mon courage à deux mains, j'ai dit :

« Jim, c'est très généreux à toi de me faire cette proposition, mais je ne peux pas l'accepter. »

Je me suis levée et approchée de Jim pour l'embrasser. Il m'a rendu mon étreinte. Après quoi, il m'a prise par la main et entraînée vers la porte. Juste avant de sortir, il s'est tourné et a laissé tomber, comme s'il s'adressait à un jury :

« Vous voulez bien nous excuser quelques instants ? »

Les autres étaient si estomaqués qu'ils ont hoché la tête en silence.

Une fois dans le jardin, Jim m'a ordonné :

« Assieds-toi. »

Je me suis calée dans une chaise.

« Bon. As-tu envisagé l'avortement ?

— Jim ! Je te rappelle que je suis enceinte de presque trois mois. Si je l'avais su six semaines plus tôt, j'aurais peut-être songé à cette solution. Je ne suis pas complètement idiote, tu sais. Mais j'étais loin d'imaginer que j'étais enceinte ! Et de toute façon, je ne crois pas que j'aurais eu le courage de prendre la décision. J'aurais eu trop peur.

— Bon, je voulais juste être sûr.

— Jim ! Te rends-tu compte que j'ignorais que ce salaud m'avait violée ? Il m'a droguée, nom d'un chien.

— Ce fumier mériterait une bonne raclée.

— C'est déjà fait. Tu ne t'en souviens pas ?

— Ouais ! Il n'empêche que si l'occasion se représente, je lui éclate la tête comme une pastèque.

— Je sais, et c'est pour ça que je t'aime.

— Moi aussi, je t'aime. Ecoute. En t'épousant, je nous rends service à tous les deux. C'est peut-être la seule chance que j'aurai dans l'existence d'avoir un enfant à moi. Paul, mon frère, va sortir diplômé de l'université au printemps prochain et épouser la nana qui partage déjà quasiment sa vie. C'est une vraie jument, aux hanches larges comme ça, qui va tomber enceinte avant même d'avoir goûté la pièce montée ! Après quoi, elle va se mettre à pondre à vitesse grand V un tas de mômes pour cette bonne vieille Miss Trixie et M. Jimbo ! »

Jim a claqué des doigts. J'ai souri. Il était incroyable. Il arrivait à me faire rire même quand j'étais au trente-sixième dessous.

Il a inspiré profondément puis s'est agenouillé devant moi. Il a pris l'air sérieux et a chuchoté :

« J'adorerais avoir un gamin, Anna. Et puis, j'apprécierais que mon paternel ne me raye pas de son testament. »

J'ai baissé les yeux en arrachant nerveusement les petites peaux autour de mes ongles.

« Jim, ce n'est pas une raison valable. On ne s'unit pas à quelqu'un pour pouvoir hériter.

— Ah non ? Moi, j'affirme qu'on le fait pour toutes sortes de raisons ! Essaie un peu de comprendre. Si mon père savait que j'imite Judy Garland quand je suis sous la douche, il me flanquerait dehors à coups de pied au derrière !

— Et si ça ne marche pas ?

— Qu'est-ce qui ne marcherait pas ? Ecoute, on va s'inscrire à l'université. Mes parents nous aideront. Ma mère va t'adorer, et le bébé avec ! Ma parole, Anna, on dirait que je te demande de t'allonger devant les roues d'un 15 tonnes ! Allons, dis oui. »

Je me suis levée et approchée de la jetée. Une telle chance ne se représenterait pas deux fois. Si je ne la saisissais pas, j'accoucherais d'un gosse sans père. Après tout, il n'avait pas demandé à venir au monde. Trois possibilités s'offraient à moi. Ou je l'abandonnais à la naissance, mais je savais que j'en serais incapable ; ou je l'élevais en mère célibataire avec papa ; ou j'épousais Jim.

« Ecoute, Jim, on va parler franc. Tu es gay, d'accord ? »

Silence. Il m'a regardée comme si je lui avais donné une paire de claques.

« Tu es mon meilleur ami, Jim, et je t'aimerai jusqu'à mon dernier jour. Mais je n'ai pas envie de passer à côté du grand amour parce que je suis mariée avec mon pote, qui se trouve être également gay. Et je refuse que tu aies un fil à la patte, toi aussi ! Tu comprends ce que je veux dire, n'est-ce pas ?

« — Oui, Anna. Mais quand cela arrivera-t-il ? Dans dix ans ? Ecoute, voici ce que je te propose. Je t'épouse, on vit et on élève l'enfant ensemble. Je serai discret. Et toi aussi. Et on ne se pose pas de questions.

— Tu sous-entends qu'on peut s'envoyer en l'air chacun de son côté dès l'instant qu'on ne fait pas de vagues ?

— Oui. Je sais que ça ressemble à un arrangement à la petite semaine, mais c'est exactement ça.

— Il y a beaucoup d'argent à la clé ?

— Un tas, a affirmé Jim en souriant.

— Fichtre ! Bon, alors d'accord, mais uniquement si tes parents acceptent.

— Attends ! Tu ne t'imagines tout de même pas qu'on va leur demander leur permission pour faire un truc aussi dingue ? On va se rendre à Georgetown ce week-end et régler l'affaire entre nous !

— On ne pourrait pas emmener Frannie ?

— Viens ici ! »

Jim m'a prise dans ses bras et serrée bien fort.

« Anna, s'il te plaît, fais-moi confiance. Je vais bientôt être papa, bon sang ! »

Et c'est ainsi que cette bonne vieille Trixie pleine aux as est entrée dans ma vie.

7

Chère Trixie !

Je sais. L'idée que j'ai épousé un homosexuel vous chiffonne ? Il n'empêche que tout au long des quatre années que nous avons passées ensemble, Jim et moi, il s'est comporté comme la crème des hommes. Et le sexe ? Après les mésaventures que j'avais subies, je ne vous cache pas que j'avais été un tantinet échaudée.

Imaginez. Une gamine de dix-huit ans se retrouve en cloque, et voit son ventre plat et ferme enfler à vue d'œil. Heureusement, elle a un mari qui est aux petits soins pour elle. Dès qu'il rentre de la fac, il lui prépare des rafraîchissements, lui masse les pieds et la fait rire aux larmes en lui racontant des histoires drôles. Il lui dit qu'elle est belle et adore poser sa main sur son ventre pour sentir le bébé remuer. Quand il a trois sous de côté, il achète des peluches et de la layette. Il est subjugué par la métamorphose de sa femme et impatient de commencer la préparation à l'accouchement. Oui, vraiment, c'est le compagnon idéal ! Et je lui dois une fière chandelle.

Maintenant, parlons un peu de Trixie. Quand Jim et moi lui avons annoncé notre mariage, elle a sauté de joie, et je pense qu'elle était sincère. Quant au père de Jim, qui se posait des questions sur l'orientation sexuelle de son fils, il s'est perdu en conjectures. Comme papa, du reste, à qui nous n'avions rien dévoilé de notre équipée du samedi. Bref, les trois parents se sont mis à s'agiter comme des fous et Trixie a coiffé ses concurrents au poteau.

Après avoir annoncé qu'elle s'occuperait de tout, elle a déniché un adorable bungalow, situé au fond d'une impasse privée, à deux pas de South Battery. La propriétaire, une délicieuse veuve du nom d'Augustine Bennett, était ravie d'avoir un couple près de chez elle. Miss August, ainsi qu'elle se faisait appeler, était une octogénaire qui ne mettait pas le nez dehors.

Trixie a pris le bail à son nom – Jim et moi étions de toute façon trop jeunes pour signer – et insisté pour payer le loyer. Ainsi, disait-elle, Jim poursuivrait tranquillement ses études et je me reposerais. Ce en quoi elle n'avait pas tort, car outre que je me sentais incapable de travailler, aucun patron n'aurait embauché une femme enceinte. Néanmoins, dès que le bébé serait né, j'avais l'intention de chercher une nourrice pour pouvoir bosser tout en continuant à étudier.

Bien décidée à faire notre bonheur, Trixie a suggéré de rénover le bungalow. Après en avoir ôté le mobilier, elle l'a fait récurer de fond en comble et repeindre. Puis elle l'a agencé avec des meubles exhumés de son grenier et qui devaient dater de la Grande Dépression. La chambre d'enfant de Jim – lit, étagère, commode et table de chevet – a été laquée de blanc pour le futur nouveau-né. Dans la nôtre, un matelas à deux places, posé sur une estrade repoussée contre le mur et recouvert d'une tripotée de coussins, affichait une allure de sofa dans la journée. Le séjour comprenait un canapé flanqué de deux tables basses et un coin dînette, que Jim n'a pas tardé à annexer comme bureau. Une plaque chauffante à deux feux et un minuscule réfrigérateur nous tenaient lieu de cuisine. Trixie aurait préféré les changer, mais Jim et moi avons refusé. Ni lui ni moi n'étant férus de gastronomie, nous nous accommoderions des quelques plats que j'avais appris à préparer.

Après avoir garni les fenêtres de rideaux hérités d'un parent défunt et acheté des serviettes neuves pour la salle de bains, Trixie a commencé à donner des signes d'essoufflement. Pour conclure, elle m'a fait cadeau d'un livre de recettes, *Les Joies du fourneau*.

— Je tiens absolument à ce que mon garçon soit nourri correctement.

— Merci, ai-je rétorqué.

Trop aimable ! pensais-je en réalité.

— J'espère que tu n'imagines pas que je cherche à m'immiscer dans votre vie privée.

— Pas du tout ! Je ne sais pas ce que nous ferions sans vous !

La vérité, c'est que j'étais une gamine sans expérience et que j'ignorais comment me comporter avec ma belle-mère. Pour autant, et bien que n'étant pas diplômée de psychologie, je subodorais que Trixie, mère abusive par excellence, soupçonnait que son fils n'était en rien responsable de mon état. Ce qui ne l'empêchait pas de jouer le jeu, notez bien. Sachant probablement depuis toujours que Jim était gay, elle devait croire qu'elle réussirait à le ramener dans le droit chemin si elle me prenait dans son giron et parviendrait à faire durer notre union si elle veillait au grain. La pauvre ! Elle a même essayé de me transformer en cordon-bleu quand j'ai enfin réussi à quitter le canapé.

J'ai en effet passé l'essentiel de ma grossesse penchée au-dessus de la cuvette des toilettes ou le regard rivé au plafond du séjour.

— Je n'avais encore jamais vu de femme enceinte malade à ce point ! disait Trixie. Tu ne veux pas essayer de manger quelque chose ?

A la seule idée de nourriture, je filais au petit coin pour me soulager, après quoi je reprenais ma place habituelle. Puis Jim arrivait avec un gant de toilette humide et un verre de Coca dont il avait chassé les bulles.

— Maman, je t'en prie, ne parle pas de *bouffe* !

Il allumait la télévision pour tenter de faire diversion.

— D'après le médecin, Anna se porte comme un charme, et le bébé aussi. Les nausées sont des choses qui arrivent.

— Ma parole, mon fils, tu te prends pour un pédiatre, répétait Trixie à l'envi. En tout cas, moi, je resplendissais quand j'attendais mes garçons !

Eh bien, va donc *resplendir* ailleurs, songeais-je en moi-même. Trixie se donnait un mal fou, mais il faut croire que je manquais d'humour, à l'époque.

Et puis un beau jour, Jim a commencé à bricoler. Il voulait

nous arranger un petit nid douillet. Il a apporté des plantes et ré-agencé le mobilier. Et le fait est qu'il avait le coup d'œil. Avec trois fois rien, il a transformé le bungalow en une maison digne de figurer dans un magazine de décoration. C'était un magicien.

Quand Emily est venue au monde, portrait craché d'Everett Fairchild, Trixie n'a pas pipé ; peut-être parce que j'étais blonde. Mais Emily ne tenait manifestement pas ses yeux de Jim ou de moi. A partir de ce moment-là, Trixie et moi avons compris que nous devions nous abstenir de tout commentaire et faire comme si de rien n'était.

Lorsque Emily a eu six semaines, j'ai commencé à la promener de haut en bas de South Battery dans une énorme poussette anglaise – encore un cadeau de Trixie. Moi, la jeune maman en jean et tee-shirt délavé, je poussais une voiture d'enfant d'un millier de dollars. Grotesque !

Question argent, comme cela était très juste, malgré la pension que Jim percevait de ses parents, j'ai décidé de couper moi-même les cheveux de ma fille pour économiser le prix du coiffeur. Et le fait est que je me débrouillais plutôt bien. Cela s'est su et j'ai vu rappliquer des étudiants qui ne pouvaient pas mettre plus de dix dollars dans une coupe.

Papa me glissait aussi parfois un billet de vingt ou cinquante dollars, mais il partait du principe qu'étant mariée, je devais m'assumer. J'avais beau arguer que les circonstances de mon union étaient particulières, il ne voulait rien entendre. C'était l'étrange héritage de Violette. Papa était devenu pingre et capricieux tel un gamin. C'est du moins l'impression qu'il me donnait. En outre, depuis que la nouvelle circulait que j'avais quitté le domicile paternel, il était trop accaparé par les veuves de Mount Pleasant, qui défilaient chez lui avec des plats de spaghettis ou des pâtisseries, pour s'occuper de moi. Or bien que ce ne fût pas une mauvaise chose en soi, cela contribuait malgré tout à nous éloigner l'un de l'autre. Mais pourquoi se montrait-il aussi avare ? Etait-ce pour m'obliger à grandir ou parce qu'il était jaloux de l'aide que nous accordait Trixie, alors que lui-même avait manqué de tout quand il était gosse ?

Résultat, au lieu de m'épanouir dans la maternité, je

passais les journées à broyer du noir. Je n'avais aucune qualification professionnelle et pas les moyens de m'inscrire à la faculté. Papa refusait de m'aider et je n'osais pas contracter d'emprunt, de peur de ne pas arriver à le rembourser ensuite. Et si je demandais à Trixie ? Non ! Je biffais les jours du calendrier en rongeant mon frein. Etait-ce là toute ma vie ? Changer des couches en attendant le jour où Jim, ayant décroché son diplôme, me laisserait seule avec le bébé ? Je devais trouver le moyen de sortir du gouffre au fond duquel je m'étais peu à peu laissée glisser.

Déambuler avec Emily dans les rues de Charleston est vite devenu insupportable. Songeant qu'il me fallait un passe-temps plus excitant, j'ai décidé d'apprendre le jardinage. Quand j'étais enfant et que maman s'affairait dans le jardin, j'aimais bien creuser la terre à la pelle ou remplir l'arrosoir, en particulier les jours de canicule. Et si je m'y remettais ?

Deux plates-bandes s'étiraient de part et d'autre de la porte du bungalow, et une bordure étroite longeait le mur est – le côté ouest donnait sur une paroi de brique qui ne laissait pas passer le soleil. J'ai décidé de commencer par le devant. Après avoir installé Emily dans la poussette, j'ai commencé à désherber et à retourner la terre pour ôter les racines, les bulbes et les cailloux. J'ai consacré les quelques sous que j'avais de côté à l'achat de pétunias et d'herbes aromatiques. L'avant de la baraque s'en est trouvé subitement égayé, et moi aussi.

Peu après, la végétation a crû. J'étais dehors, en train d'ôter les fleurs fanées pour stimuler la repousse, quand Miss August a surgi derrière moi comme par enchantement.

— Vos plantations sont superbes, Anna.

Le son de sa voix m'a fait sursauter.

— Merci. J'ai pensé que ça apporterait un peu de couleur. Et puis ça m'occupe.

— Bah, quand j'avais votre âge, mon jardin était fleuri d'un bout à l'autre de l'année. Mais plus aujourd'hui, malheureusement. L'arthrite. Mes genoux me jouent des tours.

— Quel dommage ! ai-je répliqué, ne sachant que répondre.

— Il fut un temps où j'étais membre du conseil

d'administration du club des jardiniers de Charleston. J'ai même connu Mme Whaley.

— Ouah ! Ça devait être grandiose.

Je songeais que Miss August se sentait seule et éprouvait le besoin de se confier. Les vieilles personnes adorent raconter leurs souvenirs.

— Tant vaut l'homme tant vaut le sol, pas vrai ?

— En effet, c'est ce qu'on dit.

— A chaque caractère sa terre, pas vrai ?

— Très juste, ai-je admis en riant.

Miss August me parlait comme si j'avais été une experte, ce qui était loin d'être le cas.

— Je vois que vous aimez jardiner, a-t-elle lâché soudain.

— J'adore ça, même si c'est une vocation tardive.

— Les mains dans l'humus, un bébé dans le berceau. On peut difficilement être plus près de Dieu.

— C'est vrai.

Plus tard, j'ai repensé à cette conversation. Depuis que j'avais épousé Jim, je négligeais mes devoirs religieux et Emily n'avait pas encore été baptisée. Etait-ce parce que le catholicisme m'avait été inculqué à coups de trique par Violette ? Je n'avais pas vraiment pris le temps d'y réfléchir. Mais il est vrai qu'il régnait une profonde confusion dans ma tête. Et puis j'étais furieuse d'être déjà mariée et mère au foyer, alors que j'aurais pu aller à l'université, comme Frannie. Elle étudiait les sciences politiques à Georgetown et se destinait à une brillante carrière d'empêcheuse de tourner en rond professionnelle. Mais au diable les idées noires, j'en avais assez de passer mon temps à rouspéter !

Car mon existence n'était pas un fiasco complet. Il y avait Emily, avec ses petits ongles parfaits et sa bouille innocente. J'aurais dû remercier le ciel d'avoir une fille en bonne santé. Je me suis mise à repenser à ce que les sœurs m'avaient appris. Elles affirmaient que Dieu avait des plans pour moi. Si c'était le cas, Il avait dû les oublier au fond d'un tiroir. Je ne pouvais donc compter que sur moi-même. C'est pourquoi j'ai décidé d'éplucher les petites annonces. Il me fallait un job à domicile, même à temps partiel.

114

La semaine suivante, Miss August est venue frapper à la porte et a demandé d'une voix énergique :

— Je vous dérange ?

— Non, pas du tout.

Lorsque je suis sortie sur le trottoir, j'ai découvert une benne pleine de terreau. Soudain, elle a basculé et son contenu s'est déversé sur une toile goudronnée, que deux gaillards armés d'une pelle avaient étalée dans l'allée.

— C'est un petit cadeau de moi à vous, a indiqué Miss August.

— Chouette ! On va pouvoir créer un sacré jardin !

Miss August est allée chercher un pichet de thé glacé dans sa cuisine, puis a supervisé les gars, qui arrachaient les vieux arbustes, et répandaient la terre bonifiée dans ses plates-bandes et dans les miennes. J'avais pris soin d'ôter les plantations, avec l'intention de les remettre en place plus tard.

Miss August et moi nous sommes installées dans sa véranda, telles deux copines, pour siroter un verre en regardant les hommes travailler.

— J'ai dit au directeur de la pépinière Cités-Jardins de Mount Pleasant que vous passeriez choisir des plantes. Prenez ce que vous voulez.

— Vraiment ?

J'étais folle de joie. C'était la première fois que quelqu'un me laissait ainsi le champ libre. Tout à coup, une multitude de possibilités s'offraient à moi. Pour moi qui allaitais encore Emily la Vorace, jardiner était le passe-temps idéal.

— Au fait, a repris Miss August, j'ai pensé que vous pourriez vous occuper de mon jardin, moyennant rétribution. Je vous demande de le désherber de temps en temps pour le garder propre. Que diriez-vous de soixante-quinze dollars par semaine ? J'estime que chaque femme devrait avoir la possibilité de se constituer un petit pécule, pas vous ?

J'étais si estomaquée que je suis restée scotchée dans le fauteuil en rotin, incapable de prononcer un mot. Dans l'entourage de Jim, les candidats à la coupe à dix dollars n'étaient pas légion !

— Parfait ! Mettons cent cinquante dollars par semaine, mais à condition que votre mari n'en sache rien ! Ni votre belle-mère ! Cette fouine ! Ça doit rester entre nous. On est bien d'accord ?

— Miss August ! Vous êtes un ange ! Je vous promets de ne rien dire à personne !

— Bien ! De toute façon, vous ne ferez pas pire que l'Irlandais que j'avais embauché pour cette tâche ! Un cossard doublé d'un ivrogne !

— Je ferai de mon mieux, Miss August. Promis !

Et j'ai tenu parole. L'ensemble a pris tournure. Les fleurs ont poussé, en un kaléidoscope coloré et parfumé. Trixie n'en croyait pas ses yeux et ne cessait de s'extasier : Miss August avait trouvé un magicien. Elle ignorait que j'étais à l'origine du miracle, jusqu'au jour où elle m'a surprise à genoux, les mains dans la terre.

— Tiens donc ! J'ignorais que tu aimais le jardinage, Anna !

Elle avait lancé cela comme elle aurait dit : « J'ignorais que tu savais lire ! »

— Oui. J'adore ça.

— Eh bien, que dirais-tu d'en faire autant pour moi ?

Le message était on ne peut plus clair : dans la mesure où Trixie payait le loyer, elle estimait que je lui devais quelque chose. Sauf que je n'étais pas de cet avis. Jim était peut-être redevable à sa mère, mais pas moi. Il faut avouer que la maternité et le mariage blanc m'avaient passablement aigri le caractère.

Quand j'ai parlé à Jim de la requête de Trixie, il m'a conseillé de ne pas relever, qu'elle n'y penserait bientôt plus. Et moi, bêtement, je l'ai cru.

Les plantations continuaient à prospérer : de grosses touffes d'asters bleus, de roses trémières et de delphiniums se dressaient sur un parterre de corbeille-d'argent, à côté d'oreilles-de-lièvre gris-bleu à l'aspect velouté. J'avais écouté Libby Hawkins, la vendeuse de la jardinerie Botanicus, qui m'avait déconseillé les impatiens et les bégonias, sous peine de donner au jardin des allures de station-service. Bien que je n'aie pas été absolument d'accord avec elle, je dois reconnaître que le résultat était concluant : les plates-bandes avaient de la classe.

J'avais l'impression qu'il me suffisait de mettre un bulbe en terre pour qu'il pousse. Dans la remise de Miss August, j'ai découvert de vieux treillages, que j'ai garnis, après un bref toilettage, de jasmin du Chili et de Virginie. En un temps record, le végétal s'est étalé. Il grimpait aux arbres et s'est répandu partout où il pouvait se glisser. Je me suis procuré un traité de taille et me suis exercée sur les bordures de buis de Miss August. Quatre semaines plus tard, elles ont fait des surgeons, si vivaces qu'on aurait dit de jeunes plants.

A la fin de l'été, j'avais des économies à la banque et Miss August était aux anges. Depuis que j'avais restauré son vieux salon en fer forgé, j'avais remarqué qu'elle aimait bien s'installer dehors pour siroter en paix une boisson fraîche.

Plus Emily grandissait, plus ses cheveux s'éclaircissaient. Et depuis qu'elle commençait à faire ses premiers pas, Trixie avait repris l'habitude de débarquer à la maison pour un oui pour un non, et ce malgré le fait que la paternité de Jim était douteuse.

Lorsqu'il avait vu Emily pour la première fois, Jimbo, mon beau-père, s'abstenant de tout commentaire, s'était contenté de hausser les épaules. Après trois décennies de tyrannie conjugale, il s'était inscrit au club de bridge et disputait des tournois internationaux qui l'amenaient à voyager dans le monde entier. Il se trouvait à Londres, à l'hôtel Connaught, quand il est mort. Il a fait une rupture d'anévrisme à cinquante-sept ans, alors qu'il avait en main suffisamment de piques pour défier la planète. Trixie ne l'a pas pleuré long-temps. Quant à Jim, sa vie a pris un nouveau tournant.

Pour lui et moi, c'était le début de la fin. Il s'est mis à faire la tournée des boîtes gay de Charleston et à rentrer à pas d'heure. Le matin, je le trouvais endormi sur le canapé, empestant la sueur, la cigarette et la bière. Quand je le secouais, il s'écriait :

— Bon sang, Anna ! Pourquoi ne m'as-tu pas réveillé ? Je vais être en retard !

C'est tout juste s'il prenait le temps de se brosser les dents avant de franchir à nouveau la porte. Après les cours, il revenait faire un somme jusqu'à dix ou onze heures, puis ressortait jusqu'à l'aube. Je ne dis pas pour autant qu'il en allait ainsi chaque soir. Jim passait du temps à la maison, et se montrait plein d'attention pour Emily et moi. Mais il n'empêche qu'il avait pris certaines habitudes et vu le nombre de coups de fil qu'il recevait, il était évident qu'il avait rencontré quelqu'un. Techniquement parlant, il avait rempli sa part du contrat. Emily venait de fêter ses trois ans et maintenant que Jim était assuré de toucher sa part de l'héritage, il aspirerait à reprendre sa liberté. Il ne m'avait pas priée de débarrasser le plancher, mais j'étais dans mes petits souliers. Car bien qu'il y ait eu un lien affectif très fort entre nous, je savais que notre mariage était voué à l'échec et qu'un jour viendrait où Jim partirait faire sa vie de son côté. Simplement, je n'y étais pas préparée. Et je ne voulais surtout pas que Trixie apprenne la vérité. Selon un vieil adage, une famille qui a des secrets est en perdition. Et c'est vrai.

De son côté, Trixie faisait mine de ne s'apercevoir de rien et jouait son rôle de grand-mère à la perfection, n'oubliant pas de fêter un anniversaire ou un Noël. Quand Emily a eu la varicelle, elle a ainsi, armée d'un coton-tige, consciencieusement badigeonné chaque vésicule de produit calmant en fredonnant des airs de comédies musicales. Grâce à elle, Emily a appris les chansons de *La Belle et la Bête*, du *Roi lion* et des *Misérables*, et même, à mon grand regret, celle de *Cabaret*, qu'elle gazouillait telle une Liza Minelli miniature.

Mais ce n'était pas les relations de Trixie et Emily qui me chagrinaient. Non. Les ennuis ont véritablement commencé quand ma belle-mère s'est aperçue que Jim dépérissait ; car aucune mère ne supporte de voir souffrir la chair de sa chair. Avec cela, elle me soupçonnait de percevoir une rente de Miss August. Mais je me gardais bien de répondre à ses allusions désobligeantes.

Plus tard, quand Trixie s'est mise à mener l'enquête sur notre vie privée, j'ai commencé à sentir la terre se dérober sous mes pieds. Au début c'était insidieux. Elle appelait tard le soir et demandait à parler à Jim – qui n'était pas là, évidemment. J'inventais un bobard, déclarant qu'il potassait à la bibliothèque, mais mes excuses étaient accueillies par des silences prolongés, ponctués de soupirs éloquents.

Aux coups de fil impromptus ont succédé les

visites-surprises, sur le thème « je passais justement dans le coin ». Trixie arrivait avec un petit quelque chose pour Emily, puis se mettait à humer l'air tel un limier en chasse. Rien ne lui échappait, ni les coussins fripés du canapé ni le petit lit défait dans la chambre d'Emily, où Jim avait l'habitude de dormir. Elle n'était pas dupe. Pas de couche conjugale, donc pas de mariage.

Pour finir, elle s'est décidée à briser le mur du silence. Emily était dans sa poussette et nous la promenions dans King Street en faisant du lèche-vitrine. Nous étions arrêtées devant Birtlant Antiques, quand elle a dit :

— Anna, ça ne peut plus durer. Je ne vois pas pourquoi je continuerais à vous entretenir, Jim et toi, alors qu'il passe son temps à courir les boîtes de nuit et que tu as trouvé à te faire employer comme jardinier.

Allais-je voir, une fois de plus, ma vie voler en éclats sans que j'aie mon mot à dire ?

Trixie m'avait prise au dépourvu. Mais il n'empêche que j'avais eu tout le temps nécessaire pour réfléchir à mon *mariage*.

— C'est un problème, en effet, me suis-je contentée d'admettre.

— Un *problème* ? Tu veux dire une *catastrophe*.

J'ai senti la moutarde me monter au nez. Il fallait que je prenne le large avant d'exploser. J'ai recommencé à pousser la voiture en pressant le pas, obligeant presque Trixie à courir pour me rattraper.

— Ralentis, Anna, s'il te plaît, a-t-elle demandé, presque hors d'haleine. Nous devons parler.

— Je n'ai rien à vous dire. Je rentre à la maison.

J'ai continué à avancer à toute blinde pour la laisser loin derrière et suis revenue chez moi. Emily écarquillait les yeux, ahurie, quand je l'ai posée à terre. Elle avait senti que quelque chose s'était passé et s'est mise à pleurer.

— Maman !

— Chut ! Tout va bien, mon ange. Tu vas faire un gros dodo. Maman va te mettre au lit.

— Maman, pourquoi t'es fâchée ?

— Je ne suis pas fâchée.

Parfois, Emily et moi faisions la sieste ensemble. Je me glissais dans son lit et elle se blottissait contre moi comme un chiot. Mais ce jour-là, elle éprouvait le besoin de s'étirer et de dormir, et moi celui de réfléchir. Après l'avoir bordée, j'ai fermé les volets et mis sa berceuse préférée. S'endormir en musique la rassurait. C'était un peu comme si je lui donnais la permission de rester un bébé.

— Maintenant, dors bien sagement.

Je lui ai tendu sa poupée Lulu et elle a lutté un moment pour garder les yeux ouverts. Je suis sortie de la pièce en laissant la porte entrouverte et suis allée appeler papa. Naomi, sa secrétaire, m'a répondu et mise en attente, car il était en consultation. Je téléphonais rarement au cabinet, mais papa s'arrangeait toujours pour trouver le temps de me parler.

— Anna ? Quelque chose ne va pas ? Emily ?

— Non, non, Emily va bien. C'est moi.

— Toi ?

— Oui, j'ai besoin d'un conseil.

— Mais encore ?

— Je ne peux pas t'en parler au téléphone. Ça t'ennuierait de passer ?

— Laisse-moi juste le temps de vacciner les triplés Salerni et de faire un prélèvement de gorge au petit McGinnis, et je rapplique.

En attendant papa, j'ai commencé à faire les cent pas. J'allais lui lâcher toute la vérité sans y aller par quatre chemins. Il se doutait certainement de quelque chose. Une heure plus tard, comme promis, il est arrivé.

On s'est fait la bise, puis je lui ai demandé :

— Ça te tente, un thé glacé ?

— Parfait. Eh bien ! qu'avais-tu de si important à me dire ?

— C'est au sujet de Jim et moi, et Trixie.

— Tu n'aurais pas plutôt une bière ?

— Si, bien sûr.

Je suis allée chercher deux canettes et nous avons trinqué. Papa avait l'air de quelqu'un qui se prépare à recevoir une nouvelle désagréable.

— Papa, ça ne peut plus durer, il faut que je me sépare de Jim.

— Pourquoi ? Que t'a-t-il fait ?

Il a posé la bouteille sur la table de salon et s'est assis sur le bord du canapé.

Je lui ai raconté les choses et quand j'ai eu terminé, il s'est levé et est allé se poster devant la fenêtre pour contempler le jardin. Le silence était tel que j'entendais mon pouls battre dans mes tempes. Quand mon père s'est tourné vers moi, il paraissait triste et déçu.

— Je n'aurais jamais dû accepter que tu épouses Jim. Je suis navré. J'aurais dû me montrer plus ferme.

— Tu n'y es pour rien.

J'ai noué les bras autour de sa taille et posé la tête sur sa poitrine.

— Ta grand-mère venait de mourir...

— Ce n'est la faute de personne.

Il m'a tapoté doucement le dos et s'est écarté.

Il a vidé la bière restante d'un long trait et réfléchi à voix haute :

— Quelles sont les possibilités qui s'offrent à toi ? Tu peux prendre un appartement, placer Emily en nourrice – et l'exposer, au mieux, à toutes sortes de maladies, au pire à des abus sexuels –, chercher un job dans la restauration rapide et contribuer, ainsi, à engraisser indûment tes compatriotes. Ou tu peux t'installer à la maison avec Emily. Je me chargerai de trouver une personne de confiance pour la garder, afin que tu reprennes tes études. Quand tu auras un métier et seras capable de subvenir à tes besoins, libre à toi de vivre de ton côté.

— La seconde solution me semble la bonne. Elle est même excellente. Merci, papa.

J'ai senti les larmes me monter aux yeux puis jaillir sans que j'arrive à les retenir. On s'est assis sur le canapé et papa m'a frotté le dos en décrivant des cercles autour des omoplates, comme il le faisait quand j'étais petite, jusqu'à ce que j'aie pleuré tout mon soûl. Mon tee-shirt était trempé.

— Je n'aurais jamais dû te laisser épouser Jim, a répété papa. J'aurais dû m'y opposer. Mais je traversais une phase difficile, après le décès de ton aïeule.

— Elle me détestait. Elle me tenait pour responsable de ce qui était arrivé.

— Et alors ? Ça n'a plus la moindre importance. J'ai longuement réfléchi à la question. Ma mère était hargneuse comme un roquet et bigote comme pas deux. C'était une mégère, intransigeante et sans cœur, qui à l'heure qu'il est pellette probablement le charbon en enfer. Dieu ait son âme !

Papa s'est tourné vers moi et m'a décoché un sourire en coin. Lui et moi, on était sur la même longueur d'ondes.

— Ouais, Dieu bénisse le vieux chameau.

Etait-il sincère ? Je crois surtout qu'il essayait de me remonter le moral, de me dire que lui, Emily et moi, c'était un pour tous et tous pour un, et que la situation finirait par s'arranger. Il est allé me chercher un verre d'eau, que j'ai vidé en hoquetant. Je me suis mise à rire à travers mes larmes. La vision de Violette en train d'exécuter sa punition dans l'au-delà était trop drôle pour que je continue à me lamenter. Si elle avait pu me voir à cet instant, je crois bien qu'elle aurait fait une autre attaque.

— Papa, voilà ce que j'avais besoin d'entendre.

— L'obsession maladive de la vertu de ta grand-mère l'a peut-être menée en enfer, mais il n'empêche que tu restes ma petite chérie, et Emily aussi.

Il m'a enlacée et attirée contre lui.

J'ai entendu Emily qui commençait à se réveiller. Il fallait que je cesse de pleurer pour pouvoir jouer mon rôle de mère. Mais il y avait Jim. Qu'allais-je lui dire ?

— Papa, j'ai besoin de réfléchir à tout ça à tête reposée. Merci. Je t'adore !

— Appelle-moi quand tu auras un moment. Et maintenant, ai-je le droit de voir ma petite-fille ?

Emily est arrivée en trottinant.

— Doc ! Doc ! Prends-moi dans tes bras !

Papa a passé un moment à jouer avec elle et quand il est parti, j'ai songé à ce que je dirais à Jim quand il rentrerait en titubant à la maison, le soir même ou le lendemain. Papa n'avait pas proféré une parole contre Trixie ni proclamé : « Je te l'avais dit. » Il s'était contenté de m'offrir son affection et

122

un toit. Dieu merci ! Comprenant dans quel pétrin je m'étais fourrée, il s'était laissé amadouer.

J'aurais voulu pouvoir m'en prendre à Trixie, affirmer qu'elle ne pensait qu'à l'argent et me donnait l'impression que j'étais une sangsue. Alors qu'en réalité, j'étais trop stupide et paresseuse pour cela. Pendant combien de temps encore continuerais-je à me comporter en victime ? Car même si la générosité de mon père et l'innocence d'Emily étaient réelles, force m'était de reconnaître que mon mariage se résumait à une gigantesque supercherie. Ce jour-là, j'ai fait le serment de ne plus me cacher la tête dans le sable ou jouer ma vie – et celle d'autrui – sur un coup de poker.

8

Changement de marée

Dès que je quittais le salon de coiffure, je rentrais *chez moi*. Je déballais les cartons, mettais de l'ordre, puis sirotais des cocktails dans le soleil couchant en compagnie de Lucy et de papa. Parfois, j'avais l'impression qu'il était là pour moi, et parfois à cause de ma pulpeuse voisine. Et le fait est qu'un seul regard de Lucy suffisait à l'animer. Quant à moi, je m'efforçais de lui donner l'impression qu'il était indispensable en lui confiant de menus travaux à effectuer à la perceuse.

Naturellement, je me livrais à de longues séances d'introspection. Rien de plus facile que de s'adonner à la rêverie quand la vie s'écoule au rythme des couchers de soleil et de la marée. Le matin, je me réveillais entourée du scintillement de l'eau et de l'azur éclatant du ciel. La nuit, la brise tiède et salée m'enveloppait, comme pour m'inviter à satisfaire mes désirs les plus secrets.

Chaque jour, quand je me rendais à Institu'Tif, j'avais la tête ailleurs. Sauf que je devais cesser de rêvasser, si je voulais accueillir dignement Emily, qui n'allait pas tarder à rentrer de l'université.

Un matin que je me promenais sur la plage, j'ai décidé de faire un footing. J'ai plié mon journal, l'ai déposé au pied de l'emmarchement en le coinçant avec la bouteille Thermos pleine de café, puis me suis lancée au petit trot. Il y avait si

124

longtemps que je n'avais pas couru – sauf pour m'enfuir – que je craignais de me fouler une cheville. Je devais avoir l'air ridicule, mais peu m'importait, dès l'instant que les mouettes étaient mon seul public. J'avais décidé de cavaler sur une petite distance puis de marcher et de prendre mon pouls, ainsi que le préconisait un magazine que j'avais survolé en poireautant dans la queue au supermarché. Toutes ces revues, tenues par de jeunes équipes dynamiques, visaient à faire prendre conscience à des personnes comme moi qu'elles étaient menacées d'avachissement généralisé et de mort subite due au cholestérol si elles ne s'obligeaient pas à s'adonner régulièrement au sport. Consciente que je manquais d'exercice, et peu désireuse de subir un arrêt cardiaque, j'ai pris mon pouls en alternant marche et course.

La mer commençait à descendre et le sable, tassé et bien ferme, scintillait sous le soleil matinal. Je courais depuis quelques minutes à peine quand les setters irlandais que j'avais déjà vus ont rappliqué. Ils se sont mis à sauter et gambader devant moi comme s'ils s'étaient juré de me faire tomber. Remarquez qu'il s'en serait fallu de peu. Je me suis arrêtée et les ai regardés dans les yeux.

— Hé ! Vous voulez que je me casse le cou ou quoi ?

L'un d'eux s'est accroupi en remuant la queue, tandis que son comparse se dressait sur ses pattes arrière en glapissant. Brusquement, quelqu'un a lancé derrière moi :

— Mille excuses !

Je me suis retournée. C'était le maître des chiens. Il a saisi un des animaux par le collier et lui a passé la laisse.

— Fichus clébards ! Nikki, viens ici !

Joli nom. Nikki était la plus joueuse des deux. Voyant qu'elle se mettait à bondir en rond autour de nous, j'ai attendu que le type reprenne le contrôle de la situation. Mais il n'a pas bougé. Sans doute espérait-il que la bête s'épuiserait et reviendrait d'elle-même. Mais elle débordait d'énergie. Au bout d'un moment, perdant patience, il lui a montré la laisse en criant :

— Ça suffit ! On rentre !

Nikki a ralenti l'allure jusqu'à s'arrêter, puis elle est venue aux pieds de son maître en baissant docilement la tête pour qu'il l'attache.

— Ce sont de braves toutous, mais ils sont remuants. Au fait, je me présente : Arthur Fisher.

— Enchantée. Anna Abbot.

Nous avons échangé une poignée de main et il a dit :

— A bottes, c'est mieux que sans, non ?

Il a éclaté de rire, visiblement pas mécontent de son trait d'esprit.

— Vous croyez sans doute être le premier à me la faire ?

— Désolé, c'est sorti tout seul.

Ses beaux yeux bruns dansaient entre ses cils soyeux. Ses cheveux châtain foncé, coupés court, étaient parsemés çà et là de fils gris. Un mètre quatre-vingts environ. Jean élimé. Chemise de batiste. Il avait l'air d'un mec bien. Pas à tomber à la renverse, mais beau tout de même, un peu fripé, tel Harrison Ford. Pas d'alliance.

— Je suis morte de rire, ai-je répliqué. Vous habitez dans le coin ?

Peut-on imaginer question plus idiote ? A ce compte-là, sûr que j'allais finir vieille fille.

— Oui. Enfin, je garde la maison d'un ami qui est parti en Alaska faire des recherches pour *National Geographic* sur les mœurs sexuelles des puffins.

— Sans blague !

— Ce sont des oiseaux.

— Ah ! Sur le coup, j'ai cru qu'il s'agissait d'une tribu.

Mon interlocuteur a souri et ses joues se sont creusées de fossettes.

— J'ai trouvé du travail à Charleston et songe à m'installer ici. Et vous ?

— Moi, j'ai grandi dans le coin, d'abord ici, sur l'île, puis à la ville, à Mount Pleasant. Et maintenant, je suis de retour.

— C'est une impression, ou vous ne me dites pas tout ?

— Comment ça ?

Bon sang, il suffisait qu'un homme m'adresse la parole pour que je perdre mes moyens !

Nous nous sommes remis à marcher au bord de l'océan, qui aspirait le sable et l'écume avec un roulement rude et

126

impérieux. Désolée de vous dire cela, mais le bruit avait quelque chose de sexuel – voire de carrément érotique.

— Vous concernant, hormis la géographie, vous n'avez pas dévoilé grand-chose, a repris mon compagnon.

Je me suis hérissée tel le porc-épic devant le danger. Non mais, qui était ce type, d'abord ? Un parfait inconnu, un pervers, le cas échéant. Comment osait-il me questionner sur ma vie privée ? Cependant, je décidai de faire mon numéro de charme, songeant qu'il s'agissait peut-être d'un gars normal, disponible, ni trop bête ni trop pauvre, et qui semblait s'intéresser à moi.

— Eh ! Je vous trouve bien indiscret, ai-je lancé.

A présent que d'autres joggers, susceptibles de voler à mon secours, si nécessaire, avaient commencé à envahir la plage, je me sentais sûre de moi. J'ai laissé échapper un petit rire et levé les yeux pour voir si mon interlocuteur avait bien pris ma remarque. Et mieux valait pour lui qu'il ait de l'humour, sans quoi il irait se rhabiller.

— Voyons un peu. Vous vous nourrissez de *cottage cheese* à l'ananas étalé sur des crackers ?

— En voilà une idée ! Qu'est-ce qui vous fait… ?

Ce type n'était vraiment pas ordinaire. Comment diable avait-il deviné ? Il était allé faire un tour dans mon réfrigérateur ou quoi ?

— Pour tout vous dire, chère madame, je suis maître fromager à Charleston.

J'ai éclaté de rire. Attention, demeuré en vue ! Mais rigolo malgré tout.

— Voyez-vous ça ! Maître fromager à Charleston. Excusez du peu ! Maître ! Très honorée.

— Non, attendez, je ne plaisante pas. C'est un vrai métier, vous savez ?

— Mais oui, naturellement ! D'ailleurs, chaque ville devrait en avoir un, pas vrai ?

Comme Arthur Fisher était assez intelligent pour comprendre que les plaisanteries les plus courtes sont les meilleures et que les gens sains d'esprit aiment bien qu'on leur fournisse des explications, il a ajouté :

— En fait, vous savez certainement que les grands restaurants emploient des sommeliers ?

— Comme le Dunleavy ?

Il s'agissait d'un pub irlandais avec une carte des bières quasi inépuisable, mais qui proposait également du vin rouge, du blanc et du rosé.

— Vous n'y êtes pas du tout, chère madame. Je me référais au High Cotton ou au Cypress, où la carte des vins est reliée pleine peau et si lourde qu'il faut être deux pour la tenir.

— Ah ! N'y ayant jamais mis les pieds, je ne pouvais pas deviner.

J'ai plissé les paupières et scruté Arthur Fisher en silence, histoire de lui faire comprendre que je n'étais pas du genre à m'en laisser mettre plein la vue. J'avais même une sainte horreur des êtres qui jetaient l'argent par les fenêtres. Cela étant, plus je faisais connaissance avec le monsieur, plus je le trouvais à mon goût.

Du coup, on s'est mis à parler des restaurants de Charleston. Il s'en ouvrait de nouveaux presque chaque jour, et ceux qui étaient situés au bord de l'eau, tel le Wreck à Mount Pleasant, dans Shem Creek, ou le légendaire établissement qui se trouvait sur Bowen Island, non loin de Folly Road, étaient les plus recherchés. Naturellement, Shem Creek détenait le record de la variété. Il y avait là-bas le Trawler, le California Dreaming, le Water's Edge, ainsi que mon préféré, le Shem Creek Bar & Grill. Outre que la vue y était superbe, les mets délicieux et l'accueil chaleureux, il offrait une attraction qui méritait le détour : Albert, l'écailler le plus rapide de la planète. C'était une vraie machine à ouvrir les huîtres. Et quelles huîtres ! Charnues, délicieuses ! Je vous jure que c'était comme boire la vie toute frétillante au creux d'une coquille. Regarder Al officier en me régalant de ses coquillages me procurait du bonheur.

A Charleston, haut lieu touristique, on croisait des gourmets de tout poil d'un bout à l'autre de l'année. Il y avait ceux qui ne juraient que par la friture et refusaient de s'habiller pour sortir, autrement dit de passer un pantalon long ou une robe qui aurait dissimulé un tant soit peu leur bronzage. Ceux-là fréquentaient les gargotes qui bordaient les docks, où ils se régalaient de petits poissons frits servis dans des corbeilles. C'était là où j'allais moi-même les rares fois où j'étais de sortie. Venaient ensuite ceux qui ne juraient que par les lieux branchés, où ils avaient à cœur de retenir la meilleure table pour s'exhiber en compagnie d'un homme d'affaires prospère ou d'une fille au physique avantageux, ou parfois des deux. Enfin, il y avait les hordes de touristes, qui n'hésitaient pas à dépenser une fortune pour un dîner, donnant ainsi aux différents chefs l'occasion d'innover et de se surpasser. Et voilà que nous avions désormais également des sommeliers fromagers ?

— Vous êtes mariée ?

— Comment ?

— Vous avez un mari ?

Mon Dieu ! Etait-il possible que cet homme soit en train de me faire la cour ?

— Qu'est-ce que ça peut vous faire ?

D'un seul coup, j'ai eu la sensation de dégouliner de transpiration.

— Je me disais que vous auriez pu venir avec lui au restau, un de ces soirs, pour que je vous fasse une démonstration de mon art.

— Euh… Merci, mais il se trouve que mon mari est en déplacement permanent. Et que je travaille chez Institu'Tif, en ville.

J'aurais pu avouer à Arthur Fisher que j'étais divorcée, me direz-vous, mais je n'avais aucune envie de lui raconter ma vie. Voyant que les chiens s'impatientaient, j'ai compris que nous n'allions pas tarder à nous séparer.

— Oh !

— Divorcée. Il faut bien gagner sa vie.

— Naturellement. Quoi qu'il en soit, si le cœur vous en dit, et si vous désirez tout savoir sur le fromage…

Arthur Fisher était le mec le plus séduisant qu'il m'avait été donné de rencontrer depuis des lustres, même s'il se disait maître fromager, et allait bientôt tourner les talons et disparaître. Son regard s'était légèrement assombri lorsque j'avais prononcé le mot « divorce ». Si ça se trouve, il était marié. Et puis cela n'était pas parce qu'il m'avait adressé la parole qu'il s'intéressait à moi. J'avais eu tort de m'emballer.

— Arthur !

— Stop ! a-t-il crié à l'adresse des chiens. Oui ?

— Si vous avez besoin d'une coupe... Juste une question. Comment avez-vous su pour le *cottage cheese* à l'ananas ?

N'aurais-je pas pu trouver quelque chose de plus intelligent à dire ?

— Votre Thermos, là-bas, sur les marches. Il vient de chez Dunkin Donuts, pas Starbucks, et puis vous portez un short et un tee-shirt, pas un ensemble de jogging coordonné et couvert de logos. Vous n'avez que faire de votre image et prenez vos repas sur un coin de table.

— Trahie par les cadeaux publicitaires, en quelque sorte ?

— En quelque sorte.

Arthur Fisher a haussé les épaules, souri, puis commencé à détaler derrière ses deux maudits clébards tout en me faisant au revoir de la main. Enchantée, ai-je songé, puis : Va te faire voir !

A sept heures, ce soir-là, après avoir expédié dix coupes et trois permanentes, j'étais sur les rotules. Quand mon travail ne requérait pas toute mon attention, je me laissais aller à penser à ma rencontre avec Arthur et à la façon désastreuse dont j'avais géré la situation. Gourde que j'étais, je n'avais même pas eu la présence d'esprit de lui offrir un café. Mais non, j'avais bien fait. Il ne fallait pas qu'il s'imagine que je passais mon temps à écrémer les plages à la recherche de types en mal d'action. S'il voulait me revoir, il savait où me trouver.

Quand Miss Harriet a voulu jeter un coup d'œil à mon carnet de rendez-vous pour la dix-huitième fois, la moutarde m'est montée au nez. Après toutes ces années passées à son service, voilà qu'elle me soupçonnait de court-circuiter la voie habituelle et d'empocher directement l'argent des clientes. Incroyable ! J'avais beau me dire que c'était l'âge, je ne la supportais plus. Et quand est arrivé le jour où j'ai eu envie de lui faire un doigt d'honneur, j'ai compris que tout était fini entre nous.

Aussitôt de retour à la maison, j'ai appelé Marilyn Davey.

— Marilyn ? Bonjour ! C'est Anna Abbot. Je me demandais si vous n'auriez pas entendu parler d'un local commercial à céder dans les environs.

— Sur l'île ?

— Je ne sais pas. Charleston ou Mount Pleasant feraient aussi bien l'affaire.

Nous avons papoté. Je lui ai expliqué exactement ce que je recherchais et elle m'a promis de me rappeler dès qu'elle aurait du nouveau. Il n'y avait pas le feu, car ce n'était encore qu'un vague projet. Mais tant qu'à quitter la maison paternelle, pourquoi ne pas faire le grand saut jusqu'au bout ? J'en étais là de mes réflexions quand quelqu'un a frappé à la porte. C'était Lucy.

Une fois n'est pas coutume, elle portait un pantacourt noir avec un haut noir ample plutôt couvrant et des nu-pieds plats. Bon, je vous l'accorde, il y avait des grappes de fleurs et de fruits sur le dessus de ses sandales. Mais c'était Lucy, ne l'oublions pas.

— Coucou, Anna ! Tu es là ?

— Entre !

— Ça t'ennuierait de passer à la maison ? Ton père est chez moi et aimerait te dire un petit bonjour. Mais t'en fais, une tête ! Toi, tu as besoin d'un léger remontant.

— Un petit quelque chose ne me ferait pas de mal, en effet. Mais qu'y a-t-il de si important ?

— Le coucher du soleil, ma chérie. Tu ne peux pas manquer ça.

J'ai suivi Lucy jusqu'à chez elle. Nous avons contourné la véranda pour atteindre l'escalier en spirale qui menait au balcon panoramique. Papa s'y tenait, en train de contempler l'océan.

— Salut, p'pa !

Je lui ai fait la bise en me demandant lequel des deux avait appelé l'autre. Lucy et lui sortaient-ils ensemble ? Etais-je censée jouer les chaperons ? Lucy m'a tendu un verre de vin blanc. Il y avait un bol rempli de crevettes et de la sauce cocktail à côté du seau à glace. Compte tenu des talents culinaires de l'hôtesse, il s'agissait là d'une grande réception.

— Bonjour, ma chérie, m'a répondu mon père avec un grand sourire.

Il sentait l'eau de Cologne. En quel honneur ? Ça n'est pas tes oignons, ai-je pensé.

On a admiré le panorama en silence. De longues traînées pourpres et rose fuchsia striaient le ciel, dont le bleu s'assombrissait à vue d'œil. Le soleil se résumait à une énorme boule rouge palpitante qui s'enfonçait lentement et comme à regret dans une brèche à l'horizon. Bientôt, le scintillement laiteux de milliards d'étoiles blanchirait le ciel, la brise se lèverait et un autre jour basculerait dans l'histoire. Debout sur le balcon, chacun de nous était perdu dans ses rêves. Il y a des pensées qu'on doit garder pour soi. Je sentais battre mon cœur à l'idée qu'un jour viendrait où j'aurais peut-être un homme dans ma vie, et mon propre salon de coiffure, et que ma fille arriverait bientôt.

La main de Lucy a glissé sur la rambarde et s'est posée sur celle de papa. Il a souri, a mis son autre pogne sur la sienne et l'a tapotée affectueusement. Cette marque d'affection ne m'a pas dérangée. N'avions-nous pas tous des peines et des désirs ? Et même si ces derniers n'étaient pas comblés, l'important était de savoir les identifier, les examiner et les soupeser. Que serait ce monde si nous n'avions pas eu de rêves ?

— J'ai appelé ton père, a signalé Lucy. Et puis je suis venue te…

— Lucy ? Ça va. Inutile d'en rajouter. Je suis heureuse d'être ici, un point c'est tout.

— Merci, Anna. Je croyais que ton père et toi aviez…

— J'ai fait la connaissance d'un homme.

— Qui ça ? C'est formidable ! s'est écriée Lucy.

Papa m'a regardée sans rien dire. Il semblait estomaqué.

— J'ai rencontré un gars et je suis en train de songer sérieusement à ouvrir mon propre salon.

— Quoi ? Comment ? Pourquoi ? a lâché Lucy.

— C'est une bonne question. Ou plutôt, ce sont de bonnes questions. Mais je n'y ai pas encore réfléchi.

— Quoi ? Tu veux démarrer une affaire alors que tu viens

d'acheter une maison ! s'est exclamé papa. Ma parole, tu as perdu la tête.

— Ce n'est qu'un projet, papa. Pas de quoi te mettre la rate au court-bouillon !

— Surveille ton langage, Anna !

— Elle n'a pas perdu la tête, Dougle. Elle a un rêve.

— Pardonne-moi, Anna.

Papa s'est rangé à l'avis de Lucy. Ce n'était pas la première fois, du reste. Cela avait déjà été le cas le jour où nous avions fait la connaissance de Lucy, quand elle et lui s'étaient éclipsés et qu'il était revenu avec les cheveux ébouriffés. Doc en pinçait pour Lucy.

— C'est sans importance. Mais franchement, je ne supporte plus de travailler pour Harriet.

— Elle a la réputation d'être un peu fofolle, a dit Lucy.

— Vraiment ? s'est étonné papa. Et moi qui croyais que tu aimais bien ton boulot.

— Papa, ma vie durant, je me suis contentée de dire amen aux uns et aux autres. Si je veux que ça change, il n'y a que moi qui puisse faire quelque chose. J'ai trente ans passés ! Il est temps.

— J'ignorais que tu n'étais pas heureuse, a murmuré papa dans un soupir qui m'est allé droit au cœur.

Pensait-il que c'était sa faute ?

— Douglas, Anna est juste en train d'expliquer qu'elle veut son indépendance. N'est-ce pas Gloria Steinem, dans les *Monologues du vagin*, qui a dit qu'il fallait réécrire l'histoire au féminin ?

Papa et moi en sommes restés bouche bée. Ma parole, Lucy citant Gloria Steinem ! Elle avait passé sa vie à étudier la psychologie ou quoi ?

— Qu'y a-t-il ? J'ai eu une réflexion déplacée ? Je suis désolée...

J'ai vu sa lèvre trembler, même à la lueur du crépuscule, et j'ai compris qu'elle allait éclater en sanglots si je n'intervenais pas. Ou papa.

— Non. Tu as mille fois raison, au contraire. Oui, Lucy ! Tu n'as pas idée à quel point !

Papa a étiré le bras et l'a attirée contre lui. Aussitôt,

133

l'angoisse de Lucy s'est changée en un petit sourire en biais. Ce n'était pas tous les jours que Lucy se faisait congratuler pour son intelligence. Pour la bonne raison que celle-ci venait du cœur et qu'elle la gardait enfouie au fond d'elle-même, là où elle était inaccessible.

— Quand je te disais que c'est une petite futée, a repris papa.

Il n'avait jamais rien suggéré de tel, mais Lucy s'est jetée à son cou et il a vu sa gentillesse récompensée par une rencontre frontale avec ses implants mammaires au galbe imposant.

Je suis certaine que papa était cramoisi, même si, fort heureusement, la pénombre du crépuscule ne m'a pas permis de le vérifier.

Il faisait de plus en plus sombre et nous devrions bientôt quitter le balcon pour aller dîner. J'ai suggéré à Lucy et papa de filer acheter une ou deux bricoles pendant que je préparais du café décaféiné et mettais la table.

Une heure plus tard, de retour avec un grand sac plein de commissions, papa s'est enquis :

— Anna ? Qui est le monsieur en question ?

Il lui avait fallu tout ce temps pour trouver le courage de le demander.

— Quel monsieur ? ai-je répondu en jetant un coup d'œil aux achats.

J'ai délicatement sorti la boîte de chop suey de poulet et le récipient en plastique contenant la soupe.

— Je vais passer ça au micro-ondes, ai-je enchaîné. Je reviens tout de suite. Où est Lucy ?

J'avais temporairement oublié Arthur Fisher pour me concentrer sur la préparation du dîner.

— Elle sera ici dans une minute. Elle avait quelque chose à faire. Probablement lire des e-mails. Bon. Tu as dit que tu avais rencontré quelqu'un...

Papa s'est servi une bière.

J'ai remué les nouilles et remis la boîte à chauffer trente secondes.

— Il n'y a malheureusement pas grand-chose à raconter.

— Tu veux dire qu'il n'en vaut pas la peine ?

Entre-temps, Lucy était revenue, vêtue d'un ensemble rouge qui révélait son nombril et offrait une vue plongeante sur ce qui aurait pu servir de bouées à une patrouille de sauveteurs en mer, et les lèvres tartinées de gloss.

— Non. J'ai fait sa connaissance ce matin. S'il m'appelle, j'achète un gâteau et je vous invite, promis.

— Il faut que tu sois préparée, a glissé Lucy. Je vais te prêter *Le Livre des relations humaines*.

— Pourquoi ?

— C'est un bouquin épatant. Si tu veux qu'un homme te téléphone, tu dois être prête le jour où il se décidera ! Parfois, vous devez penser que je suis folle...

— Mais pas du tout ! s'est récrié papa.

— Jamais de la vie ! ai-je renchéri.

Tout le temps, songeais-je.

— Ecoute-moi, Anna. On va faire du shopping, toi et moi, d'accord ? Et tu t'arrangeras pour savoir quand tombe l'anniversaire du monsieur. Et moi, je vais te mettre un peu de rouge sur les joues.

J'ai éclaté de rire. Lucy en a fait autant.

J'acceptais de lire l'ouvrage qu'elle m'avait conseillé, mais pas question que je la laisse approcher de ma figure. Ça non !

9

Miss Mavis a dit...

On était dimanche. Parfois, j'ai l'impression que la journée est passée sans que j'aie rien fait d'autre que d'aller de mon lit à la cuisine et de là à mon fauteuil relax. Heureusement, il y a la messe pour casser un peu la routine. Bien sûr, il m'arrive de jouer avec les chats et d'arroser les violettes, mais cela ne suffit pas pour remplir une vie. Bref, tout ça pour dire que j'étais derrière le rideau, en train d'observer la petite d'à côté qui désherbait les plates-bandes quand, tout à coup, j'ai eu comme l'impression de l'avoir déjà vue. Etait-ce possible ? Comme avec l'âge le cerveau finit par vous jouer des tours, plutôt que de me mettre à cogiter telle une vieille toupie et à m'imaginer des choses, j'ai décidé de mener ma petite enquête. J'ai ôté mon cardigan et suis sortie dans le jardin.

Quelle chaleur, mes aïeux ! Ange vous dira que j'y suis sensible parce que je pousse la climatisation à fond quand je suis à la maison. Et quand bien même ? Ce n'est pas elle qui paie la facture – ni aucune autre – que je sache ? Non mais ! Avouez qu'il y en a qui ne manquent pas d'air !

Et s'il n'y avait que cela ! Mais il y a aussi cette maudite haie de lauriers-roses entre nos deux maisons. J'ai beau faire atten-tion de marcher bien au milieu, leurs longues tiges crochues finissent toujours par se prendre dans mes cheveux. Du coup, ma mise en plis du mardi est fichue. Et comme je ne suis pas du genre à faire des chichis, si une maudite branche met mon brushing en désordre, tant pis, j'attends jusqu'au mardi suivant pour que les mèches folles reprennent leur place. Mais ce jour-là, j'avais bien d'autres soucis en tête que ma coiffure. Quelque chose me chiffonnait concernant la voisine et je voulais comprendre pourquoi.

— Anna ?

— Miss Mavis !

Elle s'est arrêtée de trifouiller la terre et s'est tournée vers moi.

— Comment allez-vous par ce beau temps ?

— Je m'apprête à me rendre à la messe. Pas vous ?

Je sais que vous allez penser que je me mêle de ce qui ne me regarde pas, mais on a bien le droit de s'informer sur la moralité des gens, quand même !

— Non. Il y a des lustres que je n'ai pas mis les pieds à l'église. Où allez-vous à la messe ?

J'en aurais mis ma main à couper.

— Ça dépend de mon humeur, ai-je répondu, douce comme le miel, espérant qu'elle comprendrait que les personnes convenables honoraient le Seigneur. Le plus souvent, à Stella Maris, à Sullivan's Island. Le père Michael est un amour. Et intelligent, avec ça. Et pas du genre à passer par quatre chemins quand il a quelque chose à dire. J'apprécie. Mais quand Ange est assez bien lunée pour m'y conduire, je vais à l'église du Saint-Sacrement, de l'autre côté d'Ashley. En trente ans, je n'ai pas manqué un service !

Prends-en de la graine, ma petite !

Croyez-vous qu'elle ait arboré un air contrit ? Pensez-vous !

— Le Saint-Sacrement ? Mais c'est au diable vauvert !

— Oui. Mais ensuite, nous déjeunons chez S&S, sur la voie rapide. Ce qui nous évite de faire la popote. Là-bas, il y a du pain perdu à volonté.

— J'aime ça. Ce n'est pas terrible pour la ligne, mais c'est si bon !

— Hum ! A mon âge, je ne me préoccupe plus de ces sornettes. Mon médecin, ce vieux fou, n'arrête pas de me conseiller de surveiller mon alimentation. Mais j'ai quatre-vingts ans passés et si je n'ai pas envie de vivre centenaire, c'est mon problème. Je m'arrêterai à quatre-vingt-dix-neuf ans.

— Voilà qui est parlé.

Anna se tenait devant moi, basculant le poids de son corps d'une jambe sur l'autre. Je l'ai regardée droit dans les yeux et ai compris qu'elle attendait que je crache le morceau. Alors plutôt que de la faire languir, j'ai plongé tête baissée. D'ailleurs, les moustiques commençaient à me tourner autour ; les sales bêtes cherchaient à me rentrer dans les yeux.

— Je vous connais ! ai-je lancé.

Voilà, c'était fait !

— C'est vrai, Miss Mavis. Et moi aussi.

— Sans blague ?

Mais qui était cette petite ?

— Vous m'avez prise chez vous quand ma mère est morte, Miss Mavis. Vous ne vous en souvenez pas ? Anna Lutz.

— Grand Dieu tout-puissant ! Il faut que je m'asseye.

J'ai cru que j'allais tomber raide morte sous ses yeux ! Le choc était trop violent pour ma nature délicate.

— Bien sûr, a-t-elle répondu en m'attrapant par le bras. Venez, entrez donc !

Je l'ai laissée me guider jusqu'au canapé – joli, housse de lin ivoire, mais salissant – et me suis affalée parmi les coussins.

— Merci.

— Je vais vous chercher un verre d'eau.

Pendant qu'Anna était à la cuisine, j'en ai profité pour jeter un coup d'œil au séjour. Notez que je ne suis vraiment pas du genre à fourrer mon nez partout, mais l'intérieur d'une personne vous en dit long sur son caractère. Elle avait une belle bibliothèque, un truc qui n'était pas de chez nous, pour sûr, mais magnifique tout de même. Et dessus, un tas de bouquins. Peut-être bien qu'elle était prof, après tout. De toute façon, je n'allais pas tarder à le savoir. Anna Lutz ! C'était une brave petite, remuante, certes, mais brave.

Elle est revenue avec un verre plein pour moi. J'en ai pris une longue gorgée puis je me suis calée dans le siège.

— Pour une surprise, c'est une surprise ! me suis-je écriée. Mais pourquoi ne pas m'avoir dit d'emblée qui tu étais ?

Brusquement, je lui en ai voulu d'avoir joué les cachottières.

— Parce que lors de notre première rencontre, je n'avais pas la tête à ça. J'ai estimé que l'occasion se représenterait, tôt ou tard. Vous rappelez-vous que je chapardais vos prunes ?

— Et comment ! Toi et ta bande n'arrêtiez pas de galoper en tous sens en poussant des cris qui me rendaient folle ! Ah, c'était le bon temps !

J'ai repris une gorgée d'eau puis reposé le verre. J'étais requinquée.

— Chère petite Anna Lutz ! Comme le temps passe.

Anna s'est assise en face de moi, de l'autre côté de la table de salon, et nous avons commencé à papoter. Quel bonheur d'évoquer le passé avec elle ! Jusqu'au moment où elle s'est mise à parler de sa mère. Elle s'est décomposée.

— Vous n'avez pas idée comme j'ai eu honte d'elle. Pauvre papa. Après quoi, ma grand-mère Violette a rappliqué pour ruiner mon existence...

— Hé ! pas si vite, mon enfant. Il me semble que tu es assez adulte pour te faire ton idée sur la question. Moi qui ai *bien* connu ta mère, je peux te garantir que c'était une jeune femme ravissante, et avec le cœur sur la main, qui plus est ! Elle a fait de son mieux pour rendre ton père heureux. Je vais t'avouer une bonne chose, et ne t'avise pas de la répéter, si tu ne veux pas que je raconte que tu es une menteuse...

— Promis.

Anna avait une drôle de petite moue.

— Dans le temps, ton père n'était pas quelqu'un de facile, Anna. Et sans doute ne l'est-il pas davantage aujourd'hui.

— Mais n'est-ce pas le cas de tous les hommes ?

Là, j'ai bien été obligée d'abonder dans son sens.

— Sans doute, mais ton père avait un fichu caractère et je t'avoue que même moi, il m'aurait tapé sur les nerfs.

— Comment ça ?

Cette jeune femme assise là, devant moi, avait mis des années à surmonter la mort de sa mère. Avais-je le droit de lui dévoiler ce que je savais ? Il fallait que quelqu'un lui livre la vérité.

— Anna, lorsque tes parents sont venus s'installer sur l'île, Percy et moi nous sommes liés d'amitié avec eux. Nous étions jeunes et insouciants, et il nous arrivait d'aller prendre un verre au Seaside ensemble ou de jouer à la canasta. Quand ton père travaillait, ta maman venait s'asseoir dans ma cuisine, et me parler de lui et des malheurs que ses parents avaient vécus pendant la guerre. Ils n'avaient qu'une idée en tête : se fixer en Amérique pour travailler dur et réussir.

— Papa ne m'a jamais beaucoup parlé de sa famille ni de l'époque où elle a émigré.

— C'est possible, mais il n'empêche que ta maman, elle, en savait des choses ! Un de ces jours, je vais me gratter un bon coup la tête et essayer de me remémorer les histoires qu'elle m'a racontées. Mais pour l'heure, sache ceci : une jolie jeune femme un tantinet tourmentée épouse un type plus vieux qu'elle et qui n'est pour ainsi dire jamais à la maison. Du coup, elle se retrouve à tourner en rond dans une vieille baraque venteuse au fin fond de l'île. Et pour finir, la belle-mère rapplique et se met à tout régenter sans jamais accorder un sou d'argent de poche à l'épouse. Franchement, tu avoueras qu'il y a mieux comme histoire d'amour, non ? A présent, il faut que je file si je veux avoir ma place à la messe de onze heures.

Je me suis levée pour partir, puis je me suis retournée pour regarder Anna une dernière fois. Elle semblait pétrifiée, la mâchoire pendante, visiblement choquée.

— Attendez, a-t-elle lancé. Ne partez pas ! Je vous en prie. Parlez-moi encore.

Qu'auriez-vous fait à ma place ? Je ne pouvais pas laisser cette pauvre petite dans cet état ! Ah, mes aïeux, quel dilemme ! Il était hors de question que je néglige mes devoirs religieux. J'étais trop près de la mort pour prendre le risque de prolonger indûment mon séjour au purgatoire.

— J'ai une idée, ai-je dit. Viens déjeuner à la maison et je te raconterai tout ce que tu veux. Au menu, il y a du poulet frit et du riz rouge. On passe à table à trois heures. Ça te va ?

— Oui, c'est parfait. Merci.

— Fais-moi un sourire !

Pour finir, cette grande sauterelle m'a souri et je suis sortie. Une fois dans le jardin, je lui ai rappelé :

— A trois heures !

Vous voulez que je vous dise ? A force d'en savoir trop sur les uns et les autres, cela finit par vous peser.

10

Le poulet était piégé

Il était presque trois heures quand Lucy est passée prendre de mes nouvelles – mais comment diable les voisines trouvaient-elles à s'occuper quand je n'étais pas là ?

— Hou ! hou ! Il y a quelqu'un ? a crié Lucy à travers la porte grillagée.

— Entre ! ai-je lancé en retour.

— C'est quoi cette odeur délicieuse ? Miam ! On peut goûter ?

J'étais dans la cuisine – qui est si étroite qu'on arrive à vider le lave-vaisselle et remuer la tambouille sur le gaz simultanément –, en train de sortir une fournée de cookies aux pépites de chocolat du four. Après les tonnes de biscuits dont m'avait gavée Mlle Ange quand j'étais môme, je ne pouvais décemment pas me présenter les mains vides chez Miss Mavis. Et sans vouloir me vanter, mes cookies valent le détour.

— J'ai fait des gâteaux pour les sœurs Lafouine, ai-je précisé en soulevant un spécimen avec l'extrémité de ma spatule pour le présenter à Lucy. Elles m'ont invitée à déjeuner.

— Sans blague ? Je parie que tu vas trouver des poils de chat dans la nourriture. Tu risques l'occlusion intestinale...

— T'inquiète, ce n'est pas une boule de poils qui va gâter mon repas.

— Fff ! C'est délicieux !

— Un peu chaud, peut-être ?

141

Lucy a secoué la tête de haut en bas en aspirant bruyamment l'air entre ses dents pour éteindre l'incendie à l'intérieur de sa bouche. J'ai rempli un verre d'eau et le lui ai tendu.

— Tu n'aurais pas du lait, plutôt ?

— Ma parole, on se croirait dans un spot publicitaire.

Je lui ai servi une rasade de lait et elle a pris un second cookie, sur lequel elle a soufflé pour le refroidir.

— Merci. Au fait, en quel honneur ? Enfin, je veux dire... sais-tu pourquoi elles t'ont conviée chez elles, hormis te tirer les vers du nez ?

— Je parie que tu ne vas pas me croire. Et même moi j'ai du mal.

— Il y en a un de cassé. Je peux le manger ?

J'ai jeté un coup d'œil à ma montre. Il était presque trois heures. Tant pis. Lucy attendrait pour que je lui lâche le morceau concernant ma mère.

— Bien sûr. Zut, je vais être en retard ! ai-je lancé en commençant à empiler les cookies sur une assiette. Si tu veux, je viendrai te raconter cet après-midi comment ça s'est passé.

— D'accord, je m'occupe du dîner. Tu crois que je peux appeler Dougle ?

— Bien sûr. Dis-lui que nous aurons à entamer une conversation passionnante, lui et moi.

— OK ! Je sens qu'on va partager un agréable moment.

J'ai laissé Lucy, puis filé avec mon présent protégé par une feuille de papier d'aluminium. Dans l'allée, une branche de laurier-rose s'est prise dans mes cheveux.

— Aïe ! Ouille ! Ça fait mal, ces cochonneries !

Cela n'allait pas traîner. Un de ces quatre, j'allais sortir ma machette et faire un sort à ces maudits buissons.

Tout en me dégageant du rameau qui me retenait prisonnière, j'ai songé à ce que Miss Mavis allait me raconter. Que pouvait-elle m'apprendre que je ne connaisse déjà ? Pas grand-chose. En fait, j'avais été contrariée d'apprendre qu'elle avait ne serait-ce qu'un gramme d'estime pour ma mère. Comment osait-elle ? Toute ma vie, j'avais traîné maman comme un énorme et terrible boulet. Certes, je reconnais que cela n'est pas la meilleure façon de parler de sa mère, mais j'étais encore sous le choc. Je sentais que les langues s'apprêtaient à se déchaîner, y compris la mienne.

Tout doux ! Je n'allais pas chez mes voisines pour m'empoigner avec elles ! Je commencerais par les écouter, après quoi je prendrais le temps de réfléchir à leurs révélations. « Après tout, ces braves femmes ne veulent rien de plus que t'inviter à déjeuner et te livrer leur version des faits. Calme-toi, nom d'une pipe ! Tout le monde a le droit d'avoir son point de vue. Et tu te targues de savoir écouter les gens ! » Ce dialogue entre moi et ma voix intérieure m'a permis de garder le cap.

Radoucie et d'humeur accorte, j'ai frappé à la porte de mes hôtesses. Miss Mavis m'a ouvert et quand je suis entrée dans le séjour, c'était comme si je retournais mille ans en arrière. Il flottait une divine odeur de poulet frit ! Mais aussi, hélas, celle de ces abominables grenouilles désodorisantes au pin des landes, censées masquer la pestilence de la caisse des chats. Brusquement, j'ai eu l'impression d'être retombée en enfance. Mais dans ce cas, comment se faisait-il que Miss Mavis ait eu l'air aussi vieille ? Une fois de plus, je me suis surprise en train de rêver les yeux ouverts.

— Je vous ai fait des cookies.

— Oh ! a lâché Miss Mavis en s'étranglant légèrement. Merci, Anna.

On aurait dit qu'elle pleurait ou avait pleuré. En tout cas, elle semblait émue. Je l'ai suivie jusqu'à la cuisine, où Mlle Ange était en train de disposer les morceaux de poulet sur du papier absorbant qu'elle avait étalé à même le plan de travail.

— Ma parole ! Regardez qui voilà ! Anna ! Laisse-moi un peu te regarder !

Elle a posé la pince à friture, s'est essuyé les mains sur son tablier, puis est venue se camper devant moi.

— Mademoiselle Ange ! La vie nous réserve de ces surprises, vous avouerez !

Elle s'est reculée, m'a prise par les bras et inspectée de la tête aux pieds.

— Ça me fait rudement plaisir de te revoir.

Elle a soupiré en hochant la tête.

Miss Mavis, qui regardait remuer les lèvres de Mlle Ange, a dit :

— Et moi donc.

— Moi aussi, ça me fait plaisir de vous revoir.

J'étais sincère.

— Sois la bienvenue *chez toi*, sur l'île !

— Merci. En revenant ici, j'ai l'impression d'avoir bouclé la boucle, ai-je ajouté en fixant Mlle Ange.

— Qu'est-ce que tu dis ?

— Elle dit qu'elle se réjouit d'être revenue chez elle !

— Pas la peine de hurler, Ange ! Ma pauvre chérie, je parie que tu t'es saignée aux quatre veines pour acheter cette maison, a enchaîné Miss Mavis.

— Quand même pas. Mais j'avoue que le coin a bien changé. Que pensez-vous de la galerie commerciale qui s'est ouverte à Mount Pleasant ?

— Quoi ? Qu'est-ce que tu dis ? a repris Miss Mavis.

— Elle demande comment on trouve la nouvelle galerie marchande de Mount Pleasant.

— Ah ! Bah, je suis trop vieille pour ce genre de magasins, mais je ne suis pas mécontente d'avoir un Belk à portée de main.

— Il se trouve qu'avant de visiter cette baraque j'en avais repéré une là-bas.

— Hein ? Tu as perdu la tête ou quoi ? Tu es un oiseau des îles. Et puis la circulation, merci bien ! Il y a de quoi devenir fou !

— Que diriez-vous de passer à table ? a suggéré Mlle Ange. Je vous rappelle que ce poulet a été sacrifié pour vous.

— Et pour toi aussi ! C'est plus fort qu'elle, il faut toujours qu'Ange commande ! a murmuré Miss Mavis en se tournant vers moi.

— J'ai tout entendu ! a lancé Mlle Ange depuis la cuisine.

L'expression de Miss Mavis ressemblait au tracé sautillant d'un électrocardiogramme avant la crise fatale : la maladie avait été diagnostiquée, mais le patient était prêt à lutter jusqu'au bout et cela risquait de durer longtemps.

La légère prise de bec de mes hôtesses avait eu pour effet

de me remonter le moral. Je les ai aidées à apporter les mets sur la table.

Le poulet frit étant le plat de résistance, j'aimerais prendre un instant pour en commenter les mérites. Il était d'un beau brun doré et dépourvu de la plus infime trace de graisse. Mlle Ange avait un secret de préparation qui aurait fait pâlir d'envie le général Sanders. La bestiole était si appétissante qu'on avait envie d'en picorer la panure quand les autres convives avaient le dos tourné.

Il y avait aussi du riz rouge, et des haricots verts braisés avec des oignons et du jambon, des œufs mayonnaise et des pains briochés tout chauds, présentés dans un panier qui avait probablement été tressé par Mlle Ange. Voyant que Miss Mavis avait sorti le service en porcelaine et l'argenterie, j'ai compris qu'il s'agissait pour elle d'une grande occasion. J'ai songé que j'avais bien fait de retrouver ma bonne humeur. Miss Mavis et Mlle Ange n'avaient peut-être pas beaucoup de visiteurs pour leur tenir compagnie le dimanche après-midi. Mais je vous prie de croire que si cela s'était su, que le poulet de Mlle Ange fondait dans la bouche, les gourmands auraient fait la queue depuis Shem Creek pour y goûter.

— Recueillons-nous, a dit Miss Mavis en baissant la tête. Seigneur, bénissez ce repas, pardonnez-moi pour tout ce que je vais devoir dire à cette jeune personne, et merci d'avoir soufflé à Ange une recette de poulet frit qui ne fait pas trop grossir. Amen.

Elle s'est redressée et m'a regardée.

— J'ai oublié quelque chose.

— Ce n'est pas grave, Miss Mavis. Poursuivez.

Elle a jeté un coup d'œil en biais à Mlle Ange puis a à nouveau baissé la tête.

— Seigneur ? Etes-vous là ? Bien. Aujourd'hui n'est pas un jour comme les autres, car nous fêtons le retour d'une des nôtres au bercail. J'espère que quand Vous nous rappellerez à Vous, il y aura quelqu'un au paradis qui se réjouira autant que nous aujourd'hui. Merci, Seigneur. Amen. A condition que le Seigneur veuille bien de toi... a-t-elle précisé en dévisageant Mlle Ange.

145

— Hum.

Et voilà. D'un seul coup, le chagrin que j'avais emmaga-
siné au cours de mon existence m'est remonté dans la gorge.
Le retour d'une des nôtres au bercail. Les yeux me brûlaient.
Honte à moi qui, pendant des années, avais relayé la version
paternelle de la mort de ma mère sans jamais me poser la
moindre question ni interroger mon entourage. Pire encore,
j'avais oublié que l'île était mon berceau et que j'y étais chez
moi. J'avais vécu avec l'idée que je n'avais pas ma place en ce
monde, et je ne devais pas être la seule.

Tout en piochant un énorme filet de volaille et un haut
de cuisse, je me suis éclairci la gorge pour ne pas me mettre
à pleurer comme une fontaine. J'avais hâte que Miss Mavis
et Mlle Ange attaquent leur récit. J'étais sur des charbons
ardents.

Miss Mavis a déposé une montagne de riz sur mon assiette
et deux cuillerées de haricots. J'ai ajouté trois œufs mayonnaise et Mlle Ange m'a tendu les pains briochés. J'en ai pris
deux, que j'ai généreusement tartinés de beurre et enfournés
aussitôt, impatiente de les sentir fondre dans ma bouche.

— Le poulet d'Ange a bonne mine, non ?

— Il me tarde d'y goûter pour voir si elle a perdu la main.

— *Perdre* la main ? Hum. Quand était-ce, la dernière fois
que tu as mangé un repas digne de ce nom, petite ? a
demandé Mlle Ange.

— En tout cas, vous n'avez pas changé, Mlle Ange. Vous
êtes toujours aussi *redoutable* !

On a ri, puis Miss Mavis a crié :

— Qu'est-ce qu'elle a dit ?

— Sourde comme un pot, m'a soufflé Mlle Ange avant
d'ajouter à haute voix : Elle a une faim de loup.

— Ne prête pas attention à elle, m'a conseillé Miss Mavis.
C'est une vieille radoteuse. Veux-tu du thé ? Et toi, la pipelette, silence !

Nous avons commencé à nous restaurer en échangeant les
plaisanteries d'usage. Puis j'ai raconté que papa ne s'était pas
remarié, que j'étais coiffeuse à Charleston, et divorcée. Je leur
ai parlé d'Emily, ma merveille. Miss Mavis a chanté les
louanges des paniers de Mlle Ange, qui avaient été primés au

146

Concours national des arts populaires. Après quoi, elle s'est attardée sur Fritz, qui avait décroché un rôle dans « West Wing » et se portait comme un charme depuis son séjour dans une unité de réhabilitation psychiatrique. Je n'ai pas osé demander comment il avait atterri là-bas et je pense que j'ai eu raison. Nous en sommes toutes les trois arrivées à la conclusion que les hommes se faisaient rares dans notre entourage, mais que, Dieu merci, nous étions assez occupées pour nous en passer. Mais nous avons surtout évoqué mon retour sur l'île. Miss Mavis a alors pris une longue inspiration et lâché :

— C'est une bonne chose que tu sois revenue parmi nous, Anna.

— J'en rêvais depuis des années.

— Chacun de nous a besoin d'avoir un endroit où il respire.

— Mais pourquoi ? Pourquoi ai-je toujours aspiré à vivre ici ?

— Anna, quand on se sent bien quelque part, nos pieds nous le confirment. Je ne plaisante pas. Marcher dans l'île me procure une tout autre sensation que lorsque je déambule dans les rues de Charleston.

— C'est vrai, ai-je admis. Et puis, je crois que mon rythme cardiaque baisse quand je suis ici. Je me sens différente. Plus détendue.

— Nous aussi, a révélé Miss Mavis.

Elle a regardé sa fourchette pleine de riz puis l'a reposée dans son assiette.

— Savais-tu que ton père avait eu un frère ?

— Papa n'a jamais eu de frère, ai-je répondu, persuadée qu'elle divaguait à cause de son grand âge.

— Eh bien si, figure-toi ! Il s'appelait John. Johnny. Il est mort à l'âge de deux ans. Ce fut terrible. Dure époque pour tes grands-parents.

— J'ai eu un oncle ? Comment se fait-il que personne ne m'en ait jamais parlé ?

Mlle Ange a repoussé sa chaise.

— Je vais chercher des glaçons. L'une de vous veut-elle du citron avec le thé ?

Comme ni Miss Mavis ni moi ne répondions, elle est allée à la cuisine sans dire un mot. Peut-être estimait-elle que Miss Mavis avait tort de s'abandonner aux confidences.

— Parce que c'est une histoire trop triste. John avait attrapé la rougeole et il n'y avait pas de médicaments. Enfin, si, il y en avait, mais pas pour les personnes déplacées qui assemblaient des aéroplanes dans une usine souterraine. John est mort dans les bras de ta grand-mère. Pauvre femme ! Dieu ait son âme !

— Quelle horreur ! Pas étonnant qu'elle ait eu un cœur de pierre après ça.

— Elle n'avait pas un cœur de pierre, Anna. Simplement, à force d'encaisser les coups durs, elle avait fini par s'endurcir. Tu comprends ? Si un tel drame m'était arrivé, j'aurais perdu la boule ! Mais pose la question à ton père. Il te répondra.

— Ça m'étonnerait. Papa n'a jamais rien dévoilé de cette période, hormis que c'était l'enfer. Pour lui, la vie n'a véritablement commencé que lorsque grand-père a acheté le verger d'Estill. Je sais qu'ils ont vécu à Varsovie avant cela et que la famille de mon aïeule était originaire de Pologne. Mais j'ignore pourquoi ils ont atterri en Allemagne.

— Comment ?

— Je ne sais pas pourquoi ils se sont retrouvés en Allemagne.

— Je suis désolée, Anna, je suis un peu dure d'oreille.

— Hum, a lâché Mlle Ange en laissant tomber des cubes de glace dans les verres. Vous pouvez répéter ?

Miss Mavis l'a regardée entre ses paupières plissées. Je leur ai souri à toutes les deux et Miss Mavis a repris :

— Pour travailler et gagner de quoi vivre, pardi. D'ailleurs, Varsovie n'était plus qu'un champ de ruines. Il n'y avait plus d'électricité, presque rien à manger et pas de travail, et les survivants redoutaient de se faire tirer dessus par les soldats russes.

— Ça a dû être vraiment terrible.

— Oui. Après que les Russes eurent chassé les Allemands de Varsovie, tes grands-parents ont fui jusqu'à Augsbourg, où se trouvaient des camps de réfugiés. On les a entassés dans des wagons à bestiaux et ils ont voyagé ainsi pendant

148

une semaine entière. Les chaussettes de ton grand-père s'étaient littéralement dissoutes dans ses souliers, à ce qu'il racontait ! Inouï ! Quand ils sont enfin arrivés à destination, ton aïeul a été affecté à une usine de munitions, où sa femme a trouvé à se placer comme comptable. Te rends-tu compte qu'elle se servait d'un abaque ? Elle me l'a montré une fois et m'a raconté un tas d'histoires.

— Je comprends maintenant pourquoi elle l'a gardé ! Oh ! Voulez-vous dire... Pensez-vous qu'ils étaient nazis ?

— Grands dieux, non ! Ils étaient prussiens ! Personne ne t'a donc jamais raconté l'histoire de ta famille ?

— Non. Je savais juste qu'elle avait émigré. Mais vous, comment avez-vous su ?

— Par ta mère, bien sûr. Et ta grand-mère. Qui d'autre ? Es-tu au courant que les Lutz remontent à Charlemagne ? Tes ancêtres, des guerriers, étaient enterrés en armure !

J'ai secoué la tête.

— Tu ne m'as pas l'air de connaître grand-chose à l'histoire européenne.

— C'est vrai.

— Pendant des siècles, les Allemands, les Autrichiens et les Russes se sont livré une lutte acharnée pour s'approprier la Pologne. Ils sont tous fous, si tu veux mon avis. J'ai du mal à saisir pourquoi les hommes passaient leur temps à se faire la guerre.

— Voulez-vous du thé, Miss Mavis ?

— Comment ?

— Du thé ?

Mlle Ange, qui n'appréciait guère de devoir répéter, semblait néanmoins résignée. Elle a fait à nouveau circuler le panier des pains briochés.

— Tes grands-parents étaient au service du gouvernement, exactement comme les ouvriers du chantier naval de Charleston. Conflit ou pas. Certains étaient des civils, mais tous étaient employés par l'Etat. Quand les Russes ont repoussé la ligne de front au-delà de Varsovie, ils se sont retrouvés en Allemagne. En tout cas, Anna, une chose est sûre. Ton grand-père se fichait de la politique. Mais c'était la guerre ! Et il fallait bien survivre.

— Je n'arrive pas à imaginer...

— Réfléchis un peu. Tes aïeux étaient jeunes mariés au début des hostilités. Un jour de septembre... Je crois bien que ta grand-mère avait dit ça, attends ! Oui, en septembre 1939. Elle était jeune fille et marchait dans la rue quand elle a entendu une terrible déflagration. Les sirènes se sont mises à hurler. Seigneur ! Elle a eu la trouille de sa vie. A sa place, moi aussi, j'aurais été terrorisée.

Miss Mavis s'est tue et s'est mise à manger, comme si elle avait tout dit et qu'il ne restait rien à ajouter. Mlle Ange m'a regardée en tordant légèrement la bouche de côté et en secouant la tête.

— Miss Mavis ! a-t-elle lancé. Vous n'avez pas fini votre histoire !

— Oh ! s'est écriée Miss Mavis. Où en étais-je ?

— Vous évoquiez les bombardements de Varsovie, ai-je indiqué, et la manière dont mes grands-parents se sont retrouvés dans un train pour l'Allemagne.

— Veux-tu encore un peu de riz ? m'a demandé Mlle Ange en soulevant le couvercle du plat. Un autre petit pain ?

— Non, merci, mais c'est délicieux. Miss Mavis ? Ils avaient peur des nazis ?

— Naturellement ! Enfin, je suppose, même si ta grand-mère ne me l'a jamais avoué. Mais qui n'aurait pas craint ces brutes ?

— Papa saura certainement, lui.

— Oui, tu devrais lui demander de te relater ces années-là. En fait, Anna, si je te raconte tout ça, c'est pour que tu saisisses que la guerre change les êtres. Généralement, elle leur inflige des blessures si profondes qu'ils deviennent d'un pessimisme noir.

— D'après vous, c'est la raison pour laquelle grand-mère s'est transformée en mégère ?

Miss Mavis m'a regardée en silence.

— Tout ce que je peux te dire, c'est qu'elle a mené la vie rude à ta mère. Et que Douglas ne l'a pas ménagée non plus. Ceux qui ont bien connu ta maman ne lui ont jamais jeté la pierre. Allons, on ferait mieux d'aider Ange à débarrasser. Je prendrais bien une petite glace. Avec un de tes cookies. C'est un de mes desserts préférés.

Miss Mavis a repoussé sa chaise, puis a suivi Mlle Ange en emportant son assiette.

Je suis, pour ma part, restée clouée sur mon siège, abasourdie. Pour pouvoir ne serait-ce qu'envisager de pardonner à ma mère, j'avais besoin d'une vue d'ensemble, d'un complément d'information. Je voulais bien croire que Violette avait malmené maman, mais papa ? Impossible ! Il était beaucoup trop amoureux pour cela ! Miss Mavis se méprenait complètement !

Tant bien que mal je me suis levée. J'avais les jambes en coton et les mains moites. J'ai pris mon assiette, la corbeille à pain et le beurre, et je suis allée à la cuisine. Mes hôtesses avaient recommencé à se chamailler, mais dès qu'elles m'ont vue, elles se sont arrêtées.

— J'ai raté quelque chose ?

— J'étais en train de dire à Miss Mavis qu'elle s'était emmêlé les pinceaux. C'est normal que tu ne te souviennes de rien. Tu étais si jeune, tu n'arrivais pas aux genoux d'une sauterelle quand ta maman est morte. Ta grand-mère et elle s'entendaient comme chien et chat. Elles n'avaient rien en commun. C'était le jour et la nuit.

— Anna, a repris Miss Mavis, tu imagines la souffrance de tes grands-parents après la mort de John ? Ils ont dû travailler dur et surmonter d'innombrables épreuves avant de pouvoir venir s'installer en Amérique. Après quoi, ils ont dû apprendre une nouvelle langue. Ils n'avaient ni argent, ni amis, ni famille. Il leur a fallu des années avant de s'acclimater. Quand ton père, qui avait fait des études, a épousé une reine de beauté sans instruction, ils ont cru mourir de honte !

J'ai déposé les plats sur le plan de travail.

— Je veux savoir. S'il vous plaît, racontez-moi tout, ai-je demandé.

— Je ferai la vaisselle plus tard, a glissé Mlle Ange. Prenons d'abord le dessert.

— Quoi ?

— Je ferai la vaisselle plus tard.

En passant à côté de moi pour aller jusqu'au réfrigérateur, Mlle Ange a murmuré :

— Certains jours, j'ai envie de lui tordre le cou.

— Chut ! a grommelé Miss Mavis entre ses dents. Moi aussi, je t'étranglerais volontiers !

— Elle entend quand ça l'arrange, a gémi Mlle Ange.

Miss Mavis a pris l'assiette de cookies et s'est dirigée vers le séjour.

— On va s'installer sur la véranda. Ici, il fait trop chaud.

On s'est assises dans les rocking-chairs et Miss Mavis s'est remise à parler.

— Ta mère était superbe, Anna. Et tu lui ressembles bien plus que tu ne le crois.

— C'est vrai, elle était très belle, mais elle avait tendance à en rajouter. Elle se maquillait trop, remarqua Mlle Ange.

— Voilà que tu vas nous donner des leçons de maquillage !

J'ai senti mes joues s'enflammer et la chaleur se répandre jusque dans mon dos.

— C'est la vérité, Miss Mavis, répliqua Mlle Ange, et vous le savez très bien ! Ta mère avait un joli jardin, comme le tien, Anna. Elle aurait pu exercer de nombreux métiers.

— A condition que son mari ait accepté ! Il ne voulait même pas qu'elle apprenne à conduire. Il a fallu que Percy et moi prenions sa défense.

— Pardi, ça coûtait cher. Ta mère devait noter chaque dépense et montrer l'ensemble à ton père le vendredi. C'est vrai !

— Et il l'appelait toutes les cinq minutes. Quand elle sortait, il fallait qu'elle lui dise où elle allait. Je ne compte pas le nombre de fois où elle est venue sangloter dans ma cuisine. La pauvre petite a pleuré des rivières.

Les yeux humides et rouges de Miss Mavis ont croisé les miens. Je savais que Mlle Ange et elle disaient la vérité. J'avais eu un oncle qu'on m'avait caché, une grand-mère dont l'attitude était *presque* excusable – partiellement, du moins – et un père paranoïaque qui avait gardé sa femme en cage jusqu'à sa mort.

Je me perdais en conjectures. L'histoire que je venais

d'entendre, sans compter ce qu'il me restait à découvrir, m'avait précipitée dans un gouffre de perplexité. C'était terrible de constater que les gens trafiquaient la vérité pour justifier leurs actes.

11

La coupe est pleine

J'avais déjà fait l'erreur de me présenter chez Miss Mavis d'humeur massacrante, il n'était pas question que j'aille jouer les grands inquisiteurs chez Lucy. Jusqu'à présent, rien ne s'était passé comme prévu et ma petite voix intérieure me conseillait de rentrer les griffes.

Après le déjeuner chez les sœurs Lafouine, j'ai pris une douche prolongée, puis je me suis plantée devant la télévision, tel un patient dans un hôpital psychiatrique. Les propos et sous-entendus de Miss Mavis et Mlle Ange m'avaient anéantie. Comment allais-je aborder le sujet avec papa ? Plutôt que de crever l'abcès chez Lucy, ne valait-il pas mieux que je m'accorde un temps de réflexion ? Les souvenirs que Miss Mavis avait gardés de maman n'étaient-ils pas des divagations de vieille femme gâteuse ? Pourtant Mlle Ange, qui n'était pas du genre à dramatiser, avait abondé dans son sens. Pouvais-je accuser papa de but en blanc d'avoir, avec la complicité de sa mère, maquillé la vérité ? Que de mensonges ! Des années durant ils m'avaient présenté maman sous les traits d'une personne indigne. Il fallait que je pose carrément la question, un point c'est tout.

Mais jamais je n'oserais ! J'étais beaucoup trop pusillanime pour cela. Je me dégonflerais. Sans compter que le moment était mal choisi. Je n'allais tout de même pas rouvrir les plaies pulvérulentes de mon enfance, et les servir en hors-d'œuvre à Lucy et à mon père. Je ne l'avais jamais vu aussi heureux en compagnie d'une femme. Depuis qu'il était veuf, des cohortes de veuves et de divorcées avaient défilé à la maison. Toutes étaient des dames bien comme il faut, qui s'habillaient chez Talbot et rougissaient d'un rien. Et voilà qu'il s'était entiché de Lucy, qui ne piquait un fard que lorsqu'elle s'en appliquait sur les joues.

Et quand bien même ? Si farfelue soit-elle, Lucy n'en était pas moins une chic fille qui mettait des étoiles dans les yeux de Doc. De quel droit aurais-je gâché leur soirée en laissant libre cours à ma colère ?

Il n'empêche ! Je brûlais de savoir ce qui s'était réellement passé ! Ma mère était-elle l'être volage, égoïste, hypocrite et dépravé qu'on s'était plu à me décrire ? Ou n'était-ce pas plutôt mon père qui, s'étant repenti d'avoir pris une épouse trop jeune, lui avait rendu la vie impossible et l'avait finalement poussée à trouver refuge entre les bras d'autres hommes ? Dans ce cas précis, son infidélité était-elle excusable ? Cette vérité-là, je n'étais pas certaine de vouloir l'entendre. Pour la bonne raison que mon père était la personne à qui je tenais le plus au monde, après ma fille. Etait-ce à cause de lui que maman ne m'avait jamais vraiment témoigné d'affection ? Etait-ce pour le punir qu'elle nous avait privés l'un et l'autre d'amour ?

Après que la voiture de papa eut stoppé dans l'allée de Lucy, j'ai attendu trente minutes, qui m'ont paru une éternité. J'ai réussi à me calmer, songeant qu'il devait y avoir un juste milieu entre la version édulcorée de Miss Mavis et celle au vitriol de papa.

Ne voulant pas me présenter les mains vides au dîner, j'ai fait un inventaire rapide du garde-manger. Après avoir brièvement hésité entre une bouteille de mauvais vin et une demi-livre de cheddar sous plastique, j'ai opté pour le second. Je l'ai coupé en tranches, que j'ai disposées sur une assiette avec des crackers, puis j'ai ajouté une demi-pomme piquée de cure-dents surmontés d'un toupet multicolore. D'accord, on aurait dit un porc-épic de carnaval prêt à s'élancer sur un tapis en caoutchouc orangé, mais du moins avais-je retrouvé un semblant de sérénité.

Je me conduirais en personne civilisée et attendrais que papa ait descendu quelques verres. Après quoi, dès que Lucy

155

aurait le dos tourné, je commencerais à donner de discrets coups de sonde. Je reconnais que le procédé est un peu vache. Et dire que j'avais failli dévoiler les révélations de Miss Mavis à Lucy ! De toute façon, il y avait belle lurette que l'histoire aurait dû être tirée au clair.

Prenons le cas de Violette, par exemple. Pourquoi papa avait-il toléré qu'elle colporte des ragots sur le compte de maman ? Et s'il s'agissait effectivement de racontars, pourquoi n'avait-il pas cherché à rétablir la vérité après la mort de sa mère ? Enfin, pourquoi l'avait-il laissée régenter mon existence sans intervenir ? Toutes ces questions mises bout à bout formaient un tableau bien lugubre.

— Anna ! Entre ! On allait justement monter admirer le coucher de soleil.

— Tiens, des amuse-gueule pour l'apéro.

J'ai fourré l'assiette de fromage entre les mains de Lucy.

— Apéro ? Tu as bien dit apéro ?

Elle marchait en titubant sur ses mules à talons aiguilles en cuir noir imprimé de flamants rose fluo à lunettes de soleil. Ma parole, elle était abonnée à un catalogue de vente spécialisé dans les horreurs !

Papa et moi avons échangé une brève accolade. Puis il m'a informée que Lucy avait préparé du poulet et du thon à la sauce teriyaki relevée d'ail et d'échalote, et qu'il avait mis le four à préchauffer pour le pain à l'ail surgelé. Je trouvais le moment particulièrement mal choisi pour qu'il me vante les talents culinaires de Lucy et l'ai foudroyé du regard. Voyant que je n'étais pas à prendre avec des pincettes, il s'est mis à échanger des banalités avec elle. Sans doute dans l'espoir que leur enjouement finirait par avoir raison de ma mauvaise humeur. Pendant qu'ils jacassaient, j'ai descendu presque d'un trait le verre de vin blanc que Lucy m'avait servi. Mais pourquoi ne me demandaient-ils pas carrément ce qui n'allait pas ?

Ils ne voulaient pas savoir, pardi ! Ils me voyaient prête à déclencher la troisième guerre mondiale alors qu'ils pensaient passer une soirée pépère. Il y avait longtemps que je ne m'étais pas sentie aussi mal dans ma peau. Mon humeur était si exécrable qu'elle devait empester à dix mètres. Mais eux étaient si gais que c'est tout juste s'ils ne sifflotaient pas.

Dès que j'ai été sur le balcon, la tension a commencé à tomber. En voyant le ciel bleu se teinter lentement de rose puis de violet, je me suis peu à peu détendue. J'ai regardé Lucy et Doc. Les yeux de papa, soulignés de rides profondes, telles deux rivières asséchées, étaient ceux d'un homme comblé qui, après des années de sacrifices et d'abstinence, découvrait qu'une fille aussi désirable que Lucy daignait s'intéresser à lui. L'intérêt qu'elle lui témoignait faisait remonter son taux d'endorphines, stimulait sa sécrétion de phéromones mais aussi, et surtout, de testostérone, laquelle n'attendait qu'une occasion de reprendre du service.

Qui aurait pu le lui reprocher ? Pas moi, en tout cas. Jamais de la vie. Mon père était prêt à jouer les Tarzan et à piloter sa chère poupée à travers la jungle. Sans l'ombre d'une hésitation, il s'était jeté du haut de la falaise. Le meilleur des élixirs de jouvence, cette Lucy.

— Puis-je vous resservir un verre, Lucy ?

— Douglas, tu es un amour ! Un vrai gentleman ! N'est-ce pas, Anna ?

— Il n'en existe pas deux comme lui.

Lucy aussi m'est apparue sous un autre jour. Et pour commencer, j'ai découvert qu'elle n'était pas moitié aussi jeune que je l'avais cru. Un bistouri avait laissé sa trace dans le pli interne de la paupière supérieure. Et quand le vent a soulevé ses cheveux, j'ai distingué deux autres cicatrices derrière les oreilles. Lucy avait donc subi un lifting ? D'où ses lèvres pulpeuses. Gonflées au collagène. Dès le premier jour, ses seins m'avaient semblé improbables et ses pommettes douteuses. Y avait-il une partie de sa physionomie qui soit encore d'origine ? Mais quelle importance, au fond, dès l'instant que cela l'aidait à se sentir mieux dans sa peau ? Papa était, lui aussi, son élixir de jouvence.

La mauvaise langue en moi avait envie de proclamer que Doc était le toutou de Lucy. Va chercher ! Il suffisait qu'elle lance la balle pour qu'il la lui rapporte et se couche à ses pieds, quémandant une caresse entre les oreilles. Mais le comble de l'ironie, c'est qu'elle aussi jouait le rôle du toutou pour papa. Tels deux chiens errants et vieillissants, métamorphosés dans le regard de l'autre en bêtes de concours, ils paradaient fièrement sous mes yeux à moi, le juge.

Le moment était mal choisi pour provoquer papa en duel. Quelque chose d'important était en train de se tramer ici. Une union naissante, à laquelle, un jour, on lèverait peut-être son verre et trinquerait. Pourquoi *peut-être* ? Pourquoi ne pas laisser les amoureux savourer leur bonheur ?

J'ai décidé de laisser les choses filer. A moins que l'occasion ne se présente d'elle-même, je renonçais à soumettre mon père à la question.

— Quel beau coucher de soleil ! me suis-je exclamée, d'humeur apaisée.

L'astre se fondait dans la ligne rougeoyante de l'horizon.

Lucy et papa se sont décontractés d'un seul coup ; leurs traits se sont adoucis. L'orage qu'ils avaient craint de voir éclater avait reflué vers le large, englouti par le soir tombant.

— Oui, a répliqué papa en passant un bras autour de chacune de nous.

— Je suis si heureuse que je pourrais me mettre à pleurer, a dit Lucy.

— Ah non ! Je crois que nous ferions mieux de nous préparer à l'incinération du poulet.

Je gardais secrètement espoir qu'une cuisson attentive sauverait la bestiole et le malheureux thon du désastre.

Dès que le barbecue au gaz a atteint la bonne température, j'ai placé la viande au-dessus des braises – en l'arrosant copieusement d'injures et de moustiques écrasés, la mascotte non officielle de Caroline du Sud. Lucy et papa étaient à la cuisine, en train de faire de la salade, et d'autres choses aussi... Mes soupçons se sont confirmés quand j'ai poussé discrètement la porte grillagée pour aller chercher le poisson noyé dans la marinade. Papa s'affairait devant le comptoir tandis que Lucy, debout derrière lui, avait glissé une main sous sa chemise et lui caressait le dos.

— Et maintenant, essaie de deviner ce que j'écris.

Elle a tracé un mot sur sa peau de l'extrémité de l'ongle.

— Beau bec ?

— Mais non, idiot ! Beau mec !

Je me suis éclairci la voix.

— Hé ! Je vous signale qu'il y a des enfants dans le public.

Lucy a gloussé. Papa était cramoisi.

— On ne faisait que...

— Ce n'est pas grave. J'ai été jeune, je sais ce que c'est.

— Anna, très chère, il serait temps que tu te trouves un homme, toi aussi. Au fait, où en sont tes amours ?

— Bonne question ! Figurez-vous que j'ai rencontré un type et que...

Et que rien du tout.

On a fait un sort au poulet, à la salade et au pain à l'ail, et descendu deux bouteilles de chardonnay. Fidèle à ses habitudes, Lucy avait réussi à introduire subrepticement un pichet de margarita surgelée et un fond de vodka que papa et elle ont sifflés sans moi. Il fallait que je sois en état de parcourir la pelouse pour regagner mon chez-moi. Ces deux tourtereaux me fichaient le bourdon.

Quand j'ai jugé le moment venu, je me suis levée du canapé pour les laisser en tête à tête.

— Tu t'en vas ?

— Oui. Je décolle de bonne heure demain matin. Lucy, merci pour le dîner.

— Mais tout le plaisir était pour moi !

— Lucy, a dit papa, je reviens dans cinq minutes. Anna m'a demandé de jeter un coup d'œil à la serrure côté jardin.

— Bien sûr, mon canard en sucre ! Je t'attends !

Lucy m'a serrée dans ses bras et a embrassé papa sur la joue.

— A plus tard, Anna ! Fais de beaux rêves !

Papa et moi avons descendu les marches du perron puis traversé le jardin.

— Je n'ai pas de problème de serrure, papa.

— Je sais, mais je voulais qu'on parle.

J'ai ouvert la porte et on est entrés dans la cuisine.

— Un verre d'eau ?

— Volontiers, a répondu papa en s'adossant au comptoir. Qu'est-ce qui te tracasse, Anna ?

Aucune accusation ne perçait dans sa voix et rien, dans son attitude, n'avait de quoi me mettre sur la défensive. Le ton était celui d'un père qui a compris que sa fille ne va pas bien et aimerait savoir pourquoi.

Je ne suis pas du genre à pleurnicher pour un oui ou pour un non, et pour tout dire, je n'ai vraiment craqué que deux fois au cours de mon existence. Quand maman est morte et que j'ai compris que je ne la reverrais plus jamais, mon chagrin était si grand que mes pleurs semblaient jaillir d'un puits sans fond. Plus tard, quand j'ai réalisé que je ne pouvais plus continuer à vivre avec Jim, la culpabilité et la peur de me retrouver seule ont déclenché une mémorable crise de sanglots. A présent, il s'agissait de la hantise de devoir déterrer les cadavres.

Des larmes brûlantes, que j'avais mises au défi de couler mais qui avaient fini par jaillir, ont commencé à rouler sur mes joues. J'étais incapable de proférer une parole. D'ailleurs, je ne voyais pas quoi dire. Papa s'est approché de moi et m'a prise par les épaules. Quand j'ai voulu mettre du café dans la cafetière pour le lendemain matin, mes mains ont tremblé et tout s'est répandu sur le plan de travail. Je me suis retournée, ai posé la tête sur l'épaule de mon père et passé les bras autour de sa taille. De vilains gémissements ont jailli en hoquets des profondeurs de ma poitrine.

— Anna, mais que s'est-il passé ?

— Rien. Rien.

— Allons, ma chérie, parle. Tu sais bien que tu peux tout dire à ton vieux papa.

— Je n'en suis pas si sûre. Papa, je ne sais pas par où commencer. Je n'arrive plus à cerner qui ment et qui dit la vérité.

Il a sorti un mouchoir propre de sa poche, l'a secoué pour l'ouvrir et me l'a tendu.

— Je n'aime pas donner mes mouchoirs au pressing. Ils en reviennent empesés. Allons, mouche-toi un bon coup.

— Non, je vais l'abîmer.

J'ai pris un kleenex dans la boîte posée à côté du four à micro-ondes.

— C'est toi tout craché, Anna. Toujours pratique. Toujours attentionnée.

160

— Oui, et à force, ça finit par se retourner contre moi.

— Si tu ne m'avoues pas ce qui ne va pas, je ne pourrai pas te dire si c'est vrai ou non.

— Très bien. J'ai une question pour toi. Pourquoi ne m'as-tu jamais raconté que tu avais un frère qui est mort pendant la guerre ?

Papa a inspiré longuement. Il a levé les yeux au plafond puis regardé par terre.

— Je l'ignore. Sans doute parce que je ne voyais aucune raison de le faire.

— Est-il exact que tu obligeais maman à t'appeler quand elle sortait pour se rendre, mettons, à l'épicerie ?

— Elle conduisait comme un pied et j'avais une frousse bleue qu'elle ait un accident.

J'ai vu que mon père commençait à perdre patience, mais s'efforçait de contenir sa colère. On est restés sans rien dire pendant une éternité, puis il a explosé :

— Mais enfin, Anna, à quoi rime cet interrogatoire ? Ces deux vieilles pies t'ont fourré des idées dans la tête ? Nom d'un chien ! De quoi se mêlent-elles ? a-t-il hurlé en faisant les cent pas dans le séjour. Je ne supporte pas les ragots ! C'est pervers, c'est scandaleux de vouloir réinventer le passé. Ce qui est fait est fait.

Je me sentais si fatiguée que j'étais à deux doigts de m'effondrer sur place, à même le carrelage de la cuisine. J'avais oublié combien les larmes pouvaient soulager. J'étais engourdie et courbaturée. Je n'avais plus la force de tenir une conversation sérieuse.

— Il est tard, papa, et Lucy t'attend.

Il était hors de lui.

— Est-ce tout ?

— Non. J'essaie de me faire une idée plus objective de maman.

— Tu auras beau retourner le problème en tous sens, ça ne changera rien. Ta mère m'a beaucoup déçu, Anna. Elle m'a déshonoré. Sa mort a failli me tuer, moi aussi.

— Elle a failli *nous* tuer, papa. Mais je ne pense pas que maman était aussi mauvaise que tu le prétends. Je crois qu'elle était plutôt comme une enfant qui tape du pied pour obtenir ce qu'elle veut.

— Ce qu'elle voulait, c'était un autre homme, Anna. N'oublie pas qu'on l'a retrouvée morte au lit, en train de se droguer avec un type.

A présent, c'était à mon tour de voir rouge.

— Je le sais ! Grand-mère et toi me l'avez suffisamment seriné. Sauf que je ne crois pas que c'est de *ça* qu'elle avait envie, papa.

— Ah non ?

Il était furieux. Mais je ne me sentais pas la force de faire un bras de fer avec lui. Je souhaitais juste qu'il éclaire ma lanterne et, ainsi, nous aide tous deux à panser nos plaies.

— Je crois qu'elle *étouffait*, papa. Qu'elle se sentait piégée.

— C'est ridicule.

— Absolument pas !

— Tu es jalouse de l'affection que je porte à Lucy, c'est ça ?

— Jamais de la vie !

— Si ! Je l'ai bien vu, ce soir. Tu affichais une mine d'enterrement. Tu es jalouse !

— J'étais d'humeur pensive, parce que je réfléchissais à la façon d'aborder le sujet de *maman* avec toi. Moi, *jalouse* de Lucy ? Je rêve !

J'ai laissé passer quelques secondes, puis jeté l'éponge.

— Lucy est déjantée, mais je l'adore. Toi et moi avons besoin d'une fille comme elle. Je veux dire que nous sommes trop sérieux et que Lucy est une boule de feu.

Un minuscule sourire a détendu les traits de papa. Du coup, ma colère s'est envolée.

— Ce qui est sûr, c'est qu'elle relève le plat.

— Papa ! Elle relève le plat, comme la moutarde ? On reparlera demain, si tu veux bien.

— D'accord. En attendant, tu vas prendre un cachet d'aspirine. Je t'appelle demain matin. Tu ne serais pas en train de couver un rhume, par hasard ?

Il m'a embrassée sur le front avant de partir. Je suis sortie derrière lui et ai lancé :

— Bonne nuit, papa !

— Bonne nuit !

Il s'est arrêté et est revenu sur ses pas.

— Quoi ?

— Anna. Pour ta mère. Il y a des choses que… Bon, disons que j'étais très con. Possessif. Macho.

— Moi aussi, il m'arrive d'être conne. Et possessive.

— C'est la condition humaine.

— Oui.

Il avait fini par reconnaître à demi-mot que maman n'était pas entièrement responsable des malheurs de leur couple.

J'ai attendu qu'il ait regagné le perron de Lucy avant de tourner les talons. Il commençait à prendre de l'âge. Cela se voyait à sa démarche. Son pas élastique faisait place à un balancement du corps toujours du même côté. A gauche. Peut-être à cause d'un rhumatisme à la hanche ou au genou.

Quoi qu'il en soit, côté cœur, mon père était pourvu.

Au même moment, j'ai pensé à Arthur. Lucy avait raison, j'avais besoin de quelqu'un dans ma vie, à part papa et elle, et le cercle de plus en plus restreint des gens qui figuraient dans mon carnet d'adresses anorexique. D'ailleurs, n'avais-je pas vendu la mèche en annonçant bêtement que j'avais rencontré un homme et que je rêvais d'ouvrir mon propre salon ? Le problème, c'est qu'aucun de nous n'était vraiment cohérent ou honnête, même pour les choses sérieuses. Et plus les enjeux étaient importants, plus on était prêt à se fourvoyer.

J'étais soulagée de n'avoir pas provoqué papa en présence de Lucy. Les histoires de mon père et de ma mère ne la regardaient pas – et moi non plus, du reste. A quoi bon se prendre la tête ? Ressasser le passé risquait de réveiller le chagrin de papa sans pour autant m'aider à me sentir mieux. Quelle importance que maman ait été une sainte ou une pécheresse ? Pouvions-nous tirer de sa conduite des enseignements susceptibles d'améliorer la nôtre ?

J'ai fait une toilette rapide et me suis lavé les dents. Une fois au lit, j'ai remonté la couverture et fermé les yeux pour essayer de voir ma mère. Pour la première fois de ma vie, j'ai prié pour elle : « Maman ? Maman ? J'ai besoin de savoir. Ce qu'on raconte à ton sujet est-il exact ? Je te cherche, maman. Je pense à toi. J'espère que tu reposes en paix. Je demande à

Dieu qu'Il te protège. Tu me manques. Tu m'as toujours manqué. Quand j'ai eu besoin de toi, je n'ai pas compris pourquoi tu n'étais pas là. C'est oublié, à présent. Je te pardonne. Aide-moi à comprendre... Je me sens si seule et si fatiguée ! Je te donne mon cœur ; s'il te plaît, donne-moi le tien. »

12

L'occasion fait le larron

J'ai rêvé de maman. J'étais sur une balançoire et elle me poussait. Mais que signifiait ce songe ? Etait-ce une façon de m'exhorter au bonheur ? Je suis sortie flâner sur la plage, à la recherche de réponses et de coquillages. Mais les unes comme les autres étaient introuvables.

Les pensées se bousculaient dans ma tête et ma querelle de la veille avec papa me taraudait. Que mon père ait eu une piètre opinion de ma mère, soit. C'était son problème, pas le mien. Il avait fini par admettre qu'il portait une part de responsabilité dans l'échec de leur mariage. Non sans mal, car Doc était un monstre d'orgueil. D'une certaine façon, je comprenais que maman ait pris le mors aux dents – même si sa liaison avec le pharmacien ne lui avait pas porté chance. Redoutait-elle de divorcer ? Elle avait fait une énorme bêtise, d'accord, mais qui étais-je pour la juger ? Moi-même, ne m'étais-je pas enivrée au bal de fin d'année et retrouvée enceinte ? Nul ne m'avait forcée à boire, de même que nul n'avait obligé ma mère à épouser mon père. Elle et moi avions agi en pleine connaissance de cause. La seule diffé-rence, c'est qu'elle l'avait payé de sa vie, alors que moi, j'avais eu Emily. « Mariez-vous en hâte, vous aurez la vie pour vous repentir. » Si cette vieille bique de Violette avait su manier l'aiguille, elle aurait brodé cette maxime sur un coussin.

La veille au soir, j'avais versé toutes les larmes de mon corps. Ici, quand la marée change, et plus particulièrement en fin de journée, on se sent pris d'un immense vague à l'âme.

Mais comment ne pas pleurer quand la vérité que vous gardez enfouie au fond de vous depuis plus de vingt ans vous éclate en pleine figure ? Après la mort de maman, j'ai commencé à me dire que je ne lui avais pas donné assez d'amour, que j'aurais dû lui faire comprendre à quel point j'avais besoin d'elle ; ainsi, j'aurais peut-être pu changer le cours des choses. C'est une terrible responsabilité pour une fillette de dix ans. Maintenant que j'étais adulte, je continuais, malgré moi, à me sentir coupable de ce qui était arrivé.

Et comme si tout cela ne suffisait pas, j'avais décidé de quitter Harriet au plus tôt. A force de me harceler et de m'espionner, elle avait eu raison de ma bonne humeur. Je ne la supportais plus. Sauf que le moment était mal choisi pour que je lui claque la porte au nez, car je m'étais mis un emprunt sur le dos. Et même si je n'avais pas le couteau sous la gorge, il était un peu trop tôt pour que je me lance dans une nouvelle aventure alors que je venais d'accéder à la propriété.

J'ai aperçu Arthur au loin, qui agitait la main dans ma direction. J'ai aussitôt fait de même avec frénésie. Car j'avais besoin de me confier. Je voulais qu'il me prête une oreille compatissante, me prodigue quelques conseils amicaux. Mais sa promenade matinale s'achevait, apparemment, car il a tourné les talons et disparu dans les dunes.

S'il y avait une chose qui me faisait défaut, c'était les amis. Depuis que Jim avait quitté la maison et que Frannie était à Washington, on communiquait par téléphone, mais ce n'est pas comme sortir, aller au restaurant ou au cinéma ensemble. Et étant très occupée, je ne trouvais pas le temps de faire de nouvelles connaissances. Ce qui n'allait pas sans quelques inconvénients. En toute franchise, papa et moi avions pris un mauvais pli. Non pas qu'il y ait eu quoi que ce soit de tordu entre nous. Certes non ! Seulement, quand j'étais retournée vivre chez lui, j'avais pris l'habitude d'assumer certaines tâches – courses, ménage, tonte de la pelouse –, tandis qu'il se chargeait du bricolage, jouait le rôle du confident bougon et payait les factures. Il se servait de moi comme d'un bouclier contre les propositions de mariage et si j'avais le malheur de ramener un copain à la maison, le malheureux avait droit à un interrogatoire en règle. Bref, pendant des années, Doc et moi avions piétiné côte à côte sur une voie sans issue. Voilà ce qui arrive quand on n'a pas le courage de prendre la vie à bras-le-corps.

Un autre exemple de ma pusillanimité : à l'instant même où j'ai apposé ma signature sur l'acte de propriété, j'ai compris que mes jours chez Harriet étaient comptés. Bravo, Anna, tu as fait très fort ! A présent, il ne me restait plus qu'à espérer que je saurais saisir au vol l'occasion de lui annoncer qu'elle pouvait le reprendre, son job de coiffeuse, et se le mettre là où le soleil ne luit jamais.

Je suis rentrée à la maison pour me préparer. Chemin faisant, j'ai songé que je devais prendre le temps de réfléchir calmement à mon avenir professionnel et que la solution s'imposerait d'elle-même.

J'ai passé en revue les possibilités qui s'offraient à moi. En fait, il en existait deux. Ou je perdais lentement, mais sûrement, la boule chez Harriet ou j'allais voir ailleurs, et perdais la boule avec la même certitude. Car au royaume des foldingues, Harriet n'était peut-être pas la plus atteinte. Du moins, avec elle, savais-je à quoi m'attendre. « Un tien vaut mieux que deux tu l'auras », proclame le dicton. J'avais réussi, non sans mal, à m'échapper de la maison de papa, ce n'était pas pour me jeter dans la gueule du loup. Et l'idée de devoir repartir de zéro me donnait la nausée. Car timbrée ou pas, Harriet tenait le meilleur salon de coiffure de Charleston. Tant du point de vue de la clientèle que de la qualité des coiffeuses ou des services proposés, aucun de ses concurrents ne lui arrivait à la cheville. Et puis, ce n'était pas parce qu'elle me sortait par les yeux que je devais à tout prix lui coller ma démission. Que je le veuille ou non, il me fallait un chèque en fin de mois. Mais alors, où était la réponse ?

Dès lors que j'envisageais de partir, pourquoi ne mènerais-je pas un discret sondage d'opinion auprès de mes clientes les plus fidèles pour savoir si elles me suivraient si je me mettais à mon compte ? Cela me donnerait du grain à moudre et m'aiderait à tenir le temps qu'il faudrait chez Harriet. C'était une bonne idée.

A peine arrivée chez Institu'Tif, j'ai récupéré ma feuille de rendez-vous sur le bureau de Carla, la réceptionniste, en poste depuis six mois – un record de longévité. Et le fait est qu'elle était l'as du planning.

Une silhouette longue et effilée de mannequin, des traits parfaits, Carla Egbert dirigeait la réception tel un général un plan de campagne. Le tout avec bonne humeur et gaillardise. Dire qu'elle était à la fois aimée et redoutée est un euphémisme. Si vous aviez le malheur de lui tenir tête, elle vous collait de nouvelles clientes jusqu'à ce que mort s'ensuive. Mais si vous la traitiez avec la déférence qui lui était due, elle devenait votre arme secrète contre les assauts de Harriet et les hordes d'estivantes hirsutes désireuses de se faire relooker, sans parler des gamines boutonneuses rêvant de ressembler à Jennifer Aniston pour leur premier bal. Enfin, si vous lui tapiez vraiment sur les nerfs, elle vous refilait les cortèges de mariage.

— Salut, Carla ! ai-je lancé en lui prenant le papier des mains. Comment s'est passé ton week-end ?

Elle m'a décoché un grand sourire.

— Très bien, merci. Au fait, tu as une nouvelle victime à ton palmarès.

— Ah ? Qui ça ?

— Une certaine Lucy. J'ai essayé de la refiler à Nicole, mais elle a insisté pour que ce soit toi. Elle sera ici dans une heure. Désolée.

— Pas de problème. C'est ma voisine. Du moins, je le suppose.

— Mais c'est vrai, au fait ! Et ton déménagement ?

— Rien à signaler, si ce n'est que j'ai encore un peu les jambes en coton. Je m'en suis pris pour vingt ans, aussi ça m'arrangerait si tu pouvais bourrer mon agenda.

— T'inquiète, je fais le nécessaire.

— Merci.

Je suis allée dans la réserve pour prendre un café dans mon mug publicitaire du Cochon zélé, qui porte la devise : *Vous allez l'adorer.* Bien qu'ayant des goûts simples, je n'avais pas envie de boire du jus de chaussette dans une tasse ébréchée à cinq dollars jusqu'à la fin de mes jours.

Je gagnais bien ma vie car j'avais appris à composer avec

les sautes d'humeur de Harriet, qui était bien forcée de reconnaître que j'étais son employée la plus fiable. Elle n'hésitait pas à me confier l'ouverture et la fermeture du salon quand elle était souffrante ou en déplacement. Ce qui ne signifie pas que je possédais un double des clés. Quand Harriet était patraque, je passais les prendre chez elle, à Beaufain Street. Périodiquement, elle faisait changer les serrures, se défiant de moi. Non mais vous me voyez retournant sur mon lieu de travail en pleine nuit pour faire main basse sur les shampooings et les crèmes de soin, et les revendre au marché noir ? Cette pauvre Harriet nageait en plein délire.

Mais tant que nous gardions nos distances, nous arrivions à nous supporter l'une l'autre. Elle me versait cinquante pour cent de commission sur chaque cliente, alors que les autres ne touchaient qu'un fixe de misère et un pourcentage ridicule. De sorte que j'étais bien obligée de me faire une raison. Si azimutée soit-elle, Harriet serait difficile à remplacer.

En voyant que Susan Hayes était déjà en train de m'attendre, j'ai filé la saluer. C'était l'une de mes plus sympathiques habituées. Elle venait de passer au bac de lavage et mon assistante, Bégonia, était en train de lui démêler les cheveux et de lui proposer un café.

— Pas de lait, s'il vous plaît. Anna, bonjour ! Comment allez-vous ?

— Très bien, merci. Et vous ?

— Ma foi, ça va.

— Tant mieux. Au fait, avez-vous épousé le fameux Simon ?

— Non, pas encore, mais nous songeons sérieusement à la chose. Maintenant que mon ex s'est recasé avec sa maîtresse et qu'ils sont partis vivre dans le Vermont, où ils nagent dans le bonheur en suivant à la lettre les préceptes de leur gourou – il est responsable d'une coopérative bio et prend des lavements au café –, je me dis qu'il est temps. Mais j'hésite. Qu'en pensez-vous ? Est-ce raisonnable de collectionner les maris ?

Je suis venue me poster derrière elle, le sourire aux lèvres, et ai commencé à lui donner un coup de peigne pour voir l'état de sa chevelure.

— Epousez-le, si vous ne voulez pas qu'il se fasse harponner par une jeune intrigante.

Susan a froncé les sourcils et s'est regardée dans la glace.

— Vous ne trouvez pas que je devrais me faire refaire le menton ? On dirait que j'ai la mâchoire sculptée dans le yaourt !

— Pas du tout. Vous êtes superbe. On vous fait quoi ? Une petite couleur et une égalisation ?

— Parfait ! J'ai un raout à la faculté de médecine, ce week-end. Le gala annuel des donneurs d'organes. Je n'ai pas envie qu'on me prenne pour ma mère ! Comment sont mes racines ?

— Quelles racines ? Entre nous, qui voudrait ressembler à sa mère, à part la fille de Catherine Deneuve ?

— Ça, c'est bien vrai ! Elle a une fille ?

— Pas la moindre idée !

On a éclaté de rire, puis j'ai dit :

— Je file préparer ma potion magique et je reviens. Quand j'en aurai fini avec vous, je vous promets qu'on ne vous confondra pas avec votre mère !

Une heure plus tard, lorsque Susan me fourra un billet de vingt dollars dans la paume, c'était une autre femme.

— Anna, vous êtes la meilleure ! Merci mille fois !

— Susan ? ai-je murmuré en jetant un rapide coup d'œil autour de moi pour m'assurer que personne n'entendait. Si je quittais Harriet, vous me suivriez ?

— Vous voulez rire ! Vous êtes ma coiffeuse depuis que Kim est partie de Charleston ! Je vous suivrais jusqu'à Columbia s'il le fallait ! Et peut-être même Greenville ! Vous êtes mon arme secrète ! Alors, comme ça, vous songez à lâcher la vieille buse ? Je n'ai jamais pu la souffrir, de toute façon.

— Je vous tiens au courant.

— Elle va en faire une jaunisse, et c'est tant mieux, a susurré Susan. Ça lui fera les pieds !

— Vous êtes terrible, ai-je répondu en pinçant les lèvres pour ne pas éclater de rire.

Bingo ! Et d'une. Il ne me restait plus qu'à en racoler environ deux cents autres et je serais tirée d'affaire. Au moment où je m'approchais du bureau de Carla, j'ai vu Lucy qui poussait la porte. Elle portait un jean serré avec des mules à talons et quelque chose comme deux tonnes de colliers en papier mâché autour du cou.

— Je voulais découvrir ton salon, alors je...

— Lucy ! Quelle bonne surprise ! On m'a dit, en effet, que tu avais pris rendez-vous !

Je l'ai agrippée par le bras.

— Ouah ! C'est rudement chouette, dis donc !

— Merci. Viens par ici, ai-je répliqué en l'entraînant vers mon fauteuil. Qu'est-ce que je t'offre, un Coca ou un café ?

— Je préférerais un verre d'eau glacée.

Je lui ai tendu une blouse propre, qu'elle a passée. Bégonia – qui avait le talent et la puissance intellectuelle d'une plante d'intérieur – s'est éloignée d'un pas nonchalant pour aller chercher un verre d'eau. Un piercing de plus, et cette môme aurait l'air d'une clôture en fil de fer barbelé. Je remerciais le ciel de m'avoir donné une fille qui ne pratiquait pas l'automutilation.

Coïncidence amusante : depuis que j'avais rencontré Lucy, je n'arrêtais pas de penser à ses cheveux. Il faut dire que j'avais tendance à faire une fixation sur la chevelure d'autrui. Et la sienne me dérangeait particulièrement. J'avais décidé de lancer une mission de sauvetage sur sa tignasse racornie.

— Lucy, je vais te rajeunir de dix ans.

— Ne te gêne surtout pas pour moi.

Après un traitement à l'huile chaude, un balayage en deux tons avec reflets irisés et une coupe d'une bonne dizaine de centimètres, Lucy était transfigurée. Sa crinière était souple et aussi brillante que si je l'avais cirée et astiquée mèche à mèche. Pour tout dire, et même si c'est dur à croire, elle avait de la classe.

— Anna, tu es une magicienne !

Lucy souriait jusqu'aux oreilles et allait remettre une tartine de gloss rouge vif, quand je lui ai retenu la main.

— Attends. J'ai quelque chose pour toi. Une nouveauté.

Je me suis approchée du présentoir à cosmétiques et ai choisi un crayon contour des lèvres beige, un brillant rose pâle et un blush assorti.

— Je vais te montrer.

Elle n'arrêtait pas de gigoter, mais s'est néanmoins laissé faire. Il suffisait d'un coup de lingette pour tout effacer, si le résultat ne lui convenait pas. Quand elle s'est regardée dans le miroir, elle a eu l'air stupéfaite et apparemment ravie.

— Les lèvres claires, ça m'agrandit les yeux.

— Oui.

— J'ai toujours pensé que ma bouche était ce que j'avais de mieux.

— Elle est superbe, mais il faut toujours faire ressortir les yeux. Viens, je te conduis jusqu'à la caisse.

— C'est possible d'acheter ces produits ?

— Bien sûr !

Lucy a rassemblé ses affaires, jeté un ultime coup d'œil à son reflet, puis m'a emboîté le pas.

Fidèle à son habitude, Harriet avait passé la matinée à arpenter les lieux en ruminant. Et voilà que, pour quelque mystérieuse raison, elle nous avait prises en ligne de mire. Cette femme avait en urgence besoin d'un traitement hormonal.

Juste au moment où nous convergions toutes les trois vers le même point, un homme est entré – rien d'étonnant à cela, me direz-vous, dans la mesure où nous coiffions également les messieurs. Sauf que ses yeux ne cessaient d'aller et venir d'une extrémité à l'autre du salon, comme s'il avait dressé un rapide inventaire des bijoux que portaient les clientes et s'apprêtait à sortir un flingue pour les braquer. « Oh là là ! ai-je songé. Du calme. Tu peux repérer un malfrat rien qu'à sa mine, maintenant ? Comme Miss Marple ? »

J'aurais dû suivre mon instinct. De là où je me tenais, j'ai remarqué que le gars avait le front luisant de sueur. J'aurais mis ma main à couper qu'il s'apprêtait à faire un mauvais coup. Il fallait absolument que j'empêche Lucy d'ouvrir son sac à main. Carla était au téléphone, en train de noter un rendez-vous, et n'avait rien vu. Quant à Harriet, elle avait commencé à faire le décompte de la note de Lucy avec la grâce d'une section d'assaut.

— Anna, vous avez appliqué un révélateur d'éclat, il me semble ? Pourquoi n'apparaît-il pas ?

La remarque ressemblait davantage à une accusation qu'à une question. Pour une fois, l'urgence de la situation m'incita à couper court aux élucubrations de ma patronne.

— Lucy, rien ne presse, tu régleras plus tard. Je te raccompagne à ta voiture.

— Mais...

— Vite, Lucy !

Je l'ai saisie par le bras et entraînée vers la porte. En passant à côté du bonhomme, j'ai essayé d'envoyer un signal à Harriet pour lui signifier que le mec en question était louche.

— Hé ! Non mais, que faites-vous ? Revenez ! Votre cliente n'a pas payé, s'est écriée Harriet.

Au même moment, j'ai vu le type extirper un pistolet de l'intérieur de son blouson.

— Ouvrez la caisse ! Tout le monde à terre ! Et vous, là, votre portefeuille !

Mon Dieu ! J'ai poussé Lucy dehors et on s'est mises à courir. On a trouvé une patrouille de police à deux rues de là, dans King Street, et on lui a fait signe en hurlant et en poussant des cris affolés.

— Notre salon de coiffure est en train d'être braqué ! L'agresseur est armé ! Chez Institu'Tif !

— Restez ici ! nous a ordonné le flic pendant que son collègue mettait les gaz.

Ils ont enfilé la rue à toute allure et se sont garés en double file devant l'enseigne. Puis ils ont bondi hors de la voiture, l'arme au poing, et franchi le seuil d'Institu'Tif en trombe.

— Anna ! s'est écriée Lucy. Tu m'as sauvé la vie !

— La vie, je ne sais pas, mais ta montre sûrement. Bon sang, mais que se passe-t-il ? Viens, allons voir !

J'ai commencé à me diriger vers Institu'Tif pour observer la scène, ne serait-ce que depuis le trottoir d'en face. C'est alors que j'ai entendu un coup de feu. Pop ! Puis un second. Je me suis figée sur place, juste devant la vitrine du salon de thé The Old Colony. Lucy m'a saisi le bras.

— Anna, je t'en supplie, ne reste pas là !

Elle m'a entraînée à l'intérieur de la boutique. J'ai cru que j'allais m'évanouir. Un flingue ! Quelqu'un m'a fait asseoir et tendu un verre d'eau. Dix minutes environ se sont écoulées dans un suspens quasi insoutenable. Puis il y a eu une déflagration, suivie d'un mugissement de sirènes. Des véhicules de police arrivaient en renfort.

— Il faut que j'y retourne. Mon Dieu, pourvu que Harriet ne se soit pas pris une balle !

— Mais non, voyons ! Moi, je dois m'acquitter de mon dû.

Tremblantes, Lucy et moi avons détalé jusqu'à Institu'Tif, où régnait le chaos. Les clientes se pressaient autour de Harriet, qui gémissait, étendue sur une banquette, une poche à glace sur la mâchoire. Carla l'éventait à l'aide d'un magazine. Des femmes, pendues à leur téléphone portable, appelaient leur mari pour lui raconter l'incident.

— Elle a essayé d'arracher son pistolet au braqueur, m'a expliqué Carla, et il lui a décoché un crochet.

— Doux Jésus !

Ce n'était ni un blasphème ni une prière ; plutôt un cri de soulagement.

J'ai jeté un coup d'œil autour de moi. La glace du comptoir de la réception avait volé en éclats sous l'impact de la balle. Le sol était jonché de flacons de gel coiffant, de mousse, de laque et de brosses. Par endroits, le faux plafond s'était affaissé et des tourbillons de plâtre s'échappaient des cratères béants.

Harriet m'a regardée. Je lui ai demandé :

— Ça va ?

— Non, ça ne va pas. Et vous êtes virée.

— Quoi ?

J'étais abasourdie.

— Vous m'avez entendue ? Dehors ! Vous avez aidé votre amie à sortir sans payer et j'ai failli me faire tuer à cause de vous ! Du balai !

D'un coup, tout est devenu silencieux. J'étais si estomaquée que je suis restée muette. Puis j'ai tenté de me justifier.

— Harriet, c'est un malentendu ! J'avais repéré le gars ! J'ai essayé de vous envoyer un signal ! C'est moi qui ai alerté la police !

— J'ai parfaitement vu votre petit manège, a-t-elle lâché

174

dans un grognement guttural. Alors, sortez avant que je ne vous fasse jeter dehors comme une malpropre !

Carla m'a regardée en roulant les yeux, l'air de dire « elle est complètement **ravagée** ». Les clientes ont commencé à s'en aller. Elles étaient désolées pour moi et murmuraient entre elles :

— C'est ridicule, voyons... Comment peut-elle dire une chose pareille...

— Je connais Anna depuis... C'est impossible...

— Cette fois, Harriet dépasse les bornes... Qu'est-ce qui lui a pris ?

— Vous vous rappelez quand...

J'étais abasourdie. A l'évidence, Harriet n'était pas en état d'écouter ce que j'avais à dire. Elle avait besoin de vingt milligrammes de quelque chose que je n'avais pas et que, en tout état de cause, je n'aurais pas partagé avec elle. Pour finir, je me suis décidée à plier bagage.

— Carla, si mes clientes me réclament, dis-leur que je suis à la maison pour raison de santé. Tu veux bien ?

Pour la seconde fois ce jour-là, Lucy m'a agrippée par le bras et dit aussi fort qu'elle le pouvait :

— Anna, c'est un signe du ciel ! Ma parole, tu as la comprenette difficile ! Récupère tes affaires, on va se dégoter un salon, toi et moi. Non seulement vous divaguez, mais vous devriez remercier le bon Dieu d'être toujours en vie ! a-t-elle ajouté en se tournant vers Harriet. Et puis, vous êtes mauvaise comme la gale et bête à manger du foin !

Carla a pouffé, mais moi je n'avais pas le cœur à rire. J'étais anéantie. J'ai filé chercher mon sac dans mon casier, j'y ai jeté mes ciseaux, mon fer à friser et mes brosses, sans oublier le carnet où j'avais noté le nom de mes clientes et la référence de leur teinture. J'ai arraché les photos d'Emily collées sur le miroir et raflé les bouquins que j'avais apportés. Quand Lucy et moi nous sommes approchées de la porte, les dames présentes m'ont glissé quelques mots :

— Tenez-moi informée de la suite, surtout...

— Vous n'avez rien à vous reprocher, Anna... Ce n'est pas votre faute...

Lucy et moi sommes sorties dans la rue, dans la lumière

dorée d'un parfait après-midi de Caroline du Sud. Elle m'a suivie jusqu'à la maison en voiture. Durant le trajet, je n'ai fait que pleurer et traiter Harriet de tous les noms. Dès que j'ai ouvert la portière, Lucy est venue à ma rencontre.

— Qu'est-ce qui te prend de te mettre dans cet état ?

— Comment ça ? Tu n'as pas remarqué comment cette harpie m'a parlé ?

— Ecoute, ma belle, cette femme ne vaut pas les larmes que tu verses pour elle. Et ce job n'est rien comparé à ce que tu gagneras quand tu seras à ton compte !

— Lucy ! Tu dérailles ou quoi ? Ce n'est vraiment pas le moment de penser à ça.

— Comment s'appelle ton agent immobilier ?

J'ai ouvert la porte et elle m'a suivie à l'intérieur.

— Marilyn Davey. Sa carte est épinglée sur la porte du placard de cuisine. Mais ne l'appelle pas. Laisse-moi le temps de digérer cette histoire. Il faut que j'aille me rafraîchir un peu.

Je me suis copieusement aspergé la figure d'eau froide. J'étais si déprimée que j'avais envie de me mettre au lit et d'y rester une semaine. J'ai rassemblé mes cheveux avec un élastique et pris deux aspirines en me disant que même si cela n'avait aucun effet bénéfique, ça ne risquait pas de me faire de mal.

Pendant ce temps, Lucy était au téléphone, en train d'amorcer le processus qui me mènerait à la banqueroute. J'ai passé un short et des tennis, songeant qu'un tour sur la plage me soulagerait et me demandant comment j'avais pu vivre si longtemps loin d'ici. J'allais emmener Lucy avec moi et la prier de cesser ses investigations. J'avais eu mon compte de mauvaises nouvelles pour la journée.

« Tu n'avais pas besoin de cet endroit parce que tu avais ton papa chez qui te réfugier ; il serait peut-être temps de grandir, Anna ! » Ma voix intérieure commençait à me taper sérieusement sur les nerfs.

— Monte dans la voiture, m'a ordonné Lucy.

— Quoi ?

Elle était en train de griffonner quelque chose au dos d'une enveloppe.

— Monte ! Marilyn Davey – un amour, soit dit en passant – a un local qui pourrait faire l'affaire. Du nerf, petite ! Elle a réussi à nous caser entre deux clients et est pressée.

— Je ne me sens pas prête, Lucy. D'ailleurs, ce serait de la folie. Je n'ai pas les moyens. Je commence à peine à rembourser la maison.

— Si, tu en as les moyens ! On va tout arranger, tu verras.

Mais où diable Lucy puisait-elle son sang-froid ?

Trop abattue pour lui résister, j'ai fini par lui obéir.

Le commerce en question, brut de décoffrage, nichait dans une galerie commerciale relativement récente. Malheureusement pour mes nerfs, il offrait un fort potentiel et pouvait, avec un peu de chance, devenir sublime. Mais encore fallait-il trouver l'argent pour.

Ce soir-là, au lieu de tenir ma langue, j'ai appelé papa, Jim et Frannie. Ils se sont proposés pour m'aider. J'étais si secouée d'avoir été virée sans raison que je n'arrivais pas à mettre deux idées bout à bout. Lucy et moi avons descendu deux bouteilles entières de vin, après quoi je me suis effondrée sur le canapé.

En entendant la sonnerie du téléphone, j'ai réalisé que c'était le matin. J'ai regretté de ne pas avoir avalé d'autres aspirines. C'était Harriet qui, sans aller jusqu'à s'excuser, cherchait à raccrocher les wagons. Quand je lui ai lâché que je songeais à ouvrir mon propre salon sur l'île, elle s'est mise à aboyer si fort dans le combiné qu'on devait l'entendre jusqu'à la capitainerie de Charleston :

— Si tu me piques ne serait-ce qu'une cliente, je te traîne en justice ! Et je te promets que tu vas déguster !

Super, comme réception d'adieux !

— Allons, Harriet, vous devriez me souhaiter bonne chance, au contraire !

Elle m'a raccroché au nez si fort que j'ai sursauté. En tout cas, je ne la regretterais pas. Dans un sens, elle me faisait pitié. Des années durant, je m'étais répandue en excuses auprès de la clientèle pour ses sautes d'humeur et ses crises de paranoïa. Qui s'en chargerait, à présent ?

Ce n'était pas mon problème.

J'ai établi un budget en avalant une tasse de café après

l'autre. Chaque fois que je pensais à Harriet, je murmurais « va te faire fiche ». J'ai calculé que j'aurais besoin d'environ cinquante mille dollars pour démarrer, aménager le local et survivre six mois. Lucy est entrée, apportant des friands à la saucisse achetés chez Burger King. Quant elle m'a annoncé qu'elle allait tout régler, j'ai été prise de sueurs froides.

— Voici ce que je te propose, Anna : tu me donnes un job. Je serai à l'accueil et tu me paieras dix dollars de l'heure, d'accord ? Je commence à en avoir par-dessus la tête de passer mon temps à le perdre, tu comprends ?

— Lucy !

— Et puis, ça m'amuserait de vendre des accessoires. Tu sais, toutes ces choses que les nanas se mettent dans les cheveux, des barrettes, des chouchous et...

— Lucy !

— Quoi ?

— Je ne peux pas accepter, c'est trop d'argent !

— Allons, allons. Si j'achetais des actions, en une semaine j'aurais tout perdu ! J'ai réfléchi. Je pense qu'il s'agit d'un bien meilleur investissement que de placer mon fric dans une compagnie que je ne connais ni d'Eve ni d'Adam et sur laquelle je n'ai aucun contrôle. Tiens, par exemple, Enron, tu sais qui c'est ?

— Pas la moindre idée.

— Alors c'est oui ?

« Vas-y, fonce ! » s'est écriée ma voix intérieure.

J'ai fait le grand plongeon. J'ai sauté du haut de l'Everest.

— D'accord. Mais c'est un prêt.

« Mon Dieu, je sens que je vais vomir, tomber dans les pommes et mourir. »

— Marché conclu !

Je tremblais de la tête aux pieds quand j'ai signé le bail. Lucy était d'un calme olympien. Tel un maître d'œuvre, elle arpentait le local avec Marilyn en lui décrivant les aménagements qu'elle projetait.

— Zut, j'ai oublié d'apporter un bloc-notes ! Ce sera pour la prochaine fois.

— Prenez le mien, a proposé Marilyn.

Et pendant ce temps-là, je me disais : « Mais qu'est-ce qui

m'a pris, *bon sang* ? Qu'ai-je fait ? » Ce à quoi, la flambeuse invétérée qui sommeillait en moi a rétorqué : « Ressaisis-toi, Anna, pour l'amour du ciel. Et toi, va te faire voir. »

J'ai songé que je devrais attaquer les travaux sans tarder. Combien de temps faudrait-il pour tout mettre en place ? A ma grande surprise, j'ai découvert que Lucy avait déjà organisé l'ensemble. Sous ses airs de midinette, elle cachait une âme de promoteur – merci Danny ! – et en connaissait un rayon sur les normes de conformité, l'ampérage et la disposition des prises électriques.

Allais-je vraiment ouvrir mon propre salon ou étais-je en train de délirer ? C'est alors que le film de ma jeunesse – d'il y a dix-sept ans – a défilé dans ma tête, et que la fille endurcie et blindée que j'étais s'est décomposée. Je me suis revue poussant la porte du tristement célèbre Institu'Tif.

C'était au milieu des années quatre-vingt. Mon diplôme de coiffeuse dans une main et la page des annonces dans l'autre, j'ai franchi le seuil de Harriet, dans King Street, à Charleston. Le rugissement des sèche-cheveux était assourdissant. Les haut-parleurs déversaient *I Will Survive* à plein volume. Encore un signe du destin à côté duquel j'étais passée. Je n'étais simplement pas assez dégourdie. J'étais si intimidée que j'arrivais à peine à garder mes souliers aux pieds.

J'ai jeté un coup d'œil autour de moi. Une dizaine de coiffeuses en pantalon noir et chemise blanche étaient occupées avec des clientes. Bras et brosses remuaient en tous sens. Un coin salon avait été aménagé à l'accueil : deux banquettes, quelques fauteuils et une table basse garnie de magazines, dont des femmes tournaient les pages sans lire une ligne.

Je me suis accoudée au comptoir en prenant un air aussi naturel que possible, consciente que c'est la première impression qui compte. J'ai attendu que la réceptionniste, visiblement surmenée, raccroche. Elle collait à l'image qu'on se fait de l'hôtesse d'un salon de coiffure branché : coupe sublime, courte et nette, si laquée qu'on aurait pu se voir dedans – enfin presque ; maquillage voyant ; vêtements près du corps ; des bijoux ; pas de chewing-gum. Des proportions parfaites. La classe.

« Non, rien avant mardi, Mme Akers. Je sais, oui, c'est terrible. Nous sommes littéralement submergées ! Oui ! Vous avez *raison* ! »

Elle m'a regardée en levant les yeux au ciel.

« Que diriez-vous de Stacy ? Non, je vous assure, c'est une perle. "Une minute", m'a-t-elle fait en remuant les lèvres. D'accord, je vous note pour une manucure avec Stacy à quatre heures cet après-midi. Mais oui, bien sûr. Je n'y manquerai pas. Au revoir ! »

Elle a raccroché en poussant un grand soupir.

« Pfft ! Ma parole, elle se prend pour la reine mère ou quoi ? Bon, désolée de vous avoir fait attendre. Vous avez rendez-vous ?

— Non, c'est pour un entretien d'embauche.

— Vous ne pouvez vraiment pas faire autrement ? Je plaisante ! »

Elle m'a regardée comme si c'était moi qui portais une couche épaisse comme ça de mascara bleu.

« J'ai rendez-vous avec Harriet. Pour une place d'apprentie.

— Elle doit être dans la réserve, en train d'aiguiser ses canines. »

J'ai failli éclater de rire mais me suis retenue pour ne pas paraître effrontée. J'ai hoché la tête en silence et me suis dirigée vers le fond de la boutique.

« Une minute ! Revenez. »

J'ai cru que j'avais commis un impair. Aurais-je dû attendre d'être annoncée ? J'ai rougi jusqu'aux oreilles.

« Pardon ?

— Comment vous appelez-vous ?

— Anna.

— Moi, c'est Kelly. Ecoutez, Harriet va vous engager sur-le-champ. Pour ça, vous n'avez aucun souci à vous faire. Je la connais comme ma poche. Elle use les employées aussi vite que moi les hommes. Vous savez pourquoi ?

— Parce qu'elle est exigeante ?

— Parce qu'elle est caractérielle. Vous ne viendrez pas dire que je ne vous ai pas prévenue.

— Merci. »

Cette entrevue survenait juste au moment où Jim et moi

avions entrepris les démarches du divorce, et où j'étais retournée vivre chez papa. Trixie nous avait coupé les vivres dès que Jim lui avait annoncé qu'on se séparait. Remarquez, il y avait de quoi. Si, à peine votre mari enterré, votre fils vous annonçait qu'il est gay et veut divorcer, continueriez-vous à verser une pension à sa femme ?

Cela étant, les possibilités d'embauche étaient limitées pour moi. Serveuse de bar ou de restaurant ? Hôtesse ? Vendeuse ? Quand j'ai découvert qu'il suffisait de six mois pour décrocher un diplôme de coiffeuse en Caroline du Sud, je n'ai pas hésité une seconde. Couper les cheveux était un truc qui me plaisait. Papa n'était pas emballé par mon idée. Sans doute avait-il espéré me voir entrer à l'université pour suivre une formation d'institutrice ou autre. Mais ma décision était ferme et irrévocable.

C'est donc ainsi que j'ai fini par me faire engager par Harriet la démone. Super ! Belle vie en perspective !

Après avoir demandé mon chemin à deux filles qui m'ont décoché un regard plein de commisération, j'ai aperçu Harriet en train de trier des rouleaux à permanente dans un chariot. Une quarantaine d'années, maigre comme un coucou, cheveux rouges et ongles courts. Je me rappelle avoir pensé qu'elle portait des talons trop hauts pour une femme de son âge. En fait, je lui trouvais l'air vulgaire.

« Harriet ? Je suis Anna Abbot. Je viens pour la place d'apprentie. »

Elle m'a toisée de la tête aux pieds et, avec le plus grand sérieux, a dit :

« Il y a un balai là-bas. Prends-le, tu vas ramasser ces cheveux pendant que nous parlons.

— Bien sûr.

— As-tu déjà fait de la prison ?

— Non !

— Je t'engage. Salaire minimum, on ne quémande pas les pourboires, on travaille de dix à dix-huit heures, du mardi au samedi. On fait nocturne les veilles de fêtes, compris ? »

J'ai hoché la tête.

« Si jamais je te pince en train de chiper des produits, je te livre direct à la police. Compris ?

— Vous avez déjà eu ce genre de problèmes ?

— Des problèmes ? J'en ai eu plus que tu ne peux l'imaginer, ma pauvre fille. Comment t'appelles-tu déjà ? »

C'est là que s'est achevée la discussion et qu'a commencé ma carrière de coiffeuse au comité central. Dur, dur.

« Des problèmes ? J'en ai eu plus que tu ne peux l'imaginer. » Dix-sept ans plus tard, ces paroles continuent de résonner à mes oreilles. Tout était arrivé si vite.

Sacrée Lucy. Voilà qu'elle s'était mis en tête d'organiser mon avenir. Nous sommes restées à dessiner et redessiner les plans d'aménagement jusqu'à huit heures du soir. Après quoi, je l'ai laissée avec papa et suis rentrée chez moi. J'ai débranché le téléphone et dormi comme une souche.

Le lendemain matin, j'ai décidé de mettre Emily, Jim, Frannie et, naturellement, papa au courant. J'ai commencé par Emily. Je l'ai réveillée. Il était six heures et demie. J'étais si excitée que j'avais oublié le décalage horaire !

— ... lô ?

— Emily ? Ma chérie ? C'est maman.

— Qu'est-ce... tu... veux ? ... l'est quelle heure ?

Elle était dans les vapes et j'aurais du mal à susciter son enthousiasme. Mais puisqu'elle avait décroché, autant aller jusqu'au bout.

— Je te demande pardon, ma chérie, je sais qu'il est très tôt, mais je n'ai pas pu résister à l'envie de t'annoncer une nouvelle.

— ... ais, ... lors ?

Traduction : « Ouais, alors ? »

— Je suis en train de monter mon salon de coiffure ! Tu te rends compte ?

— Tu déconnes ? Tu es tombée sur la tête ou quoi ?

« Tu déconnes »... Depuis quand parlait-on ainsi à sa mère ?

— Pas du tout. Je suis tout à fait bien !

— ... taqué une ban... que... ou quoi ?

La pauvre chérie n'arrivait pas à articuler.

— C'est tout comme ; j'ai gagné à la loterie. J'ai hâte que tu le voies ! Quand rentres-tu ?

— Merde ! Ch'uis là... lâché com... biné.

— Qu'est-ce que tu as dit ?

Je n'en croyais pas mes oreilles. Jamais Emily n'avait parlé ainsi devant moi.

— Quoi ? Je suis là. J'ai fait tomber l'appareil. Maman, je t'en prie !

Du moins étais-je redevenue *maman*.

Ces deux dernières semaines, quand je n'arrivais pas à dormir, j'allais dans la petite chambre d'Emily et je tâtais la tête de lit en rotin blanc, les taies d'oreiller brodées de fleurs minuscules, que j'avais choisies pour elle, entre autres choses.

Mais... et si elle s'en fichait ? Si elle ne se sentait pas concernée ? Au fond de moi, dans un lieu secret que je gardais soigneusement verrouillé, j'ai commencé à broyer du noir, à me dire que c'était trop tard, qu'Emily et moi avions raté le coche.

13

De l'art de se lancer

A l'annonce de la nouvelle, Frannie et Jim ont sauté de joie. Ils m'ont gentiment chambrée quand je leur ai parlé du hold-up.

— Tu peux être fière de toi, Anna Abbot, tu t'en es sortie comme un chef ! Si tu as besoin d'un coup de main, n'hésite pas.

— Non, non, c'est bon.

— Dommage que le braqueur n'ait pas visé Harriet à la langue, a lâché Frannie.

— Ouais ! Vous ne savez pas le coup qu'elle m'a fait ? Ecoutez un peu ça...

Je leur ai raconté qu'elle m'avait rappelée et était sortie de ses gonds quand je lui avais fait part de mes projets.

— Béni soit l'enfant qui apprend à voler de ses propres ailes !

— Je ne te le fais pas dire, Jimmy !

— Je vous rappelle plus tard, ai-je conclu.

Et j'ai raccroché.

Quand j'ai appelé papa, pensez-vous qu'il m'aurait félicitée ? Il était bien trop furieux d'apprendre que j'avais signé le bail sans le consulter.

Pendant que je lui racontais le braquage chez Harriet, je l'entendais souffler comme un bœuf au bout du fil. C'est sa façon à lui de soupirer. Il gonfle les joues puis recrache l'air en rafale. Un vrai cyclone.

— Bon sang, Anna ! Tu as eu de la chance de ne pas te

184

faire massacrer ! Nous vivons dans un monde de fous, ma parole !

J'étais bien d'accord avec lui.

— Ce type m'avait tout l'air d'un drogué qui cherchait de quoi se procurer de la came. En tout cas, il a agi seul et sans prendre le temps de préparer son coup, manifestement.

— Tu avoueras qu'il faut être taré pour débouler avec un flingue dans un salon de coiffure en pleine heure de pointe !

— Il avait flairé le bon coup. Il y avait plus de mille dollars dans la caisse. Harriet ne perd pas le nord. A vingt dollars le flacon de shampooing, tu imagines.

— Non ! Même en cinq ans, je ne dépense pas autant d'argent en produits capillaires ! Je suppose que tu as l'intention de vendre ce genre de cochonneries, toi aussi ?

— A vrai dire, je ne suis pas certaine de pouvoir obtenir une licence. La réglementation sur la concurrence est très compliquée, et les salons de coiffure sur l'île, ça n'est pas ce qui manque.

— Dommage. Enfin, on en reparlera au dîner ; Lucy m'a invité.

— Tant mieux, comme ça vous m'aiderez à décrypter le jargon juridique.

— Je note que jusqu'à présent, tu t'es bien gardée de me demander mon avis.

— Papa, s'il te plaît.

Pour tout arranger, voilà qu'il faisait la tête.

— As-tu accepté la proposition de Lucy ?

— Papa, j'ai le sentiment d'avoir été piégée. Je n'ai pas eu le temps de dire ouf qu'elle avait déjà réglé deux mois de loyer à l'agent immobilier. Cela signifie-t-il que nous sommes associées ?

— Tu veux vraiment connaître le fond de ma pensée ?

— Bien sûr !

— N'empêche que tu t'es empressée de signer le bail sans même me laisser le temps d'y jeter un coup d'œil...

— D'accord. Je reconnais que j'ai eu tort...

— C'est bien pire. Tu as joué ton va-tout sur un coup de tête. Tu ne te rends pas compte que cette histoire risque de te revenir en pleine figure...

185

— Avec tout le respect que je te dois, papa, il y a un certain temps que je suis dans le métier. Et il me semble que je m'y connais au moins autant que toi.

— Naturellement, mademoiselle Je-sais-tout. Eh bien ! puisque tu n'as pas besoin de moi, trouve-toi un avocat.

— Papa, je t'en prie. J'attends qu'on m'encourage, pas qu'on m'enfonce. Ne raccroche pas.

Dieu qu'il était susceptible !

Silence de mort.

— Papa ?

— Très bien. Si j'étais toi, je commencerais par ouvrir un compte professionnel à la banque.

— D'accord.

— Ensuite, je créerais ma société en me servant de l'argent de Lucy comme capital de départ. Fais les choses simplement et dans la légalité.

— Autrement dit, en cas de pépin, c'est la responsabilité de la société qui est engagée, pas la mienne ?

— En cas de pépin, il y aura toujours un petit malin pour te traîner en justice, et t'extorquer des dommages et intérêts. C'est pourquoi il vaut mieux tirer une ligne de partage claire entre ton compte personnel et professionnel.

— Compris.

On a raccroché et j'ai réfléchi à ce que mon père m'avait dit. J'avais l'estomac noué depuis quarante-huit heures. Entre le hold-up, la réaction de Harriet et la signature du bail, j'étais déboussolée. La tâche qui m'attendait dans les jours à venir était colossale, mais j'avais l'impression de faire du surplace. Obtenir une licence pour pouvoir vendre des produits de coiffure et autres n'était qu'un détail parmi une multitude de problèmes à régler. Avant toute chose, je devais trouver un avocat.

J'ai jeté un regard circulaire au séjour. Il restait çà et là des caisses non déballées, mais mes affaires étaient, pour l'essentiel, rangées. Ce qui signifiait que je savais où trouver ce dont j'avais besoin. Car dans une petite maison, les cachettes ne pullulent pas.

J'ai décidé d'aller faire un tour chez Lucy pour me changer

les idées. Avec un peu de chance, elle m'inviterait à dîner et je l'aiderais à préparer le repas.

Elle était assise derrière son ordinateur à la cuisine. J'ai frappé à la porte-moustiquaire.

— Les mains en l'air, poupée, et y aura pas de bobo, ai-je crié en prenant une grosse voix.

— Tu m'as fichu une de ces frousses ! Je ne t'ai même pas entendue monter les escaliers ! Entre ! Viens voir ça !

Je me suis approchée, persuadée qu'elle était en train d'écrémer le Web à la recherche d'équipement d'occasion pour les salons de coiffure. Pas du tout. Elle surfait sur un de ces sites de rencontre où les gens se connectent pour trouver l'âme sœur. Je n'en avais jamais visité aucun. Sur l'écran, un certain Antonio, en caleçon de bain et lunettes de soleil, à califourchon sur une Harley, souriait. L'image même du macho enduit d'huile de coco qui se croit irrésistible et joue des biscoteaux.

— Tu as vu cette biographie ! s'est exclamée Lucy.

— Non, j'admirais ses biceps.

— « Adore les chiens, l'opéra, marcher sous la pluie... »

Elle a laissé échapper un long soupir concupiscent.

— Ce n'est pas parce qu'il aime marcher sous la pluie que tu dois en faire autant, ai-je répliqué, soudain contrariée.

Lucy sortait avec mon père, non ?

— C'est une façon de dire qu'il est romantique ! Bon sang, Anna ! Depuis combien de temps n'as-tu pas eu de petit ami ?

Poussée dans mes derniers retranchements, j'ai répondu, un peu sèchement :

— Un an, je crois.

— De nos jours, on fait connaissance sur Internet. Plus personne ne va dans les bars pour célibataires. C'est trop sordide ! Sur le Net, on peut prendre le temps d'apprendre à se connaître à distance et en toute sécurité. Tu n'imagines pas comme les e-mails sont révélateurs de la personnalité de chacun.

Des branches de céleri étaient disposées sur une assiette sur le comptoir. J'en ai pris une et ai commencé à la grignoter. Moi, je préfère les bars pour célibataires. J'ai lancé :

— En tout cas, il me semble que c'est la meilleure manière de rencontrer un cinglé qui manie la tronçonneuse.

— Enfin, Anna !

Lucy a soupiré, découragée, puis s'est animée.

— Tiens, je vais te montrer mon annonce !

— Tu as mis une annonce sur ce site ?

J'étais effarée.

— Ouais, regarde !

Clic, clic. Première photo. Lucy, chapeau et lunettes de soleil, débardeur échancré et sourire carnassier aux lèvres, nonchalamment adossée à une Porsche – elle n'en avait pas, que je sache –, s'exhibait sans retenue à la vue du monde entier. Sous le cliché, la légende proclamait : « Vous allez adorer Lucy ! Célibataire, grande, avec des rondeurs là où il en faut, adore cuisiner, danser le slow, et la rigolade. La trentaine, assistante sociale DE, jamais mariée. Cherche homme d'âge mûr, profession libérale, qui gagne bien sa vie, intéressé par une relation durable – voire le mariage, si affinités ! Pas sérieux s'abstenir ! »

J'ai eu un haut-le-corps.

— Lucy ! Mais enfin !

J'ai fait une prière silencieuse pour que mes prunelles ne tombent pas de leurs orbites et se mettent à rouler sur le comptoir.

— Quoi ?

— Tu es *divorcée...*

— Et alors ?

J'ai poussé un hurlement mental en direction du plafond.

— Tu es assistante sociale ?

— Jamais de la vie !

Cris perçants intériorisés.

— Mais alors, pourquoi... Et d'abord, pourquoi vas-tu sur ce genre de sites ? C'est si, comment dire...

— Anna, s'il te plaît, du calme. J'admets que ce n'est pas la stricte vérité, mais je ne suis pas la seule à raconter des bobards ! Il s'agit avant tout de flirter, tu comprends ? De sortir un peu de la solitude. De laisser libre cours à ses fantasmes. D'ailleurs, j'ai rencontré des types charmants dans les salons de discussion.

A sa façon, Lucy était indignée.

J'avais beau ne pas vouloir la froisser, je n'arrivais pas à me faire à cet exhibitionnisme malsain. Soyons clairs : balancer une photo racoleuse sur Internet, agrémentée d'une légende truffée d'inexactitudes dans le but de trouver un gars bien et qui vous respecte, présente comme un malaise, non ?

Mais comme je ne voulais pas passer pour une rabat-joie, j'ai dit :

— Tu as sûrement raison. En fin de compte, ça a l'air rigolo, ai-je ajouté pour prouver à Lucy que j'avais les idées larges.

— Ça oui ! Je suis persuadée que la plupart des mecs qui me répondent sont des vieux pantouflards, pères de famille et tout. Je ne donne pour ainsi dire jamais suite, sauf quand je suis quasi certaine que le bonhomme n'est pas tordu ; même là, je n'accepte de le rencontrer que dans un lieu public. Tu devrais essayer ! Qu'est-ce que tu attends ?

Ce bref échange en disait long sur les problèmes que risquait de poser notre future association. Les relations humaines n'étaient pas un truc à prendre à la légère. Je ne supportais pas le mensonge. Tout compte fait, la discussion douce-amère que j'avais eue avec papa, concernant le prêt et l'ouverture d'un compte séparé, n'avait pas été vaine. Comment réagirait-il s'il savait que Lucy déballait sa marchandise sur Internet, telle une poupée gonflable de catalogue de vente par correspondance ?

— Je n'attends rien du tout. Simplement, je n'y pense pas.

J'ai ouvert la porte du réfrigérateur et regardé à l'intérieur comme si j'avais été chez moi. J'étais mal à l'aise et cherchais un moyen de changer de sujet.

— Veux-tu quelque chose à boire ? Zut ! On aurait dû acheter du champagne pour arroser ça !

L'idée ne m'avait même pas effleurée. Mais une fois encore, force m'était de reconnaître que Lucy la fofolle avait raison.

— J'y vais, ai-je repris. Enfin, je vais voir ce que je peux trouver de buvable chez Red and White. Dois-je prendre de quoi grignoter ?

— Mais oui ! Dougle chéri vient dîner et j'ai fait décongeler des côtes de porc. Reste, ça nous permettra de parler tranquillement de nos projets.

— Entendu.

J'ai souri ; je commençais à me détendre.

En chemin, je n'ai pas arrêté de cogiter. Bon, admettons que Lucy ait un blog. Peut-être qu'elle racole sur Internet... Non ; je crois plutôt que c'est une façon de passer le temps. Qu'est-ce que j'en sais, après tout, moi, la grande spécialiste du mâle occidental ? Quelle marque de champagne vais-je trouver dans le coin ? En tout cas, Lucy veut faire la fête ! C'est elle tout craché ! Optimiste jusqu'au bout des ongles alors que je broie du noir. N'empêche que si papa savait ce qu'elle fricote... Arrête, Anna ! Ce ne sont pas tes oignons ! Ne te mêle pas de ça !

J'ai filé direct au rayon des vins et spiritueux, et trouvé un Chandon Napa Valley déjà frappé. Bon, ce n'était pas du champagne au sens strict, mais quelle importance, du moment que cela pétillait ? De toute façon, je n'avais ni le temps, ni l'envie, ni les moyens de pousser plus loin mes recherches. J'ai pris une boîte de biscuits salés, une tranche de gruyère sous cellophane consommable jusqu'en 2006 et un fromage frais aux herbes allégé. Puis je suis passée à la caisse et repartie aussitôt.

En rentrant, j'ai recommencé à gamberger. D'une certaine façon, j'avais bouclé la boucle et me retrouvais, des années plus tard, à l'endroit même où ma vie avait commencé. J'avais une fille que j'adorais et qui allait bientôt venir vivre dans notre nouvelle maison, et toutes les raisons du monde de me sentir comblée. J'avais surmonté des situations autrement plus difficiles au cours de l'existence. De fil en aiguille, je me suis mise à penser à Arthur. Il m'avait semblé que le courant passait entre nous. Vraiment. Mais quoi qu'il en soit, c'était au sort de décider.

La voiture de papa était stationnée devant chez Lucy. Je me suis garée, puis j'ai couru à la maison pour me changer. J'ai troqué mon short contre une robe et en ressortant, j'ai aperçu Mlle Ange.

— Bonjour, mademoiselle Ange. Vous allez bien ?

Elle s'est retournée et m'a souri, visiblement heureuse de me voir.

— Bonjour ! Quelles nouvelles ? Ma parole, Anna, tu es toute belle ce soir ! Tu as un amoureux ou quoi ? Justement, j'ai rêvé que tu étais amoureuse !

— Moi ? Première nouvelle ! Ce ne serait pas plutôt vous ?

On a ri de bon cœur. C'était rassurant d'avoir affaire à des gens sains d'esprit.

— Non, ma chère, à mon âge, ce n'est pas d'un homme que j'ai besoin. Je suis très bien comme je suis.

— Quelqu'un m'a dit que l'amour était une denrée périssable.

— C'est vrai, et c'est péché de le laisser perdre. Et ta maison, Anna ?

— Vous n'allez pas en croire vos oreilles.

J'ai raconté le hold-up à Mlle Ange, qui a hoché la tête.

— Quel monde de sauvages ! Dieu merci, Anna, tu n'as pas été blessée !

Quand je lui ai parlé de mon nouveau salon, une expression de surprise a envahi ses traits. Et ses yeux se sont écarquillés quand je lui ai donné des détails.

— Ça va bien se passer, tu verras. Si tu décides de vendre de la vannerie, tiens-moi au courant.

Mlle Ange parlait comme si elle connaissait des choses que j'ignorais.

— Je n'y manquerai pas ! Saluez Miss Mavis de ma part.

— Bien sûr ! Tu dînes chez Lucy ?

— Oui. Elle va m'aider à faire les plans du salon. Elle a été mariée à un entrepreneur.

Sachant que Miss Mavis et Mlle Ange prêtaient à Lucy une cervelle de moineau, je n'ai pas été surprise par la réponse de mon interlocutrice :

— Très bien, mais prends garde, elle est complètement idiote.

— Non, pas vraiment. Disons plutôt…

— Idiote ! a répété Mlle Ange en riant. Pense à moi, pour les paniers. Ça porte bonheur et ça peut rapporter gros.

— Le bonheur et l'argent, c'est un peu la même chose, non ?

Mlle Ange a souri. Je lui ai fait au revoir de la main, puis elle a disparu derrière la haie de lauriers-roses.

Des paniers ? Et pourquoi pas ? Mlle Ange avait appris à les confectionner dès la plus tendre enfance, car la tradition se transmettait de mère en fille depuis l'époque de l'esclavage. Chaque jour, des femmes des Basses Terres s'installaient au bord de la route nationale pour vendre leurs créations. Les marécages leur fournissaient les longues tiges de jonc, qu'elles tressaient et assemblaient avec du raphia. Une merveille ! Certaines pièces aux motifs recherchés étaient si admirables qu'on les exposait dans les musées. Dès lors qu'on vendrait des accessoires, pourquoi ne pas les présenter dans les corbeilles réalisées par Mlle Ange ? Les touristes de l'Ohio ou de New York que nous espérions attirer seraient sûrement ravies de rapporter un souvenir de vacances.

Mais une chose après l'autre. Si je voulais exposer des paniers, il fallait que je commence par installer des étagères.

14

The Palms, salon de coiffure et de beauté

Une semaine plus tard, j'ai trouvé mon bonheur dans la rubrique « Bric-à-brac » des annonces du *Moultrie News*. La patronne de Beauty Box, une certaine Betty Hudson, avait hâte de liquider son affaire pour pouvoir partir à la retraite et s'occuper de ses petits-enfants. Elle proposait, entre autres, un ensemble d'étagères en verre et chrome très correct, ainsi que quatre fauteuils années soixante-dix au look rétro branché. En revanche, les bacs de lavage, les sèche-cheveux et le reste du stock avaient fait leur temps. Pour vingt-cinq dollars, son gendre a proposé de nous livrer la marchandise.

— Génial ! s'est exclamée Lucy en voyant les sièges. Un bon nettoyage et capitonnage, et ils seront comme neufs. Je connais une fille qui fait ça très bien, chez Déco Basses Terres. Le matériel est enlevé à domicile et rapporté gratis. Je vais l'appeler.

— Parfait, ai-je répondu en rayant cette rubrique de ma liste.

D'un commun accord et sans consulter quiconque, Lucy et moi avions décidé de cloisonner les trois cent cinquante mètres carrés du local. Un petit espace serait réservé à la réception et la boutique, un autre aux quatre stations de coiffage et aux deux manucures. Ce qui laissait de la place pour le salon d'épilation, les deux bacs de lavage, le coin café, le vestiaire et les toilettes, sans oublier la réserve où stocker les produits.

Après avoir fait les calculs, j'ai dit à Lucy :

— Pour faire des économies, on a intérêt à laver nous-mêmes les serviettes plutôt que de les confier à une blanchisserie industrielle.

— Pourquoi pas. On a la possibilité d'installer un lave-linge et un sèche-linge, non ?

— Au fait, il faut qu'on parle, toi et moi.

On est allées déjeuner au Long Island Cafe, où on a commandé une salade aux crevettes sautées.

— Ecoute, Lucy. Tu t'es montrée très chic. Tu t'es dépensée sans compter pour monter ce projet et je te dois une fière chandelle – qui n'est pas près de s'éteindre, crois-moi. Le seul problème, c'est que je ne suis pas certaine de vouloir une associée, tu comprends ?

— Anna ! A aucun moment je n'ai songé à devenir ton associée ! Simplement, comme je n'ai pas grand-chose à faire pour m'occuper, j'ai pensé que je pourrais me rendre utile.

— Et tu l'as fait. Plutôt deux fois qu'une.

Elle a examiné le crustacé piqué au bout de sa fourchette, l'a retourné, puis enfourné d'un coup.

— Quel régal ! Non, sans blague. Une fois, à Philadelphie, j'étais à une soirée et on nous a servi de ces grosses crevettes caoutchouteuses. Les invités se régalaient, mais moi, je trouvais qu'elles n'avaient aucun goût. Ça devait être du surgelé.

— Les gens du Nord n'y connaissent rien. Il faut venir ici pour manger de bons fruits de mer. Que faisais-tu à Philadelphie ?

— Je courais après un type, a avoué Lucy en riant. Que veux-tu faire d'autre, dans le coin ?

J'ai acquiescé discrètement de la tête en priant le ciel pour qu'il n'y ait pas de touristes originaires de Pennsylvanie aux tables voisines.

N'allez surtout pas croire que je n'aime pas les gens de Philadelphie. Ceux que j'ai croisés au cours de mon existence étaient absolument charmants. Mais je ne me vois pas aller là-bas, et encore moins pour manger du poisson dont on ignore depuis combien de temps il a été pris. Le problème, c'est qu'à peine sorti de l'eau, il est mis dans la glace, car les campagnes de pêche durent parfois plusieurs jours. Dès le retour des bateaux au port, la marchandise est calibrée, pesée, remise dans la glace puis expédiée aux grossistes, qui se chargent de la vendre aux restaurateurs. Bref, le produit qui arrive dans l'assiette du consommateur est mort depuis si longtemps qu'il n'a aucun goût. C'est comme d'avaler des calories vides.

Dans les Basses Terres, nous bénéficions d'une offre à la fois abondante et fraîche du jour. Depuis ma prime enfance, j'ai entendu dire qu'on ne pouvait pas trouver meilleure qualité qu'ici. Et c'est vrai.

— En revanche, j'étais sérieuse quand je t'ai dit que je désirais être réceptionniste, a repris Lucy.

— Tu serais parfaite.

Je me demandai, en réalité, si notre clientèle justifierait la présence d'une hôtesse.

Si seulement la talentueuse Carla m'avait proposé ses services ! Sauf que Harriet la tenait si occupée qu'elle n'avait probablement pas le temps de songer à la quitter. Mon seul espoir était que Lucy apprenne à bien noter les rendez-vous – un travail qui s'apparentait à celui d'un contrôleur aérien –, car je ne connaissais rien de pire qu'une cliente furieuse de devoir patienter à cause d'une erreur d'aiguillage.

Dès que la rumeur s'est mise à circuler qu'un salon s'apprêtait à ouvrir sur l'île, j'ai vu affluer des employées mécontentes d'établissements concurrents et des démarcheurs en tout genre. Peu après, on a engagé Brigitte, une fille de Mount Pleasant, qui déclarait avoir une liste longue comme ça d'habituées prêtes à la suivre, et Bettina, une manucure de Brooklyn gonflée à bloc, qui avait épousé un garde-côte de Charleston. Elle savait tout faire ou presque – épilation, pédicure, soins de beauté –, et maîtrisait la réflexologie et l'aromathérapie.

— Avec moi, vous allez vendre des services à tour de bras. Il suffit que je dise que j'ai travaillé chez Elizabeth Arden à New York et hop ! les femmes me supplient à genoux de les épiler.

Lucy et moi avons tout de suite craqué pour Bettina.

— D'accord. Pouvez-vous commencer tout de suite ?

L'avocat a rédigé un protocole d'emprunt et réuni les

documents pour l'immatriculation au registre du commerce. Puis Lucy et moi avons signé les papiers. Quelques jours plus tard, on nous a livré les dalles de marbre, les plaques de placoplâtre, les bacs et les fauteuils, les miroirs et les éclairages. Lucy a battu le rappel et au jour dit, un régiment de gros bras a rappliqué pour installer l'ensemble en deux temps trois mouvements.

J'étais en train d'empiler des caisses quand j'ai entendu Lucy qui discutait dans la réserve avec le plombier.

— John, chéri, tu es vraiment un amour d'être venu nous donner un coup de main. Vraiment un amour. Comment pourrais-je te remercier ?

— Ne te fais pas de bile, ma femme t'enverra la facture.

Etait-il possible qu'un homme résiste aux charmes de Lucy ?

— John ! Tu n'imagines pas que je ne voulais pas payer ! Je pensais vous offrir à tous un coiffage gratuit. Je vais te donner un bon pour ta femme. Comment s'appelle-t-elle déjà ? Ruthie ? Il y a si longtemps qu'on ne s'est pas vus. Depuis que Danny...

La voix de Lucy s'est brisée tandis qu'elle revivait les circonstances tragiques de sa rupture avec Danny, qui l'avait virée de sa vie comme on se débarrasse d'une bouteille vide. John était dans ses petits souliers.

— Allons, allons, a-t-il grommelé. C'est très gentil de ta part. Tiens, je te ferai une ristourne. Après tout, c'est une affaire qui démarre.

J'ai entendu les talons de Lucy claquer sur le dallage neuf. Elle est venue à moi et m'a glissé à l'oreille :

— Dix pour cent minimum de remise, c'est toujours ça de pris.

— La vache, Lucy, tu n'y vas pas avec le dos de la cuillère. Tu devrais rajouter une séance de pédicure.

Cela se passait ainsi, avec Lucy. Elle enjôlait, cajolait, aguichait les anciens amis de son mari, après quoi elle pressait le citron jusqu'à la dernière goutte. Et même si ce n'était pas ma façon à moi de procéder, j'avais appris quelque chose. Ces bons pour une coupe à l'œil nous ramèneraient de nouveaux clients. En faisant jouer son réseau de connaissances, Lucy pouvait nous rapporter gros.

— J'ai mis le salon sur mon blog, m'a-t-elle annoncé plus tard.

Mais là, c'était trop.

— Tu as fait *quoi* ?

J'ai frisé l'arrêt cardiaque.

— J'ai créé un lien. Viens, j'ai une surprise pour toi.

Elle a allumé son portable, s'est connectée à Internet et, en quelques clics, nous nous sommes retrouvées sur le site de The Palms, salon de coiffure et de beauté. Je n'en croyais pas mes yeux. Sur la page d'accueil, le logo s'est mis à ondoyer dans un tourbillon de mousse bleutée. Puis il a disparu, faisant place à une liste de services, de modèles de coiffures et de coupes. Celle-ci a fondu à son tour, et l'adresse et le numéro de téléphone du salon sont apparus. A l'arrière-plan, on apercevait le remous des vagues et la silhouette des palmes se balançant au vent.

— Je sais que j'aurais dû te consulter avant, mais j'ai pensé que c'était une idée géniale, alors j'ai foncé. Et puis, j'ai rajouté des liens utiles : la chambre de commerce, l'hôtel Wild Dunes, les assurances Caldwell, les locations O'Shaunessy, l'agence Carroll, et tous les autres agents immobiliers de l'île. J'ai utilisé PowerPoint. Alors, si ça ne te plaît pas, on peut tout changer.

— PowerPoint ? Les liens utiles ?

Pour moi, c'était du javanais. A part un jeu de démineur de temps à autre et quelques rudiments de Word, je ne connaissais rien à l'informatique.

— Oui, le logiciel qui m'a servi à faire le montage. Il n'est pas super, mais c'est mieux que rien. La semaine dernière, j'ai passé une soirée entière à réfléchir à la meilleure façon d'annoncer l'ouverture du salon.

— Ça me fait penser que je n'ai même pas encore appelé une seule de mes clientes.

— Comme on n'a pas vraiment prévu de budget de pub et que j'avais PowerPoint sous la main, j'ai commencé à bidouiller. Et voilà le résultat. Ça ne coûte rien et en plus, on figure comme lien utile sur les sites importants des Basses

Terres ! Je reconnais que ce n'est pas du grand art, mais il faut bien commencer quelque part, pas vrai, Anna Banana ?

Lucy ne cesserait jamais de me surprendre.

— Lucy, si j'étais un homme, je t'embrasserais ! Mais dis-moi, que peut-on faire d'autre avec ton ordinateur ?

— Arroser la planète d'e-mails ! Je dois avoir deux cents adresses sur ma liste !

— Banzaï ! Et si on proposait aux agences de location saisonnière d'inclure un coupon de coiffage dans leur forfait de bienvenue ?

— Je m'en occupe. Une remise de combien ? Vingt pour cent ?

— Disons dix pour cent sur les produits et quinze sur les services.

Lucy allait nous mettre sur la paille si je ne la surveillais pas.

— On pourrait demander au Cochon zélé de distribuer des prospectus à la caisse...

— Une épicerie, ça n'est pas un peu ringard ?

— Si, tu as raison ! Totalement !

— Enfin, je vais réfléchir à la question. Emily rentre samedi prochain, elle nous donnera un coup de main.

— C'est vrai. Emily ! J'avais complètement oublié ! Mon neveu, David, doit venir passer l'été ici ! C'est le fils de ma sœur, qui vit à Greenville. Un gosse adorable ! Vingt ans. Il entre à l'université de Caroline cet automne.

— Super !

Allons bon, ai-je pensé, elle a un neveu à corrompre !

— Au fait, Lucy ?

— Oui ?

— Tu m'appelles encore une fois Anna Banana, et je te colle un uppercut, compris ?

— Bien, chef !

Et c'est ainsi que le téléphone s'est mis à sonner, sonner, sonner. Lucy a composé des cartons pour annoncer l'ouverture prochaine du salon et les a expédiés à mes clientes. Presque toutes celles à qui j'avais parlé de mon départ semblaient prêtes à me suivre.

Nous avions fixé l'inauguration au lundi suivant – jour où la plupart de nos concurrents étaient fermés. Durant l'été, nous ouvririons non-stop (à l'exception du dimanche), pour mettre à profit la présence des touristes.

Quand est arrivé le vendredi, je bouillais d'impatience. J'étais allée faire un tour chez Botanicus, la jardinerie à laquelle j'étais restée fidèle depuis l'époque où Jim et moi étions mariés. Emily arrivait le lendemain à midi, et j'avais prévu de la récupérer à l'aéroport et de la ramener directement à bon port. Pour finir, j'ai choisi cinq cagettes de géraniums roses et blancs et deux d'hostas pour garnir le devant de la maison. Ce n'étaient pas mes fleurs préférées, mais je les avais choisies pour leur robustesse. Au dernier moment, j'ai craqué pour deux mandevillas roses et deux pieds de jasmin. J'avais fait mon shopping.

Dès que j'ai gratté le sol, j'ai réalisé que les plates-bandes n'avaient pas été rafraîchies depuis des lustres et que je devais retourner à Mount Pleasant pour chercher du terreau, de l'engrais et du paillis. Lors de ma *troisième* visite chez Botanicus, j'ai acheté un système d'arrosage goutte à goutte, un tuyau et, dans un moment d'abandon, un robinet d'extérieur à tête double orné d'un pélican. Il me restait tant à faire qu'à un autre moment je crois bien que le découragement se serait emparé de moi. Mais ce jour-là, je flottais sur un petit nuage.

J'ai retiré la terre sur une douzaine de centimètres de hauteur et commencé à tamiser. Si j'allais plus profond, les eaux impétueuses de l'Atlantique risquaient d'inonder les bordures et de les asphyxier. Il y avait une telle quantité d'outils éparpillés autour de moi qu'on aurait dit qu'un ouragan était passé sur le jardin. J'ai extirpé une bêche, un râteau et plusieurs tamis de la remise qui se trouvait sur l'arrière, les ai chargés sur la brouette puis rapportés sur le devant de la maison. J'ai posé les cagettes de fleurs à l'ombre, et sorti une grande poubelle pour les mauvaises herbes et autres débris. Enfin, je suis allée passer de vieilles nippes, avant de m'attaquer à la tâche !

Chaque pelletée de terre atterrissait dans le tamis posé en travers de la brouette. Le téléphone n'arrêtait pas de sonner, mais j'étais trop occupée à trier les pierres et les racines pour aller répondre ; la boîte vocale s'en chargeait. C'était l'heure du dîner, donc celle de l'invasion des démarcheurs.

— Laissez votre numéro, je vous rappellerai quand vous serez à table ! ai-je lancé sans m'interrompre.

La seconde étape consistait à jeter les résidus dans un sac à gravats et à mélanger la terre ancienne et le terreau, puis à déverser à nouveau le mélange sur place. Cela fait, j'ai installé le goutte-à-goutte et fait courir le tuyau derrière la haie décorative jusqu'au robinet situé sur le côté de la baraque.

Pendant ce temps, la sonnerie continuait de retentir, comme si le poste cherchait à se décrocher du mur. Au même moment, j'ai aperçu Lucy sur son balcon. Ce n'était donc pas elle qui cherchait à me joindre. J'étais couverte de saleté de la tête aux pieds et n'avais aucune envie de pénétrer dans la maison pour devoir nettoyer ensuite.

Dring ! Dring !

— Pour l'amour du ciel, lâchez-moi les baskets ! ai-je crié, excédée.

J'avais presque fini et étais stupéfaite d'avoir dû fournir une telle énergie pour accomplir une tâche aussi insignifiante. Après avoir planté les fleurs en alternant les roses et les blanches, je les ai arrosées puis délicatement recouvertes de terre. Ensuite, je me suis attaquée aux bordures latérales. J'y ai placé les hostas en prenant soin de laisser six centimètres entre chaque pied. Quand j'ai eu terminé, j'ai éparpillé du paillis sur l'ensemble et branché le système d'irrigation.

— Bon, quand Emily sera ici, il ne faut pas oublier de lui souhaiter la bienvenue, compris ?

— Mais à qui parles-tu comme ça ?

J'ai relevé la tête et aperçu Lucy, avec deux verres à la main et une bouteille de vin blanc sous le bras.

— Je fais la conversation aux végétaux, figure-toi. J'ai le droit, non ?

On a éclaté de rire.

— Fillette, je crois que tu as besoin d'un petit remontant ! Si tu te voyais !

Je me suis relevée en m'époussetant, ai ôté les gants et pris le verre que Lucy me tendait. J'avais les bras et les jambes couverts de zébrures marron. Nous avons trinqué.

— Merci. Le soleil est presque couché !

— Allons, avoue, petite cachottière, qui est Jim ?

— Jim ?

— Il y a des heures que ton père te court après, et le fameux Jim aussi. Il te réclame à cor et à cri ! Il est en ville, apparemment, et va rappliquer d'une minute à l'autre !

— Il faut que je me change !

J'ai tendu mon verre à Lucy et couru à l'intérieur.

— Si tu veux bien remettre tout ce bazar dans la remise, tu auras mon éternelle reconnaissance !

— Anna ? Qui est *Jim* ?

Je suis ressortie en courant et ai repris mon verre.

— Mon ex ! Tu vas l'adorer !

J'ai bu une gorgée, refermé la porte derrière moi et filé sous la douche.

Quand Jim est arrivé, au volant d'une Chrysler décapotable blanche de location, je n'avais ni fini de m'habiller ni complètement repris mes esprits. Mon Dieu ! Ça fait combien de temps qu'on ne s'est pas vus ? ai-je songé. Les cheveux encore humides et les joues luisantes d'avoir été frottées, j'ai enfilé les seuls vêtements propres que j'avais sous la main : un pantalon corsaire noir et un tee-shirt en V. J'étais en train de mettre mes sandales à talons rouges quand Jim est entré. Cheveux courts passés au gel, lunettes de soleil à la main, biceps parfaits, pantalon clair, mocassins en cuir tressé. Pas de chaussettes. Blazer bleu marine rejeté sur l'épaule, suspendu à l'index gauche.

— Il y a quelqu'un ?

— Salut, l'affreux ! Laisse-moi un peu te regarder ! Je n'arrive pas à y croire.

On s'est embrassés, on a ri, on s'est embrassés à nouveau.

— Que tu sens bon ! On en mangerait ! a-t-il dit en me donnant un coup de langue sur la nuque.

Manifestement, le courant passait encore entre nous.

— Non mais, ne te gêne surtout pas, mords pendant que tu y es !

— Anna, Anna, tu es bien placée pour savoir que j'ai renoncé aux filles depuis longtemps.

C'était vrai, mais ça n'empêchait pas que Jim était un amour. Je l'aimais et il m'aimait. Depuis toujours et pour toujours.

— Viens, que je te fasse visiter !

— Super ! Tu as de la bière ? a-t-il demandé en jetant un coup d'œil circulaire au séjour. Et une chambre d'amis ?

— Oui, ici même ! Mets-toi devant le canapé et essaie de l'imaginer avec des draps et une couverture !

— De l'extérieur, la maison semblait petite, et elle l'est. Mais la petitesse a du bon. Si, si !

— Puis-je te rappeler que ce palais se trouve sur l'île ? Ici, le foncier est deux fois plus cher qu'ailleurs. *Et je viens de m'installer à mon compte, qui plus est !*

— Au fait ! Je n'arrive pas à y croire ! Tu t'es enfin décidée ! La vieille Harriet a dû en faire une jaunisse !

— Ouais, et c'est tant mieux !

Jim m'a prise dans ses bras et on s'est mis à valser comme des fous dans la pièce.

— « Hourra ! pour la maison dans l'île ! Hourra ! pour le salon de coiffure ! Elle est riche à millions ! Elle est pauvre comme Job ! Il est fou à lier ! »

— Et elle donc ! Lâche-moi, j'ai le tournis !

J'ai atterri dans un fauteuil et Jim s'est affalé sur le canapé, manquant de renverser la table basse et un palmier – artificiel mais ravissant. On riait à gorge déployée. Cher vieux Jim ! Dieu merci, il n'avait pas changé.

— Et la bière ? a-t-il marmonné.

— Figure-toi que j'étais justement en train de me dire que...

— Tu penses trop, ma chérie.

— Oui, mais pourquoi me demande-t-on une bière ou un verre de vin de manière systématique et jamais de cocktails ?

— Parce que tu as les cheveux mouillés et pas de maquillage...

Brusquement, cela a fait tilt dans ma tête. Cette fois, c'en était fini d'Anna la ménagère. Elle était morte et enterrée.

— Jim ?

— Oui, beauté ?

— Tu veux bien m'emmener dîner ?

Après un tour du propriétaire en deux minutes, je lui ai parlé de Lucy et papa, du salon et des emprunts que je m'étais mis sur le dos. Il a eu la chair de poule quand je lui ai raconté le hold-up. Et quand j'en suis venue au moment où Harriet m'avait virée, il s'est écrié :

— Cette Harriet est folle ! Tu sais que tu pourrais lui faire un procès ?

— Oublie Harriet ! Tout ça c'est du passé. Sur le coup, ça m'a contrariée, mais c'est fini.

— Tu n'as qu'un mot à dire et je vais la zigouiller.

— Jim, je t'adore !

Il m'a suivie jusqu'à la salle de bains et pendant que je me séchais les cheveux, on s'est mis à parler.

— Trixie me tape sur le système.

— Et à moi donc !

— Elle ne sait pas que je suis ici.

— Ce n'est pas moi qui vais le lui dire !

— Il va tout de même falloir que je l'appelle.

— Ça peut attendre demain, non ?

Ensuite, j'ai donné des nouvelles d'Emily à Jim. Il m'a proposé d'aller la chercher à l'aéroport le lendemain, pour lui faire la surprise.

— Elle va tomber dans les pommes.

— J'ai hâte de la retrouver. Tu te rends compte que ça va faire deux ans que je ne l'ai pas vue ?

— Dire que c'est déjà une jeune femme. C'est une brave petite. Elle ne touche ni à la drogue ni à toutes les cochonneries que les jeunes prennent en Californie...

J'ai croisé le regard de Jim dans le miroir, coupé le sèche-cheveux et on a éclaté de rire.

— Attention à ce que tu dis !

Jim m'a donné une tape sur les fesses.

— Je te signale que tu parles de ma terre d'adoption.

— Bien sûr ! Mille excuses ! La ville sainte. Aide-moi donc à choisir une tenue.

Je suis allée dans ma chambre et ai ouvert la penderie.

— Comme si tu ne savais pas que je vis à San Francisco. J'ignore qui tu espères prendre dans tes filets, mais habillée comme ça, tu vas nous pêcher un merlan frit !

— Ma proie s'appelle Arthur. Maître fromager. Et arrête de rouler des yeux. Je t'expliquerai dans la voiture.

15

Tout un fromage

Est-ce parce que je viens de franchir le cap des trente-cinq ans ? Toujours est-il que l'hôtesse du High Cotton m'a paru bien jeunette. Perchée sur des talons aiguilles aussi effilés qu'un pic à glace, elle nous a menés jusqu'à une table idéalement située derrière la baie vitrée. J'ai inspiré longuement puis scruté la salle à manger pour voir si j'apercevais Arthur. Mais non.

Jim était beau comme un dieu. La trentaine lui allait à ravir et lui conférait un charisme de star de cinéma. Et à moi aussi, d'après lui. Après avoir mis mon placard sens dessus dessous, il en avait exhumé un blazer noir et une jupe droite assortie.

« Quand je pense qu'il fut un temps où tu avais une garde-robe à faire pâlir d'envie les nanas de la MGM ! Non mais, regarde-moi ces nippes de croque-mort achetées au poids ! Quelle horreur ! »

J'ai plissé les paupières et réfléchi.

« C'est vrai, ai-je reconnu, il y a un bail que je ne me suis rien acheté.

— Ma petite Anna, il est grand temps que je te reprenne en main. La semaine prochaine, je t'emmène faire les magasins.

— La semaine prochaine, j'ouvre mon salon de coiffure.

— Très bien, dans ce cas, j'irai sans toi.

— On verra. »

Je songeai que je n'avais guère les moyens de m'offrir autre chose que des « nippes de croque-mort achetées au poids ».

En attendant, ma tenue ferait l'affaire. En temps normal, je portais un débardeur sous mon blazer, mais Jim s'y était opposé. Pas question.

« Réfléchis un peu, fillette. Ce vieil Arthur s'approche avec son odorant chariot de fricotons en état de décomposition avancée, et toi tu es assise à table, une jambe nonchalamment croisée par-dessus l'autre pour le plus grand plaisir de ses yeux. Si tu te penches ne serait-ce qu'un poil dans la bonne direction, tu peux éveiller en lui une étincelle de concupiscence. Avec un peu de chance...

— Arthur n'est pas si vieux que ça. »

J'avais capté le message et ai aussitôt entrepris de m'enduire les guibolles de crème.

Le problème, c'est que je ne me rappelais plus si Arthur m'avait dit qu'il travaillait ici ou non. Je l'avais entendu prononcer le nom de High Cotton, mais dans quel contexte ? Remarquez, cela ne nous empêcherait pas de faire un bon gueuleton, Jim et moi. Depuis qu'Arthur m'avait parlé des grands restaurants, j'avais eu envie de voir à quoi cela ressemblait. Dès que nous sommes entrés, j'ai compris pourquoi les gens faisaient la queue pour avoir une table. Le décor était sublime, spacieux, élégant et à en juger par ce qui se trouvait dans l'assiette de nos voisins, la cuisine délectable.

Bien que n'ayant toujours pas vu trace d'Arthur, je me suis assise comme me l'avait recommandé Jim : les jambes croisées émergeant discrètement de dessous la nappe blanche. L'avantage, quand on vient au monde avec un physique de grande asperge, c'est qu'on a les longues cannes pas trop moches qui vont avec. Je commençais à avoir des pattes-d'oie au coin des yeux et une ride d'expression de chaque côté de la bouche, mais il me restait quelques munitions dans mon arsenal de charme.

Le maître d'hôtel est arrivé, tiré à quatre épingles et l'air guindé. Il a tendu la carte des vins à Jim en disant :

— Puis-je vous proposer un cocktail ?

— Pourquoi pas ? Je prendrai un Gibson. Et toi, Anna ?

Quand il a dit « cocktail », j'ai pouffé malgré moi en songeant aux diverses préparations au nom olé olé : Sex on the beach, Chow-chow, Kontiki, Bang Bang. Voyant que notre interlocuteur commençait à perdre patience, Jim m'a lancé un drôle de regard en coin.

— Un martini, ai-je fini par dire, fidèle à mes habitudes.

— Tu ne préfères pas un Cosmopolitan ?

— Va pour le Cosmopolitan, ai-je répété tel un perroquet bien dressé, sans avoir la moindre idée de ce que je commandais.

— Parfait, a rétorqué l'homme de l'art en hochant la tête.

Il devait nous prendre pour des demeurés. Lorsqu'il s'est éloigné, Jim et moi avons commencé à jeter un coup d'œil à la carte. Elle proposait bel et bien un plateau de fromages. Il s'agissait peut-être du bon restaurant. J'étais sur des charbons ardents, une vraie pile électrique.

— As-tu entendu ce que je viens de te dire ? s'est enquis Jim.

— Euh ? Pardon, Jim. J'étais ailleurs. Tu peux répéter, s'il te plaît ?

— Si je te prends encore une fois à rêvasser, je t'oblige à payer ta part !

Je lui ai décoché un grand sourire.

— Arrête de jouer les vieilles marquises ! Répète.

— J'ai dit que Gary m'avait quitté.

Jim et Gary vivaient ensemble depuis qu'on s'était séparés, Jim et moi.

— Sans blague ! Mais pour quelle raison ?

— Parce qu'il est malade.

— Zut ! Je suis navrée.

J'ai tout de suite compris ce que cela signifiait : Gary était séropositif. Dans ce cas, il y avait de fortes chances pour que Jim le soit également. Sans me laisser le temps de me mettre à broyer du noir, il a ajouté :

— Je ne suis pas malade. J'ai fait des analyses de sang. Mais je ne *supporte pas* l'idée de...

Les yeux de Jim se sont remplis de larmes et sa lèvre s'est mise à trembler.

J'ai étiré le bras et lui ai pris la main.

Au même instant, le maître d'hôtel a reparu. Il a laissé échapper un soupir discret à la vue de nos doigts enlacés puis a placé les cocktails devant nous. Jim s'est excusé, avant de se lever et de se diriger vers le vestiaire des messieurs pour se rafraîchir.

Pauvre Jim ! Pauvre Gary ! Au fil des ans, nous avions perdu un tas d'amis, hommes et femmes, morts du sida, mais pas seulement. Il y avait aussi les cancers du sein et du côlon, les accidents cardiaques. J'avais beau connaître les barèmes de mortalité par tranches d'âge, je n'admettais pas que des êtres disparaissent en laissant des enfants, et leurs rêves, derrière eux. Je ne parle même pas des accidents de voiture ou des suicides. Les premiers frappaient au hasard et les seconds affectaient une catégorie à part. J'avais pour principe de n'assister à aucun enterrement, même si je ne manquais pas d'envoyer des fleurs et mes condoléances. Mais cette fois, laisserais-je Jim seul aux funérailles ? Me dégonflerais-je à la vue d'un cadavre jusqu'à la fin de mes jours ? Probablement.

Tout en contemplant mon verre, je me suis dit que si j'avais pu refaire ma vie, je me serais orientée vers la recherche médicale. Combien de temps allions-nous devoir encore attendre avant de pouvoir éradiquer ces horribles maladies ? Les journaux avaient beau parler d'avancées phénoménales, la mort continuait à faucher les jeunes générations.

Gary prenait-il cet abominable cocktail appelé trithérapie, qui permettait à certains patients de prolonger leur espérance de vie ? C'était peu probable, à en juger par la façon dont Jim m'avait annoncé la nouvelle. Que c'était triste !

Histoire de ne pas sombrer corps et âme dans la mélancolie, et d'être à même de témoigner à Jim toute la compassion qu'il méritait, j'ai pris une gorgée de la boisson rose pâle appelée Cosmopolitan. Délicieuse, même si le nom me semblait mal choisi. Moi, j'aurais opté pour Etoile filante, vu la rapidité avec laquelle je la descendais. Jim m'avait bien conseillée. Comme toujours, il avait deviné ce qui était bon pour moi. Et franchement, on ne me l'aurait pas dit, je n'aurais pas deviné que ce truc était alcoolisé.

Je pensais à Gary. J'avais beau ne pas le porter dans mon cœur – c'était à cause de lui que j'étais retournée vivre chez papa –, je ne lui souhaitais pas de mourir dans d'atroces souffrances. De toute façon, s'il n'y avait pas eu Gary, il y aurait eu quelqu'un d'autre dans l'existence de Jim. La vérité, c'est qu'à l'époque où Jim et moi vivions ensemble, mon affection pour lui allait au-delà de l'amitié. Peu après la naissance d'Emily, j'ai senti que mes sentiments changeaient. C'était comme si les pièces d'un puzzle compliqué s'étaient peu à peu imbriquées les unes dans les autres. Lentement mais sûrement, je suis tombée éperdument amoureuse de Jim. Lui et moi partagions tout, sauf le lit. Et il avait beau s'agir d'un mariage blanc, notre cohabitation était si naturelle et facile qu'elle suggérait de l'amour.

Je dois reconnaître que Jim n'était pas difficile à contenter. Je m'efforçais de ne pas faire de bruit lorsqu'il potassait et de tenir la maison impeccable. Ma mère était une geignarde-née, et Violette était pire encore, mais moi, je ne me plaignais jamais. Jim et moi menions une vie commune aussi confortable qu'une bonne vieille paire de pantoufles dont on ne veut pas se défaire. A plusieurs occasions, quand j'avais un léger coup dans le nez, j'avais essayé de lui témoigner mon affection. Chaque fois, il avait gentiment repoussé mes avances. Le lendemain, au réveil, j'étais au trente-sixième dessous. Je savais qu'il m'aimait, et réciproquement. Nous étions mariés. Pouvait-on me reprocher mes tentatives ?

Pour échapper à mes avances et à ma frustration grandissante, Jim s'était mis à louvoyer, jusqu'au jour où il a fini dans les bras de Gary. Quand il me voyait allumer une bougie parfumée, il prenait la tangente. Il sortait et ne rentrait qu'à l'aube, afin de me rappeler que les termes de notre contrat restaient inchangés. Malgré moi, je m'entêtais à braver ses inclinations sexuelles, persuadée qu'un jour il me céderait. L'attitude de Jim n'a jamais été ambiguë. Je me suis dupée seule.

— Madame veut-elle un autre cocktail ?

Les yeux du maître d'hôtel erraient quelque part entre le plafond et la lune.

— Volontiers.

Hors de ma vue, songeai-je. Madame est en train de ruminer de sombres pensées et ce n'est pas le moment de venir lui marcher sur les pieds. Non mais, pour qui se prenait-il, celui-là ?

Quand Jim est revenu à table, j'avais déjà sifflé mon

premier verre et m'apprêtais à faire de même avec celui qu'on venait de m'apporter. Mon humeur morbide commençait à se dissiper pour faire place à une légère ébriété. Je me sentais apaisée.

— Il faut qu'on parle sérieusement, toi et moi, ai-je lancé à Jim.

— Il n'y a pas grand-chose à dire… si ce n'est que la vodka est un bienfait du ciel.

Jim avait pris deux gorgées de Gibson et repêché les oignons.

— Amen. J'en suis à mon second Cosmopolitan. Je crois qu'on ferait bien de dîner, si tu ne veux pas être obligé de me porter jusqu'à la voiture.

J'ai soudain réalisé que je n'avais rien mangé depuis le matin. J'ai rompu mon petit pain et avalé une bouchée.

— Alors, raconte. C'est Gary qui a cassé ou c'est toi ?

— C'est lui. J'ai gardé notre appartement d'Union Street et lui est allé vivre dans l'Ohio, près de sa mère et de ses frères et sœurs. C'est drôle, jusqu'alors, j'avais cru que c'était moi sa famille. Nous vivions ensemble depuis une paye.

— Ecoute, Jim. Je ne suis ni toubib ni psy, mais il ne me semble pas anormal qu'un homme qui se sait gravement malade et redoute de mourir soit retourné auprès de ses parents. Ça ne me regarde pas, mais comment a-t-il été contaminé ?

— Comme les autres. On s'était disputés et il y avait un bout de temps – plusieurs années, en réalité – qu'on se faisait la gueule. On aurait dû se séparer, mais va savoir pourquoi, on a préféré continuer à cohabiter. Ce qui ne l'empêchait pas de couchailler à droite et à gauche. Jusqu'au jour où il est tombé sur un type qui avait oublié de prendre ses précautions. Je n'arrive pas à croire que ce soit arrivé à Gary. Mais tu le connais, il adore traîner dans les bars. Moi pas. Ma paresse m'a sauvé la vie.

— Tu ne sortais plus ?

— Fréquenter des lieux pleins de jeunes loups attirés par l'argent et de folles décaties, très peu pour moi. Qu'y a-t-il de plus pathétique qu'une vieille chose qui drague des michetons cherchant à se faire entretenir ?

— Tu n'as pas quarante ans.

— Je sais, mais je suis rangé des voitures. Anna, tu sembles oublier que j'ai monté mon affaire il y a douze ans ! Quant à Gary, je ne suis pas certain de vouloir le remplacer.

En somme, Jim était revenu vers moi comme Gary était reparti auprès des siens, pour se faire remonter le moral. Et il était de mon devoir de l'aider. Tôt ou tard, il faudrait qu'il regagne San Francisco, où l'attendait le business. Car Jim était à la tête d'une structure florissante. Mettant à profit son diplôme en management et son tempérament de bon vivant, il avait créé un cabinet de conseil spécialisé dans l'import du vin de propriétaires récoltants, et approvisionnait les restaurants et les chaînes d'hôtels du pays.

— Pour l'heure, je propose qu'on se détende. As-tu appelé Gary ?

— Oui. Mais sa mère, qui est persuadée que je suis l'incarnation du mal, s'arrange pour intercepter les communications.

— Comme si ça pouvait changer quelque chose !

Le maître d'hôtel arrivait, prêt à nous orienter dans nos choix culinaires.

— Tu as raison, on ferait mieux de commander.

J'ai opté pour un carpaccio de saumon et son ondée de wasabi, et Jim, pour une soupe de crabe, spécialité des Basses Terres, et une caille farcie au foie gras.

— Tu as faim, on dirait ?

— J'ai l'estomac dans les talons.

Je n'avais pas la moindre idée de ce qu'était un carpaccio ni de quel côté l'ondée de wasabi allait tomber. Pour moi, le wasabi évoquait une danse africaine acrobatique. Vous vous rappelez ? Je suis le genre de fille qui aime les trucs frits servis dans un panier. Tout le contraire de celle qui doit maîtriser dix langues étrangères pour sélectionner un plat.

Ensuite, Jim hésitait entre le carré d'agneau et le chateaubriand.

— Monsieur devrait essayer la cassolette de fruits de mer.

— Qu'en dis-tu, Anna ?

J'ai acquiescé de la tête et fermé la carte.

— L'homme de l'art a parlé !

J'ai saisi mon verre et l'ai vidé.

Jim était en train d'étudier les vins avec tout le sérieux de quelqu'un qui savoure un bon roman.

— Puis-je vous suggérer le sauvignon blanc Cakebread ? La cuvée 1999 est excellente et très raisonnable, a glissé le maître d'hôtel.

Il a eu un haussement de sourcils appuyé, persuadé que Jim n'y entendait rien. Il se trompait.

— Non, merci, a répondu Jim en continuant à parcourir la carte. Je vois que vous avez du clos Saint-Théobold de 1997 !

— Oui, monsieur, mais je ne le connais pas.

Les sourcils du gars commençaient à perdre de l'altitude et à s'agiter frénétiquement. Je me suis mordu la lèvre pour ne pas éclater de rire. Le karma était en action.

— Domaine Schoffit, grand cru Rangen de Than, 1997, lot numéro 10. Il a une persistance moelleuse en bouche qui s'accordera merveilleusement avec le wasabi et le foie gras. Parfait. Anna, tu vas l'apprécier.

— Génial !

Sans avoir rien fait pour, Jim en avait mis plein la vue à notre interlocuteur.

— Rapportez donc un verre pour vous ! lui a lancé Jim. Je suis allé en Alsace, cet été, a-t-il poursuivi à mon intention, et j'y ai découvert Rangen de Than, un patelin du côté de Colmar, dans le Haut-Rhin. Désolé, Anna, j'ai l'impression que mes histoires te rasent.

— Pas du tout ! Tu n'as pas idée comme je t'envie de faire un métier qui te passionne et te permet de bien gagner ta vie ! Tu sais que je t'adore ?

— C'est l'essentiel.

Enfin, il l'avait admis ! Lui qui avait l'habitude de donner sans rien demander en retour reconnaissait qu'il avait besoin de moi. Et c'était tant mieux.

Le maître d'hôtel est revenu, a débouché la bouteille d'une main experte et fait goûter le nectar à Jim. Son attitude avait changé ; c'est tout juste s'il ne s'est pas incliné en présentant le bouchon.

Jim a bu, hoché la tête et dit :

— Essayez-le. Il devrait vous plaire davantage que le Cakebread.

L'autre a souri.

— Je n'en doute pas.

Le vin était exquis. Je m'attendais à ce qu'il soit sirupeux et écœurant, compte tenu de l'évocation de Jim, mais ce n'était pas le cas. En mangeant l'entrée on a sifflé la bouteille – avec l'aide de Maurice, le maître d'hôtel. Puis Jim a commandé un Trimbach clos Saint-Hune, de 1983, cette fois, et j'ai commencé à me demander si ma fourchette trouverait ma bouche. L'alcool était à l'œuvre.

Pendant ce temps, Jim n'arrêtait pas de parler. De mon côté, je m'efforçais de rester lucide pour pouvoir glisser une remarque ici ou là et le consoler de ses malheurs. Quand il a eu épuisé le sujet de Gary, j'avais les paupières lourdes. J'ai décidé d'aller faire un tour aux toilettes pour me pincer les joues et me remettre les idées en place.

— Jim ? ... s'cuse... re... viens... suite.

Jim s'est levé, en parfait gentleman, et quand je me suis redressée, j'ai réalisé que j'étais complètement partie.

— Tu es sûre que ça va ?

— Hum...

J'ai pointé un doigt vers lui pour le rassurer.

Par la grâce de Dieu, j'ai réussi cahin-caha à atteindre les lavabos des dames. Puis je me suis laissée tomber sur le siège des W.-C. La dernière chose dont je me souviens, c'est d'avoir pensé qu'un roupillon de cinq minutes me requinquerait.

— Madame Abbot ? Madame Abbot ? Vous êtes là ?

Je me suis réveillée au beau milieu d'un ronflement, si brusquement que j'ai failli partir à la renverse. J'étais mortifiée à l'idée qu'on ait pu m'entendre ronfler comme un cochon.

C'était la voix de l'hôtesse, que Jim avait envoyée à ma recherche. Apparemment, le somme s'était prolongé et au bout de quarante-cinq minutes, Jim s'était inquiété.

— Oui ! ça va ! ai-je crié. Tout va très bien !

Je voyais les talons aiguilles de la fille par-dessous la porte. Elle était plantée là et ne paraissait pas décidée à bouger.

— Vous êtes sûre que vous n'avez besoin de rien ?

Je me suis frotté les yeux. Il fallait que je trouve une excuse, vite.

— Hum... z'auriez pas... tampon... ?

Quelle idée lumineuse !

— Si, bien sûr. Une seconde et je vous donne ça, madame.

Je l'ai entendue qui ouvrait une armoire à pharmacie ou quelque chose dans ce genre.

Sa main est apparue sous la porte et j'ai pris le tampon qu'elle me tendait.

— Merci. J'viens... Dites à mon mari que ch'uis 'jours vivante... plaît.

— Mais certainement ! Prenez votre temps.

Elle était partie. En sortant du petit coin, j'ai jeté un coup d'œil dans la glace. Ouille ! Une retouche de maquillage s'imposait de toute urgence. Je me suis donné un coup de brosse. Puis j'ai essuyé le mascara qui avait coulé sous mes yeux et remis du rouge à lèvres. Enfin, je me suis lavé les mains en me traitant de triple andouille. J'ai entamé la longue marche du retour vers le bar, puis de là à la table. J'avais l'impression d'aller mieux.

C'est alors que j'ai vu Arthur. Jim et lui bavardaient tels de vieux copains.

« Essaie d'avoir l'air sexy. Démarche lente, posée, féline. Miaou. Rejette les épaules en arrière. Aie l'air attentive. Fais gaffe où tu mets les pieds. Et surtout, ne bois plus une goutte ! Ouf ! Ça y est. Maintenant, fonce ! »

— On... s'connaît... crois bien...

C'était une entrée en matière plutôt sympa, non ? En tout cas, il ne me semblait pas avoir trop bafouillé. Parfait. Je me suis assise, tandis que Maurice déployait ma serviette et me la tendait pour que je la pose sur mes genoux, puis repoussait légèrement ma chaise. Je lui ai souri, affable, en rejetant mes cheveux en arrière. Mais qu'est-ce qui m'a pris, bon sang ? Je ne supporte pas les nanas qui font ce mouvement-là !

— J'ai cru qu'on t'avait perdue, Anna. Ça va ? s'est enquis Jim.

— Bonjour Anna. Votre époux et moi étions en train de vanter les vertus de nos fromages bleus préférés.

— Pas... mon... 'poux. Vu ?

213

J'ai fait tournoyer mon bras pour montrer mon annulaire à Arthur et mon corps a suivi. J'aurais atterri sur la moquette si le bras puissant d'Arthur ne m'avait pas rattrapée au vol et remise sur la chaise.

Arthur souriait et Jim aussi. Ils se sont regardés en hochant la tête. Jim m'a décoché un coup d'œil sévère, sous-entendant : « Tiens-toi, nom d'un chien ! »

— Mer... ci...

J'avais beau faire, je n'arrivais pas à retrouver mes esprits.

— Anna ? a repris Jim d'une voix qui trahissait à la fois son agitation et sa volonté de n'en rien laisser paraître. Je disais qu'on goûterait volontiers un petit Chiabro D'Henry. C'est un fromage sarde fruité, à moins que tu ne préfères essayer la fourme d'Ambert ?

— Et *moi*, a enchaîné Arthur, je proposais plutôt une brique de chèvre ou un neufchâtel, plus lisse et crémeux.

J'ai sorti ma jambe de dessous la table et l'ai étirée, pour la mettre bien en vue d'Arthur. Voyant que je m'enfonçais de plus en plus, Jim fixait le plafond – sans doute en quête d'un signe du ciel.

— ... ai... mariée, ai-je bafouillé en lui décochant un sourire qui me semblait irrésistible.

Il s'est levé d'un bond et a saisi Arthur par le bras.

— Je reviens tout de suite, Anna. Ne bouge pas. Attends-moi.

Ils se sont éloignés en hâte, et j'avoue que je me fichais pas mal de savoir où et pourquoi. Arthur avait apprécié ma guibolle ; j'en aurais mis ma main au feu.

Maurice avait ôté les assiettes et j'ai eu envie de poser ma pauvre tête sur le coin de nappe vide qui s'offrait à moi. Non, mais c'est vrai, à la fin, je n'avais pas de poux, que je sache !

16

En attendant Emily

Soudain, un bruit perçant, insupportable. Quelqu'un tentait de me fendre le crâne à coups de hache ou quoi ? *Dring ! Dring !* Le téléphone. L'instinct a pris le dessus. Exterminer l'intrus. Engourdie de sommeil, je suis parvenue à sortir un bras hors des draps tirebouchonnés et à saisir le combiné.

— Bien dormi ? a lancé une voix d'homme gentiment ironique.

— Puis-je savoir qui ose appeler à cette heure indue ?

L'instrument de torture avait changé de place et s'attaquait à ma nuque, à présent.

— Arthur, pour vous servir. C'est vous-même qui m'avez demandé de vous appeler ce matin pour vous tirer du lit parce que vous aviez un tas de choses à faire. Vous ne vous en souvenez pas ?

— Zut ! Mille excuses. Vous devez penser que je suis une immonde pocharde.

Lui rappeler que j'étais complètement pompette la veille au soir n'était peut-être pas la meilleure façon de lui faire du gringue.

— Non, mais j'ai cru comprendre que vous étiez célibataire. Me trompé-je ?

— Non !

De honte j'ai enfoui la tête sous les couvertures et me suis mordu la main. Bon sang, j'étouffais, là-dessous.

215

— Et, c'est peut-être une idée, mais j'ai comme l'impression que vous n'avez pas l'habitude de boire.

— Exact.

Au téléphone, la voix d'Arthur, rauque et sensuelle, était irrésistible.

— Et puis, je trouve que vous avez des jambes superbes.

— Merci du compliment. Rassurez-moi, on ne m'a pas transportée sur une civière, au moins ?

— Non ! Vous êtes repartie sur vos guibolles, et remontée à bloc – quoique un peu vaseuse. Et votre interprétation de *New York, New York* a beaucoup plu aux clients !

— Dites-moi que ce n'est pas vrai...

Il s'est mis à fredonner :

— *These little town blues...*

— S'il vous plaît, tirez-moi une balle dans la tête et mettez fin à mon supplice.

— Je vous ai trouvée craquante. Et Jim est un type charmant. Il m'a expliqué qu'il vous avait fichu le moral dans les chaussettes en vous annonçant une très mauvaise nouvelle. A votre place, j'aurais bu un coup de trop, moi aussi. Au fait, vous avez été mariés tous les deux ?

— C'est une longue histoire. Jim est un mec super.

— C'est l'impression qu'il donne, en tout cas. Bon, ça y est ? Vous êtes bien réveillée ?

— Oui. Merci.

— Parfait. Mettons que vous ayez envie d'aller, je ne sais pas moi, à une réunion des A.A. ou au cinéma, on pourrait...

— Très drôle.

— Dimanche ?

— Ma fille, que je n'ai pas vue depuis six mois, arrive aujourd'hui, mais...

— Dans ce cas, je n'insiste pas.

Il allait raccrocher, songeant que je n'étais pas intéressée.

— Attendez ! J'allais vous proposer de passer dimanche en fin de journée pour un barbecue. Grillades ou crevettes.

— Excellente idée !

— Affaire conclue ! Vous avez mon adresse ?

— Oui. Au fait, si je peux me permettre, votre tee-shirt estampillé Carolina vous va à ravir.

J'ai baissé les yeux. Effectivement, je portais ce machin chiffonné. Je ne savais plus où me mettre.

— Je plaisante ! C'est Jim qui vous a aidée à vous déshabiller. Comme je suis un garçon bien élevé, je vous ai laissés et suis retourné aussitôt travailler.

— Arthur ?

— Oui ?

— Merci pour tout et à dimanche.

J'ai raccroché, puis je me suis tant bien que mal extirpée du lit et dirigée en chancelant vers la salle de bains. Chemin faisant, j'ai jeté un coup d'œil dans le séjour. Aucune trace de Jim, même si le canapé était défait, preuve que quelqu'un avait couché là. Il avait dû sortir acheter le journal.

J'ai ouvert le robinet de la douche et pris trois aspirines en attendant que l'eau soit à la bonne température. J'ai tiré la langue devant le miroir. Ma parole, on aurait dit une vieille socquette boulochée ! Je me suis brossé les dents énergiquement en récitant l'acte de contrition, histoire d'apaiser ma conscience, puis me suis glissée sous le jet chaud. J'étais vraiment la reine des cruches ! Plus jamais, jamais ça !

Tout portait à croire qu'Arthur m'avait vue partiellement dévêtue. La honte ! Mes abdominaux, surtout au repos, n'étaient pas vraiment dignes de figurer à la une de *Vitaforme*. Quant au reste – filet de bave séchée au coin des lèvres, pourtour de la bouche barbouillé de rouge, œil charbonneux, haleine à faire fuir un bouledogue –, c'était l'horreur ! Il ne manquerait plus qu'Arthur se soit aperçu que j'avais de la cellulite ! Avais-je vraiment poussé la chansonnette ? Moi qui chantais comme une casserole !

C'était plus fort que moi, j'ai éclaté de rire. Si Arthur m'avait appelée et laissé entendre qu'il voulait me revoir, c'est que la situation n'était pas perdue. En tout cas, il pouvait difficilement me découvrir sous un jour moins flatteur. J'imaginais la mâchoire de Lucy s'affaissant d'un seul coup lorsque je lui raconterais ce qui s'était passé. Mais peut-être valait-il mieux que je me taise.

Emily ! Quelle heure était-il ? Je me suis enroulée dans une serviette et précipitée vers le réveil. Huit heures et quart.

Quand l'avion atterrissait-il, déjà ? Midi. J'ai appelé Jim sur son portable.

— Pas de panique ! Je vais la chercher et te la ramène directement à la maison ! Un cappuccino décaféiné, ça te dit ? Je passe chez Starbucks.

— Tant qu'à faire, j'aime autant avec caféine, et un beignet nature, s'il te plaît.

— Comment va la tête ?

— Impec ! Je sors de la douche.

— A plus.

Après avoir raccroché, je me suis habillée en quatrième vitesse et ai fait un rapide tour de la maison. Certes, elle n'était pas grande et la décoration n'incitait pas à tomber à la renverse, mais c'était la mienne. Enfin, la nôtre, à Emily et moi. Ma petite fille chérie, que tout le monde adorait, rentrait enfin au bercail ! Je mourais d'impatience de la prendre dans mes bras et de la serrer contre mon cœur !

J'ai décidé de mettre des fleurs dans sa chambre. Je suis passée prendre le sécateur dans le tiroir de la cuisine. J'avais repéré un chèvrefeuille à côté de la remise. Cela, plus une ramille de pin... Je suis sortie fureter dans le jardin, à la recherche de quoi composer un joli bouquet de bienvenue. J'étais en train de couper de-ci de-là quand j'ai entendu claquer un coffre de voiture. J'ai levé les yeux. C'était Mlle Ange, qui s'apprêtait à partir en vadrouille. A voir la façon dont elle frétillait, on ne lui aurait jamais donné soixante-quinze ans.

— Bonjour ! Belle journée, non ?

Je me suis dirigée vers elle.

— Bonjour, Anna ! Oui, magnifique ! Comment vas-tu ? Tu cueilles des fleurs ?

— J'essaie. Il n'y a pas encore grand-chose ! Ma fille arrive aujourd'hui de Washington et j'ai hâte qu'elle découvre la maison !

— J'imagine ! Au fait, approche un peu et dis-moi : qui est le jeune homme qui a dormi chez toi, hier soir ?

— Oh, rien que du réchauffé. C'est mon ex-mari.

— Ton quoi ? C'est une blague !

N'étant pas certaine de ce qu'elle entendait par là, j'ai précisé :

— Non ! Ça n'est pas ce que vous croyez ! Il est gay.

Je ne voulais pas que Mlle Ange s'imagine que j'avais passé la nuit à m'envoyer en l'air avec un inconnu.

Elle a serré la mâchoire pour ne pas avoir l'air surprise ou choquée, puis m'a regardée droit dans les yeux. Le temps s'est arrêté. Brusquement, elle a lâché :

— Tu as une minute pour que je te montre mes paniers ?

D'accord, je lui en avais dit un peu plus qu'elle ne voulait en savoir, mais j'avais le sentiment qu'avec elle mieux valait ne pas y aller par quatre chemins. La sexualité n'était pas un sujet sur lequel j'aimais m'étendre, et encore moins quand il s'agissait de la mienne ou de celle de Jim. Mais d'un autre côté, je ne voulais pas que Mlle Ange s'imagine que j'étais une Marie couche-toi là.

Je l'ai suivie jusqu'à sa voiture, dont elle a ouvert le coffre.

— Je songe à m'acheter un mini-van. Ça contient plus, et puis dans cette vieille guimbarde au ras du bitume, je ne vois rien venir. Avec tous les chauffards qui roulent en quatre-quatre, le portable collé à l'oreille, je ne me sens pas en sécurité. Regarde un peu ça !

Elle a sorti une pile de paniers qui ressemblaient à des corbeilles de bureau destinées à loger une rame de papier ou des catalogues. Le format supérieur convenait pour les magazines et celui encore au-dessus pour les journaux. A suivi un assortiment d'autres spécimens, de la taille d'une boîte de mouchoirs en papier.

— Ils sont rudement beaux ! En plus, on peut s'en servir.

— Comment ça, *en plus* ? a rétorqué Mlle Ange. Bien sûr qu'on peut s'en servir ! Tu vois les petits carrés, là-bas ? a-t-elle ajouté en secouant la tête. Ce sont des cache-pots ; je les réalise dans toutes les dimensions possibles et imaginables !

— Ils conviendraient pour les brosses à cheveux et les peignes. Et les grands plateaux pourraient servir de présentoirs pour les flacons de shampooing.

Finalement, Mlle Ange et moi étions sur la même longueur d'ondes.

— Où as-tu dit qu'était le salon ?

— En face de chez Red and White, à côté du traiteur. Lucy y est probablement, du reste. On ouvre lundi.

— Je sens que tu vas faire un tabac. Hier soir, je t'ai vue en rêve. Tu avais les bras chargés de bettes. C'est signe d'argent. Tu vas rouler sur l'or ! Je passerai au magasin pour voir ce qu'il te faut comme style de paniers.

On s'est serré la main. Marché conclu. Mlle Ange m'a souri.

— Ça me fait chaud au cœur de penser que tu es une grande, avec une fille et un commerce !

— Merci, Mlle Ange. Je suis touchée.

Nous nous sommes quittées et je suis retournée à la maison. Arrivée sur le seuil, je me suis arrêtée un moment pour contempler mon chez-moi et ma poitrine s'est gonflée d'orgueil.

J'ai disposé les branches et les fleurs dans un vase, que j'ai placé sur la commode en rotin blanc, puis je me suis reculée pour admirer le résultat. Bientôt, les lieux seraient pleins de vie et nous écririons un nouveau chapitre de notre histoire familiale. Nous pourrions dire « à l'époque où on n'avait pas encore la maison » et « quand on a déménagé ». Emily allait arriver, et puis il y aurait le barbecue, les anniversaires, le premier Thanksgiving et le premier Noël.

J'ai entendu claquer une autre portière. Jim ? La porte s'est ouverte puis refermée.

Il m'a tendu le café. Je l'ai remercié.

— Jim, tu n'as pas idée comme j'ai hâte de revoir Emily ! J'étais justement en train de penser à Noël et aux fêtes qu'on célébrera ici…

Il m'a interrompue.

— Oui, je sais ! C'est une grande occasion. Tu imagines ce que j'aurais manqué si je n'étais pas venu ? Tiens, le beignet.

— Merci. Si tu avais été absent, nous aurions raté quelque chose !

En deux bouchées, le beignet était avalé. J'ai commencé à ramasser les draps et les couvertures sur le canapé pour les plier.

— Jim, tu n'aurais pas un appareil photo ? Je voudrais immortaliser la tête d'Emily quand elle découvrira l'endroit.

— Non, mais je vais en acheter un jetable à l'aéroport.

— Il y a quelqu'un ? a lancé Lucy a travers la porte grillagée. Je vous ai apporté un gâteau au café. J'ai pensé qu'Emily aimerait ça. Ton père arrive quand ?

— Zut ! J'ai oublié de l'appeler ! Il faut que je l'invite à déjeuner, non ?

Lucy et Jim m'ont regardée en éclatant de rire.

— Je suppose que vous êtes Jim, a repris Lucy, le regard pétillant. Moi, c'est Lucy, la voisine.

— Enchanté, a répondu Jim en lui serrant la main. Oh ! oh ! La fille d'à côté ! a-t-il poursuivi en se reculant pour bien la regarder.

— Excusez-moi, j'aurais dû faire les présentations...

— Tu es bien tête en l'air, fillette ! s'est exclamé Jim. Téléphone à Doc pendant que je me rends à l'aéroport. J'achèterai de quoi grignoter en chemin.

— Merci.

— J'avais l'intention de partir tout de suite, de passer chez Trixie pour lui faire la surprise, puis de filer récupérer Emily. Tu n'as besoin de rien d'autre à part l'appareil photo ?

— Non. Dis bonjour à Trixie de ma part.

Quand Jim a été parti, Lucy s'est extasiée :

— Il est vachement sexy. Pourquoi l'as-tu laissé te quitter ?

— Je n'ai pas réussi à le convertir.

— De nos jours, tous les beaux gosses sont gay. Quel gâchis !

— Tu l'as dit. Bon, ce n'est pas tout ça, mais bientôt mon clan va rappliquer au grand complet et j'ai une mine de papier mâché. J'ai une de ces gueules de bois !

— Laisse-moi arranger ça. C'est vrai que tu as l'air d'avoir fait la java jusqu'à l'aube ! Il ne manquerait plus que ta fille te voie dans cet état !

— T'inquiète. Je serai irréprochable, même si je fais un delirium tremens.

Pendant que je me maquillais, Lucy s'est assise sur le canapé, et nous avons parlé d'Emily, de papa et du salon de coiffure.

— Tu sais quoi ?

Lucy a levé les yeux du magazine de télévision qu'elle était en train de parcourir.

— Hein ?

— Il y a longtemps que je ne m'étais pas sentie aussi heureuse.

— La vie n'est qu'un songe, ma poupée jolie.

— Ouais, mais c'est grâce à toi, Lucy, que mon rêve s'est réalisé.

— Sache que je ne joue les bonnes fées que pour les gens que j'aime !

J'ai ri.

— Je ferais bien de vérifier comment se portent les plates-bandes de devant.

— Et moi, je vais rentrer à la maison, appeler Dougle et me refaire une beauté.

— Très bien. Dans ce cas, à plus !

J'ai souri. Lucy et moi étions sur un petit nuage. Et elle voulait que papa soit au courant de notre bonheur.

Je n'étais pas habillée pour jardiner. Je portais un pantalon beige avec un tee-shirt rouge à manches longues et des sandales Gap assorties – la marque préférée d'Emily, avec Banana Republic. C'était son cadeau d'anniversaire de l'année précédente. Mais s'en souviendrait-elle ?

Les plants avaient déjà pris racine. Curieux, ai-je songé en branchant le tuyau d'arrosage pour leur donner leur rasade du matin. Il faisait très chaud et, avec un peu de chance, le mercure friserait les quarante degrés. Tant mieux, car j'adorais ce temps-là. Enfin, disons que ce jour-là, j'adorais le monde entier.

— *Anna !*

Je me suis retournée ; Miss Mavis descendait les marches de sa véranda. Elle tenait un paquet emballé dans du journal.

— Miss Mavis ! Qu'est-ce que vous apportez là ?

Elle a traversé le jardin à petits pas précautionneux, comme une poule, avec les bras derrière le dos, puis arrivée devant moi s'est arrêtée.

— Je t'ai observée ! a-t-elle dit en me tendant ce qu'elle portait.

— Observée ? Quand ça ?

— Quand tu t'activais dans le jardin. Tu m'as l'air d'en connaître un rayon.

— Bah, disons que je fais des tentatives et que certaines réussissent mieux que d'autres. Mais vous avez raison, j'aime planter des fleurs et les regarder pousser.

— Moi aussi. Mais à l'intérieur. Tiens, tu mettras ça en terre, à côté du compteur. Ils sont terribles, ces agents de la compagnie d'électricité. Il faut toujours qu'ils installent leurs fichus appareils au beau milieu de la façade.

J'ai ouvert le papier, dévoilant une plante grimpante avec de nombreuses radicelles.

— C'est quoi ?

Je n'en avais encore jamais vu de semblable.

— C'est une rose Cherokee – *Rosa laevigata* ou je ne sais quoi –, un cadeau d'une vieille folle du club du troisième âge qui s'imagine qu'elle fait tout mieux que tout le monde parce qu'elle connaît les noms latins. Je me suis demandé ce que j'allais en faire, jusqu'au jour où je t'ai vue bêcher comme si tu voulais creuser jusqu'en Chine. Tu pourrais me *remercier*, au moins.

— Oh ! Où avais-je la tête ! Merci, merci mille fois !

— Hum. C'est bien beau tout ça, mais il faut que je nourrisse mes minets. A plus tard.

Elle a aussitôt tourné les talons.

— Merci, Miss Mavis.

Elle s'est éloignée d'un pas digne en opinant du chef. Elle devait penser que je n'avais aucune éducation. J'ai décidé de planter son présent sans attendre. Elle avait raison : le compteur électrique défigurait le paysage. Si j'avais été sous psychotropes, je crois bien que je l'aurais confondu avec une tête d'élan surmontée de grands bois aplatis. Une horreur !

J'ai empoigné le plantoir et commencé à faire un trou, tout en prélevant un peu de terreau des bordures pour enrichir la terre. Car de ce côté-ci de la maison, le sol était si sableux qu'on aurait dit qu'il provenait du Sahara. Moi, mon truc, c'était les végétaux, comme d'autres font une fixation sur les chaussures. Mais l'aménagement paysager coûtait cher et devait être planifié avec soin.

Pendant que j'attendais Emily et Jim, j'ai inspecté chaque

recoin de mon domaine. J'étais si excitée que je n'arrivais pas à décider où je devais me tenir, à l'intérieur ou à l'extérieur, à l'avant ou à l'arrière. Mais dès que la voiture s'est engagée dans l'allée, j'ai couru jusqu'à la porte grillagée sans réfléchir. J'avais trop hâte de retrouver ma fille chérie. Jim est descendu le premier, puis la portière s'est ouverte côté passager. Emily – pantalon de cuir, long cache-poussière et tee-shirt moulant déchiré – était vêtue de noir et ses cheveux blonds étaient couleur jais. Elle était si maquillée qu'on aurait dit le batteur de Kiss. Je me suis figée sur place, paralysée. C'était donc à cela que ressemblaient les gothiques ? Lorsqu'elle s'est approchée, j'ai vu qu'elle était percée et tatouée de partout. Elle m'a embrassée d'un air distrait, puis est passée devant moi sans s'excuser et a franchi le seuil. Arrivée dans le séjour, elle s'est mise à beugler :

— C'est *ça* ta super baraque ? Non, mais tu rigoles ! C'est *pourri grave* !

17

Quel est ce monstre ?

Le retour d'Emily parmi nous ne se passait pas comme prévu. Jim m'a prise par le bras et entraînée vers la maison.

— Tu ne dis rien, compris ?

— Tu suggères que je la zigouille d'abord et qu'on discute ensuite ?

— Ce n'est qu'une phase. Une crise d'adolescence à retardement. Au fond, notre Emily chérie est toujours là.

Je l'ai trouvée dans sa chambre, en train de regarder autour d'elle d'un air dégoûté. Quant à moi, j'étais sonnée, incapable de me rappeler ce que préconisaient les manuels de psychologie parentale en pareilles circonstances. Pour finir, j'ai décidé de faire comme si de rien n'était.

— Y a comme un blème, a lâché Emily. C'est quoi, ces fleurs sur les draps ? Tu veux que j'attrape le rhume des foins, ma parole !

— Si ça ne te plaît pas, tu n'as qu'à trouver un job d'été et te payer la parure de tes rêves, d'accord ?

— Ouais ! Pour une gamine de douze ans, passe encore. Mais là, franchement, ça craint.

Emily n'était pas ici depuis cinq minutes que j'avais déjà envie de la gifler.

Jim est entré avec ses quatre sacs de voyage et les a jetés sur le lit.

— Foyer, doux foyer. Ta mère s'est donné un mal de chien pour te faire plaisir, Emily. Alors, un peu de considération, veux-tu ?

— Je crois que tu devrais commencer par défaire tes bagages. Et puis, interdiction de quitter cette pièce tant que tu n'auras pas retrouvé visage humain.

— Super ! s'est exclamée Emily.

Et elle a claqué la porte à la volée.

J'ai filé téléphoner à papa pour lui annoncer que le déjeuner était remis. Mais trop tard. Il était probablement en route.

— Qui appelles-tu ? m'a demandé Jim, des commissions plein les bras. J'ai acheté deux kilos et demi de crevettes fraîches chez Simmons, de la salade de chou, du riz rouge et des petits pains au maïs au Cochon zélé. Ainsi que trois bouteilles d'un sauvignon dont tu me diras des nouvelles...

A l'entendre, on aurait cru que tout allait comme sur des roulettes. Voyant ma mine renfrognée, il a proposé :

— Je vais parler à Emily. Au fait, un désastre n'arrivant jamais seul, Trixie m'a dit qu'elle passerait l'embrasser.

— Je crois que je vais vomir. Je songe à tuer le vampire qui a squatté la chambre de ma fille, puis à rendre tripes et boyaux.

— D'accord, mais laisse-moi d'abord tenter d'arranger les choses. Pendant ce temps, détends-toi et dresse la table.

J'ai fait bouillir un faitout d'eau, dans laquelle j'ai rajouté un demi-citron, une cuillerée à soupe de moutarde et un bouquet garni pour faire un court-bouillon. Au même moment, j'ai entendu claquer une portière de voiture, puis une autre. Quelques instants plus tard, papa, Lucy et Trixie débarquaient.

— Anna ! Où es-tu, ma chérie ?

— Oh, quel adorable bungalow ! Une vraie maison de poupée !

— Vous avez vu la bibliothèque ?

Papa avait passé la tête par la porte de la cuisine.

— Emily n'est pas ici ?

J'étais incapable de lui répondre. Je suis restée bouche bée, transpirant à grosses gouttes.

— Tu es sûre que tout va bien ?

— Oui, oui. Emily est dans sa chambre. Jim et elle sont en train de parler. Apprête-toi à avoir un choc.

— Oh ? Tu as du citron ? a-t-il enchaîné, après avoir pris un verre dans le placard et s'être servi un thé glacé.

Je lui en ai tendu un, avec un économe.

— Tu vas la trouver changée.

Je l'ai planté là, et suis allée saluer Trixie et Lucy.

— Anna ! Chérie ! a lancé Trixie en me serrant dans ses bras comme si on ne s'était pas vues depuis dix ans. Où est notre fille adorée ? J'ai hâte…

— Trixie ? J'ai l'impression que l'été s'annonce chaud et orageux.

On a papoté de choses et d'autres, puis Lucy m'a aidée à mettre le couvert et j'ai jeté un coup d'œil au court-bouillon. Emily et Jim n'avaient toujours pas reparu. Tout en remplissant le verre de Trixie, Lucy a parlé à tort et à travers. Enfin, Jim est ressorti de la chambre d'Emily.

— Maman, a-t-il dit en embrassant Trixie sur la joue. Docteur Lutz.

Il a serré la main de papa.

— Eh bien ? ai-je demandé.

— Je propose que nous passions à table. Emily n'a pas faim.

— C'est son droit, mais elle pourrait tout de même venir nous saluer ! s'est offusquée Trixie.

Elle qui n'avait pas l'habitude de boire n'était pas du genre à mâcher ses mots. Et plus elle buvait plus la langue la démangeait. Jim s'est efforcé de la rassurer.

— Elle va venir, maman. Mais elle finit d'abord de défaire ses valises.

Il m'a fait un petit signe de tête pour m'inviter à venir le rejoindre dans la cuisine.

— Possible, mais je lui ai envoyé de l'argent de poche chaque mois ! Et pas qu'un peu ! Ma parole, on croirait que je ne suis bonne qu'à ça !

— Ah, ma pauvre, vous n'avez pas idée comme je vous comprends, a soupiré Lucy d'une voix lasse.

— Allons, allons, mesdames, a glissé papa, j'ai l'impression que vous ne vous rendez pas compte à quel point vous comptez pour les autres.

Tout en jetant un coup d'œil à l'intérieur de la marmite, j'ai songé à papa et à Lucy. J'ai jeté les crevettes en pluie dans l'eau et éteint le gaz. Puis j'ai couvert et laissé cuire à l'étouffée.

— Et alors, Jim ?

— C'est une vraie tête de cochon. Je lui ai dit que sa conduite était impardonnable et qu'elle te devait des excuses.

— Et ?

— Elle a rétorqué que si elle avait su, elle serait restée à Washington, chez Frannie – qui l'aurait, apparemment, aidée à se constituer une garde-robe de croque-mort.

— Merci, Frannie ! Et ?

— Je lui ai signalé que si elle tenait à passer pour une ringarde, elle pouvait continuer à s'habiller en sorcière, mais qu'à San Francisco, en tout cas, il y avait des années que le gothique était *passé et finito*. Du coup, elle est montée sur ses grands chevaux et m'a répliqué que je n'y connaissais rien. Moi, j'en ai remis une couche en disant que si elle continuait sur ce ton, on risquait de s'engueuler tout l'été.

— Et ?

— Elle a promis de nous rejoindre dans quelques minutes. Je lui ai suggéré d'enfiler quelque chose d'un peu plus léger. Non, mais, c'est vrai, franchement ! Il fait quarante degrés à l'ombre et elle porte un pantalon en latex ! Tu sais que c'est exténuant de jouer à fond son rôle de parent ?

Jim s'est épongé le front avec un mouchoir en papier.

— Et comment ! Merci, Jim.

— De rien ! Bien. A présent, je vais servir un verre aux invités.

Il a pris une bouteille et un tire-bouchon et est retourné dans le salon, où les autres bavardaient, ignorant qu'il y avait un monstre dans la maison.

— Je ne connais rien de tel que le bon vin pour dédramatiser l'existence.

— Ça c'est bien vrai.

— Et si on mettait de la musique ? a suggéré Lucy.

Une minute plus tard, les premiers accords de la compilation du dimanche, dégotée chez Williams-Sonoma, dans King Street, ont retenti. Etais-je menacée de sénilité ? C'est bien possible. Car non seulement j'achetais les disques chez l'épicier, mais je les écoutais.

J'ai égoutté les crevettes et les ai disposées sur un plat de service, avec un bol de sauce cocktail et des rondelles de citron.

— A table !

— Que fait Emily ? s'est enquis papa.

— J'arrive, a-t-elle crié depuis la chambre.

Sans blague, la maison était minuscule, et les murs si minces qu'on pouvait vous entendre penser depuis la pièce voisine.

On s'est serrés autour de la table, qui ne pouvait pas accueillir plus de six convives.

— Mais c'est absolument divin ! s'est exclamée Trixie, avant d'ajouter : Dois-je aller chercher mon verre ?

Mais non, voyons, le majordome va s'en charger ! ai-je fulminé en moi-même.

— Oui, si ça ne vous ennuie pas. On va se caser comme on peut.

Papa s'est installé en bout de table, du côté du mur, avec Lucy à sa gauche et Trixie à sa droite. Jim était assis à ma gauche et nous avions gardé la place de droite pour Emily. Juste au moment où j'allais proposer un toast, elle a fait son apparition. Dieu merci, elle portait un pantalon en coton et une tunique à manches longues, et s'était fait une queue-de-cheval. Ses cheveux, quoique toujours noirs, ne pendouillaient plus devant ses yeux.

— Viens t'asseoir, ma chérie.

Ce repas de famille s'annonçait tendu.

— Salut, tout le monde, a lancé Emily sans le moindre enthousiasme.

— Malheur ! Mais qu'as-tu fait à tes cheveux ?

— Un rinçage, mémé. Vraiment pas de quoi en faire un plat.

Trixie, outrée, m'a foudroyée du regard.

Quand Lucy s'est présentée, Emily n'a pas pu se retenir :

— Ouah !

Elle n'aurait pas pris un ton différent pour lâcher :

« Super ! La nouvelle copine de ma mère est une strip-teaseuse. »

— Emily ? Je te prierais de ne pas m'appeler mémé et de me parler sur un autre ton. Je n'ai pas la berlue. Ta chevelure est noire, au cas où tu ne t'en serais pas aperçue.

— Désolée, grand-mère. C'est que je finis par en avoir ras le bol de m'entendre dire ce que je dois faire. Après tout, c'est mes cheveux, non ?

— Peut-être, mais le blond te va infiniment mieux. Demande à ta mère. Il y a des femmes qui dépensent des fortunes pour se faire teindre de cette couleur.

— Bon, ai-je tranché pour couper court à une conversation qui risquait de se prolonger. Je propose que nous trinquions. Je voudrais remercier papa, qui m'a aidée à emménager. Et Lucy pour son offre généreuse...

— Quoi ? a demandé Trixie.

— Anna inaugure son salon de coiffure lundi ! s'est exclamée Lucy. C'est formidable, non ?

— Et je voudrais remercier Jim, qui m'a maintes fois prouvé qu'il était mon meilleur ami et s'est mis en quatre pour me...

— N'en jette plus !

— *Ton salon ?* s'est écriée Trixie. Mais où diable as-tu trouvé... ?

Lucy a tiré une carte de visite de sa poche et la lui a tendue.

— Je les ai composées sur mon ordinateur.

— Génial ! a commenté Emily d'une voix pleine de morgue.

Puis elle s'est penchée en avant pour s'emparer de la corbeille de petits pains au maïs qui se trouvait à l'autre extrémité de la table.

Comble de l'horreur, quand elle a étiré le bras, sa manche s'est retroussée, révélant un poignet couvert de tatouages qui n'étaient pas sans évoquer les motifs compliqués des grilles en fer forgé des châteaux du Moyen Age. Papa a eu un haut-le-corps, Trixie a poussé un cri et moi j'ai fait un bond.

Emily ricanait. S'il y avait une chose que je ne supportais pas, c'était de voir ricaner ma fille – ou n'importe qui d'autre, d'ailleurs. A quoi jouait-elle, au juste ? A fiche la trouille à sa famille ?

— Emily ! Viens avec moi !

— Qu'est-ce qu'il y a encore ? a-t-elle rouspété sans bouger. Tss… a-t-elle sifflé en levant les yeux au ciel.

Chaque convive l'a fixée, attendant qu'elle se lève. Pour finir, elle a posé sa serviette et quitté la table. Puis elle m'a suivie dans le jardin jusqu'à la remise. Je me suis retournée et l'ai regardée dans les yeux. Elle s'est arrêtée, a croisé les bras et penché la tête de côté.

— Emily, il y a un problème ?

— Mais pas du tout !

— Ecoute-moi. Je veux bien faire un effort, à condition que tu en fasses un, toi aussi. Tu arrives de la fac, où tu jouis d'un maximum de liberté. Ici, ce n'est pas le campus. Je reconnais que la maison n'est pas grande et maintenant que je découvre à quel point tu as changé, je comprends pourquoi tu n'aimes pas tes draps.

Pendant que je lui parlais, elle regardait par-delà la demeure de Miss Mavis. Quand elle a vu que la plage était proche, elle s'est radoucie.

— Oui, j'ai changé. Je suis presque une adulte. Il y a un an que je vis seule et que je suis indépendante.

— Tiens donc ! Et qui paie tes factures ?

Elle a tourné la tête d'un seul coup, tel un démon dans un film d'horreur.

— Pas moi, là ! T'es contente !

— Baisse la voix, je te prie.

Je m'imaginais les sœurs Lafouine collées derrière la vitre, en train de nous épier.

— Pour moi, quelqu'un qui ne règle pas ses factures n'est pas autonome. Tu commences à découvrir ce que signifie être adulte. Mais il faut d'abord que tu apprennes à te conduire.

— Tu as fini ? Je peux y aller ?

— Non ! Tu ne partiras pas tant que tu ne m'auras pas dit ce qui ne va pas ! Et d'abord, pourquoi une telle hargne ?

— Ce n'est pas de la *hargne* !

— Ah non ? Très bien, admettons que ce soit la fatigue du

231

voyage. Je suis fatiguée moi aussi. Je suis sortie hier soir et j'ai bu un verre de trop.

Le mal de tête m'avait reprise.

— Tu es sortie ? Et tu as trop bu ? a repris Emily, l'air incrédule.

— Oui. Jim et moi sommes allés au restaurant, et j'ai retrouvé un type que j'avais rencontré quelques jours auparavant et avec qui j'ai plus ou moins rendez-vous demain.

— Et alors ! Tu ne seras pas là alors que je rentre tout juste à la maison après un an d'absence ! Je me demande bien pourquoi je suis revenue !

— Comment ?

— Si j'avais su, je serais restée à Washington. J'aurais pu trouver à me faire embaucher chez Gap. Frannie aurait accepté de m'héberger sans problème et j'aurais passé un été du feu de Dieu. Mais non ! J'ai pensé que tu devais te sentir seule et que tu avais besoin de me voir. J'arrive, et qu'est-ce que je trouve ? Une baraque pleine de gens, et toi qui m'annonces que tu as des projets dont je ne fais pas partie.

Brusquement, j'ai réalisé qu'Emily me considérait comme une vieille femme usée qui n'a pas de vie à elle. Suggérait-elle qu'elle m'avait fait une faveur en revenant ici ?

— Emily ? De temps à autre, tu dois rentrer à la maison. Il est normal que je sache ce que tu deviens – que je m'assure que tu n'es ni droguée ni alcoolique et que tu es en bonne santé – et que nous parlions de tes études. Et qu'est-ce que je vois ? Ma jolie petite fille chérie est devenue un monstre, qui semble tout droit sorti de *La Famille Adams*, avec ses cheveux noirs d'épouvantail.

— Si j'aime ça ?

— Eh bien moi pas ! Tu as quatre trous dans chaque oreille, un sourcil percé et je ne sais combien d'autres anneaux ailleurs ! Je déteste les piercings, mais j'ai encore plus horreur des tatouages. Ils me font « flipper », comme tu dis. Tu auras l'air de quoi quand tu auras cinquante ans ? Tu trouves ça beau une femme de cet âge-là tatouée ?

— Hen-né !

— Quoi ?

232

— C'est du henné. Ça part au lavage au bout de deux semaines. Tout le monde s'en fait.

— Tout le monde, peut-être, mais pas au yacht-club de ta grand-mère.

— Bah, de toute façon, ils ont tous un pied dans la tombe, ces vieux chnoques.

Même si j'étais d'accord avec Emily, je ne pouvais pas l'admettre. Le yacht-club était en effet réputé pour ses croulants et son formalisme. Les critères d'admission et les codes vestimentaires étaient si nombreux que même si j'avais possédé un gigantesque voilier et une fortune équivalente à celles de Donald Trump et de Bill Gates réunies, je n'aurais pas accepté de me soumettre à un règlement aussi tyrannique. Du reste, j'ai toujours pensé que les gens qui fréquentaient des associations de ce type cherchaient à exclure les autres. Et puis, le yacht-club était le cadet de mes soucis. Pour l'instant, seule m'importait Emily. Et je voyais bien qu'elle était mal dans sa peau.

— Tu n'aimes vraiment pas la maison ?

— Elle est minuscule, mais ce n'est pas grave. En revanche, ma chambre a des allures de nursery. Franchement, maman ! Déjà que j'avais les boules à l'idée de débarquer dans un lieu inconnu ! Ce n'est pas ma faute, je suis larguée.

— S'il n'y a que ça, on peut repeindre la pièce.

— Ouais, bien sûr.

— Si j'ai décidé d'acheter une baraque, c'est justement pour pouvoir mettre du violet sur les murs si l'envie m'en prenait.

— Ou autre chose.

— Couleur ratatouille, si ça te chante.

— Vraiment ?

— Oui. Vas-y, fais-toi plaisir. Et puis, on peut enfin se balader en petite tenue ! Tu imagines ? Je n'ai jamais fait ça de ma vie. Pendant trente ans, je suis restée habillée des pieds à la tête !

— Trente-sept et des brouettes. Les filles, à la fac, traînent à moitié à poil dans le dortoir !

J'ai senti qu'Emily avait enterré la hache de guerre. Elle et

233

moi avons encore papoté un moment dans l'air tiède et presque immobile de l'après-midi. J'ai songé qu'on avait au moins un lieu à nous, une base de lancement.

— Ecoute, Emily, j'ai fait de mon mieux. Mais il va falloir que tu y mettes du tien, toi aussi.

— Ouais, je sais.

— Dès que l'argent commencera à rentrer, je procéderai à des travaux. J'ajouterai une chambre, une salle de bains et un bureau à l'étage, avec des vérandas au premier et en bas. Et peut-être même une terrasse. Enfin, je n'en sais rien. Pour l'instant, ce n'est qu'un rêve.

Emily a contemplé la maison en silence, puis elle s'est tournée vers moi avec un petit sourire.

— Finalement, ce n'est pas si mal.

— Bon. On va rejoindre les autres et essayer de se rabibocher, d'accord ?

— D'accord. Mais grand-mère est si coincée !

— Ecoute, chérie, c'est une brave femme. Guindée, je l'admets, mais avec un bon fond tout de même.

— Je n'ai vraiment pas envie de lui ressembler !

— Moi non plus.

J'ai passé un bras autour des épaules d'Emily et on est retournées dans la maison.

Dès que nous sommes entrées, Trixie, Lucy, papa et Jim ont échangé des banalités comme si de rien n'était, alors qu'il était évident qu'ils n'avaient fait que parler d'Emily pendant notre absence. Je me suis assise, Emily m'a imitée et nous avons commencé à décortiquer les crevettes.

— Ça va, les filles ? s'est enquis papa.

— Très bien. On a manqué quelque chose ? ai-je demandé.

On avait loupé le sermon de Trixie.

— Eh bien, pour commencer, je tiens à dire que je suis outrée que tu ne sois pas venue nous saluer de toi-même, Emily ! C'est impardonnable ! Et puis cette tenue, ma pauvre chérie ! C'est… immonde ! Il faut absolument faire quelque chose ! Tu ne vas pas arpenter les rues de Charleston dans cet accoutrement ! Avec ces tatouages… Excuse-moi, mais c'est d'une vulgarité…

Emily a explosé. Elle a donné un grand coup de poing sur la table et foudroyé Trixie du regard.

— Pourquoi faut-il toujours que tu la ramènes ? C'est quoi ton problème, à la fin ?

Un silence de mort est tombé sur l'assistance.

— Désolée, grand-mère. Mais c'est vrai, a ajouté Emily d'une petite voix étrange.

Personne n'a pipé. Jim n'a même pas exigé qu'Emily présente des excuses à Trixie. Ni papa ni moi. Lucy semblait abasourdie. Trixie, pourpre de rage, a posé sa serviette sur la table et s'est levée.

— Merci pour le déjeuner, Anna. C'était un plaisir de te retrouver. Douglas, Lucy, j'étais ravie de vous voir.

Nul n'a bougé. Jim s'est levé pour raccompagner sa mère jusqu'à sa voiture. Emily s'est affalée sur sa chaise. Papa, Lucy et moi sommes restés silencieux, focalisés sur notre assiette.

Au bout de quelques minutes, voyant que Jim ne revenait pas, je suis sortie à mon tour pour ne pas le laisser souffrir seul.

— Quelle mégère, a murmuré Lucy. Va sauver ce pauvre Jim.

— Bonne chance, a renchéri papa.

Trixie n'avait pas pu s'empêcher de se montrer désagréable. Assise au volant de sa Jaguar décapotable, elle pleurait tandis que Jim, debout à côté de la portière, les bras croisés, lui parlait en hochant la tête.

— Maman, tu ne peux pas venir comme ça chez Anna et traiter sa fille de tous les noms ! Emily se comporte ainsi parce qu'elle éprouve le besoin de s'affirmer.

— Henné, ai-je précisé.

— Quoi ? *Quoi ?*

— Les tatouages d'Emily sont temporaires et auront disparu d'ici deux semaines.

— Mais ses cheveux ? Et puis son comportement à mon égard. De ma vie, je n'ai...

— Trixie ? Emily s'est sentie agressée. Il est normal qu'elle se défende, non ?

Trixie a mis le contact.

— Cette fois, tu pousses le bouchon trop loin, Anna.

— C'est comme vous le sentez, ai-je répliqué du ton le plus neutre possible.

— En tout cas, ne compte pas sur moi pour t'envoyer des clientes !

— Je ne compte que sur moi-même, Trixie. Au revoir.

J'ai tourné les talons et regagné la maison. Curieusement, je n'étais pas mécontente de ce qui s'était passé. C'était la preuve que j'avais bien fait d'acheter mon chez-moi. Ainsi, je garderais mes distances.

18

Du tac au tac

— Je suis définitivement grillée, c'est ça ?

J'ai cru qu'Emily allait boucler ses valises et partir en courant, mais non. Elle était en train d'aider Lucy et papa à débarrasser. Debout sur le seuil, une pile d'assiettes sales dans les mains, elle attendait, paniquée, que Jim et moi reparaissions. Lucy et papa étaient à la cuisine, et tel que je connaissais ce dernier, il était déjà en train de faire la plonge.

— Jamais de la vie, a répondu Jim. Du moins, pas tant que j'aurai mon mot à dire. Maman est parfois odieuse et je comprends que tu aies pris la mouche.

— Mais je pense qu'une petite leçon de savoir-vivre ne te ferait pas de mal. Règle numéro un : respecter ses aînés.

— Maman, s'il te plaît. J'ai fait une grosse gaffe ?

— Oui.

— Maman !

— Ecoute ta mère, a renchéri Jim.

— Règle numéro un : « Quand une femme d'âge mûr réputée pour son caractère impossible, fait une crise, on ne répond pas. Ce qu'elle raconte n'a pas la moindre espèce d'importance, puisque personne ne l'écoute. »

— Admettons. Mais c'est complètement débile ! Je sais que vous avez raison, mais c'est plus fort que moi, je ne la supporte pas ! a lâché Emily après avoir pris une longue inspiration.

— Agresser verbalement une vieille bique mal embouchée est contraire à la bienséance, a insisté Jim. Ta mère a raison.

— Sauf que je ne saisis pas pourquoi vous restez là sans rien dire quand elle crache son venin. Ma parole, vous êtes des moutons ou quoi !

— Un jour tu comprendras. Savoir se taire est une preuve de maturité.

— Je sais. Mais cette fois, la coupe était pleine !

— Il nous arrive à tous de péter un plomb de temps à autre, mais il faut que tu fasses des excuses à ta grand-mère, Emily. Dans l'ensemble, reconnais qu'elle est plutôt sympa avec toi, non ?

— Oui, bien sûr. Et puis merde, à la fin !

— Tss-tss.

— Ça ne pourrait pas attendre demain ? Je suis crevée et n'ai pas envie de remettre ça, là, tout de suite.

— Appelle-la maintenant, Emily, pendant qu'elle est encore en route, et laisse-lui un message sur son répondeur. Avouez que je suis génial ! a dit Jim en souriant.

— Mais oui, bébé Einstein ! Bon, tout le monde à la cuisine !

— J'arrive dans une minute, a dit Emily. Bon sang, z'avez pas idée comme j'ai horreur de faire ce genre de trucs !

Après avoir téléphoné, Emily est venue nous rejoindre. Trixie était oubliée.

Lucy n'a pas prononcé un mot sur ce qui s'était passé ; quant à papa, il s'est contenté d'un commentaire laconique :

— Il est logique que tu sois sortie de tes gonds, Emily, et je suis certain que ta mère et toi allez arranger les choses. En outre, ça ne fait pas de mal à ta grand-mère de se faire remettre à sa place de temps en temps.

Après quoi, tout le monde s'est accordé pour affirmer que les crevettes étaient absolument délicieuses, que c'était merveilleux d'être ensemble et que Trixie avait abusé.

Dans la soirée, avant de nous rendre chez Lucy pour admirer le sublime coucher de soleil, Emily et moi avons eu une conversation en tête à tête.

— Ne tardez pas trop ! a lancé Lucy avant de partir. Sinon vous allez rater le plus beau !

— Je pars devant avec Lucy, a annoncé Jim.

Le téléphone a sonné. C'était la redoutable Trixie.

— J'aimerais parler à Emily.

J'ai tendu le téléphone à ma fille et nous avons échangé une grimace. Vu l'intonation de Trixie, il fallait s'attendre au pire.

— Salut, grand-maman. (Silence). Oui. (Silence). Mais je t'ai demandé pardon, non ?

L'envie me démangeait de prendre le combiné des mains d'Emily et de dire à Trixie d'aller se faire voir ailleurs. Mais je me suis éloignée, pour ne pas avoir l'air d'épier la conversation, même si j'étais curieuse de savoir comment Emily allait s'en sortir. Je suis allée méditer quelques minutes dans la salle de bains. A mon retour, j'ai trouvé Emily en larmes. Elle a filé s'enfermer dans sa chambre.

— Que s'est-il passé ?

Etendue en travers du lit, elle sanglotait. Je me suis assise à côté d'elle et lui ai gratté doucement le dos.

— Allons, ma chérie, réponds-moi. Que t'a dit Trixie ?

— C'est la mégère la plus méchante et odieuse de la terre !

— Je n'en suis pas sûre. J'en connais d'autres qui la valent bien.

— Maman, tu vas me tuer !

— Certainement pas. L'envie me prendra peut-être de te passer un bon shampooing pour ôter cette immonde soupe noire de tes cheveux – et de récurer tes décalcomanies à la paille de fer –, mais te tuer...

— Grand-mère a affirmé qu'elle ne me donnerait plus un sou. Maman... Je sais... Je sais qu'on n'a pas beaucoup d'argent...

— Elle a dit ça ?

— Oui.

C'était de la torture morale ou je ne m'y connaissais pas. C'était à moi que Trixie aurait dû s'en prendre. Mais elle avait voulu faire souffrir Emily pour se venger. Et elle avait réussi. Momentanément, du moins.

— Qu'elle garde ses picaillons !

Voilà ce qui arrivait quand on acceptait l'argent d'autrui. Cela finissait toujours par vous retomber sur le coin de la figure.

— Tu le penses vraiment ?

— Oui. Ecoute, trésor, si une personne te fait un cadeau

239

parce qu'elle attend quelque chose en retour, ce n'est plus un cadeau.

— Tu veux dire que grand-mère s'attendait à ce que je devienne la jeune fille modèle de ses rêves ?

— Probablement. Si tu veux la faire tourner en bourrique, envoie-lui un petit billet de remerciement et écris-lui combien tu apprécies le soutien qu'elle t'a apporté.

— Ouais ! Un truc du genre : « Chère mémé, bon vent ! »

— Hum, pas mal. Mais j'imaginais un truc beaucoup plus pervers et retors, du style : « Je comprends que tu ne puisses pas ou ne veuilles plus m'aider, mais je te remercie néanmoins du fond du cœur pour ce que tu as fait pour moi. » Là, tu vas l'achever.

Emily s'est redressée et a pris le kleenex que je lui tendais. Elle s'est mouchée et a dit :

— L'assassiner en douceur, c'est ça ?

— Exactement ! Un jour, quand on sera deux vieilles, toi et moi, je te raconterai des histoires à faire dresser les cheveux sur la tête.

— Vas-y !

— Non, non. Tu es beaucoup trop impulsive pour ça ! Tu serais capable de me traîner devant les tribunaux !

On est tombées dans les bras l'une de l'autre en souriant. J'ai fermé les yeux et revu Emily petite, lorsqu'elle se pendait à mon cou et m'étreignait comme si elle ne voulait plus me laisser partir. Etait-ce pour couper le cordon qu'elle s'était infligé cette drôle de métamorphose ? Au lieu de prendre leurs distances, les jeunes rejetaient l'ensemble de leur environnement. Qu'importait, au fond, qu'Emily ait les cheveux aubergine et des tatouages sur le corps ? C'était ma fille, et je l'aimais de tout mon cœur.

— Tu sais quoi ?

— Quoi ?

— On va essayer de passer un été d'enfer, d'accord ? Puisque Trixie t'a coupé les vivres, on va chercher un moyen de compenser le manque à gagner. Moi, je vais faire des heures supplémentaires et toi, tu vas dégoter un job.

— D'accord, mais de quel genre ?

— Demain, on épluchera les annonces. En attendant,

allons voir le coucher de soleil – et aider Jim à garder un œil sur Lucy et Doc.

Je me suis levée et Emily m'a imitée. Puis on est passées dans le séjour, où j'ai allumé quelques lampes pour que la maison ne soit pas plongée dans l'obscurité à notre retour. C'est une vieille habitude, destinée à éloigner les cambrioleurs. Comme si nous avions un magot planqué !

— Maman ? Je suis contente que tu aies abordé le sujet. Dis-moi, qu'est-ce qu'il y a au juste entre Lucy et Doc ?

— Comment t'expliquer ? Verrouille la porte de la cuisine, veux-tu !

— Oui, chef.

— Disons qu'à ma connaissance, Doc n'a pas encore invité Lucy à sortir. Je crois qu'il est trop timide.

— A moins qu'il n'ait pas envie de se montrer en public au bras d'une Britney Spears sur le retour.

— Une quoi ?

— Enfin, maman ! Tu ne regardes jamais la télé ou quoi ?

— Mais si, bien sûr, tous les jours du matin au soir.

— Tu peux penser ce que tu veux, moi ça me gonfle de penser que mon grand-père a une petite amie – et comme elle, par-dessus le marché.

— Allons, allons ! Cette bonne vieille Lucy est un amour de femme. Tu vas voir. Elle gagne vraiment à être connue.

On a passé le reste de la soirée chez Lucy, à boire des cocktails glacés et à s'amuser, et très vite Emily a été conquise par notre hôtesse. Quand le soleil a disparu à l'horizon, on est descendus du balcon et on a préparé des pâtes à la cuisine pour le dîner. Après avoir mis l'ail à rissoler dans la poêle, j'ai haché les oignons. Jim a ouvert trois grosses boîtes de tomates pelées, qu'il a hachées dans un saladier à l'aide d'un petit instrument en forme de faucille.

— Lucy ? Comment s'appelle cette chose ? s'est-il enquis.

— Un hachoir à tomates.

— Bon sang, mais c'est bien sûr ! Ma question était idiote.

Jim a ri et moi, j'ai hoché la tête.

J'ai versé les oignons de la planche à découper dans la poêle et quelques minutes plus tard, un délicieux parfum s'est répandu dans la cuisine. Lucy était devant le comptoir, en train de pianoter sur son portable.

— Viens un peu voir ça, ma chérie. Regarde ce que j'ai trouvé sur le Web.

— Quoi donc ? a demandé Emily.

— C'est le site du club de rhétorique de l'université de Caroline du Sud.

— Ouah ! Pas mal !

— N'est-ce pas ? a renchéri Lucy en gloussant.

Je me suis approchée pour voir. Une brochette d'étudiants des deux sexes, à l'air très inspiré, s'étalait en travers de l'écran. Lucy a pointé du doigt vers un jeune homme particulièrement craquant, qui semblait tout droit sorti d'un magazine de mode – cheveux blonds épais et regard pénétrant. Le genre de minet que Lucy qualifiait de « beau morceau ».

— Tu vois ce superbe gars ? C'est mon neveu, David. Je lui ai proposé de venir passer l'été ici. Il doit arriver demain directement de Columbia en voiture avec tout son bazar.

— Ouah ! Bon sang !

— Ma sœur vit à Greenville. Je ne crois pas que David connaisse beaucoup de jeunes de son âge dans le coin. Vous pourriez peut-être organiser des sorties, toi et lui ?

— Ouah ! Bon sang !

C'est tout ce qu'Emily a dit. Après cela, elle n'a pratiquement pas desserré les lèvres de la soirée. Après le dîner, on a aidé Lucy à débarrasser. Et quand on a senti que le moment était venu de la laisser en tête à tête avec papa, Jim, Emily et moi on s'est esquivés.

— Anna, m'a demandé Jim, tu crois qu'ils *le* font ?

— Jim !

Emily a éclaté de rire et je me suis mise à pourchasser Jim à travers le jardin en faisant mine de le frapper.

— Tu n'es qu'un cochon !

— Emily ! A l'aide, viens défendre ton père !

— Débrouille-toi !

On a chahuté pendant un petit moment encore, puis on a fait la paix. Jim s'est planté devant le canapé. Visiblement pas emballé à l'idée de devoir y passer la nuit. Emily a dit :

— Si tu veux, je te laisse ma chambre et je dors avec maman.

Jim l'a serrée dans ses bras, plein de reconnaissance.

— Merci, fillette ! Merci d'épargner le dos de ton pauvre père !

— Hé ! Je te rappelle que ce sofa nous a coûté deux cents dollars, il y a quinze ans !

— Possible, mais il devait appartenir au marquis de Sade.

— C'est plus fort qu'elle, ma mère ne résiste pas à une bonne affaire, a commenté Emily.

On s'est dit bonsoir et quand j'ai finalement éteint la lumière, Emily et moi nous sommes retrouvées côte à côte dans le lit à parler dans le noir.

— C'était une soirée sympa.

— Oui, très.

— Au fait, t'en penses quoi de ce David ?

— Un poil guindé, mais beau gosse. Et toi ?

— C'est probablement un trou du cul. Non mais, le club de rhétorique, tu imagines ?

— Est-ce une raison pour dire « trou du cul » ?

— Oui.

Bah, du moment qu'Emily s'exprimait et me livrait le fond de sa pensée, c'était l'essentiel. Du coup, j'ai décidé de me confier, moi aussi.

— Arthur doit venir demain et je ne sais pas quoi mettre.

En réalité, c'était moins ma garde-robe que le fait qu'Arthur rapplique à la maison qui me posait un problème.

— Il faut dormir, maman, si tu ne veux pas avoir l'air d'un vieux sac défraîchi.

— Merci du compliment.

On s'est tues pendant plusieurs minutes. Il y avait une quantité de choses qui me tournaient dans la tête, mais j'étais trop fatiguée pour garder les yeux ouverts. Juste au moment où je sombrais dans le sommeil, Emily a lâché :

— Maman.

— Hum ?

— Jim est vraiment mon père ? Enfin, tu m'as comprise... Il est plutôt gay, non ? Il l'a toujours été ou bien... ?

Mes paupières se sont rouvertes d'un coup. J'ai hésité un

court instant à faire semblant de roupiller, puis je me suis jetée à l'eau.

— Enfin, en voilà une question ! Jim est plus que ton père. Il est bien plus que mon ex-mari. A présent, dodo ! On en reparlera demain.

Super !

J'ai compris que je n'arriverais pas à me rendormir. Il ne faut pas mentir. C'est mal, ai-je songé. J'ai attendu qu'Emily s'assoupisse et que sa respiration devienne régulière.

Je n'avais jamais cherché à cacher la vérité à Emily. Je ne veux faire de mal à personne ; je ne suis pas perverse. Simplement, l'occasion d'une explication ne s'était pas présentée. J'aurais dû me préparer à l'idée qu'un jour Emily finirait par me poser la question. J'ignore pourquoi je m'étais mis en tête que Jim et moi resterions à jamais un couple de divorcés lambda aux yeux du monde entier. Sauf que Jim n'avait pas vraiment fait mystère de ses penchants.

J'en discuterais avec lui le lendemain. De toute façon, il faudrait bien qu'un jour nous disions les choses à Emily. J'avais envisagé d'évoquer l'adoption. Les parents de ma génération recouraient à cette solution, tout en sachant qu'un jour peut-être leur enfant se lancerait à la recherche de ses géniteurs. Mais dans un cas comme le nôtre, que devait-on raconter ?

J'ai dit mes prières. Cela m'aidait à trouver la paix intérieure. Je n'allais peut-être pas à la messe le dimanche, mais je priais chaque soir. J'ai demandé à la Sainte Vierge ce qu'elle ferait si elle devait annoncer à sa fille qu'elle était le fruit d'un viol. Emily traversait une période difficile. A son arrivée, elle était d'une humeur de dogue et prête à mordre son entourage. Elle s'en était prise à sa grand-mère, et s'était du même coup privée de son estime et de son soutien financier. De plus, à en juger par ses remarques sur le neveu de Lucy, elle n'était pas à l'aise avec le sexe opposé.

Soudain, en la sentant qui dormait paisiblement pelotonnée contre moi, j'ai compris que j'allais devoir la protéger aussi longtemps que je le pourrais des ravages de la vérité.

19

Conférence au sommet chez Miss Mavis

J'ai passé toute la sainte journée à observer la maison des voisins et je peux vous dire qu'il s'en passe de drôles, là-dedans. Du matin au soir, cela n'a été qu'un va-et-vient de voitures. Et que je te fais claquer les portes et que je t'enguirlande. D'aucuns auraient alerté les autorités pour moins que cela.

— Oups ! ai-je lâché en rabaissant précipitamment le rideau.

Anna était en train de se rendre chez qui vous savez avec sa drôle de fille.

— Un peu plus et elle me voyait ! Ange ! Tu es là ?

— Non, Miss Mavis, je suis en route pour Charleston. Je vais voir si je ne pourrais pas nous trouver des hommes.

— Comment ? Je n'ai pas compris ce que tu as dit. Montre-toi tout de suite !

Au lieu d'ouvrir la porte pour me parler, comme une personne civilisée, Ange braillait tel un putois derrière le battant.

Enfin, elle s'est décidée à pointer son nez. Et la voilà qui me passe devant la tête haute, à la manière de la reine d'Angleterre.

— Voilà, voilà ! Qu'y a-t-il encore ?

— Emploie un autre ton ! Ramène-toi un peu par ici et dis-moi ce que tu vois.

Elle s'est postée à droite de la fenêtre et, très doucement, a tiré le coin du rideau en soutenant mon regard pour voir laquelle des deux baisserait les yeux la première. Après quoi, elle s'est approchée de la vitre et a jeté un coup d'œil, d'abord chez Anna, puis du côté de chez la gourgandine. Non, vraiment, cette fille a le don de me taper sur les nerfs.

— Je ne vois rien, Miss Mavis. A part un petit groupe de gens dans le nid d'aigle de Lucy.

— Ce n'est pas un *nid d'aigle*, c'est une terrasse.

— A mon avis, ils admirent le coucher de soleil. Il n'y a aucun mal à ça, que je sache ?

Non, évidemment !

— Comme toujours, je suppose que c'est toi qui as raison, Ange. Depuis que son bon à rien de mari l'a plaquée, Lucy passe sa vie à se morfondre sur ce balcon. Et vas-y que je te sanglote ! C'est moi qui suis trop sévère, au fond, et qui me mêle de ce qui ne me regarde pas. Même Marie-Madeleine avait besoin d'amis, non ?

— Miss Mavis, honte à vous !

D'un seul coup, j'ai regretté de ne pas pouvoir y grimper, moi aussi, sur ce balcon. Mais j'étais d'une constitution trop délicate pour entreprendre pareille expédition. Passé un certain âge, il y a des plaisirs qu'il vaut mieux se refuser si on ne veut pas se casser le cou.

— Enfin, ma mère s'amusait à lancer : « Dis-moi qui sont tes amis et je te dirai qui tu es. » L'idée qu'Anna ternisse sa réputation en fréquentant cette, cette…

— Mais enfin, Miss Mavis ! Personne, hormis vous et moi, n'est au courant. Et puis Anna est assez grande pour savoir ce qu'elle fait, non ?

— Je n'en suis pas si sûre ! Tu te rappelles, dimanche dernier, quand nous lui avons parlé de sa mère ?

— C'est vrai qu'elle a affiché une drôle de tête. On aurait dit qu'elle ne voulait pas qu'on lui raconte que sa maman était une brave femme. C'est à se demander ce qu'on lui a fourré dans le crâne à cette petite !

— Voilà *précisément* où je voulais en venir ! Les morts ne peuvent pas se défendre. Et quand bien même Mary Beth aurait été surprise entre les bras d'un autre homme ?

— Absolument ! Vous avez mille fois raisons !

— Ne pointe pas du doigt vers moi, Ange. Ça ne se fait pas.

— Hum. Je...

Je ne l'ai pas laissée finir. Non mais ! Ange était mon employée. C'était à moi de décider si elle pouvait ou non prendre la parole. Je me suis assise dans mon fauteuil relax et lui ai fait signe de s'installer sur le canapé.

— Je m'en souviens ! Oui, parfaitement, même ! Mary Beth était une gentille fille, mariée avec ce vieux machin. Percy et moi avons essayé de devenir amis avec elle, pas vrai ?

— Oui, Miss Mavis. Et je pourrais vous livrer une information que je n'ai dévoilée à personne.

— Quoi donc ?

Ange a pincé les lèvres, songeuse.

— J'ai dit que je *pourrais*.

— J'ai compris, merci ! Parle ! Qu'est-ce que tu attends ?

— Ça vient ! Une fois, donc, mon neveu est venu me trouver parce que sa voiture était à la fourrière et qu'il n'avait pas d'argent pour la récupérer. Il m'a attendue dans l'allée pendant que j'allais chercher mon chéquier. Là-dessus, Mary Beth est arrivée et je lui ai tout raconté. Puis elle est rentrée chez elle. Et quand je suis ressortie, mon neveu m'a dit qu'il n'avait pas besoin de cent dollars, parce que Mary Beth lui en avait déjà donné cinquante et que cinquante suffisaient.

— Il s'est permis d'emprunter de l'argent à la voisine ! Quel culot ! Mais où diable a-t-elle trouvé l'argent ? Elle n'en avait pas !

— Ah, vous voyez que vous ne savez pas tout ! Plus tard, Mary Beth m'a avoué qu'elle faisait les poches de son mari et ramassait les pièces égarées entre les coussins du canapé – parfois, elle se servait dans son portefeuille. Et ainsi, au fil des ans, elle a réussi à économiser trois cents dollars. Quand j'ai avancé qu'elle n'aurait pas dû dépanner mon neveu, parce qu'il n'avait pas de quoi la rembourser, elle a répondu qu'elle n'avait pas de neveu et que comme le mien venait juste de se marier, cela lui faisait de la peine pour lui.

— Tu vois qu'elle avait un bon fond ! Elle désirait entreprendre des études, mais Doc l'en a empêchée.

— Ouais, parce qu'il avait la frousse qu'elle le quitte pour un homme plus jeune !

— Ça, Ange, je n'en mettrais pas ma main à couper ! Mais

va savoir ce qui se passe dans la tête des hommes ! Etais-tu au courant que Mary Beth souhaitait devenir infirmière pour s'occuper de personnes âgées ? Ce n'est pas exactement le genre de métier qu'aurait choisi une fille aux dents longues, si ? Elle travaillait comme bénévole dans une maison de retraite de Charleston, où elle faisait la lecture à des vieilles dames comme toi et moi. C'est ainsi qu'elle a connu le pharmacien.

— Un drôle de zigoto, vous avouerez.

— Voyons, Ange, réfléchis. Il était jeune, comme elle, et avec lui elle se sentait belle et désirable. Certes, elle n'aurait pas dû avoir cette aventure avec lui, mais j'ai toujours pensé que si elle n'était pas décédée, elle aurait fini par quitter le Dr Douglas Lutz. Comme Audrey Hepburn dans *Diamants sur canapé*, sauf qu'Hepburn ne meurt pas d'une overdose, au lit, en compagnie d'un pharmacien. C'est terrible de disparaître quand on est aussi jeune et jolie. Pauvre Anna. Ça me donne envie de pleurer, quand j'y pense.

— Gardez vos larmes, Miss Mavis. Je crois qu'Anna n'est pas à plaindre. D'aucuns s'en sortent seuls ! Anna a sa fille avec elle, maintenant, et un tas de gens viennent la voir. Vous et moi n'aimons pas trop Lucy, mais Anna est assez grande pour choisir ses amis.

— Je sais, je sais.

— Et si elle veut en savoir plus sur sa mère, elle n'a qu'à demander. Moi, je pense que pour rester en bons termes avec les voisins, il ne faut pas fourrer son nez dans leurs affaires.

Ange avait raison. Elle a commencé à retaper les coussins et à les disposer proprement sur le canapé. Sur chacun figurait une petite maxime brodée, du style : « Je ne répète jamais les cancans, alors écoutez bien. » Et aussi : « Si vous voulez avoir la meilleure place de la maison, virez le chat. » Je les adorais, ces coussins.

20

Sur le gril

Je sais que vous n'allez pas me croire, mais c'est la pure vérité. Ce matin-là, en sortant pour arroser les plantes, j'ai failli tomber à la renverse. Les minuscules pousses qui, la veille encore, pointaient timidement le bout de leur nez, avaient foisonné jusqu'à former un luxuriant tapis de fleurs. Sur le coup, j'ai pensé qu'un plaisantin s'était faufilé en cati-mini dans le jardin en pleine nuit pour garnir les plates-bandes. Sceptique, j'ai inspecté le terreau et le paillis. Rien n'avait bougé.

J'ai fait le tour de la maison pour jeter un coup d'œil au rosier grimpant offert par Miss Mavis. Sans aller jusqu'à tapisser le mur, il s'était étoffé et lançait ses ramures à l'assaut du compteur. Mais comment était-ce possible ? Quant au chèvrefeuille, il s'était lui aussi répandu. Tout ce que j'avais planté poussait comme du chiendent ! J'ai éclaté de rire. C'était incompréhensible. Etait-ce un mystérieux cadeau du grand manitou des Basses Terres ? Je me suis demandé si les autres décèleraient un changement ou si les végétaux avaient commencé à croître sans que je m'en sois aperçue. Après avoir branché le système d'arrosage, j'ai décidé d'aller acheter le journal du dimanche, des œufs et du bacon.

Il n'était que sept heures et demie et personne n'était levé. J'ai mis la voiture en marche arrière pour descendre l'allée aussi discrètement que possible puis j'ai filé chez Red and White.

Le programme du jour était un solide petit déjeuner, suivi d'une visite au salon de coiffure. J'avais hâte de le montrer à Emily. Au prix d'un effort surhumain, nous avions terminé les aménagements juste à temps. J'avais demandé à Bettina et Brigitte d'appeler les clientes chaque fois qu'elles auraient un moment et avais fait de même de mon côté, et le carnet de rendez-vous était plein.

Juste avant d'entrer dans le parking du supermarché, j'ai bifurqué et pris la direction de The Palms. L'aire de stationnement était déserte. J'ai inspecté les commerces alentour. Rien à redire. Vitrines pimpantes, voisinage impeccable. L'enseigne avait été installée la veille : The Palms, salon de coiffure et de beauté. J'ai jeté un coup d'œil dans la vitrine. *Que c'était beau !* Les fauteuils, parfaitement alignés, attendaient qu'on les occupe. Tout paraissait frais et neuf. Les flacons étaient rangés sur les étagères. Pour décorer les murs, nous avions accroché les paniers que Mlle Ange m'avait laissés en dépôt. Ils donnaient à l'ensemble un air cossu et sophistiqué. La veilleuse, restée allumée, répandait une lumière douce et accueillante. Je sais que c'est idiot, mais j'étais si fière que je n'ai pas pu m'empêcher de lancer :

— The Palms, salon de coiffure et de beauté !

L'appellation était un peu excessive, dans la mesure où le seul soin du corps dispensé était l'épilation à la cire chaude ou froide. Mais j'avais des projets. Au cas où les gens qui tenaient la carterie voisine envisageraient de partir, j'étais prête à reprendre les locaux pour y installer une équipe d'esthéticiennes capables de redonner une peau de bébé à la terre entière – tout au moins aux touristes de passage qui rôtissaient à longueur de journée sur la plage. Il existait des traitements fantastiques pour les coups de soleil, tels les cataplasmes à l'aloès. Sans parler des massages ni des enveloppements ; mais chaque chose en son temps. Et tout d'abord, le petit déjeuner.

L'odeur de bacon grillé a attiré Emily et Jim à la cuisine.

— Salut, maman, qu'est-ce que tu nous as préparé de bon à manger ?

Elle m'a passé les bras autour des épaules et attirée contre elle.

— T'aurais pas du café ?

— La cafetière est là-bas. Je pense que ton père en voudra aussi.

Brusquement, la conversation de la veille au soir m'est revenue. Dieu merci, Emily n'y avait pas fait allusion ! Comme tout un chacun, son premier souci au réveil était d'avaler une bonne tasse de café pour pouvoir dissiper les vapeurs du sommeil et affronter la journée. Avec un peu de chance, elle avait oublié – quoique ce soit peu probable.

— As-tu pensé à acheter le journal ? a demandé Jim.

Il était en caleçon et tee-shirt. Il a tendu la main pour saisir une tranche de bacon sur le papier absorbant, mais je l'ai repoussé d'une tape.

— Pas touche. Le journal est sur la table.

J'adore le petit déjeuner ; je ne veux pas parler de ces repas diététiques dans la composition desquels n'entrent que des fibres, des fruits frais et autres stimulants du transit, mais de bacon (bien gras), de saucisses, de gruau de maïs, d'œufs brouillés, de scones dégoulinants de beurre fondu et de grandes lampées d'excellent café. En temps normal, je ne cuisine pas le matin. Pourquoi me casserais-je la tête quand je suis seule ? Mais quand la maison est pleine, cela me donne envie de mettre les petits plats dans les grands.

— A table, tout le monde ! Le porridge va refroidir !

On s'est assis et dès les premières bouchées, la conversation a démarré.

— Alors ? Quels sont tes projets ? s'est enquis Jim. Passe-moi la confiture, s'il te plaît.

J'ai poussé le pot de fraise dans sa direction. Quand il a plongé la main dans la corbeille pour prendre un petit pain, il a poussé un cri comme si une guêpe l'avait piqué.

— Arrgh ! Qu'est-ce que c'est que ça ?

Jim avait attrapé le fossile marin que j'avais mis au fond du panier. Je l'avais passé au four avec les scones, puis glissé au milieu d'eux pour les garder au chaud. En temps normal, je l'enveloppais dans une serviette, mais comme j'étais pressée, je l'avais utilisé tel quel.

— Ça va aller ? ai-je demandé en me levant précipitamment pour aller chercher de la glace.

— Oui. Reste assise !

J'étais déjà debout, en train d'extraire des cubes du congélateur pour les mettre dans un sachet en plastique.

— C'est quoi, ce machin ? Une arme de guerre ?

— Un chauffe-plat. Il faut que je dépose un brevet.

— Il n'y a que maman pour imaginer des trucs pareils...

— Toi, gamine, on ne t'a pas sonnée. Tiens, applique ça sur ta main pendant quelques minutes.

J'ai tendu le sachet plein de glaçons à Jim.

— Ça va, je t'assure.

— Mangez ! Vous aurez besoin de vos forces !

— Pourquoi ? Quel est le programme ? Au fait, on a du J.O. ?

— Zut ! J'ai oublié le jus d'orange. En fait, c'est trop diététique. Après le petit déjeuner, je vous emmène voir le salon !

— Chouette ! s'est écriée Emily.

— On va mettre la dernière main à la décoration et ce soir, on fait un barbecue dans le jardin. Avec Arthur.

— Dois-je me cacher sous le lit ?

— Très drôle. Mais non, il n'est pas du genre à se formaliser.

— Dans ce cas, je tiendrai la chandelle et vous surveillerai de près, pour m'assurer que vous ne faites pas de bêtises.

— Trop aimable.

Le repas a été avalé en dix fois moins de temps qu'il ne m'en avait fallu pour le préparer. Voilà pourquoi je n'aime pas cuisiner. D'abord, il faut faire les courses, puis tout rapporter à la maison, ranger les provisions dans les placards et les ressortir presque aussitôt pour les mettre à cuire. Enfin, hop ! A peine posés sur la table, les plats disparaissent, engloutis en un clin d'œil. Après quoi il faut débarrasser, faire la vaisselle, récurer les casseroles et sortir la poubelle. Rien que d'y penser, cela me donnait envie de bâiller. Mais j'avais beau ronchonner intérieurement, j'étais ravie que Jim et Emily se soient régalés. L'espace d'un instant, j'ai eu l'impression que nous étions une de ces familles idéales, typiques des séries télévisées des années cinquante – à ceci près qu'Emily aurait pu chanter dans les chœurs de Marilyn Manson et Jim servir de doublure à Barbra Streisand.

Une fois la cuisine en état et les lits faits, on s'est habillés. Puis j'ai appelé Lucy pour lui proposer de nous accompagner.

— Ça t'ennuie si je vous retrouve là-bas un peu plus tard ? David vient de me confirmer son arrivée.

— Pas de problème. Tu as besoin de quelque chose ?

— Non, merci. J'ai acheté de quoi nourrir et abreuver une équipe de foot ! Tu sais comment sont les garçons, ils dévorent !

— Parfait, à plus !

Juste au moment où je raccrochais, j'ai aperçu une Saab rouge qui remontait l'allée de Lucy.

— Emily, viens voir !

Elle était dans le dressing en train de chercher quelque chose à se mettre.

— Qu'est-ce…

Telles deux espionnes, on a discrètement tiré le rideau pour observer le fameux David. Il est descendu de voiture et s'est étiré.

— Ouah ! Il déchire !

— C'est vrai qu'il vaut le coup de fusil.

Emily m'a fait les gros yeux et nous avons éclaté de rire.

— Maman ! Cochonne !

— Jamais de la vie ! Enfin, un peu quand même. Allons, viens, on a encore tant de choses à faire !

— Tu me laisses une seconde ? Il faut que je me change.

— Pas de problème.

Apparemment, Emily avait décidé qu'un jean élimé et un tee-shirt noir Grateful Dead n'étaient pas ce qu'il y avait de mieux pour provoquer le beau mâle qui venait de débarquer chez la voisine en émettant des vibrations animales propres à transpercer les murs. Quelque chose me disait que ma fille ne tarderait pas à se révéler à moi sous un nouveau jour. Si je n'avais pas été sa mère, j'aurais sans doute trouvé la chose amusante. Mais nous venions juste de nous rabibocher et je n'avais pas le cœur à rire.

— Tu crois que papa voudra bien qu'on prenne sa décapotable ?

— On va le lui demander.

— Ce serait chouette, non ?

— Si.

— Et c'est moi qui vais conduire.

J'ai pris conscience que j'étais mal à l'aise, exactement comme l'avait été mon père quand j'avais commencé à m'éveiller à la sexualité. Mais plutôt que de jouer les rabat-joie, j'ai opté pour la discrétion.

J'ignore si David nous a observés quand nous sommes montés dans la voiture de Jim, mais Emily a tout fait pour attirer son regard en prenant des poses avantageuses. Quelque part, dans ses valises, elle avait repêché un jean serré et un tee-shirt blanc moulant. Après s'être débarrassée de la plupart de ses piercings, elle a rassemblé ses cheveux sous une casquette de base-ball et mis des lunettes de soleil. Allez savoir pourquoi, j'ai pensé que David ne la trouverait peut-être pas à son goût. Pire même, j'ai songé que s'il ne tombait pas immédiatement amoureux d'Emily, je les maudirais, lui, Lucy et tous leurs ancêtres jusqu'à la génération de la grande famine.

Nous n'avons pas réussi à dépasser le trente kilomètres à l'heure sur la courte distance qui nous séparait du salon. Il y avait un trafic monstrueux, comme chaque fois qu'il faisait un temps radieux et que les gens se ruaient vers la plage. C'était ma saison préférée. Celle où les femmes espèrent rencontrer l'amour de leur vie et se font faire les racines – voire un balayage – pour ressembler à Glenn Close ou Gwyneth Paltrow, ou n'importe quelle star faisant la couverture des magazines de télévision. Je brûlais d'impatience de les recevoir à The Palms.

— A quoi penses-tu ? m'a demandé Jim.

— A rien. Je me dis que je suis la personne la plus heureuse de la terre.

— Fais gaffe, maman. L'optimisme tue.

Comme je n'étais pas certaine de ce qu'Emily entendait par là, je me suis contentée de répondre :

— Merci du conseil. Je vais tâcher de dispenser mon optimisme à petites doses.

Jim a garé la voiture devant le salon, et Emily et lui se sont approchés de la vitrine pendant que je cherchais les clés dans mon sac. J'ai ouvert la porte, désactivé l'alarme et mis la lumière.

— C'est superbe ! s'est exclamé Jim.

— Trop cool ! a lâché Emily.

Elle s'est laissée tomber dans l'un des fauteuils en imitation léopard et l'a fait tourner.

— J'adore !

Jim a arpenté la boutique de bout en bout, inspecté les flacons et les accessoires, puis a pris une longue inspiration comme s'il allait dire quelque chose.

— Qu'est-ce qui te chiffonne ? Allez, avoue.

— Tu veux l'avis d'un businessman ? C'est fabuleux, génial ! *Mais !* Trop propre, trop neuf, trop classique, en somme. Ça aurait besoin d'un supplément d'âme.

— Quoi, par exemple ?

Sachez que n'importe qui d'autre me balançant cette remarque aurait immédiatement reçu un crochet du gauche. Mais Jim était un visionnaire et je pouvais lui faire confiance.

— Laisse-moi te faire la surprise, d'accord ? Tu restes ici et tu t'occupes pendant qu'Emily et moi achetons deux ou trois bricoles.

— Si tu insistes. Mais avant, ramène-moi à la maison pour que je prenne ma voiture.

— On y va.

En chemin, j'étais sur des charbons ardents. Je n'avais pas la moindre idée de ce que Jim avait en tête. Mais quelle importance, au fond, dès l'instant que je pouvais compter sur lui, quoi qu'il arrive. J'allais me laver les cheveux, me maquiller, puis aller faire les courses pour le dîner galant avec Arthur – plus exactement, la soirée familiale à laquelle je l'avais convié pour me faire pardonner le déplorable incident du High Cotton.

— Laisse-nous deux heures !

— Prenez-en trois ! Merci ! A plus !

Il était midi. J'ai appelé Lucy pour l'avertir que nous avions retardé la visite du salon.

— L'endroit a été investi par Emily et Jim jusqu'à nouvel ordre. Je crois qu'il veut y rajouter sa touche – déplacer un ou deux trucs pour créer une ambiance d'enfer.

255

— Pas de problème ! David est toujours à table ! Il vient d'attaquer son sixième sandwich !

— J'ai hâte de découvrir ce que Jim nous prépare ! En attendant, je vais m'occuper du dîner avec Arthur. Je suis passée à la boucherie new-yorkaise, hier, et je l'ai dévalisée.

— La boucherie new-yorkaise !

— J'ai le béguin pour Bill, le patron. Je lui ai dit : « Je crois que l'homme de ma vie vient dîner demain soir. Auriez-vous un morceau succulent que je puisse mettre sur le gril pour qu'il tombe raide amoureux de moi ? » Il m'a répondu : « Quoi qu'il arrive, ne laissez pas cuire la viande trop longtemps. » J'ai obtempéré. Sans même le vouloir, j'ai pris l'accent de New York. C'est drôle, quand je m'adresse à ce gars, j'ai l'impression d'avoir affaire à une star, comme Al Pacino ou Tom Brokaw. C'est idiot, non ?

— Tom Brokaw ! Anna, tu es sûre que tu n'es pas allergique au pollen ? Si j'étais toi je prendrais un antihistaminique !

Parfois, Lucy était d'une bêtise à pleurer !

— Je verrai ça. En attendant, je file acheter de la salade, de la crème fraîche et autres bricoles au Cochon zélé. A mon retour, on ira au salon, d'accord ?

— D'accord. Au fait, qu'as-tu prévu de bon à manger ?

— Hum, voyons. J'ai acheté un assortiment de saucisses nature aux herbes, ail et basilic, et de saucisses de volaille aux pommes et aux oignons. Elles sont *divines* ! Et puis j'ai pris des minuscules côtelettes d'agneau de Nouvelle-Zélande et des escalopes de porc farcies à la mozzarelle, à l'ail et au romarin. Je vais servir tout ça grillé, avec des pommes de terre en robe des champs et une énorme salade. Et si Arthur n'est pas complètement conquis, je ne sais pas ce qu'il lui faut.

— As-tu pensé à ce que tu allais mettre pour le rendre fou ?

— Non. Mais le premier truc propre sur lequel je tombe fera l'affaire. Peut-être devrais-je acheter un tee-shirt neuf chez le Cochon zélé, tout de même. Tu ne crois pas ?

— Non, tu ferais mieux de t'arrêter chez Banana Republic et de choisir quelque chose d'un peu sexy, genre décolleté en V et minijupe.

— Si j'ai le temps. On verra.

Et pourquoi pas un string léopard et un Wonderbra, pendant que tu y es ? Non mais, tu me vois servant à dîner avec les nichons montés sur coussins d'air ? pensai-je. D'accord, la terre entière est obsédée par le sex-appeal et je reconnais que je fais le commerce des soins de beauté, mais ce n'est que parce qu'il faut faire bouillir la marmite. Quand on me demande une coupe, je coupe ; une couleur, je colore ; un dégradé, je dégrade. Mais je ne suis pas de celles qui fichent exprès des complexes aux clientes pour pouvoir leur vendre n'importe quoi. Je m'en tiens aux conseils de base pour obtenir une jolie peau et de beaux cheveux. Est-ce une raison pour me traiter de réac ?

Pendant que je déambulais dans les allées du Cochon zélé, j'ai essayé de comprendre le pourquoi du comment. Et j'en suis venue à la conclusion que j'étais vieux jeu parce que j'avais vécu trop longtemps sous le même toit que mon père. C'était l'homme le plus conservateur de la planète, fiable et courtois – et le fait est que j'ai longtemps cru que c'était une bonne chose. Mais cherchait-il pour autant la compagnie de femmes qui lui ressemblaient ? Pas du tout. Les dames comme il faut se jetaient à son cou, convaincues qu'ils étaient faits pour s'entendre. En pure perte. Car celles qui attiraient papa étaient aux antipodes de ces rombières guindées. Il aimait les reines de beauté, comme maman, ou les Pamela Anderson, comme Lucy.

Oui, il avait un penchant très net pour les beautés factices – comme la plupart des hommes, du reste. Sans doute étais-je une de ces gourdes qui plaçaient le fond avant la forme et l'élégance avant la mode. Mais la question était : mon amour-propre me tenait-il chaud, la nuit ? Mon infrangible code de conduite m'aidait-il à vivre ? J'étais forcée de me rendre à l'évidence. Ou je desserrais d'un cran le carcan qui m'oppressait ou je finirais mes jours vieille fille. Je suis passée à la caisse et j'ai filé chez Belk.

Bon, je reconnais que ce n'est pas le magasin le plus sexy du monde, mais on y trouve quand même des fringues sympas pour femmes raisonnables. Après un rapide survol du rayon Ralph Lauren, j'ai compris qu'il me fallait autre chose qu'un pantalon noir et un haut assorti. Au diable la sagesse ! J'ai traversé le boulevard et filé chez Banana Republic. Je voulais un truc jeune. J'avais l'impression que tous les articles étaient au même prix. Une demi-heure plus tard, je suis ressortie avec un débardeur à fines bretelles bleu turquoise, un cardigan assorti, une minijupe en coton beige fendue et des sandales à semelle compensée turquoise. Je trouvais que j'avais l'air d'une p..., bien que la vendeuse m'ait affirmé que sa mère portait la même chose. Sa remarque n'avait suscité chez moi qu'un léger haussement du sourcil gauche. (Petite note à l'intention de celles qui envisagent d'ouvrir un commerce de prêt-à-porter : coupez la langue aux vendeuses débutantes de moins de vingt-deux ans. Une petite tape, de temps en temps, pour les rappeler à l'ordre est également conseillée.)

Je suis rentrée à la maison et ai étalé ma moisson sur le lit pour l'examiner. Quoi ! J'avais dépensé plus de deux cents dollars pour ce malheureux bout de chiffon et de cuir ! J'étais zinzin ou quoi ?

— Et tu t'étonnes d'être célibataire ! me suis-je exclamée pour moi-même.

Que diraient Emily et Jim ? Ils avaient intérêt à la fermer s'ils voulaient avoir à dîner. Il était trois heures et demie. J'ai appelé Jim sur son portable.

— Salut ! Quelles sont les nouvelles du front ?

J'entendais des coups de marteau au loin. Mais qu'est-ce qu'il pouvait bien fabriquer ?

— Tout va bien ! Au fait, il m'est venu une idée...

— Sans blague !

— Si on prenait l'apéritif ici ? Qu'en dis-tu ? J'ai acheté du champagne et du pâté pour faire des canapés...

Bang ! Bang ! Boum ! Brrr !

— Jim, c'est une impression ou je perçois le bruit d'une scie sauteuse ?

— C'en est une. Mais un petit modèle. Alors ? On se retrouve vers cinq heures, cinq heures et demie ?

Jim avait beau garder la main sur le combiné pour étouffer le son, j'ai entendu un type qui lui demandait : « Monsieur Abbot, où voulez-vous le raccordement pour la machine à café ? » Mon cœur s'est mis à battre la chamade. Puis un autre a lâché : « Vous voulez bien venir jeter un coup d'œil au présentoir à magazines ? »

De toute façon il était trop tard pour que je m'affole. J'ai pris une longue inspiration et dit :

— Va pour cinq heures et demie.

Quand j'ai rappelé Lucy pour lui annoncer qu'elle pouvait prendre son temps et que nous irions au salon en chœur quand Arthur serait arrivé, elle a répondu :

— Ça m'arrange. David est toujours à table.

En m'habillant, j'ai remercié le ciel de m'avoir donné une fille et non une créature insatiable comme ce David. Puis je me suis mise à penser à Arthur, pour essayer d'oublier les folles métamorphoses que Jim était en train de faire subir au salon. Quel que soit le résultat, je devrais m'extasier et crier au génie, quitte à changer plus tard, si cela ne me plaisait pas.

Quand la sonnette de la porte d'entrée a retenti, mes joues et ma nuque se sont embrasées. Vite un petit coup d'œil dans le miroir, une goutte de Chanel N° 5 dans le cou, et je vais ouvrir la porte. Arthur avait apporté un de ces bouquets de fleurs préemballés comme on en vend dans les supérettes et un paquet enveloppé dans du papier blanc. Même à travers la porte grillagée, j'ai senti qu'il s'était parfumé.

— Coucou ! Entrez.

— Ouah ! Vous êtes rayonnante ! Superbe !

— Vraiment ?

Ouf ! Je respire. Ça veut dire que je n'ai pas l'air trop tarte, me suis-je dit.

— Absolument. Tenez, pour vous ; j'ai également apporté du fromage.

— Merci ! C'est trop gentil !

Brusquement, j'ai été prise de panique. Devais-je inviter Arthur à s'asseoir sur le canapé ou lui faire les honneurs de mon trois-pièces cuisine, salle de bains ?

Prie-le d'entrer, grande courge, et de déboucher la bouteille, ai-je songé.

Bien sûr. Où avais-je la tête ?

— Entrez donc ; je vais vous laisser vous charger du vin.

Pour l'amour du ciel, Anna, ne l'emmène pas voir les chambres à coucher ! ai-je enfin réfléchi.

Arthur m'a suivie jusqu'à la cuisine. J'ai ouvert le réfrigérateur et me suis penchée en avant pour pendre une bouteille sur l'étagère du bas. Au même moment, j'ai réalisé que ma position devait révéler mon popotin. Comme je tirais sur ma jupe, j'ai senti la main d'Arthur sur mon poignet.

— N'ayez crainte, je n'ai pas vu votre ravissante petite... euh, culotte en dentelle beige. Je suis un gentleman, vous savez.

Je me suis relevée lentement et retournée pour le regarder. J'éprouvais des fourmillements dans tout le corps. J'étais à la fois mortifiée et excitée. Cet Arthur était le mâle le plus attirant qu'il m'ait été donné de croiser depuis des années. En outre, il avait pris la peine de se doucher et de se parfumer pour moi. La nuit s'annonçait torride. Hou ! hou ! Anna. On se calme.

Il se tenait près de moi et je sentais la chaleur irradier de son corps.

— La cuisine est un peu exiguë, ai-je glissé. Et je n'ai pas l'habitude de porter des jupes. Le tire-bouchon est là.

J'ai pointé du doigt vers le tiroir en me mordillant la lèvre. J'avais l'impression que mon cœur lâcherait d'une minute à l'autre.

— Vos désirs sont des ordres !

Il a éclaté de rire et moi aussi.

— D'accord. Je sais que vous me prenez pour une ivrogne. Mais s'il vous plaît, n'allez pas en plus vous imaginer que je suis une fille facile.

Bon sang, les hommes ! ai-je explosé en moi-même.

— Ecoutez-moi, Anna, a repris Arthur en fouillant dans le tiroir. Vous et moi savons pertinemment qu'il y a de l'action dans l'air, et que nous n'arriverons pas à nous concentrer tant que nous n'aurons pas assouvi notre curiosité.

— Minute, Casanova ! ai-je répliqué avec un à-propos que je trouvais irrésistible. L'action dans l'air, soit, mais les préambules, ce n'est pas mal non plus. Ce ne serait pas plus rigolo de prendre le temps de fantasmer un peu ?

Bien parlé, Anna ! me suis-je félicitée en silence.

— J'ai déjà fait ça hier, a-t-il renchéri en faisant sauter le bouchon. Où sont votre fille et Jim ?

— Au salon. Pourquoi ?

Il a rempli les deux verres que j'avais posés devant lui. Quelle question idiote. *Pourquoi ? Pourquoi ? Pourquoi ?*

— Parce que ça m'ennuierait qu'ils rappliquent juste au moment où, hum...

Bon, du moins Arthur avait-il la correction de parler par sous-entendus plutôt que de lâcher carrément : « Je n'ai pas envie qu'ils rappliquent juste au moment où je passe une main sous ton pull. »

— Où ?

— J'avais envie qu'on passe un petit moment seuls, toi et moi. Je sais qu'on dirait une réplique tirée d'un dialogue entre Humphrey Bogart et Lauren Bacall, mais je n'ai pas pu fermer l'œil de la nuit. Je n'ai pas arrêté de penser à toi. Comment dire ? Tu dégages un je-ne-sais-quoi qui... Tu ne ressembles à aucune fille que j'ai connue.

Mes sourcils se sont haussés malgré moi. *Je ne ressemblais à aucune autre fille.* J'étais à deux doigts de fondre quand Arthur a ajouté :

— A part Sheila. Quelle femme ! Et puis Andrea ! Andrea était...

Le regard d'Arthur s'est perdu dans le lointain.

— Tu sais que tu es un drôle de phénomène, ai-je rétorqué en riant.

Il avait des fossettes.

— Et en route pour une nouvelle aventure !

— On verra. Santé !

J'adore les fossettes.

On a trinqué en se regardant dans les yeux. Cette histoire s'annonçait torride. J'ai reposé mon verre et précisé :

— J'ai promis à la voisine que je l'appellerais quand nous serions prêts à aller au salon. Emily et Jim sont en train de préparer des cocktails. L'apéritif est à cinq heures et demie. Ils ont passé l'après-midi à faire de la décoration.

Arthur m'a attrapée par la taille et attirée contre lui. Bon Dieu, ce que c'était excitant ! Il a humé mes cheveux, puis effleuré ma tête d'un baiser. Exquis.

— Dans ce cas, ils vont devoir attendre. D'accord ?

Il m'a repoussée légèrement pour me regarder en face.

— Bah, cinq minutes de plus ou de moins...

— On va emporter le fromage !

— Euh... oui...

Maudit fromage ! Jim en avait acheté. Non, du pâté. Mais quelle importance ? J'avais envie de me pelotonner entre les bras d'Arthur pour qu'il m'y retienne prisonnière. Puis je voulais me laisser tomber à terre et l'entraîner dans ma chute. Au fond, ce que j'éprouvais là n'était rien d'autre que de la concupiscence. Et pourquoi pas ? L'attirance sexuelle était une chose délicieuse, une alchimie qui permettait aux espèces d'assurer leur survie. C'était la preuve que le bien et le mal, le paradis et l'enfer existaient.

— Je crois qu'on ferait mieux d'y aller avant qu'il ne soit trop tard, ai-je suggéré.

— Vraiment ?

Le destin s'en est mêlé, sous les traits de Lucy et David, qui frappaient à la porte d'entrée en se manifestant bruyamment.

— Hou ! hou ! Alors ! On y va ? a lancé Lucy.

Au son de sa voix, j'ai compris qu'elle était entrée et se dirigeait vers la cuisine, comme si elle avait été naturellement équipée d'un détecteur de chaleur. Arthur et moi nous sommes séparés et éloignés l'un de l'autre en toussotant et en esquissant un sourire poli, comme il est d'usage en pareille circonstance.

— On est ici ! Vous voulez un verre de vin ?

— Est-ce qu'on a le temps ? La bouteille est déjà débouchée ? Salut tout le monde, je vous présente David ! Mon neveu !

Dès que ce dernier est entré, j'ai lâché :

— Toi, mon gaillard, je te défends de t'approcher de ma fille.

— Anna ! s'est exclamée Lucy. Tu ne le penses pas sérieusement ?

— Mais non, je plaisante. David, ravie de faire ta connaissance. Voici Arthur.

Mais je ne plaisantais pas du tout. Un beau gosse comme ça ne pouvait que nous attirer des ennuis.

21

Un petit coup de main

On s'est entassés tous les quatre dans la voiture d'Arthur et en un clin d'œil on était au salon. Non pas qu'Arthur ait écrasé le champignon, simplement, on était si occupés à papoter qu'on n'a pas vu le temps passer. Chacun de nous était sur des charbons ardents pour différentes raisons.

Lucy était à la fois impatiente de présenter David à Emily et de découvrir les changements apportés à The Palms. David était curieux de rencontrer Emily. Arthur faisait mine de s'intéresser au salon, mais uniquement par politesse. Quant à moi, même si j'avais hâte de voir les miracles accomplis par Jim, j'étais beaucoup plus intriguée par la façon dont la soirée se conclurait avec Arthur. Ce type était chaud comme la braise et je sentais confusément que la journée serait à marquer d'une pierre blanche.

La conversation allant bon train, je n'ai pas remarqué que quelque chose avait changé quand nous nous sommes garés. Ce n'est que lorsque j'ai saisi l'expression de surprise sur le visage de Lucy que j'ai réalisé. Je me suis tournée. J'ai eu un tel choc en regardant la devanture de The Palms que j'ai failli tomber dans les pommes. Sans blague, elle était méconnaissable.

Deux gigantesques pots d'argile habillés de bambou et de chanvre, et contenant chacun un palmier nain qui avait dû coûter une fortune, trônaient sur le devant de la boutique. La marquise en toile et aluminium, destinée à abriter les clientes en cas d'averse, était à présent recouverte d'un épais dais de palmes. Et ce n'est pas tout ! Vous vous rappelez que la baie vitrée dévoilait le comptoir de la réception, la salle d'attente et le coin boutique aux passants ? Eh bien, à présent, une haie tapissait la vitrine, ne laissant rien deviner de ce qui se cachait derrière. J'ai pris une longue inspiration, puis une autre.

— C'est ça, a glissé Lucy en me tapotant doucement le bras. Respire bien fort.

Si même Lucy avait des doutes, alors vous imaginez dans quel état j'étais !

— Cool, a commenté Arthur.

On est entrés en se faufilant entre les beaux gosses qui allaient et venaient, les bras chargés d'outils, de câbles et de sacs de gravats. Ils en étaient manifestement aux finitions. Ces types étaient beaucoup trop propres sur eux – tee-shirt moulant et coupe impeccable – pour ne pas être des amis de Jim.

— Pardon, madame. Pouvez-vous reculer un peu pour que je fasse passer ceci par la porte ?

Au bas mot, il devait y en avoir une quinzaine qui s'affairaient. Jim était invisible, mais Emily est arrivée en courant, les joues roses d'excitation.

— C'est génial, non ? Viens voir, maman !

— C'est fabuleux ! a lâché Lucy.

Mes pieds refusaient de m'obéir. J'étais abasourdie. Mieux même, bluffée ! Notre salon au décor minimaliste s'était comme par miracle métamorphosé en une sorte de jungle high-tech. A gauche de la porte d'entrée, le mur, couvert de bambou, supportait d'épaisses étagères de verre retenues par des câbles en acier brossé. Sur chacune trônait un panier dans lequel on avait disposé des marchandises. On avait envie de toutes les acheter pour les rapporter chez soi.

L'éclairage y était pour beaucoup. J'ai levé la tête et aperçu de minuscules spots arrimés au plafond par des câbles mobiles qui permettaient d'orienter le faisceau dans n'importe quelle direction. Ils répandaient une lumière ambrée qui faisait ressortir les tons chauds du treillage végétal. Sur la gauche, se dressait un bahut en acier très design. Au-dessus, un percolateur rutilant, digne d'un restaurant, accrochait le regard. De part et d'autre, d'étroites étagères en verre supportaient d'élégantes tasses noires et divers accessoires chromés, tels que sucrier et pot range-cuillères. J'ai ouvert les portes du meuble. L'une d'elles renfermait un petit réfrigérateur, l'autre un placard à provisions et une poubelle.

En vis-à-vis, à main droite, une banquette de cuir noir s'étirait devant la cloison de bambou, au-dessus de laquelle des fougères contenues dans des cache-pots tressés étalaient leurs luxuriantes ramures. Jim avait réduit d'un poil la salle d'attente, mais je n'étais de toute façon pas certaine de la remplir.

Je me suis tournée vers la réception. Là, rien n'avait changé, hormis le comptoir, qui avait été déplacé pour former un angle. Adossée au mur, trônait une seconde banquette, identique à la première, flanquée d'une échelle réalisée avec des câbles croisés sur laquelle s'étalaient des magazines.

Jim est arrivé du fond de la boutique. Il m'a serrée dans ses bras, puis a échangé une poignée de main avec David, qui dévorait Emily du regard sans que celle-ci semble le voir.

— Alors ! Qu'en penses-tu ? Vu l'exiguïté du local, je me suis dit qu'il fallait une atmosphère tropicale, un peu mystérieuse, mais malgré tout branchée, dans le style *African Queen*, si tu préfères. Ça te plaît ?

Il parlait à cent à l'heure, un vrai moulin.

J'étais abasourdie, mais pas franchement étonnée. C'était du Jim tout craché.

— Je t'adore ! Voilà ce que j'en pense ! Si tant est que je sois encore en état de penser...

— Et ce n'est pas tout ! Venez voir !

— Jim ! Tu es un magicien ! s'est écriée Lucy. Un prodige !

Nous l'avons suivi, tandis qu'il nous faisait une description détaillée des lieux.

— Au fait, la machine à expresso est en location. Mais c'est gratuit si tu achètes le café fourni par la société qui la gère. Il est conditionné dans des dosettes comme celles-ci, à quarante-cinq cents pièce. Une dose par tasse, en trente-cinq secondes pile. Le résultat est à se damner. Tu peux également préparer des cappuccinos, à condition d'avoir la patience de faire mousser le lait, s'entend !

— Je ne l'ai pas, ai-je répondu en secouant la tête.

— Moi non plus ! Pour ce qui est des étagères et des câbles, ils m'ont été fournis par un copain qui a travaillé comme étalagiste chez Dillard. Il les a installés à l'œil pour me remercier de lui avoir offert un voyage de dégustation à Epernay et en Bourgogne il y a trois ans – l'année où j'avais attrapé la grippe. Tu te rappelles comme j'ai été malade ? Bref, il m'a renvoyé l'ascenseur et s'est également chargé de l'éclairage – récupéré sur un chantier de rénovation. Ce sont ses potes que tu as vus en arrivant. J'ai acheté les ampoules chez Lowe. Je voulais du rose, parce que ça donnerait bonne mine à un navet anémié, mais il n'y en avait pas. Finalement, je ne suis pas mécontent d'avoir pris cette couleur ambrée. Ça fait ressortir les tons chauds, tu ne trouves pas ?

— Jim !

— Ne me dis pas que ça ne te plaît pas !

J'ai éclaté de rire et lui aussi.

— C'est magnifique !

J'ai entendu David qui demandait :

— Et toi, c'est Emily ?

Je me suis retournée. J'avais complètement oublié de les présenter l'un à l'autre. Emily a plissé les paupières et l'a dévisagé d'un air suspicieux.

— Oui, moi c'est Emily. Tu es David ?

— Oui.

— Cool.

— Oui. Super.

J'ai regardé Lucy, Jim et Arthur, et on a haussé les épaules en ricanant sous cape, tels de vieux chnoques qui pensent : « Si jeunesse savait ! » En temps normal, j'aurais sans doute accordé davantage d'attention aux deux jeunes gens, mais j'étais si absorbée par le salon que j'ai songé : « C'est un béguin sans lendemain. Ce n'est pas le type d'Emily. Il est beaucoup trop carré. »

— Au fait, y a-t-il une cambuse à bord ? s'est enquis Arthur. J'ai apporté de quoi grignoter.

— Oh ! Et à boire, vous y avez pensé ? a demandé Lucy.

— J'ai apporté du Veuve Clicquot, a indiqué Jim. Ça s'imposait : c'est une femme qui gère le château ! Viens, Arthur, je vais te montrer où se trouve la cuisine.

Je savais que Jim plaisantait, mais à tout hasard je les ai suivis jusqu'à la réserve. Les quatre stations de coiffage étaient inchangées, hormis les spots orientables, rajoutés autour des miroirs, et la pousse de bambou porte-bonheur posée dans un soliflore sur chaque coiffeuse.

Au-dessus des bacs de lavage, le plafond était tapissé de photos de paysages exotiques. Bonne idée. Ainsi, les clientes trouveraient le temps moins long quand on leur laverait la tête. Des étagères, sur lesquelles s'alignaient quelque soixante verres à pied, et une armoire réfrigérante complétaient le panneau contre lequel étaient adossés le sèche-linge et la machine à laver. On a déballé le fromage, puis on l'a disposé sur la planche à découper neuve avec des serviettes en papier. Arthur m'a tendu la boîte de crackers.

— C'est si merveilleux que les mots me manquent ! ai-je lâché.

Jim a fait sauter le bouchon de champagne en chantonnant un air de Cole Porter.

— Emily ! On a oublié la stéréo !

L'assemblée a éclaté de rire. Pendant que Jim remplissait les verres, Arthur nous donnait deux sortes de fromage absolument délicieux à déguster. On a bu une gorgée et trinqué, puis bu, trinqué à nouveau, sifflé nos verres. Et remis cela.

— Félicitations, Anna ! a lancé Jim.

— Merci ! Mais c'est plutôt toi qu'il faudrait féliciter. A part te donner un organe, je ne vois pas ce que je peux faire pour te remercier. Grâce à toi, cet endroit a trouvé son âme. Et merci à toi aussi, Emily ! Je parie que papa ne t'a pas laissé le temps de souffler.

— Un vrai négrier ! a-t-elle avoué en levant les yeux au ciel. Je n'ai pas arrêté de cavaler, de passer des coups de fil ! Pour les serviettes…

— J'en ai commandé deux cents en éponge noire, brodées de palmiers dorés, a expliqué Jim. C'est mon cadeau. Je suis sûr que tu vas aimer !

— C'est vraiment trop !

— Et les peignoirs ! Emily, parles-en à ta mère !

— Maman ! Ils sont carrément space ! Impression léopard, avec les poches plaquées et le nouveau logo brodé ici, et...

— Le *nouveau logo* ?

Je me suis tournée vers Jim. Il s'est couvert la figure avec les mains et m'a lancé un coup d'œil entre ses doigts.

— C'est une idée d'Emily, Anna. Il nous a semblé qu'un salon aussi délirant avait besoin d'un nom un peu excitant, tu comprends ?

— C'est-à-dire ?

— Anna's Cabana... L'enseigne sera livrée demain – un néon rose fuchsia ! Il a fallu faire vite ! C'est un autre présent ! Je sais, je sais, tu vas devoir changer tes cartes de visite.

— C'est déjà fait, a précisé Emily. Elles seront prêtes mercredi. De même que le papier à en-tête et le carnet de factures. Je voulais commander un nouveau chéquier, mais la banque est fermée. On est dimanche.

— Encore un cadeau.

— Dites-moi que je rêve !

Je me suis mise à rire sans pouvoir m'arrêter.

Arthur a décoché une tape amicale à Jim.

— Tu es unique !

— Ça revient beaucoup moins cher qu'une pension alimentaire !

« Pas de pension alimentaire ? » s'est étonné Arthur en remuant les lèvres. J'ai fait non de la tête et haussé les épaules.

On a entendu des voix qui appelaient à l'autre extrémité du magasin. Un homme est entré en poussant un diable sur lequel reposait une énorme caisse.

— Où va la centrifugeuse ?

La centrifugeuse ?

— Jim ? Tu es tombé sur la tête ou quoi ?

— Elle ne fait que les jus de fruit. Et elle devrait tenir à côté du percolateur, j'ai pris les mesures ! Comme ça, tu pourras offrir des boissons fraîchement pressées le matin à tes clientes et l'après-midi un verre de vin ! *N'est-ce pas ?*

— J'adore ces machins-là ! a glissé Lucy. Et puis, c'est bon pour la santé, les cocktails de fruits naturels !

Emily et Jim sont allés donner un coup de main au livreur, Lucy et David sur leurs talons. Arthur et moi avons échangé un regard.

— *N'est-ce pas ?* ai-je repris en levant les yeux au ciel. Depuis que Jim se rend en France régulièrement, il emploie cette expression à tout bout de champ.

— Et moi, j'ai des *n'est-ce pas* pour vous, ma petite dame.

Les prunelles d'Arthur se sont mises à danser et ses fossettes à se creuser. Et j'ai songé que c'était l'homme le plus adorable de la planète.

— Oh ! Dois-je me sentir menacée ?

Facile de flirter effrontément quand on est en bande. Mais d'ici cinq minutes, j'allais regretter de m'être laissée aller. Et puis zut ! Je n'allais quand même pas m'offusquer et lancer à Arthur : « Taisez-vous donc, chenapan ! » En outre, il y avait fort peu de chances pour que nous passions plus de cinq minutes en tête à tête ce soir. Car papa allait nous rejoindre et grossir le troupeau. J'étais donc en sécurité. D'ailleurs, tiens, je serais bien avisée de garder Emily et son jeune Tarzan à l'œil.

Peu après, nous avons quitté Anna's Cabana et une heure plus tard, nous passions à table. Nourrir sept personnes n'est pas de tout repos, d'autant que j'avais la cervelle en ébullition. Comment diable Jim avait-il réussi à accomplir un tel exploit ? Avais-je pensé à acheter de la crème pour le café ? En tout cas, pour une surprise c'était une surprise ! Jim était un casse-cou, un authentique visionnaire.

A peine papa était-il arrivé que Lucy l'emmenait voir le salon. Quand ils sont revenus, il sifflotait gaiement entre ses dents. Il s'est assis dans le séjour, puis Lucy est venue se percher sur le bras de son fauteuil et lui a tendu une bouteille de bière, qu'elle avait pris soin d'envelopper dans une serviette en papier. Un vrai coq en pâte.

— Eh bien ? Qu'en dis-tu ? ai-je demandé en entrant avec un plateau de viande grillée.

— Anna's Cabana ? Je reconnais que la déco en jette. Mais

269

je doute que tu arrives à attirer beaucoup d'hommes, ma chérie. C'est trop loufoque.

— Je suis heureuse que ça te plaise, papa. Et si les messieurs préfèrent aller chez Causey, grand bien leur fasse ! On a le coiffeur qu'on mérite ! On passe à table dans deux minutes...

Causey, un établissement qui datait de l'époque de la grande inondation, était une véritable institution à Mount Pleasant. Dès lors que la coupe était à douze dollars chez Causey, pourquoi choisir de la payer quarante ailleurs ? C'est ainsi que papa, qui avait tendance à critiquer et à voir le mauvais côté des choses, raisonnait. Et pour être franche, je préférais que les personnes comme lui ne fréquentent pas Anna's Cabana.

J'ai posé mon fardeau sur la table à côté de la salade et du pain. Il ne me restait plus qu'à sortir les patates du four et le dîner pourrait commencer.

Emily s'affairait en cuisine avec David. Elle était en train de mettre de la crème fraîche dans un bol de service. Il ne me restait plus qu'à sortir le beurre, le poivre, le sel et la ciboulette en épiant leur conversation.

— Et alors, c'est comment l'université de Caroline du Sud ?

— Pas trop mal. Et Georgetown ?

— Super-difficile, mais le niveau est excellent, a précisé Emily, fière de laisser entendre que sa fac était la meilleure. J'ai cru que l'été n'arriverait jamais.

— Ouais, moi aussi. Tu as choisi une spécialité ?

— Non, pas encore. Maman, tu veux que j'émince la ciboulette ?

— Volontiers, ma chérie.

Echanges sans risque, propos insignifiants. Jusqu'à présent, tout allait bien. Et Emily qui ne levait jamais le petit doigt, sauf quand je la menaçais de le lui couper, avait même proposé son aide ! Quand je vous dis que les phéromones ont des pouvoirs magiques ! J'ai jeté un dernier coup d'œil à la table pour m'assurer qu'il ne manquait rien et invité la compagnie à prendre place.

Jim a été le premier à rappliquer. Pendant qu'il se servait, je lui ai glissé à l'oreille :

— Je t'adore.

— Encore heureux ! s'est-il exclamé en m'embrassant sur la joue. Que tout cela a l'air bon ! J'ai une faim de loup !

— Bon appétit. Fais comme chez toi et assieds-toi où tu veux.

Lucy est arrivée juste après. Elle a gloussé, battu des cils et demandé :

— Est-ce que je peux m'installer sur les genoux de ton père ?

Cette chère vieille Lucy avait visiblement tâté du martini.

— C'est comme tu le sens !

Jim a frissonné puis s'est éloigné.

— Au fait, Anna, si je portais un soutien-gorge en noix de coco et un sarong pour travailler ? a suggéré Lucy.

— *Noon !* ai-je crié sans même réfléchir.

Au même moment, Arthur est entré avec deux bouteilles de vin.

— Ooui !

— Bon sang, Anna, je plaisantais ! a précisé Lucy, renfrognée.

Je lui ai donné un petit coup de coude.

— Je m'en doutais.

Emily a posé la crème et la ciboulette sur la table et David, tel un vautour guettant sa proie, s'est penché au-dessus des saucisses en dilatant les narines et en caressant son ventre extra-plat avec de petits mouvements circulaires.

— Miam ! J'ai l'estomac dans les talons. Ça paraît délicieux !

— Vas-y, pioche !

Minute, papillon, les vieux d'abord. Ta tante Lucy m'avait prévenue, songeais-je en réalité.

Il faut croire que le garçon avait un minimum d'éducation, car il a répondu :

— Non. Je vais laisser les autres se servir. Je ne blague pas, a-t-il ajouté, devant mon air sceptique.

Brave petit !

Dans le séjour, cela se passait à merveille. Arthur était en

271

train de parler avec Emily et David. Lucy faisait son numéro pour papa et Jim. J'ai pris la dernière côtelette d'agneau, une demi-pomme de terre et de la salade, et suis allée m'asseoir par terre devant la table de salon.

— Un toast !

— Non ! Pitié, maman !

— Emily, très chère, laisse parler ta mère, a répliqué Lucy.

Soudain, je me suis rappelé que je devais faire du café. Pas trop fort. Surtout, penser à ralentir dans le virage.

— Je voudrais vous dire un grand merci à tous ! Je suis sincère ! Un *immense* merci !

J'ai dévisagé chaque convive un à un.

— Santé ! a crié Emily en levant sa canette de Coca light.

— Merci à toi, a renchéri Jim en m'envoyant un baiser de loin.

— On t'adore, ma chérie, a placé papa.

— Et moi ? s'est enquis Arthur.

Ils sont restés bouche bée et m'ont regardée.

— Mange et tais-toi !

— Zut ! Je crois que je vais me mettre à pleurnicher, a-t-il rétorqué.

Les femmes ont ricané et les hommes secoué la tête. Même si Arthur avait un humour de potache, il s'efforçait de participer. Et pour moi, qui n'avais pas connu de mec depuis… un certain temps, c'était fantastique.

Dieu merci, le dîner était une réussite. Vous savez comme les patates peuvent être croustillantes à l'extérieur et tendres à l'intérieur ? Eh bien c'est comme cela qu'elles étaient. Je pense que la variété y était pour beaucoup. Quant à la viande, elle était parfaite, ni trop ni pas assez cuite. La salade craquait sous la dent – tout est dans le choix du paquet – et le pain, frais et savoureux, fondait dans la bouche. Le vin nous avait permis de briser la glace et de parler sans complexes. J'ai souvent entendu dire que le succès d'une soirée dépend des convives, et je suis bien d'accord. Ma petite bande était bigarrée à souhait. Un cocktail parfait.

Lucy et papa se sont retirés les premiers. Lucy a prétexté qu'elle devait apporter des changements au site Internet, mais personne n'était dupe. Emily et David sont allés chez

Wal-Mart acheter une mini-stéréo pour le salon, affirmant qu'ils seraient de retour une heure plus tard. Jim a décrété qu'il se chargeait du rangement et nous a expédiés, Arthur et moi, sur la plage. Mais comme je voyais bien qu'il était épuisé, j'ai insisté pour que nous remettions la cuisine en ordre ensemble. Une fois le lave-vaisselle en route, Jim s'est excusé et nous a laissés seuls, Arthur et moi.

— Alors, on la fait cette balade ?

— Sur la plage ? C'est là qu'on s'est rencontrés. Mais tu ne crois pas qu'on devrait attendre qu'Emily et David reviennent ?

— Non. Qu'ils aillent se faire voir ! Ils sont assez grands pour savoir ce qu'ils ont à faire.

— Très bien. Je vais chercher une petite laine.

Arthur, qui ne se faisait jamais de bile – tout le contraire de moi –, avait le don de me mettre de bonne humeur.

Dès qu'on a eu traversé les dunes, on s'est retrouvés comme envoûtés par le ciel immense constellé d'étoiles et le chant de la mer. La lune, large et parfaitement ronde, répandait un voile de lumière sur le sable. On a marché pieds nus au bord de l'eau, les cheveux au vent et les joues trempées d'écume. Je ne me souvenais pas d'avoir jamais vécu un moment aussi romantique. Soudain, Arthur s'est arrêté. Il m'a prise par la taille et attirée contre lui. La marée montait et l'eau atteignait presque le bas de son pantalon.

— Anna Lutz, je vais t'embrasser.

— Merci du renseignement, ai-je rétorqué, comme une idiote.

Quand ses lèvres se sont posées sur les miennes, j'ai pensé : Bon, tu peux me culbuter ici même. Ça m'est égal. Je n'imaginais pas me lasser un jour d'Arthur. J'aimais son odeur, sa façon de me toucher. Dieu du ciel, me suis-je dit tandis que mon cœur accélérait. Je suis fichue !

On est restés au bord de l'eau, à s'embrasser, à se regarder dans les yeux, à s'embrasser de nouveau. Puis on s'est éloignés pour ne pas être trempés et on a continué à s'embrasser comme des fous.

— Arthur ?

— Hmm ?

— Ça faisait un bail que je ne m'étais pas sentie aussi bien. Pourquoi déballais-je ainsi bêtement mes sentiments ?

— Anna, j'ai envie de te faire l'amour.

Et voilà ! Grosse maligne ! Et que vas-tu lui répondre ? ai-je grommelé en moi-même.

Ma voix s'est étranglée dans ma gorge.

— Je ne peux pas.

— Ne me raconte pas que tu as la migraine !

— C'est pire, j'ai une ado.

— Très bien, si tu préfères rentrer, on y va.

— Pas encore.

On n'a pas bougé. J'ai pris la figure d'Arthur entre mes mains, puis caressé le bas de son visage. Il avait une mâchoire et un menton parfaits. Il a saisi mon poignet, m'a embrassé l'extrémité des doigts, puis la paume. Une vague nous a lapé les pieds, nous obligeant à reculer. Cette fois, j'ai posé ma tête contre la poitrine d'Arthur et enlacé sa taille de mes bras. Il m'a serrée contre lui. J'aurais voulu rester ainsi jusqu'à l'aube. J'ai senti que je perdais pied, que je me laissais tomber dans le vide.

Plus tard, quand je me suis mise au lit, m'efforçant de ne pas réveiller Emily, je me suis dit que mon attirance pour Arthur était purement physique, même si je l'aimais bien. Il était adorable, attentionné, intelligent, solvable, et pratiquait un humour idiot mais vivant... Bref, la liste de ses qualités n'en finissait pas de défiler dans ma tête, quand soudain une petite voix jaillie de nulle part a dit :

— Tu l'as embrassé ?

— Oui. C'était géant !

— Tant mieux, maman. On fait dodo, tu veux bien ?

22

Tous en scène !

Est-il besoin de préciser qu'à sept heures et demie, j'étais déjà au salon, sapée et maquillée ? J'étais en train d'avaler mon troisième café et de lire mon horoscope en attendant Bettina et Brigitte. Elles devaient arriver à huit heures et demie, et Lucy, Emily et Jim à neuf. J'ai jeté un coup d'œil au carnet de rendez-vous. Brigitte était prise toute la matinée et Bettina jusqu'au soir ; quant à moi, j'avais quelques clientes réparties entre le matin et l'après-midi.

L'Anna's Cabana – vous parlez d'un nom idiot ! – était fin prêt à ouvrir ses portes.

Enfin, j'ai entendu la vieille Chevrolet de Bettina qui entrait dans l'aire de stationnement en geignant et toussotant comme si elle avait cherché un endroit pour mourir. A chaque hoquet, un nuage noir sortait du pot d'échappement. D'un seul coup, l'énorme tacot a pilé net avec un long gémissement qui ressemblait à son dernier soupir et Bettina s'en est extirpée en agitant les mains pour dissiper les gaz délétères. Elle a ouvert le coffre et en a sorti une malle, qu'elle a commencé à traîner à travers le parking désert en courbant le dos sous l'effort.

— Hé ! Sacré phénomène, ta bagnole ! Tu ne veux pas que j'appelle le père Michael pour lui donner l'extrême-onction ?

— Ouais ! Justement, j'ai dit à Tony : « Mon vieux, si je prends une prune pour cause d'émissions toxiques, c'est toi qui raqueras ! » Ouah ! Qu'est-ce qui s'est passé ici ? a-t-elle lâché soudain en balayant la devanture du regard.

— Mon ex-mari était d'humeur fantasque. Tiens, pose ça là, je m'en charge. Viens voir l'intérieur. *Et bienvenue à bord du Kon Tiki.*

Mais Bettina est repartie aussi sec pour récupérer le reste du chargement en trottinant sur ses sandales à plate-forme. Ma parole, Bettina de Brooklyn était arrivée avec un camion de déménagement. A en juger par le poids, la malle contenait au bas mot un millier de flacons de vernis à ongle. Je ne l'avais pas sitôt déposée sur la banquette à côté de la porte que Bettina est entrée avec une seconde caisse.

— J'ai oublié de te dire que j'avais commandé du vernis.

— Bah, autant finir les stocks, non ? Mais on se croirait à Vegas !

En l'entendant dire cela, je me suis sentie verdir.

— Tu trouves ça trop kitsch ?

— Hein ? Tu plaisantes ! C'est d'enfer ! *J'adore !*

Elle est restée un moment à regarder autour d'elle en mastiquant bruyamment son chewing-gum. Dans son débardeur et son pantacourt noirs, elle avait l'air d'un farfadet malicieux. Elle souriait jusqu'aux oreilles et commentait chaque détail.

— Non mais, vise un peu le percolateur ! Et tout ce bambou ! Pfft ! J'suis dans une forêt équatoriale ou quoi ? Et ces fougères ! On se croirait sur les hauteurs du Costa Rica !

— Vraiment ?

— Ouais, ouais, sans blague. Je te prie de croire que ça va jaser dans les chaumières ! Si ça se trouve, on va faire la une du vingt heures ! Toute la presse people ! Bon, ce n'est pas tout ça, mais où est-ce que j'installe mon bazar ? J'ai Mme Milligan à neuf heures et demie pour une manucure. J'ai hâte de voir sa tête ! Je parie que ça va lui en boucher un coin.

— Case ton attirail entre les deux fauteuils, là-bas, sur la gauche.

Sa petite table roulante se glissait n'importe où.

— Oh, en fait, tu peux la mettre où tu veux.

— Vu qu'il n'y a pas beaucoup de lumière dans ta jungle, je ferais bien d'installer une rallonge pour m'éclairer. L'avantage des plateaux roulants, c'est qu'il n'y a pas besoin de déplacer les clientes, tu piges ? Remarque, si ton mari a décidé de tout changer, ça te regarde. Tu n'as pas à me donner d'explications. Nous, les New-Yorkais, avons l'habitude de nous occuper de nos affaires.

— Mon ex est gay et adore recréer... comment dirais-je, des décors.

— Il est quoi ?

— Ecoute, Bettina, on va être amenées à se côtoyer au quotidien et, forcément, on va finir par tout savoir sur les unes et les autres. Alors autant commencer tout de suite. Mon mari est gay, mais il y a une raison à ça, naturellement...

— Ça va de soi !

— Un jour, je prendrai le temps de te raconter le pourquoi et le comment des choses. Mais pas maintenant. Au fait, il passe ce matin. Tu vas l'adorer. Comme tout le monde.

— Pour mon Bobby, la déco ça consiste à empiler des boîtes de bière vides pour créer une pyramide ! Tu imagines le tableau !

Bettina est partie d'un rire nasal qui secouait sa frêle carcasse des pieds à la tête. C'était contagieux, exactement ce dont j'avais besoin, mais j'étais paniquée à l'idée de l'entendre jurer comme un charretier devant la clientèle. J'espérais qu'elle saurait se tenir. J'ai fait deux expressos, puis on a trinqué avec nos tasses.

— Bienvenue chez Anna's Cabana. Mon mari et ma fille ont décidé de rebaptiser le salon.

— Non ! Tu déconnes ou quoi ?

— Je ne *déconne* jamais, Bettina, et la première qui emploie ce mot dans l'exercice de ses fonctions devra glisser un dollar dans la tirelire.

— Aucun blème. Tu ne risques pas de voir la couleur de mes sous.

— Parfait ! Ni toi celle des miens ! ai-je répliqué en espérant que ce soit le cas. Oui, donc, ils ont rebaptisé le salon et commandé une nouvelle enseigne qui doit arriver ce matin. Ce qui signifie qu'on va en avoir deux, dont une lumineuse, la leur. Ça risque de semer la confusion dans les esprits, mais tant pis. Ils étaient si excités que je n'ai pas eu le cœur de leur dire non.

— J'aurais fait la même chose. Après tout, ils se sont donné du mal pour t'offrir un plateau de cinéma !

— C'est vrai !

— J'ai une idée ! Si on faisait des tee-shirts ? On pourrait les vendre ! Sur le devant, on écrirait Anna's Cabana et dans le dos Ex-Palms, salon de coiffure et de beauté.

— Bonne idée !

Désastreuse, oui ! Oh, et puis pourquoi pas, au fond ? Tant qu'à faire dans le kitsch, autant en rajouter. En attendant, je croisais les doigts pour que cela marche, car j'avais misé jusqu'à ma dernière chemise dans cette affaire. J'ai montré à Bettina comment se servir du percolateur, après quoi chacune est partie vaquer à ses occupations. Il était huit heures et quart quand Brigitte est arrivée.

Elle était l'exact opposé de Bettina, et ce n'était pas plus mal. Car la présence de trop de fofolles dans la place risquait de faire chavirer le navire. Quand elle a poussé la porte, elle s'est figée, bouche bée, comme je m'y attendais.

— Pardon, je suis à la bonne adresse ?

— C'est une longue histoire, mais oui, tu es à la bonne adresse.

Brigitte n'a rien répondu. Elle cherchait manifestement quoi dire – une qualité appréciable, compte tenu de l'intarissable pétulance de Bettina.

— C'est délirant, mais d'un autre côté, tous les salons de coiffure de Charleston se ressemblent. Aucune originalité ! Celui-ci, au moins, a de la personnalité !

Je lui ai tendu une tasse de café. Elle a émis un long sifflement en découvrant les murs garnis de bambou et le coin lecture.

— Ce n'est pas mal ! C'est même très chouette ! Ça me rappelle le style des années soixante-dix. Et puis l'éclairage est carrément space ! Tu vois ce que je veux dire ? Mais quand as-tu trouvé le temps de faire ça ?

— Mon ex-mari est un derviche tourneur. Il a appelé ses potes à la rescousse et les a fait trimer comme des malades.

— Signale-lui que la prochaine fois qu'ils ont un trou dans leur emploi du temps, ils peuvent se défouler chez moi ! Bigre !

— Tu vas le lui dire toi-même, il sera ici d'un moment à l'autre.

Il suffisait de regarder Brigitte pour savoir qu'elle était une vraie pro. Pantalon noir à pinces, sandales de cuir assorties et chemise blanche empesée qui ne présentait pas le moindre faux pli – un miracle, vu le taux d'humidité ambiant. Son col était ouvert et ses manchettes remontées sur ses avant-bras. Maquillage sobre, chevelure au carré, brillante et souple. La femme pratique par excellence, qui savait garder la tête froide dans n'importe quelle situation – entendez par là, face à une cliente en colère.

A huit heures et demie, le reste de la troupe a débarqué.

— Bonjour tout le monde ! a crié Lucy. Qui veut un beignet chaud ?

Les salutations d'usage ont été échangées et les beignets avalés. Trente minutes plus tard, la première cliente de Brigitte est arrivée, suivie de près par celle de Bettina. Jim, que ces dames appelaient déjà « chéri », a branché la stéréo. Bientôt, les chansons pleines de nostalgie et de romance de Frank Sinatra ont bercé nos oreilles.

J'étais en train de peigner les cheveux fraîchement lavés de Mary Meehan quand Miss Mavis a poussé la porte d'entrée.

— Je voudrais un rendez-vous avec Anna, pour un shampooing et une mise en plis, a-t-elle dit d'un ton sec, manifestement contrariée de devoir adresser la parole à Lucy. Vous faites les papillotes ?

— Naturellement ! a répondu Lucy. Si vous voulez bien vous asseoir et prendre un journal en attendant, Anna sera à vous dans une minute.

— Pas aujourd'hui ? a enchaîné Miss Mavis en se penchant en avant pour que Lucy répète ce qu'elle venait de dire.

— Anna vous prend dans une minute ! Voulez-vous une tasse de café pour patienter ?

Malheureusement, Lucy avait crié un peu trop fort au goût de Miss Mavis.

— Vous n'avez pas besoin de hurler, mademoiselle. Je ne suis pas *sourde*.

Miss Mavis a poussé un soupir hautain, tourné les talons et est allée s'asseoir à bonne distance de la réception.

279

J'ai inspiré profondément et posé les mains sur le dossier du siège occupé par Mary Meehan. Je la connaissais bien, car je la coiffais depuis des lustres.

Elle a ri doucement et murmuré :

— Qui est cette drôle de bonne femme ?

— Ma voisine. Excusez-moi, je reviens dans une minute.

Je me suis empressée d'aller saluer Miss Mavis, installée, raide comme la justice, aussi loin que possible de Lucy. Si le langage corporel était une arme à feu, je crois bien que Lucy aurait perdu un membre. Je me suis assise à côté de Miss Mavis, assez près pour qu'elle puisse lire le mouvement de mes lèvres. J'ai pris ses mains dans les miennes et lui ai dit les paroles qu'elle voulait entendre.

— Je suis si contente que vous soyez ici, Miss Mavis ! Quelle bonne surprise ! Vous me laissez encore dix minutes ?

— Bien sûr. Tout compte fait, je veux bien une tasse de café. Noir, sans sucre.

Lucy, rouge comme une pivoine, s'est élancée vers la machine. Miss Mavis l'a foudroyée du regard.

— Restez où vous êtes, Lucy. Anna va s'en occuper. N'est-ce pas, Anna ?

En moins de temps qu'il n'en faut pour le dire, j'ai inséré la dosette dans l'appareil et le breuvage s'est mis à passer. J'ai décoché un clin d'œil amical à Lucy pour la réconforter, puis souri à Miss Mavis.

— Que diriez-vous d'un beignet ?

— Non, non. Ce ne serait pas raisonnable, a protesté Miss Mavis, comme quelqu'un qui ne demande qu'à être tenté.

— Juste un. Ils sont chauds.

— D'accord, mais un seul. Il faut que je surveille ma ligne, vous comprenez ?

Je lui ai tendu le gobelet et présenté le beignet enveloppé dans une serviette, puis je suis retournée auprès de Mary Meehan, qui était en grande conversation téléphonique avec son mari.

— Tu n'as qu'à enfermer Sophie à la maison, lui disait-elle.

Il s'agissait de la chienne.

— *Désolée !* lui ai-je soufflé à l'oreille.

— Pas de problème.

Pendant que je lui faisais un brushing, j'ai aperçu Emily dans le miroir. Elle rêvassait dans un coin. Quand j'en aurais fini avec Mary, Emily et moi aurions une petite explication. Pas question que je la laisse se tourner les pouces. « Les mains oisives sont source de péché », proclamait sœur de l'Expiation. S'il y avait une chose que je ne supportais pas, c'était les ados à l'air buté qui prenaient des poses.

— Emily, ma chérie, va chercher papa, s'il te plaît.

Jim était dans la réserve, en train de déballer un paquet. Il est revenu en tenant quatre bouteilles de soins capillaires.

— C'est un truc pour lisser les cheveux. Résultat garanti. Une chevelure plate comme la main.

— Mais bien sûr, a ironisé Mary. Avec ce temps humide ?

— Mais nous avons déjà ce qu'il faut, ai-je répliqué à Jim, sans vraiment lui prêter attention. C'est un shampooing ?

— Mesdames ! Une minute d'attention, je vous prie, a lancé Jim avec un sourire craquant qui a fait se pâmer Mary. Bien, vous commencez par vous laver la tête avec ceci.

Il a débouché le flacon et me l'a donné à renifler.

— Cocktail de fruits ! Miam ! On en boirait !

— Voyons ça ! a dit Mary. Hum, j'adore !

— Ensuite, vous appliquez ce sérum et le laissez agir cinq minutes. Puis vous rincez. Pour finir, vous vaporisez les racines avec ce produit-ci et peignez soigneusement pour bien le répartir sur l'ensemble de la chevelure. Résultat : une tignasse raide et aussi brillante que le cristal.

— Où t'es-tu procuré ce machin ?

— C'est un secret, m'a répondu Jim en me décochant un clin d'œil. En fait, si Mary accepte de nous servir de cobaye, et si ce truc marche, j'avais pensé que tu pourrais acheter la licence et le commercialiser sous l'appellation Anna's Cabana. Il en existe une version pour cheveux frisés !

— Je veux l'essayer, a glissé Mary. Je vous fais confiance.

Et c'est ainsi qu'elle a eu les cheveux lissés et Miss Mavis des papillotes. Après quoi, j'ai demandé à Jim de montrer à Emily comment on se servait d'un balai.

— Veux-tu te faire un peu d'argent de poche ?

— Oui.

281

Elle était outrée à l'idée qu'une personne de son intelligence soit obligée de manier un ustensile commun pour pouvoir s'offrir des tatouages et des piercings.

— Je n'ai rien de mieux à te proposer, Emily. Tu peux aussi te charger d'aller chercher des sandwiches aux clientes, de nettoyer les rouleaux, briquer les étagères, ranger les magazines.

— Et quoi d'autre ?

— Pour l'instant, c'est tout, mais je te tiendrai au courant.

En réalité, elle aimait bien le salon. Sa mauvaise humeur était feinte. Sans compter que, Trixie lui ayant coupé les vivres, elle n'était guère en mesure de discuter. Et puis, il y avait Lucy, le lien direct avec David et la vie sociale. Celui-ci avait trouvé à se faire embaucher pour l'été chez Barnes & Noble, en ville. Sans doute avaient-ils décidé de se retrouver dans la soirée. Je priais secrètement le ciel pour qu'au contact de David, Emily ait envie de redevenir blonde. Non pas que j'aie quoi que ce soit contre la coloration, vous vous en doutez. Mais je trouvais qu'elle me ressemblait davantage en blonde, sa couleur naturelle, et souhaitais que la ressemblance saute aux yeux.

Depuis le matin, le téléphone n'arrêtait pas de sonner. A trois heures, un livreur de chez Abide-A-While est arrivé, portant un palmier dans lequel était accroché un singe en peluche et une carte de visite : « Et si on grimpait au cocotier ? Félicitations et bonne chance ! Tendrement. Arthur. »

Voilà qui était encourageant, voire prometteur.

Je l'ai appelé pour le remercier.

— Tu n'aurais pas dû, mais c'est très gentil. Merci.

— Bah, je voulais que tu saches ce que j'avais en tête.

Il y avait si longtemps qu'un homme ne m'avait pas fait la cour que je n'ai pas su quoi répondre. J'ai rougi et bafouillé :

— Oui, euh… Et donc ?

— Bien parlé. Alors, cette première journée ?

J'imaginais Arthur en train de rire sous cape, ce qui n'a fait que décupler mon embarras.

— Très bien. Oui, impeccable. Lucy a apporté des beignets.

Quelle réponse idiote ! Avoue-lui plutôt que tu as adoré te

promener sur la plage hier soir et que tu pensais tant à lui que tu n'as pas réussi à t'endormir. Lui parler de beignets ! Ma pauvre fille ! ai-je songé.

— Des beignets fourrés à la crème pâtissière.

— Fameux !

Silence de mort. Au bout d'un moment, j'ai demandé :

— Il y a quelqu'un ?

— Anna ?

— Oui ?

— Je n'arrête pas de penser à toi.

— Tu déconnes ? Moi aussi.

Bettina a relevé le nez de sa manucure.

— Et un dollar, un ! a-t-elle lancé en éclatant de rire.

— J'aimerais qu'on se voie plus tard, d'accord ?

— D'accord. Vers neuf heures ?

— Entendu. Je passe te prendre.

J'ai raccroché et regardé autour de moi. Bettina, sa cliente, Lucy, Brigitte, Emily et Jim me fixaient.

— Nom de Dieu ! s'est écriée Emily. Maman est amoureuse.

— Un dollar ! a lâché Bettina.

— Mais non, voyons. On se connaît à peine.

— Assieds-toi, m'a ordonné Brigitte, je vais te faire un brushing.

— Et moi les ongles, a renchéri Bettina.

— Anna. Je reviens dans une heure, a glissé Jim.

— Où vas-tu ?

Etait-il jaloux ?

— Chez Berlin, t'acheter une robe !

Avant que j'aie pu dire ouf, il était déjà dehors. Il n'était pas *jaloux*. C'était un être plein de tendresse et de générosité.

— Comme j'aimerais avoir un ex-mari comme lui, a dit Brigitte.

— Et moi donc ! a fait Bettina.

J'avais trois clientes prévues cet après-midi-là, et trois employées de l'agence immobilière d'à côté ont débarqué à l'improviste. Bettina est partie à cinq heures et il était six heures quand Brigitte a commencé à ranger ses ustensiles.

— Pas mal pour le démarrage. Je suis trop fatiguée pour

avoir faim, ce qui signifie que j'ai bien travaillé ! Tu sais, Anna, j'ai comme l'impression qu'on ne va pas chômer !

— Ça me rassure. Je n'arrête pas de faire des cauchemars. Je rêve qu'on ouvre le salon et que personne ne vient.

— C'est plutôt l'inverse. A mon avis, on devrait songer à embaucher deux coiffeuses de plus ! Quand le mois de juin va arriver, avec les touristes, on ne saura plus où donner de la tête.

— J'espère que tu dis vrai ! Les touristes ! Berk !

— Les filles de l'agence vont nous faire de la pub.

— Dans ce cas, on aurait tort de cracher dans la soupe. A demain.

Pour un premier jour, le bilan était plutôt positif. J'ai donné un coup aux bacs de lavage et aux comptoirs avant de fermer la boutique. Emily m'a aidée.

— Papa n'est pas revenu.

— Appelle-le sur son portable. Dis-lui que s'il n'est pas ici dans cinq minutes, on se retrouve à la maison.

— D'accord.

Tandis que je m'activais en m'efforçant de ne pas esquinter ma manucure, Lucy s'est approchée.

— Voici les rendez-vous pour demain. J'ai donné une demi-heure de plus à cette cliente-ci, qui veut une permanente ou des mèches, ou je ne sais plus quoi.

— Tu as bien fait. Merci. Ma parole, tu veux ma peau ?

J'ai jeté un coup d'œil à la liste. Je commençais à huit heures, puis enchaînais non-stop jusqu'à sept heures du soir.

— Non, mais je veille au grain ! Bon, que dirais-tu si on s'en jetait un petit ? Au fait, Emily, David a appelé pour t'inviter au cinéma ce soir. Je lui ai dit que tu étais d'accord. Ça ne t'ennuie pas, j'espère ?

A présent, les regards convergeaient vers Emily, qui semblait paniquée.

— Non, non. C'est une bonne idée.

Elle a filé dans les toilettes, fermé la porte, déclenché la soufflerie du sèche-mains, puis s'est mise à crier.

— *Aahh ! Je hais les adultes !*

Lucy et moi avons éclaté de rire. Emily a ressurgi.

284

— Je me sens mieux, a-t-elle lâché avec un sourire espiègle.

Elle semblait ravie de sortir avec David.

— Parfait. Alors, en route, mesdames. Je vous rappelle que nous avons des cœurs à briser.

23

Ronds de jambes et petits pas

Il n'était pas loin de sept heures quand Jim est arrivé à la maison, des paquets plein les bras. Je m'apprêtais à servir un dîner gourmand : un plat de pâtes dont Emily raffolait.

On fait frire quatre tranches de bacon jusqu'à ce qu'elles soient bien croustillantes, puis on les met à égoutter sur du papier absorbant. Dans un reste de graisse de cuisson – un chouïa, si on tient à ses artères –, on fait revenir un oignon émincé avec un bouillon cube. On ajoute une boîte de tomates pelées et le bacon émietté, et on laisse mijoter. Dès que la préparation a un peu réduit, on l'incorpore aux pâtes et on saupoudre de parmesan. On agrémente de pain à l'ail congelé passé au four et d'une salade en sachet. Il ne reste plus qu'à se mettre à table. Voilà comment on devient le cordon bleu le plus rapide de la côte Est !

Je me sentais pousser des ailes. Je venais d'ouvrir un commerce, j'avais rencontré un type bien, et Jim me rapportait une panoplie complète de vamp pour mon rendez-vous.

— Hou ! hou ! les filles ! Approchez, approchez ! Papa a un tas de cadeaux pour ses petites femmes ! a-t-il lancé en lâchant les paquets et en se laissant choir sur le canapé. Je suis lessivé. J'ai les pieds en compote et mal partout ! Je suis un vieux machin !

Emily a éclaté de rire ; même quand elle était d'une humeur de chien, Jim arrivait à la dérider.

Je lui ai apporté un verre de vin.

— Voici pour toi, très cher !

— Et moi, tu as pensé à moi, j'espère ? a demandé Emily.

— A ton avis ?

Elle a ôté ses chaussures à Jim, puis s'est mise à lui masser un pied pendant que je lui caressais la plante du second.

— Arrêtez ! Pitié, ça me rend fou ! Pourquoi me torturez-vous ainsi, maudites femelles ?

Jim se débattait en riant à gorge déployée.

— Tu crains les chatouilles, c'est ça ? Tu as faim ?

— Je pourrais manger un cheval. En fait, j'y ai déjà goûté. Et je dois dire que ce n'est pas mauvais. Dans certains pays, c'est même un mets de choix.

Emily l'a scruté, persuadée qu'il mentait. Puis voyant qu'il était sérieux, elle a lancé :

— Berk ! Dégueu !

— Est-ce pour t'entendre parler par borborygmes que je te paie des études qui me coûtent les yeux de la tête ? On dîne ?

— Oui ; on inspecte le butin après, a dit Jim.

— Ouais, ça va refroidir.

Nous nous sommes servis à la cuisine tout en nous félicitant mutuellement d'avoir la ligne.

— Cette pièce doit faire partie des priorités si tu agrandis la maison, maman.

— Ce n'est pas demain la veille. Il faudra que j'aie coiffé un bon millier de têtes avant ça !

Je suis allée m'asseoir à table avec mon assiette et le saladier.

— Quelqu'un peut-il sortir le pain du four ?

Pendant que je me restaurais, j'ai songé que j'étais la plus gâtée des femmes. Quand je levais les yeux et que je voyais Emily et Jim, je nageais dans le bonheur.

— On s'est bien amusés, hein, maman ?

— Oui, on a passé une journée formidable. Et laissez-moi vous avouer, avant qu'on ait achevé ce repas, que je vous adore.

Allez savoir pourquoi, juste au moment où je prononçais ces paroles, j'ai éclaté en sanglots.

— Excusez-moi. Mais je suis si *heureuse* !

Emily est allée me chercher un mouchoir.

— Les femmes ! a commenté Jim.

Je me suis mouchée en faisant un bruit épouvantable et on a ri. Puis Emily m'a frotté le dos en effectuant des mouvements circulaires et j'ai failli me remettre à sangloter.

— Quelle journée !

J'ai levé les yeux et au même moment j'ai aperçu David, le beau gosse baraqué, debout sur le seuil. Il était visiblement gêné de me trouver dans cet état, et m'avait probablement entendue pleurer comme un veau et me moucher.

— Entre, lui ai-je dit en reniflant. Tu as dîné ?

— Coucou ! Je ne vous dérange pas, au moins ? Euh... non, je n'ai pas vraiment dîné. Tante Lucy se prépare à sortir... ça sent trop bon !

— Tiens, assieds-toi, je vais te servir.

— Miam ! Merci.

Lucy devait retrouver papa, ou quelqu'un d'autre... Mais je n'ai pas eu le temps de réfléchir sérieusement à la question, car au même instant les fringues, chaussures et autres divins accessoires choisis par Jim ont fait leur apparition. Puis Emily est partie au bras de David. La vaisselle était faite et Jim ronflait comme un sonneur quand Arthur s'est présenté à la porte. A défaut d'autre chose, j'étais au moins certaine de sentir bon. Jim m'avait copieusement aspergée d'Allure, de Chanel.

— Salut. Contente de te revoir !

Arthur n'est pas entré. Il est resté à me fixer depuis l'autre côté du battant grillagé, comme s'il regardait un rôti dans la devanture du Cochon zélé. Je l'espérais, du moins.

— Tu es resplendissante.

Comment pouvait-il dire une chose pareille, alors que ma robe moulante, dont Emily et Jim prétendaient qu'elle était d'enfer, me donnait des airs de tapineuse ? Mais quand j'ai accroché son regard, j'ai senti ma timidité s'envoler et vu un homme comme je n'en avais pas désiré depuis longtemps – même jamais. J'étais désemparée. Le temps avait suspendu son vol et mon sang bouillonnait dans mes veines tel un torrent.

— Merci, ai-je répliqué en lui ouvrant la porte. Tu sens bon.

288

— C'est une impression ou tu as du mal à trouver tes répliques ? Approche.

— Euh… je manque un peu d'entraînement.

Et là, sur le seuil de ma nouvelle maison, le jour de l'ouverture de mon salon de coiffure, mon petit ami m'a embrassée. J'ai essayé de me souvenir du dernier garçon dont les lèvres s'accordaient aussi parfaitement avec les miennes. En vain. Résolue à ne pas bouder mon plaisir, je me suis abandonnée. Mais rassurez-vous : j'ai réussi à attirer Arthur dans le séjour. Je n'allais tout de même pas me donner en spectacle sur le pas de la porte. Je sais me tenir, vous savez.

Je l'ai poussé sur le canapé et j'ai senti ma robe bleu nuit en coton extensible qui commençait à remonter vers le haut de mes cuisses. Quelle importance ? Arthur était étendu parmi les coussins et m'invitait à le rejoindre. De toute façon, de là où il était, il ne pouvait pas voir mes fesses ; il était trop occupé à me peloter et réciproquement. Il commençait à faire chaud. On s'embrassait comme deux malades quand une de mes sandales rouges a valsé à l'autre extrémité de la pièce, atterrissant avec un bruit sourd sur le plancher. Je n'ai pas levé les yeux. Puis la seconde chaussure a pris son envol. Un pan de la chemise d'Arthur a émergé de sa ceinture et l'espace d'une seconde, je me suis demandé si on arriverait à se replier dans la chambre. On a soupiré très fort, on s'est regardés au fond des yeux et on a remis ça, avec moins d'ardeur et plus calmement. Bon sang ! que c'était bon de se laisser glisser sur le toboggan du péché ! Pas question de quitter ce canapé tant que je n'aurais pas donné le signal. Arthur avait posé une main sur ma croupe, tandis que la mienne cherchait à défaire la boucle de son ceinturon. Au diable les complexes ! Puis j'ai entendu quelqu'un qui hurlait :

— *Mon Dieu ! Je vais vomir ! Nom d'un chien, maman ! Tu pourrais faire ça dans ta chambre !*

Emily et David étaient de retour. Je me suis relevée d'un bond en m'efforçant de remettre de l'ordre dans ma tenue et mes cheveux. Je ne savais plus où j'en étais. Arthur s'est redressé tant bien que mal et m'a repoussée sur le coussin voisin. Je tirais sur le bas de ma robe comme une folle.

— Euh... Je vais attendre dehors, a glissé David avec un sourire narquois.

Emily a ouvert puis refermé la porte de sa chambre à la volée.

— *C'est dégoûtant !* a-t-elle rugi d'une voix gutturale.

Le battant de la salle de bains a claqué ; une minute s'est écoulée ; il a claqué de nouveau ; puis cela a été le tour de celui de ma chambre.

— *Ahhh !* a glapi Emily en sortant de la pièce.

Elle a déboulé devant nous, s'est enfuie et a violemment balancé la porte d'entrée derrière elle.

Arthur et moi nous sommes regardés. On a entendu la voiture de David qui démarrait dans l'allée. Mis à part les ronflements de Jim, qui traversaient les murs et crevaient les tympans, il régnait un silence de mort. Comment mon ex pouvait-il continuer à dormir dans ce ramdam ? Mystère.

— Ta fille a vraiment le chic pour casser l'ambiance, a noté Arthur.

— Je suis morte de honte. Ça ne m'était encore jamais arrivé. Je veux dire... Si j'avais surpris Emily dans cette posture, elle ne s'en serait pas remise.

— Dans ce cas, il ne faut plus qu'on se laisse prendre. Viens, je t'emmène à la maison.

— Et le dîner ? Il est fini, que je suis bête ! Non... Je voulais dire, on va se coucher tard ? Il faudrait peut-être prévenir ? Enfin... Je n'ai personne à prévenir...

J'étais idiote ou quoi ? Quand la passion se refroidit, un vent glacial se met à souffler.

Debout les bras croisés, Arthur secouait la tête en souriant, les yeux pétillants de malice.

— Tu sais quoi ? Je suis en train de perdre mes moyens, moi aussi. Prends ton sac et fichons le camp d'ici.

Vous n'avez pas idée comme je me suis sentie gourde. *La reine des gourdes.*

On est allés chez Arthur, ou plutôt chez son ami. C'était une vieille baraque sur pilotis, semblable à celle où j'avais grandi, à cette différence près qu'elle était située sur un canal, face à la mer. Les chiens, enfermés à l'intérieur, aboyaient comme des malades.

Des fauteuils à bascule de diverses tailles garnissaient la véranda, le plafonnier était rongé par l'air marin et la porte avait connu des jours meilleurs. N'y voyez aucun esprit critique, car pour tout dire, je trouvais ces imperfections rassurantes. J'ai suivi Arthur jusqu'à la cuisine. Les setters nous sautaient joyeusement autour en quémandant des caresses – ou un biscuit ou une balade nocturne. Déjà que j'ai du mal à comprendre les humains, ne me demandez pas de deviner ce que désirent les animaux.

— Allons, allons, du calme ! Ringo, tais-toi ! Un verre de vin ? Une bière ? Un Cosmopolitan ?

— Très drôle. Bon ! Cette histoire me poursuivra-t-elle jusqu'à la fin des temps ? Un verre de vin m'ira très bien. Le chien s'appelle Ringo ?

— Oui. Mon ami est un fan des Beatles. Et moi aussi.

— Moi aussi.

Arthur m'a souri. Peut-être trouvait-il rassurant qu'on ait plus en commun que la simple envie de s'arracher nos vêtements.

— Et si nous allions nous asseoir dans la véranda pour regarder les lumières ou faire un tour sur le ponton, si les moustiques ne se montrent pas trop féroces ?

J'ai poussé un gros soupir et dit :

— Super. Il y a une petite brise délicieuse.

J'étais soulagée qu'Arthur ne cherche pas à reprendre l'action là où nous l'avions laissée. Le retour inopiné d'Emily et David m'avait fichu les nerfs en pelote, mais également permis de réfléchir avant d'entamer le mambo sous la couette. Je voulais coucher avec Arthur, mais la fille bien comme il faut des Basses Terres qui sommeillait en moi m'exhortait à la patience. Le monde entier se ruait au plumard à la première occasion, mais je n'avais pas envie que cela m'arrive. J'aimais trop Arthur pour cela.

J'ai regardé ses mains quand il débouché la bouteille ; elles étaient grandes et belles, viriles. Naturellement, j'en suis venue à me demander si leur taille... Enfin, vous me comprenez. J'avais lu un article dans *Cosmo* à ce sujet, mais je ne suis pas certaine que les filles qui ont écrit le papier disposaient d'assez de données pour étayer leur thèse.

J'aurais dû avoir honte de penser à cela, mais j'ai éclaté de rire.

— Qu'y a-t-il d'amusant ? s'est enquis Arthur en me tendant un verre.

— Tout. J'étais en train d'imaginer ce qu'Emily a pu dire à David quand ils sont partis.

— Il va falloir que tu les aides à se remettre, les pauvres petits. Santé !

— Oui. Je parie qu'elle est encore en train de ruminer.

— Le fait est que nous devions offrir un sacré spectacle, toi et moi. Viens !

Nous avons atteint le vestibule et Arthur s'est arrêté pour allumer quelques interrupteurs. C'était une chouette maison, mais manifestement occupée par un mec. Dans le séjour, un canapé d'angle en cuir noir, convertible, occupait l'espace. Deux fauteuils relax, qui permettaient d'être bien installé pour regarder Clemson mettre la pâtée à Alabama, trônaient devant la télévision à écran géant. La table basse était nue et il n'y avait ni plante ni photo en vue – juste des posters de paysages. La salle à manger, de l'autre côté, contenait une table victorienne en bois sombre ensevelie sous le courrier. Les chaises disposées autour semblaient n'avoir pas servi depuis des lustres. Sans doute les chambres à coucher étaient-elles à l'étage et je n'avais pas l'intention de demander à les visiter. J'étais redevenue une femme comme il faut. Temporairement.

— Tu n'as pas idée du nombre de soirées que j'ai passées sur cette véranda.

Pour information, celle-ci était large et longue, et garnie d'un côté de grands fauteuils surdimensionnés et, de l'autre, d'un hamac. C'était la plus belle pièce de l'ensemble et sans doute était-ce à cause d'elle que l'ami d'Arthur avait acheté la maison. J'ai regardé vers la baie. Une multitude de petites lumières y miroitaient et les bateaux, ballottés par les vagues, s'y dévoilaient. Une vision de rêve.

— C'est beau.

— Viens t'asseoir. Tu sais à quoi j'ai pensé ?

— Comment le saurais-je ?

— J'ai songé que c'est la troisième ou la quatrième fois que je te vois et que je ne sais rien de toi, hormis le fait que tu étais mariée avec Jim, que tu as une fille qui serait une beauté, si elle n'avait pas ce jus noir sur le crâne, que tu n'es pas fichue de tenir ne serait-ce qu'un dé à coudre de vodka, et que tu as une nouvelle maison et une boutique. Mais qui es-tu, Anna ?

— Comment ça ?

— Je veux savoir ce que tu penses, quelle enfance tu as eue, combien d'amants...

— *Quoi ?*

— Je plaisantais. Installe-toi à côté de moi et parle-moi de toi. C'est quoi ta passion ?

— Parce que tu crois que je vais te le dire ?

J'ai retenu mon souffle et me suis posée à côté d'Arthur. En temps normal, je suis plutôt du genre bavarde, mais là, Arthur m'avait coupé la chique. Dans mon métier, c'est moi qui recueille les confidences des autres et leur prodigue des conseils.

Ma *passion* ? En avais-je seulement une ? Maintenant que mon rêve de revenir vivre sur l'île et mon désir d'autonomie étaient assouvis, je ne voyais pas très bien ce que j'aurais pu désirer de plus.

La question d'Arthur m'offrait l'occasion de prouver que j'étais une nouvelle femme, indépendante, qui avait contracté un emprunt et signé un bail commercial.

— Tu as perdu ta langue ?

La brise emplissait l'espace. J'ai décidé de me jeter à l'eau, et advienne que pourra. Il était plus facile de se livrer à des confidences dans le noir.

— Non, mais il y a longtemps qu'on ne m'a pas interrogée. Et entre-temps, ma vie a beaucoup changé. Pour la première fois de mon existence, j'ai commencé à aller de l'avant, alors que jusqu'à présent, j'avais tendance à marcher à reculons ou à rester au point mort.

— Tu as une boîte automatique cachée quelque part sous ta jolie robe ?

— Ouais, et toi tu es un comique.

— Allons, Anna. Confie-moi tes secrets. Je te promets de ne les répéter à personne !

293

— Très bien. J'adore les vérandas la nuit et je ne suis heureuse que sur cette île. Elle renferme quelque chose qui me fascine.

— Cela signifie-t-il que tu refuserais de partir vivre avec moi au Népal ?

— C'est où, ça, au nord du district de Columbia ?

— Très, très au nord.

— Dans ce cas, c'est impossible. Je mourrais.

L'idée de prendre la fuite avec Arthur m'a fait sourire.

— Dommage. J'adore le Népal – le fromage de yack et le reste. Mais dis-moi, c'est l'île qui t'attire, ou plus généralement l'océan Atlantique ?

— C'est l'île.

D'un seul coup, j'ai senti remonter un souvenir d'enfance. Comme je n'arrivais pas à cerner si Arthur attendait de moi de vraies confidences ou si je devais le prendre au second degré, j'ai opté pour cela.

— Bon, je sais que tu vas trouver ça idiot.

— C'est moi qui décide de ce qui est idiot ou non.

— Quand j'étais petite, je voulais devenir pirate ; plus exactement, je voulais retrouver le trésor de Barbe-Noire, dont on raconte qu'il est enterré quelque part ici.

— Tu plaisantes ? *Barbe-Noire ?*

— Oui. D'aucuns ne voient dans cette île qu'un vulgaire banc de sable. Mais ils se trompent. Elle possède un passé historique très riche.

— Sans blague !

— Si !

— Ecoute, tu me parlerais de Sullivan's Island ou de Charleston, je veux bien. Même un Yankee comme moi sait qu'on a repêché le sous-marin Hunley ici. Mais j'ai toujours entendu dire que les flibustiers étaient à la Barbade et dans ces coins-là.

— Ils étaient là-bas aussi. Mais les navires de Barbe-Noire ont été la première flotte de Charleston. Ils gardaient le port, tout en pillant à tour de bras, naturellement.

— C'est la première fois que j'entends ça. Qu'aurais-tu fait du trésor, si tu l'avais découvert ?

— Bonne question. Je crois que je me serais payé une

nouvelle bicyclette, des jouets... J'étais une gamine ; je n'avais aucune idée de ce qu'est l'argent. Je n'aurais certainement pas appelé un banquier pour me constituer un portefeuille d'actions...

— Soit ! Ne t'a-t-on jamais dit que la richesse est mère de tous les maux, petite fille ?

Arthur a soupiré, s'est levé et m'a resservi un verre.

— Je sais qu'elle corrompt, merci. En ce qui me concerne, je me suis depuis toujours débrouillée avec le minimum.

— Moi aussi.

Il y a eu un silence et j'ai senti qu'Arthur était déçu que je ne sois pas plus loquace. Mais peut-être m'interrogeait-il parce qu'il espérait que j'en fasse autant ?

— Et toi, qu'est-ce qui t'a amené à Charleston ? D'où viens-tu, au juste ?

A ma surprise, il a placé un repose-pieds avec un coussin devant moi pour que j'étire les jambes et pour la deuxième fois ce soir-là, j'ai envoyé mes sandales valser. Si j'avais su qu'on resterait à papoter sur la véranda au lieu d'aller en ville, j'aurais mis un short. Sauf que dans ce cas-là, la robe moulante que je portais n'aurait pas fait son effet en mettant mes cannes en valeur.

— Je suis né dans le Connecticut et j'ai grandi à New York. Mes parents ont divorcé quand j'étais enfant.

J'avais vu juste. Arthur voulait que je lui pose des questions.

— Des frères et sœurs ?

— Non.

— Comme moi. Je suis fille unique.

— Après avoir fait une maîtrise de commerce à l'université de New York, je me suis spécialisé dans la restauration. J'ai ouvert un restaurant avec un ami et me suis retrouvé propulsé spécialiste du fromage. C'est un produit très tendance, tu sais ?

— Oui, il y en a, comme ça, qui connaissent leur heure de gloire. La quiche, par exemple. Jim serait d'accord avec toi.

— C'est la même chose pour le vin. Récemment, le grand débat était : « Le chardonnay est-il meilleur que le sauvignon, le merlot que le cabernet ? »

— Tu n'as jamais été marié ?

Arthur a poussé un gros soupir et répondu du bout des lèvres :

— Si, et je ne recommencerai pas.

— Moi non plus. Des enfants ?

— Un fils. Il vit à New York, dans l'Upper West Side, avec sa mère. J'ai un studio là-bas, dans le Village, 10e Rue Est. Je préfère Manhattan.

— Je ne connais pas New York, mais je pense que j'opterais pour le centre, moi aussi. J'ai entendu dire que la vie y était plus agréable, moins chaotique.

— C'est vrai, mais il y manque le calme et le silence qu'on trouve ici. Je comprends qu'on puisse s'attacher à cette île. Viens, sortons humer l'air du soir.

— D'accord. Quel âge a ton fils ?

Arthur s'est emparé de la bouteille.

— Il aura dix-huit ans cet automne. Je t'en ressers une goutte ?

— Pourquoi pas. Parle-moi de ton fils.

Je me suis levée.

— C'est un type bien, mieux que moi.

— Je ne te crois pas. Comment s'appelle-t-il ?

— Charlie. Il veut devenir psychologue pour enfants. Tu imagines ? Je suppose qu'il cherche à évacuer le stress qu'il a subi à l'époque où sa mère et moi passions notre temps à lui pourrir la vie. Il a un cœur gros comme ça.

— Je n'imagine pas que vous ayez pu lui *pourrir la vie*. L'important, c'est qu'il sache que vous l'aimez.

Au même instant, mon regard a croisé celui d'Arthur et j'ai compris qu'il n'avait pas réussi à donner à son garçon la sécurité affective la plus élémentaire. Mais pourquoi ?

— Allons-y. La lune se lève.

Il y a eu un grincement suivi d'un claquement, le bruit propre aux vieilles portes grillagées des vérandas, qui gonflent à l'humidité et se rétractent avec le froid ; résultat, elles sont toujours de guingois, laissent passer les moustiques et bruissent d'une manière caractéristique. Quelque part, non loin de là, quelqu'un venait d'entrer ou de sortir. On ne percevait pas le glissement des pas dans l'herbe humide, mais on entendait le crissement des charnières ; c'était rassurant.

On a descendu les marches de bois et une fois au pied du perron, Arthur m'a prise par la main.

— Fais attention, c'est plein de bosses.

Je n'étais pas chaussée comme il aurait fallu. Voyant que je trébuchais, Arthur m'a aidée à me remettre d'aplomb. Et pour la troisième fois, j'ai ôté mes chaussures et les ai suspendues à mon doigt par la bride.

— A ce rythme-là, tu ne risques pas de les user.

— Très drôle. J'ignorais qu'on se promènerait dans un champ de mines.

— Et qu'on dormirait dans le hangar à bateaux...

— Pas sûr. Il est tard.

J'ai titubé, telle une vraie mamie, jusqu'au bas du talus. A l'extrémité de l'appontement, Arthur et moi nous sommes assis, les jambes pendantes au ras des vagues. La marée commençait à monter.

— Où est le bateau ?

— Quel bateau ?

— Arthur, même un Yankee comme toi devrait savoir qu'un *appontement* sert à amarrer un *bateau*.

— Je l'ignorais. Mike n'en a pas. Mais je pourrais en louer un pour que nous cabotions au clair de lune. En fait, c'est le voisin qui se sert du ponton. Je lui emprunterai sa barque, un de ces quatre.

— Ce serait super. Moi, j'apporterai le pique-nique.

Quelque chose n'allait pas. Arthur était devenu distant, comme si son esprit était occupé ailleurs – par son ex-femme ? Je m'en suis voulu de l'avoir questionné.

— A quoi penses-tu ?

Une incorrigible masochiste sommeillait en moi.

— Je pense que... je ne sais pas. J'aimerais apprendre à aimer vraiment, a lâché Arthur en m'attirant contre lui. Ça ne tourne pas rond, chez moi, Anna.

— Hum...

J'étais si envoûtée par la brise, le bras d'Arthur autour de mes épaules, le scintillement des lumières sur l'océan, que je n'écoutais pas vraiment. Arthur venait d'avouer qu'il était incapable d'aimer, mais moi j'avais compris qu'il voulait de l'amour.

Il m'a embrassée, ainsi que l'y invitait le cadre romantique. Non mais, réfléchissez un peu. Vous êtes assis sur un ponton avec une fille au clair de lune, vous faites quoi ? Vous l'embrassez une, deux, trois fois et pour finir, laissez parler votre cœur. Et elle, ce qu'elle entend, c'est que vous l'appelez au secours.

— Il ne faut pas que tu t'attaches, Anna. Je n'en vaux pas la peine.

— Rassure-toi, je ne suis pas de ce genre-là, ai-je répliqué en mentant comme une arracheuse de dents.

Au même moment, je me suis juré de tout faire pour qu'Arthur apprenne à m'aimer. Car j'étais sûre d'une chose : il avait besoin de moi.

24

Un trou au fond de l'océan

Dès le matin, quand j'ouvrais l'œil et jusqu'au soir, quand j'éteignais la lumière, je ne faisais que penser à Arthur. Ses baisers, ses fossettes me hantaient. Sans parler de la chaleur de ses bras, de son parfum, de ses yeux, de l'implantation de ses sourcils, de son nez saupoudré de taches de rousseur, de sa stature, sa carrure, son teint… Au fait, vous ai-je déjà raconté comment il embrassait ? Mis à part ces pensées fugaces qui frisaient l'obsession, tout allait bien.

Pris l'un et l'autre dans le tourbillon de nos activités respectives, nous ne nous étions pas revus depuis le lundi soir. Surtout, nous n'avions pas couché ensemble. Alors que nous étions assis sur le ponton, en train de nous bécoter, j'avais subitement réalisé qu'il se faisait tard et m'étais écriée comme une idiote :

« Mon Dieu ! Il est onze heures et demie !

— Déjà ! Je te ramène. »

Me *ramener* ? Je n'allais tout de même pas dire : « Non, j'ai changé d'avis ; tout compte fait, il n'est pas si tard que ça. »

Cet homme m'avait ensorcelée, entortillée autour de son petit doigt, si vous préférez. Le problème, c'est que j'ignorais si je devais le prendre au sérieux quand il me disait de ne pas m'attacher. N'était-il pas trop tard ? Nous nous étions parlé au téléphone le jeudi d'avant – voyant qu'Arthur ne rappelait pas, je m'en étais chargée. (C'est vrai, quoi, on n'était plus dans les années cinquante !) J'avais bien fait, car nous avions prévu de nous voir le dimanche suivant. J'étais néanmoins dans mes petits souliers, car Arthur paraissait moins emballé que la fois d'avant. J'ai songé que je me pointerais toute pimpante au rendez-vous et qu'il regretterait de m'avoir traitée par-dessus la jambe. J'ai décidé d'en parler à Frannie et à Jim, mais pas à Emily qui, soit dit en passant, sortait chaque soir avec David. Mais pourquoi était-ce aussi facile pour elle ? Ces jeunes, comment se débrouillaient-ils ?

On était vendredi et le salon avait tourné à plein régime pendant la semaine. Les électriciens avaient installé l'enseigne lumineuse, le papier à en-tête était arrivé, Lucy avait modifié le site Internet et le téléphone n'arrêtait pas de sonner. Anna's Cabana faisait un malheur.

J'ai eu un coup quand je suis entrée et que j'ai vu les fleurs sur le comptoir de Lucy. Un cadeau de papa ? Curieux, car je n'avais pas souvenance qu'il ait jamais offert le moindre bouquet à quiconque. Avait-il quelque chose à se faire pardonner ? Jim et moi en avons déduit que Lucy et lui s'étaient engueulés durant le week-end. Je ne poserais aucune question et Lucy me mettrait au courant si elle le souhaitait. Et c'est ce qu'elle a fait pendant le déjeuner.

Jim et moi étions dans la réserve, en train d'avaler un sandwich au thon et aux crudités, quand Lucy, songeant que notre curiosité était peut-être aux aguets, est venue s'épancher.

— Je ne veux surtout pas que tu penses que je cherche à t'impliquer, a-t-elle placé en préambule, mais je me suis fâchée avec ton père, Anna.

— Je suppose que tu as de bonnes raisons pour ça.

— Diable ! s'est exclamé Jim en haussant les sourcils. Qu'a fait le faquin ?

— Disons qu'au lieu de m'inviter à sortir, il insiste toujours pour que nous restions à la maison, si vous voyez ce que je veux dire.

— Inutile d'entrer dans les détails ! s'est récrié Jim en levant les bras au ciel.

J'ai frissonné à l'idée de Lucy et papa en train de s'envoyer en l'air.

— C'est la *vérité* ! Alors je lui ai dit : « Dougle, chéri, j'accepte de faire à dîner, et tout ça, mais j'aime aussi aller au restaurant de temps en temps ! »

— Une revendication des plus raisonnables, ai-je répliqué en m'efforçant de ne pas regarder Lucy.

— Il a répondu qu'il se sentait bien chez moi et que ce n'était pas à moi de lui dire comment il devait dépenser son argent. Vous vous rendez compte ? Du coup, j'ai passé la soirée de samedi avec quelqu'un d'autre.

— Tss-tss, a lâché Jim en secouant la tête.

— C'est Doc tout craché, ai-je renchéri.

— Ouais, a approuvé Jim. Ce vieux Dougle, fesse-mathieu comme pas deux.

— Peut-on savoir qui était le *quelqu'un d'autre* ? ai-je demandé.

— Un type adorable, que j'ai rencontré dans un salon de discussion sur Internet. Il m'a invitée au Cypress, et a payé l'addition !

Un *salon de discussion...* La môme Lucy finirait par tomber sur un os. Elle s'est éloignée en trottinant, rassérénée par notre échange et le hideux bouquet d'œillets roses de mon père. Je déteste ces fleurs, que j'assimile aux supermarchés, dans lesquels les gens incapables de la moindre compassion, mais qui veulent se donner bonne conscience, les achètent pour les malades hospitalisés. Cela en disait long sur papa et son incapacité à démontrer son affection.

Et puis, à mon grand dam, Jim m'a annoncé que le temps était venu pour lui de retourner à San Francisco et qu'il pliait bagage.

— As-tu prévenu Trixie de ton départ ?

— Oui. La reine mère continue d'en vouloir à mort à Emily. Tu crois que tu arriveras à t'en sortir, sans son aide financière ? Je peux t'envoyer des mandats, tu sais.

— Non. Tu t'es déjà assez investi ! D'ailleurs, Emily a commencé à se faire un peu d'argent. Ça la responsabilise de travailler.

— Je ne te reconnais pas. Tu t'es endurcie, dis donc.

— Je vais te confier un secret. Une mère sait que sa fille devient possédée du démon quand ses premiers boutons d'acné apparaissent. Autrement dit, j'ai commencé à me blinder quand Emily avait douze ans.

— Je crois me rappeler qu'elle m'avait téléphoné, vers cette époque, pour se plaindre d'une gifle que tu lui avais donnée en la traitant de petite garce. Ça ne te dit rien ?

— Si. C'est à partir de là que la corrida a démarré. Il faut dix fois plus d'énergie pour élever une fille qu'un garçon.

Cela vous paraît sans doute étrange que Jim ne m'ait pas versé de pension alimentaire, mais j'aurais trouvé anormal qu'il le fasse. En outre, on se débrouillait au coup par coup. Quand j'avais besoin de quelque chose, un seul mot suffisait et je recevais aussitôt un virement. Jim était le seul père qu'Emily ait jamais connu, et ce n'était pas parce qu'elle m'avait récemment laissé entendre qu'elle avait des doutes sur sa paternité que nous lui dévoilerions la vérité.

J'ai pris une énorme bouchée de sandwich, suivie d'une lampée de thé sucré. Jim et moi mangions comme si nous faisions un concours. J'avais un rendez-vous dix minutes après et il projetait des courses en ville. Chaque fois que je tendais la main vers les chips, il me donnait une tape.

— Pas bon ! Cellulite ! Tiens, tu veux mon cornichon ?

— Avant de rencontrer Arthur, j'aurais étudié une telle proposition...

— Non mais ! Surveille ton langage ! Au fait, comment se porte le monsieur ? On ne le voit guère, ces temps-ci.

— C'est un drôle d'oiseau.

— A quel point de vue ?

— Pour te donner une idée, lui et moi sommes partis nous balader sur la plage, lundi soir, après le dîner, tu t'en souviens ?

— Oui.

— Une fois au bord de l'eau, il s'est mis à m'embrasser.

— Je ne vois pas où est le problème.

— Après quoi, il m'a fait livrer le palmier avec le singe...

— Adorable...

— Là-dessus, tu m'as relookée et je suis de nouveau sortie avec lui. Cette fois, on est allés chez lui, après qu'Emily nous avait surpris en pleine action sur le canapé...

— Oui, elle m'a tout raconté. Bon sang ! Tu ne penses pas, Anna, que tu as passé l'âge pour ce genre de bêtises ?

— Tais-toi donc et écoute-moi, *vieille chipie* !

— *Toi-même !*

— Mme Stith va débarquer d'une minute à l'autre pour un balayage, alors laisse-moi finir. Donc, on était sur le ponton, en train de boire un verre, et il me faisait son numéro de charme. J'adore ça, et lui aussi, me semble-t-il. Et d'un seul coup, *patatras* ! Il me dit de ne pas m'attacher à lui. J'en suis restée comme deux ronds de flan.

— C'est un vieux truc de mec pour faire craquer les filles. Elles veulent toujours ce qu'elles ne peuvent pas obtenir.

— Eh bien moi, je n'ai pas estimé que si je jouais la carte de l'indifférence, Arthur ne m'en désirerait que davantage. Je trouve ce jeu complètement idiot. Jim ? Explique-moi pourquoi deux adultes consentants ne pourraient pas tomber amoureux ou se désirer, ou que sais-je encore, en toute simplicité ? Combien de temps encore ce cirque va-t-il durer ?

— L'éternité. Ton problème, c'est que tu attends trop d'Arthur. Les hommes sont amoureux d'eux-mêmes et de leurs caleçons. Point final. Ils ne s'attachent que lorsqu'ils sont poussés dans leurs derniers retranchements ou n'arrivent pas à conquérir une femme. Et si tu ne les caresses pas dans le sens du poil, ils vont voir ailleurs. C'est ainsi, chérie.

— Fichtre, tu n'es pas très encourageant.

— Anna, ton rendez-vous est arrivé, a annoncé la voix de Lucy dans l'interphone.

— La vie ne fait pas de cadeaux, Anna. Regarde-nous, Gary et moi, ou toi et moi.

— D'accord, mais on s'aime, non ?

— C'est différent. Toi et moi on se connaît depuis toujours, et on a un enfant. Pour se lancer dans une histoire avec un nouveau partenaire, à nos âges, il faut être bigrement optimiste. Tu en pinces à mort pour ce mec, c'est bien ça ?

— Et même pire.

— Dans ce cas, envoie-toi en l'air avec lui et oublie-le. Tu comprends ?

Quand j'ai regagné mon poste de coiffage, j'avais le moral

dans les chaussettes. La situation était-elle aussi désespérée que Jim le laissait entendre ?

J'ai fait le balayage de Mme Stith puis la permanente de Mme Clarkin et j'ai enchaîné avec quatre coupes. Tout en m'affairant, je songeais aux couples mariés que je connaissais, et qui avaient réussi à tenir vingt ans et plus. Puis j'en suis venue à penser à mes parents. Papa avait aimé maman passionnément. Mais pourquoi ? Parce qu'elle lui renvoyait une image flatteuse de lui, pardi ! Etait-ce là la nature de l'amour qu'un homme éprouvait pour une femme ?

J'étais en train de souffler quand Caroline Wimbley Levine, ma dernière cliente de la journée, est entrée.

Miss Pedigree prenait soin de décliner son nom en entier quand elle téléphonait. Coincée, riche et un poil enquiquineuse, elle se faisait coiffer par moi depuis un an environ. Et à ma grande surprise, elle avait choisi de me suivre sur l'île, alors qu'elle habitait du côté de Jacksonboro, sur la plantation de sa mère – plus exactement, sur celle dont elle avait hérité à la mort de sa vieille maman, Lavinia. Un amour de femme ! Un cœur d'or ! Bien que Caroline ne lui arrivât pas à la cheville, je n'avais pas pour habitude de cracher dans la soupe. Elle était déjà installée et Emily la peignait.

— Mademoiselle Caroline, quelle bonne surprise ! me suis-je exclamée en prenant un air enjoué. C'est gentil à vous de faire la route jusqu'ici.

J'ai appuyé sur la pédale pour rehausser le siège.

— Anna, votre salon est une merveille ! J'adore ! C'est votre *fille* ? Elle est formidable !

Elle n'était peut-être pas aussi garce que cela, tout compte fait.

— Oui, c'est Emily. Elle va à l'université Georgetown. Elle passe l'été ici.

— Tiens donc, j'ignorais l'existence d'une université Georgetown en Caroline du Sud.

— Non, elle est inscrite à celle de Washington. Elle entre en deuxième année.

— Sans blague ? Mais comment a-t-elle réussi à se faire admettre ?

C'était bien une garce, après tout.

— Parce que l'oncle de son arrière-arrière-grand-père, John Carroll, était l'un des fondateurs, ai-je lâché sans flancher. Mais aussi et surtout parce qu'elle avait un excellent carnet et qu'elle a passé haut la main le concours d'admission. Oui, nous sommes très fiers d'elle. C'est une tête, vous savez.

Vlan, dans les dents ! Tant qu'à mentir, autant boire la coupe jusqu'à la lie, non ?

— Vous avez de quoi être fière, en effet ! s'est exclamée Caroline en écarquillant des yeux larges comme deux frisbees. Je vous envie. Mon fils a du mal avec les études.

Bon, j'avais parlé trop vite, ce n'était pas une garce.

— Je suis navrée. Je ne savais pas.

— Il est très intelligent, mais a toujours rencontré des difficultés à l'écrit. En revanche, à l'oral, il est imbattable. Son vocabulaire est d'une richesse ! Mais votre fille va à Georgetown. C'est fabuleux. Vous avez beaucoup de chance !

Je lui ai souri dans la glace, songeant qu'il valait mieux écouter que parler.

— Je sais, ai-je admis. Puis-je vous offrir un cocktail de fruits frais ? Un cappuccino ?

— Un cappuccino, volontiers !

Je suis allée à la machine à café. Bettina, qui avait entendu notre conversation, était en train de bouillir, prête à sauter à la gorge de Caroline.

— Qu'est-ce que c'est que cette greluche ?

— Une bonne cliente. Surtout, pas d'énervement !

J'ai glissé la dosette dans l'appareil et fait mousser le lait en attendant que le breuvage commence à passer.

— Laisse-moi lui faire un bikini brésilien, Anna. Ça devrait la calmer.

— Du calme, Brooklyn, ai-je conseillé à Bettina en lui donnant une petite bourrade sur le bras. Propose-lui plutôt tes services, si tu n'as personne.

— J'y vole.

A peine étais-je revenue auprès de Caroline que Bettina la travaillait déjà au corps.

— Chère madame, voudriez-vous que je vous fasse les ongles ?

— Tiens, pourquoi pas ? Ça fait des semaines que je ne suis pas allée chez la manucure !

— Tenez, ai-je dit en lui tendant la tasse. Qu'est-ce que je vous fais, aujourd'hui ?

— J'aurais besoin d'un soin. J'ai un mariage demain matin et ça se passe en plein air. Avec cette humidité, il faudrait presque me clouer les cheveux sur la tête. Vous voyez ces petits frisottis, là et là ?

Elle a pointé un doigt vers son front.

— Et si je vous faisais un lissage ? Ça va prendre un peu de temps, mais vous aurez des baguettes de tambour sur le crâne pendant six mois.

Les yeux de Caroline se sont de nouveau arrondis.

— Sérieux ? Je n'aurai pas à sortir mon fer à lisser durant cette période ?

— Tout ce qu'il y a de garanti. Mais ce n'est pas donné et il ne faut pas compter en avoir fini avant neuf heures.

— Combien ça coûte ? Et puis zut ! Quelle importance ! On y va ! Le temps d'appeler mon chéri et je suis à vous.

Caroline a sorti un petit téléphone portable rutilant de son sac Louis Vuitton rouge vif et a pressé la touche « raccourci » correspondant au numéro de l'homme de ses pensées.

Tout en mélangeant le conditionneur et les solutions dont j'aurais besoin, je réfléchissais à ce que j'allais facturer. Quatre cents dollars, dont cent pour les heures supplémentaires ?

Caroline était toujours pendue à l'appareil quand je suis revenue. Bettina lui limait les ongles en mastiquant à s'en décrocher la mâchoire. Il faudrait que nous discutions sérieusement de ce chewing-gum, elle et moi.

— Jack vous passe le bonjour, m'a dit Caroline en me décochant un grand sourire.

De qui s'agit-il ? ai-je songé.

— C'est trop gentil ! Saluez-le de ma part, et dites-lui qu'il peut venir quand il veut et que je lui ferai la tête de Tom Cruise.

Un de ces quatre, une extralucide prendrait place dans ce fauteuil et je serais définitivement démasquée.

— Mais il a déjà la tête de Tom Cruise ! a répliqué Caroline avec cette voix de gamine dont les hommes raffolent. Enfin, disons, du frère aîné de Tom Cruise.

— C'est vrai ? a renchéri Bettina en levant le nez. Alors demandez-lui de rappliquer ici le plus vite possible pour que je lui fasse un massage. C'est la maison qui invite !

Elle a éclaté de son rire nasillard et nous nous sommes mises à glousser malgré nous. J'étais ivre de fatigue, comme si j'avais bu du punch. Le problème, c'est que Caroline et moi riions jaune, comme si nous avions besoin de nous forcer pour compenser un manque. Au fond, peut-être Caroline Wimbley Levine et moi avions-nous cela en commun : un manque.

Après lui avoir généreusement tartiné la tête de conditionneur, je l'ai installée trente minutes sous le casque, afin de préparer sa chevelure à ce qui allait suivre. Je lui ai apporté les derniers numéros de *Skirt*, *W* et *Town & Country*. Le vrombissement de la machine l'empêchait d'entendre ce que nous disions.

Il était plus de six heures et les filles s'apprêtaient à partir. Brigitte est venue me dire bonsoir.

— Je démarre tôt, demain matin.

— Quand est ton premier rendez-vous ?

— A sept heures. Une mariée, sa mère et six demoiselles d'honneur. Je déteste les mariages.

— Tu voudras un coup de main ?

— Ça ne t'ennuie pas ? Merci, Anna. Je te revaudrai ça.

— Pas de problème. Demain sept heures. N'oublie pas les beignets !

— Elles vont vouloir une manucure, je suppose ?

— Il y a des chances !

— Parfait !

En regardant Brigitte partir, j'ai songé qu'elle avait travaillé non-stop toute la semaine et qu'elle n'arrêtait pas de ramener de nouvelles clientes. Sur l'échelle des souffrances, seules les cérémonies de mariage surpassaient en horreur les bals de débutantes. Le stress de la mariée et de sa mère était déjà dur à supporter, mais si de surcroît la mariée était enceinte et la belle-sœur de mauvaise humeur, et si une autre de ces jeunes personnes venait d'épouser un type plus mignon et à l'avenir plus prometteur, mieux valait avoir un tube de calmants en réserve dans le tiroir. Cela signifiait qu'à dix heures, nous serions sur les rotules, mais avec une recette conséquente. Financièrement parlant, il était idiot de laisser passer pareille aubaine, sans compter que c'était exaltant de participer à une noce.

Lucy, qui était en train de faire la caisse, s'est tournée vers Emily.

— Vous avez prévu de sortir, ce soir ?

— Ouais. On va dîner au tex-mex et on se fait une toile. Tu veux venir avec nous ? David voudrait voir *La Guerre des étoiles*.

Lucy et moi avons échangé un regard. Elle était flattée. Moi, je n'étais pas dupe. Emily lui avait proposé de se joindre à eux parce qu'elle avait une idée derrière la tête. Ou elle cherchait à s'attirer les faveurs de Lucy pour une raison que j'ignorais, ou elle commençait à se lasser de David. Mais non. Elle était folle de lui, cela sautait aux yeux. Dernière possibilité, la plus plausible : ils avaient l'intention de filer en douce après le film, mais invitaient tante Lucy pour endormir ses soupçons – et les miens.

— Emily, je veux que tu sois couchée à onze heures, compris ? J'ai besoin de toi demain matin, et il faut que tu sois fraîche et dispose.

— *Merde !*

Cette harpie était-elle ma fille ?

— Je suis sûre que David comprendra. Nous avons un cortège de mariée à l'aube. Tu dois un dollar à la tirelire.

— *Merde !* a répété Emily.

Elle est allée chercher son sac dans la réserve en faisant claquer ses semelles.

— On ne va plus au cinéma. Super !

— Deux dollars !

— Qu'est-ce que ça signifie ? s'est enquise Lucy dans un murmure.

— Tu n'auras pas à te taper *La Guerre des étoiles*, lui ai-je soufflé à l'oreille.

— Euh... Merci pour l'invitation, ma chérie, mais j'ai envie de rester au calme, ce soir. Rien ne vous empêche de sortir sans moi, David et toi. Viens, je te ramène à la maison.

J'étais en train de jeter un coup d'œil au minuteur de Caroline quand la porte s'est ouverte.

— Regardez qui voilà ! a lâché Lucy.

J'ai levé les yeux et vu un très bel homme, la quarantaine bien sonnée, avec une coupe abominable et l'air ahuri.

— Jack ! s'est écriée Caroline en soulevant le casque et en se levant pour aller à sa rencontre. Chères toutes, je vous présente Jack !

Bettina et moi l'avons salué. Quand mon regard a croisé le sien, j'ai senti comme un petit courant électrique entre nous.

Vas-y, fais du gringue au jules de ta cliente, Anna. Ne te gêne surtout pas, me suis-je dit.

J'ai immédiatement baissé les yeux, espérant qu'il n'insisterait pas.

— C'est quoi ce salon de coiffure ? La cabane de Tarzan ?

Il a éclaté de rire, persuadé d'être désopilant.

— Non, la mienne, ai-je rétorqué. Appelez-moi Sheena. Puis-je vous servir quelque chose à boire ? Un café ?

— Non merci.

Il s'est tourné vers Caroline.

— Qu'est-ce que tu fabriques sous ce machin ? Tu vas y passer le réveillon ? Je croyais qu'on dînait ensemble.

Quand un conjoint rapplique d'une humeur de chien et se met à aboyer, la coiffeuse, si elle a deux sous de bon sens, prend ses distances et fait mine de s'occuper pour ne pas avoir l'air d'écouter aux portes.

— Chéri, je suis confuse, a minaudé Caroline. J'ai voulu me faire lisser les cheveux et comme Anna avait justement du temps à me consacrer... Pourquoi ne remettrait-on pas ça à demain ?

— Demain, je suis de garde.

Un médecin. Pas mal. Mais non, aucune envie de devenir la femme du docteur Jack. Sans compter que les coupes sombres de l'assurance maladie avaient passablement érodé le pouvoir d'achat du corps médical. J'ai réalisé qu'il ne fallait, tout compte fait, pas grand-chose pour que j'oublie Arthur.

— Dans ce cas, on ne pourrait pas souper plus tard ?

— A quelle heure auras-tu fini ?

Caroline s'était hissée sur la pointe des pieds pour embrasser Jack sur la joue.

— Le soin sera terminé à neuf heures et demie, ai-je précisé. Je suis désolée d'avoir bousculé votre programme.

J'étais sincère. J'ignore pourquoi, mais je me sentais obligée de faire des excuses. Je crois surtout que je n'avais pas envie que ce Jack ait une mauvaise opinion de moi.

— A moins que vous ne désiriez qu'on reporte à une autre fois ?

— Non, non, Anna. Nous sortons sans cesse. N'est-ce pas, trésor ?

— C'est vrai.

— Jack ? J'ai une bonne bouteille dans la réserve et un assortiment de fromages dans le réfrigérateur. Bettina ? Peux-tu montrer le chemin à Monsieur ? Nous allons vous rendre l'attente agréable.

Jack s'est légèrement déridé.

— Si vous voulez bien me suivre, a dit Bettina.

Jack a haussé les épaules.

— Pourquoi pas ? Un verre de vin ne me fera pas de mal.

Nous avons regardé Bettina s'éloigner en balançant des hanches et en souriant, Jack dans son sillage.

— C'est un sacré numéro, cette fille, a commenté Caroline. Elle est casée ?

— N'ayez crainte, elle n'est pas du genre à essayer de mettre le grappin sur Jack. Elle est franche comme l'or et mariée jusqu'aux yeux.

— Je ne demande qu'à vous croire.

Si Caroline tient tant à son Jack, comment se fait-il qu'elle ait sacrifié leur dîner ? ai-je songé au même moment.

J'ai rincé la tête de Caroline, puis je l'ai installée dans un fauteuil pour la suite des opérations.

— Bon, avant que nous commencions, quelques recommandations. Pas de queue-de-cheval, pas d'épingles ou de barrettes et pas de shampooing pendant quarante-huit heures, compris ? Vous devez même résister à l'envie de vous glisser les cheveux derrière les oreilles. Nous sommes bien d'accord ?

J'ai commencé à touiller ma potion chimique telle une sorcière au-dessus de son chaudron.

— D'accord, mais pourquoi ?

— Un élastique risque de laisser des marques et le shampooing neutralise le mélange. C'est comme après une permanente ; il faut que le produit agisse.

— Franchement, on vit dans un drôle de monde. Comme aurait dit ma chère maman : « Il faut souffrir pour être belle. »

— Votre mère était la sagesse personnifiée. Et je l'adorais.

— Parfois elle me manque tant que je voudrais mourir.

— Si vous mouriez, ce serait avec une chevelure à faire pâlir d'envie les vivants.

J'ai appliqué la mixture, une mèche après l'autre, et au bout de dix minutes, j'ai frotté les cheveux de Caroline jusqu'à ce qu'ils soient secs. Après quoi, j'ai posé la lotion neutralisante et passé le fer à lisser. De temps en temps, je prenais une gorgée de vin, pendant que les papotages allaient bon train. Je n'étais pas absolument certaine que je faisais les choses dans l'ordre, mais du moment que la tignasse ne tombait pas sur le carrelage, c'était bon signe. Peu à peu, elle s'est mise à briller comme si on l'avait cirée et tout le monde poussait des oh ! et des ah !

— Incroyable ! s'est exclamée Bettina. Tu pourras m'en faire autant ?

— Quand tu veux, sauf ce soir. La semaine prochaine ?

Bettina avait déjà persuadé Jack de se faire faire un shampooing, ainsi qu'un massage du cou et des épaules aux frais de la maison.

— Après ça, vous pourrez vous vanter d'être passé entre mes mains, a-t-elle dit en appuyant sur les muscles de Jack. Fichtre ! Que c'est contracté tout ça ! Vous êtes stressé ?

— Assez. Hum ! Dieu que c'est bon !

— Je sens que je vais devoir apprendre à en faire autant ! a glissé Caroline.

J'étais en train de dégrader légèrement les baguettes de tambour qu'elle avait sur le crâne pour leur donner du mouvement. Si Jack avait été à moi, j'aurais appris par cœur le nom des muscles. Décidément, certaines nanas sont vernies, ai-je pensé.

Le résultat était époustouflant. Caroline était la première à le reconnaître.

— Anna ! Ma parole, c'est un miracle !

— Oui, c'est un produit épatant. Je suis contente que ça vous plaise.

— Tu es superbe, Caroline. Réglons ces dames et laissons-les rentrer chez elles.

Bettina était en train de ranger et d'éteindre les lumières. J'ai tendu la note à Caroline : quatre cent vingt dollars. Il était presque dix heures du soir et j'étais sur les rotules. Caroline a payé avec sa carte American Express et rajouté un généreux pourboire.

Bettina s'est approchée et m'a tendu mon sac. Elle a éteint la devanture et la machine à café. Pendant ce temps, groggy de fatigue, je regardais Caroline et Jack regagner leur voiture. Quand j'ai vu qu'il lui ouvrait galamment la portière et l'aidait à s'installer sur le siège du passager, j'ai ressenti un pincement de jalousie.

— Ce type est une crème.

— Ouais, les femmes riches ont de la veine, a renchéri Bettina.

— Comment ça ?

— Elles ne souffrent pas.

— Le fils de Caroline est déficient mental, apparemment.

— Et puis, c'est une brave femme, au fond.

— Oui, sympa comme tout.

— Merde !

— Allez, Brooklyn, on rentre à la maison. Et demain, n'oublie pas de mettre un dollar dans la tirelire.

Sur le trajet du retour, j'ai réfléchi au bonheur. Que me manquait-il pour que je sois heureuse, maintenant que j'avais presque tout ? Une relation durable, solide et harmonieuse, pardi. Alors que côté cœur, je devais me contenter d'Arthur, le maître fromager, qui ne voulait pas s'attacher.

25

Bonjour et au revoir !

Samedi, on ne savait plus où donner de la tête. On a démarré sur les chapeaux de roues avec la mariée et son cortège, après quoi on a enchaîné une cliente après l'autre sans interruption. Les jérémiades d'Emily et la mastication forcenée de Bettina étaient couvertes par la sonnerie du téléphone, le rugissement des sèche-cheveux, les mélodies bizarres des portables, et tout le brouhaha d'un commerce en pleine expansion et promis à un bel avenir.

Je me rappelle qu'à un moment donné, Lucy m'a fourré un morceau de bagel au thon et crudités dans la bouche. On a aussi livré une plante – de la part de papa, probablement, ou du mari de Bettina, ou d'un admirateur de Brigitte. Je me fichais comme d'une guigne, du reste, de l'identité de l'expéditeur. J'avais les jambes lourdes et j'étais si claquée en rentrant chez moi ce soir-là que je n'ai pas trouvé la force de dîner. Il était sept heures et demie et je n'aspirais qu'à une chose : me mettre au lit. Il ne faisait même pas encore nuit quand je me suis glissée entre les draps. Je comptais sur Emily pour se comporter en grande fille et sur Jim pour trouver à s'occuper. Ils ne m'ont pas réveillée, mais je me souviens de les avoir entendus parler.

— Elle est crevée, a dit Emily. Il faut la laisser dormir.

— Et si je lui achetais des vitamines ? a suggéré Jim.

Le soleil matinal m'a finalement tirée de mon sommeil, si profond que je ne savais plus où j'étais. Emily roupillait à côté de moi et la maison était silencieuse. Je me suis levée sans bruit. Après m'être aspergé la figure d'eau fraîche, j'ai décidé d'aller faire un tour sur la plage. Il y avait une semaine que je n'y avais pas mis les pieds.

Il était à peine six heures du matin, mais les oiseaux chantaient et piaillaient déjà à tue-tête. L'air était chaud et moite, presque mouillé. J'ai traversé les dunes et, comme chaque fois, j'ai eu le souffle coupé en découvrant l'océan qui montait en rugissant à l'assaut des amas de varech, rejetant çà et là sans ménagement une pièce de bois.

Sur l'île, la marée haute était brutale et puissante, telle une créature en chasse, prête à vous happer et à vous dévorer. Plutôt que de m'aventurer sur le sable mou du rivage, je suis allée m'asseoir sur une souche de palmier pour méditer : « Les affaires ont l'air de bien démarrer. Les clientes affluent et ne se plaignent pas des tarifs. De ce côté-ci, tout va bien. »

Arthur et moi avions prévu de nous voir en fin de journée. Arthur... « Ne t'attache pas. » De fil en aiguille, je me suis mise à penser à Caroline et à son cher Jack – qui était aux petits soins pour elle et lui disait qu'elle était belle en me décochant des œillades assassines.

J'ai ôté mes claquettes et enfoui les pieds dans le sable pour les garder au frais. C'est une habitude, chez les gens des Basses Terres, lorsqu'ils s'asseyent, ainsi, face à la mer.

A mesure que se dissipaient les dernières ombres de la nuit, le ciel voilé de gris commençait à virer au bleu pâle frangé d'or. D'ici une demi-heure, l'azur aurait repris ses droits. La masse argentée de l'océan virait au bleu profond à mesure que le soleil montait à l'horizon. J'ai senti que pour moi aussi, un nouveau jour commençait.

J'avais conquis mon indépendance de haute lutte et entendais bien la garder. Mais il me manquait l'amour. J'aimais ma fille de tout mon cœur, naturellement, et Jim aussi. Mais en parlant de passion, Arthur avait mis le doigt sur mon point faible. Avais-je une *passion* ? Plus exactement, quelle était-elle et comment la trouver ?

Chaque fois que je regardais en arrière, j'éprouvais un profond malaise. Et voici que, d'un seul coup, mes sens étaient en éveil. Je voulais qu'Arthur me regarde comme Jack regardait Caroline ; qu'il me désire comme Jack la désirait. Et si Jim avait raison lorsqu'il affirmait qu'un homme avait besoin de se sentir comme un roi ? Je suivrais ses conseils et verrais comment les choses évoluaient entre Arthur et moi.

En rentrant à la maison, j'ai trouvé Emily levée, en train de faire griller du pain à la cuisine.

— Salut ! a-t-elle lancé en m'effleurant la joue d'un baiser. Où étais-tu passée ?

— Je suis allée voir le soleil se lever sur l'océan. C'était magnifique. C'est marée haute et la mer était déchaînée. Jim dort toujours ?

— A poings fermés. Qu'est-ce qu'il peut ronfler !

— Comme un sonneur. Veux-tu que je te prépare des œufs ?

— Non, maman. Merci.

Je suis allée inspecter l'intérieur du réfrigérateur, comme s'il avait renfermé le secret du bonheur.

— Il faut absolument que je fasse quelque chose. Je ne supporte plus mes cheveux.

— Tiens donc ! David préférerait-il les blondes ?

J'ai senti qu'Emily montait en pression telle une cocotte-minute.

— *Maman !* Je ne te permets pas ce genre d'insinuations.

C'était un peu tôt pour se prendre le bec et j'avais horreur des engueulades avant le déjeuner. Mais trop tard.

— Désolée. C'est sorti tout seul.

— Si tu crois que j'ai décidé de changer la couleur de ma chevelure à cause d'un mec, tu te goures ! *Il n'y a que toi pour imaginer des trucs pareils !*

— Baisse la voix, s'il te plaît ! Papa dort.

— *Justement*, à ce propos. Tu trouves ça normal, toi, de flirter avec un autre type alors que papa est à la maison ? Tu cherches à le démolir, ma parole !

— Parle-moi sur un autre ton ! Ton père et moi avons divorcé il y a des lustres, et c'est lui qui m'a encouragée à sortir de ma coquille. Il est mon meilleur ami, et ce qui se passe entre lui et moi ne regarde que nous.

Je ne sais pas pourquoi j'ai rajouté cette dernière remarque, mais je suppose que c'était la meilleure façon de couper court à d'autres questions d'Emily, notamment à propos des circonstances de sa venue au monde.

— J'ai la vie la plus pourrie de la planète. T'arrive-t-il seulement d'y penser ?

— Emily ? Pourrait-on remettre cette discussion à plus tard ? Je viens de me lever et je n'ai même pas encore bu mon café.

— Très bien. Quand tu seras prête à assumer ton rôle de mère, envoie-moi un e-mail. En attendant, je vais faire un tour.

— Ne fais pas claquer la porte.

Vlan !

— Ceux qui vantent les joies de la maternité sont des menteurs, ai-je pesté dans la cuisine vide.

J'ai jeté un coup d'œil sur l'arrière de la maison et j'ai vu Emily qui se dirigeait vers chez Lucy.

— Parfait ! Qu'elle aille donc passer ses nerfs chez les autres, pour changer, ai-je renchéri.

Quand j'ai eu fini de retaper le lit et de me doucher, Jim était debout et sifflotait gaiement dans la cuisine. J'ai senti une odeur de bacon grillé et songé qu'un monde où on pourrait s'empiffrer de lard fumé sans crainte de faire exploser son taux de cholestérol serait le paradis.

— Bonjour ! Que fais-tu de bon ?

— Une omelette. Fromage, oignons, bacon.

— Je sens que je vais porter le deuil pendant un mois après ton retour à San Francisco.

Jim a souri, fait glisser une omelette absolument parfaite sur une assiette et me l'a tendue.

— Va t'asseoir, je te rejoins dans une minute.

— Bien, chef ! Mais dis-moi, où as-tu appris à cuisiner comme ça ?

— Il y a tant de choses que tu ignores à mon sujet ! Je suis un homme plein de mystère.

— Ah ! Le vrai Austin Powers enfin démasqué !

J'ai posé l'assiette sur la table et suis retournée à la cuisine pour chercher du jus d'orange. L'omelette était gonflée juste ce qu'il faut et dorée à souhait. Pour l'occasion, j'ai sorti des serviettes en tissu. Un moment aussi extraordinaire méritait qu'on y mette les formes. J'ai jeté deux tranches de pain dans le toasteur et suis sortie couper une ou deux fleurs pour les disposer dans un vase parmi la confiture, le beurre, le lait et le sucre, présentés dans un joli service. Quand Jim est venu s'asseoir, le petit déjeuner s'était transformé en cérémonie dominicale. Pour moi, du moins.

Entre deux bouchées, on a parlé de son départ.

— Je pense que je vais rentrer jeudi prochain. La chaîne Hyatt m'a passé une commande longue comme ça, sans parler de la montagne de courrier qui m'attend.

— Tu comptes faire un crochet par l'Ohio pour aller voir Gary ?

— Oui. Je ne supporte pas l'idée de le savoir malade et à la merci de ses parents, qui lui répètent qu'il finira en enfer.

— S'ils refusent de t'ouvrir, appelle-moi.

— Ils estiment qu'il est responsable de ce qui lui arrive. Certes, mais il existe une différence entre commettre une imprudence et perpétrer un péché qui vous damne pour l'éternité. Non mais ! D'abord, on ne *choisit* pas d'être gay. On l'est ou non. Je me demande si les gens finiront un jour par le comprendre.

— Je n'en suis pas sûre, Jim ; il suffit d'entendre les intégristes, qui prétendent qu'une bonne thérapie guérirait les homosexuels de leurs tendances. De toute façon, je t'aime, Jim, et je me fiche du jugement d'autrui. Tu es un ami et un père formidable.

— Quant à moi, j'affirme que les vrais chrétiens ne jugent pas leur prochain.

— Tu prêches une convertie, fiston.

— Je sais.

— Au fait, pendant qu'on y est, l'autre jour, Emily m'a demandé comment elle était venue au monde.

Jim a recraché son café sur sa belle chemise Ralph Lauren bleu lavande.

— *Quoi ?*

— En clair, elle voulait savoir si elle avait été conçue par toi et moi de façon naturelle.

— Et que lui as-tu répondu ?

— Si j'ai bonne mémoire, elle a dit un truc du style :

« Est-ce que Jim est mon vrai père ? Est-ce que toi et lui vous avez… Enfin, tu me comprends ? » Je lui ai rétorqué que tu étais beaucoup plus que ça. Comme nous étions couchées dans le noir, je lui ai intimé de dormir. Depuis, elle n'a pas remis le sujet sur le tapis, mais je sens que tôt ou tard elle va le faire.

— Et alors ?

— J'ai pensé que toi et moi devions accorder nos violons. Attends, je ne suis pas en train de dire qu'il faut mentir à Emily ; elle a le droit de savoir la vérité. Mais elle est si soupe au lait, ces temps-ci, que j'hésite à lui dévoiler les choses. Elle ne comprendra pas.

— *Qui* ne comprendra pas *quoi* ? Bonjour tout le monde !

C'était Lucy, qui venait d'entrer sans frapper par la porte de derrière. Je ne supportais pas qu'on pénètre chez moi sans y avoir été autorisé. Il faudrait que je mette les points sur les i à Lucy. Mais le moment était mal choisi.

— Salut ! ai-je lancé. Sers-toi une tasse de café et viens t'asseoir. On était en train de parler d'Emily et de son fichu caractère.

— Elle le tient de ton père, c'est flagrant. Tu sais qu'il m'en veut à nouveau à mort ? a crié Lucy depuis la cuisine.

J'ai repoussé mon assiette et posé le front sur la table en murmurant :

— Pitié !

— Ne t'inquiète pas, m'a glissé Jim en me tapotant doucement la tête.

Lucy est entrée et s'est installée à côté de nous.

— Il est déchaîné. Un vrai taureau en colère.

Jim a éclaté de rire.

— Un *taureau en colère* ? Mais qu'as-tu fait à ce pauvre Doc ?

— Son assistante a trouvé mon site sur AOL et le lui a montré. J'ai donc dû expliquer à Dougle que tant qu'il ne m'aurait pas passé un diamant au doigt, je continuerais à chatter ! Il me prend pour sa chose ou quoi !

— C'est papa tout craché.

— Les hommes s'approprient les nanas comme les chiens les fauteuils. Ils s'installent et elles deviennent leur propriété.

318

— Si on buvait un Bloody Mary ? a suggéré Lucy. On est dimanche.

— Tu es folle ou quoi ! J'ai dormi douze heures d'affilée la nuit dernière. Si j'avale une vodka, je suis repartie pour un tour de cadran. Mais si le cœur t'en dit, fais comme chez toi. Il y a ce qu'il faut à la cuisine.

— Ce n'est pas de refus ; sinon, je n'arriverai pas à trouver le culot de te demander comment Emily est venue au monde. Elle est à la maison avec David, en train de regarder *Star Trek*. Ils en ont au moins pour une heure, alors on peut parler tranquillement.

Jim et moi on s'est regardés, abasourdis. Lucy ne s'imaginait tout de même pas que j'allais *lui* révéler le secret le mieux gardé de la planète ?

— Désolée, mais j'ai tout entendu, a-t-elle poursuivi en se plantant devant nous dans son débardeur bleu turquoise prêt à exploser et son pantalon blanc aussi moulant qu'une seconde peau. Promis, juré, je serai une tombe.

Je n'en croyais pas mes oreilles.

— Bon, et si je préparais un Bloody Mary pour tout le monde ? a proposé Jim.

— Bonne idée. Lucy, assieds-toi, s'il te plaît.

Et c'est ainsi que pendant une demi-heure, Jim et moi avons raconté à Lucy l'histoire d'Everett Fairchild, Emily et nous. Sous le choc, elle a pleuré.

— Laissez-moi vous dire que je vous trouve formidables d'avoir gardé cette petite et de l'avoir élevée avec amour. Je ne te l'ai jamais avoué, Anna, mais quand j'avais douze ans, mon père et ma mère se sont enfuis en nous abandonnant ma petite sœur – la mère de David – et moi. Ils nous ont laissées dans une caravane, sans argent ni rien. On vivait à la campagne, du côté de Greenville, et je te prie de croire que c'est la pire tuile qui me soit arrivée. Finalement, on a été placées dans une famille jusqu'à ce que nos parents viennent nous rechercher. Je crois bien que c'est… c'est pour ça… que… (Lucy a éclaté en sanglots.) Oh, et puis zut ! Je suis désolée. C'est pour ça que je n'ai pas voulu avoir d'enfants. J'avais la frousse. Comment aurais-je pu élever un gosse, alors que je n'ai pas revu mes géniteurs. Si ça se trouve, ils sont morts. C'est à cause d'eux que j'ai commencé à surfer sur Internet, tu sais ? Pour essayer de les retrouver.

Lucy n'en finirait jamais de me surprendre.

— Ma pauvre Lucy. Il y a trop d'histoires comme la tienne, de par le monde, ai-je commenté en me mouchant. Trop de mômes malheureux. En fait, même si Jim et moi on n'était pas, enfin, tu comprends...

— Oui, mais quelle importance ? a répliqué Lucy.

— Ce qui n'a pas empêché Anna d'essayer par tous les moyens de me forcer la main, a précisé Jim.

— Es-tu vraiment obligé de le crier sur les toits ?

— Remarque, je la comprends, a renchéri Lucy.

Cela a détendu l'atmosphère et on a ri.

— Un autre Bloody Mary ?

— Pourquoi pas ? a répondu Lucy. Un de plus ou de moins.

— Pas pour moi, merci. J'ai un rendez-vous important cet après-midi, ai-je dit.

— Anna, je te jure sur ma vie que je ne le répéterai à personne, m'a glissé Lucy quand Jim est retourné à la cuisine.

— Merci. Nous n'en avons pas encore parlé à Emily et elle serait anéantie si elle l'apprenait de la bouche de quelqu'un d'autre.

— Mais pourquoi ne le lui avez-vous pas révélé ? s'est étonnée Lucy.

— Parce que l'occasion ne s'est pas présentée.

Plus tard, on a vu arriver Emily et David, gais comme des pinsons. La querelle du matin était oubliée, apparemment. Les ados ont le tempérament changeant et parfois, mieux vaut attendre que la mauvaise humeur se soit évaporée.

— On va à la plage, a annoncé Emily. On sera de retour vers cinq heures.

— Mets de l'écran total !

— Il ne lui arrivera rien, vous pouvez compter sur moi, m'a assuré David.

— Je sais, mais c'est plus fort que moi.

— C'est normal, les mères se rongent les sangs. Mais je veille sur elle. Promis. Je conduis prudemment et je suis bon nageur. On restera sur le bord, là où on a pied, si le ressac est trop fort.

— Merci. Me voilà un peu rassurée.

David m'a décoché un grand sourire, auquel j'ai répondu de la même manière en pensant : Ce gosse est un amour !

— Parfait, ce garçon. Il peut l'épouser, a lancé Jim après le départ d'Emily et de David.

— Il est vraiment super, non ?

— C'est un ange.

Ensuite, Jim est allé voir un de ses amis, qui vit sur la rive ouest de l'Ashley, et je me suis mise à jardiner. Les fleurs continuaient de pousser à tout va. Un vrai miracle. Je repiquais les hostas, pour les espacer un peu, quand j'ai senti qu'on m'observait. Question de principe, je n'ai pas relevé la tête. C'était probablement Miss Mavis.

— Tu ne vas pas à l'église, aujourd'hui ?

— Non.

— Je m'en doutais.

Je l'ai entendue qui se frayait un chemin entre les buissons pour retourner chez elle. Bon, d'accord, je n'avais pas été très sympa, mais elle non plus, vous avouerez. Ce n'est pas parce qu'on est vieux qu'on a le droit d'être désagréable. Elle vous déballait ce qu'elle avait sur le cœur sans se soucier de ce que vous pensiez. Sans doute était-ce le privilège de l'âge.

J'ai entendu à nouveau un bruissement de feuillage.

— Au fait, as-tu déjeuné ?

Je me suis redressée pour lui répondre.

— Non, Miss Mavis, pas encore.

— Et ?

— Et j'accepterais volontiers une invitation, mais je ne suis pas vraiment présentable.

— Ton jardin est une merveille. Va te laver les mains et rapplique dans cinq minutes. Compris ?

Que pouvais-je répondre, sinon :

— Merci, Miss Mavis. J'arrive.

26

Miss Mavis a dit...

J'étais dans mon fauteuil relax, en train de passer en revue les photos de mariage du *Post & Courier*. Miséricorde ! Certaines mariées sont de vrais boudins – et mal attifées, de surcroît. C'est à se demander si ces demoiselles ont une maman. Et les coiffures !

Tiens, à propos, cette petite Anna a un fameux coup de fourchette. Je sais que sa vie privée ne me regarde pas, mais il s'en passe tout de même de drôles dans cette maison. La pauvre fille croule sous les responsabilités, alors comment voulez-vous qu'il en soit autrement ? J'estime qu'il est de mon devoir de chrétienne de l'aider. Sauf que je ne sais pas comment, si ce n'est en lui offrant un bon repas et un ou deux conseils de temps en temps. Il va falloir que j'en touche un mot à Ange.

— Ange ? Ange ?

Silence.

— Vas-tu répondre, nom d'une pipe !

— Oui, oui, j'arrive. Qu'est-ce qu'il y a encore ?

— Quoi ?

Ange s'est plantée devant moi, les mains sur les hanches, et m'a regardée comme si elle s'apprêtait à me cracher à la figure. Quelle insolence !

— Je vous ai entendue. J'étais en train de m'essuyer les mains. Pour l'amour du ciel, quand allez-vous vous décider à acheter un Sonotone ?

— Je n'en ai nul besoin.

— Hum.

— Et puis, fais-moi grâce de tes commentaires. Assieds-toi une minute. J'ai à te parler.

— Voulez-vous un thé glacé ?

— Non, merci. Quand j'en bois trop, je n'arrête pas de courir au petit coin.

— Et un biscuit, ça vous dirait ?

— Non ! Veux-tu bien t'arrêter et m'écouter ? Doux Jésus !

Pour finir, Ange s'est décidée à poser son popotin sur le pouf et a croisé les mains sur les genoux.

— Je suis tout ouïe, Miss Mavis.

— C'est au sujet d'Anna. Il faut faire quelque chose.

— Comment ça ?

— La pauvrette ne sait plus où donner de la tête. Résultat, elle mange au lance-pierre et n'a que la peau sur les os ! Et puis j'aimerais bien savoir pourquoi son ex-mari est toujours fourré chez elle. Je me demande ce qu'ils manigancent ensemble. Si tu voyais comment il a arrangé le salon de coiffure ! Sainte Marie mère de Dieu, on dirait un lupanar ! Et sa fille ! Non mais, tu as vu sa fille ?

Je sais que vous n'allez pas me croire, mais quand j'ai dit cela, Ange a éclaté de rire si fort que j'apercevais ses amygdales et sa dent du fond en or. Un spectacle qui n'a rien de ragoûtant, je vous assure.

— Ange, cesse de glousser bêtement !

— Seigneur ! Miss Mavis... Vous avez la mémoire courte, a-t-elle enchaîné après avoir marqué une pause pour reprendre son souffle. Heureusement que vous n'aviez pas un commerce à tenir, avec votre débauché de mari et vos deux enfants qui vous en faisaient voir de toutes les couleurs ! Ma parole, vous ne vous rappelez pas que vous passiez votre vie à courir ?

— N'empêche que je me fais du souci pour Anna. Monte le climatiseur, j'ai une bouffée de chaleur.

Et voici qu'Ange s'est mise à marmonner entre ses dents :

— Des *bouffées de chaleur*, ça fait au moins trente ans que tu n'en as plus, ma pauvre vieille !

— Je t'ai entendue !

— Pas du tout.

323

— Bon. Pousse la clim. Merci.

J'ai tortillé nerveusement le plaid entre mes doigts, jusqu'à ce qu'Ange vienne se rasseoir.

— Dis-moi un peu. Tu trouves ça bien que l'ex-mari d'Anna revienne coucher à la maison ? Que va penser sa fille ? C'est immoral, non ?

Brusquement, Ange m'a regardée comme si j'étais devenue gâteuse. Je ne supporte pas quand elle agit ainsi.

— Miss Mavis, je vais vous dire une bonne chose et vous avez intérêt à en tenir compte. Je suis votre plus vieille amie, non ?

— Admettons.

— Et vous savez comment on s'attire des ennuis ?

Je l'ai fixée sans rien dire.

— En jouant les mouches du coche. Voilà comment ! A force de fourrer votre nez dans les affaires des autres, vous allez finir par avoir des histoires. Et vous ne l'aurez pas volé.

— Et toi, tu vas m'écouter. Cette nuit, quand je me suis levée pour me repoudrer le nez – il devait être deux heures et demie –, j'ai entendu du bruit au-dehors. J'ai jeté un coup d'œil à la fenêtre. Et qu'est-ce que j'ai vu ?

— Pas la moindre idée.

— Emily... la sainte nitouche. Elle sortait par la porte de derrière et filait avec le garçon qui loge chez Lucy. En un instant, ils ont disparu dans les dunes.

Ange a écarquillé des yeux comme des soucoupes.

— Vous *mentez*. Allons, avouez que vous *mentez* !

— C'est la pure vérité.

Ange a laissé échapper un long sifflement – une réaction indigne d'une femme comme il faut.

— Anna va raboter les fesses de sa fille, si elle apprend ça. Miséricorde ! s'est exclamée Ange en levant les bras au ciel puis en se tapant les cuisses. (Encore une attitude que je réprouve.) Vous n'allez rien lui dire, au moins ?

— Je verrai. Mais je sais que coucher avec un homme qui est votre ex-mari n'est pas un bon exemple pour une gamine en pleine adolescence.

— Elle ne couche pas avec ce machin.

— Non ? Et comment le sais-tu ?

— Parce qu'elle me l'a dit, pardi. Il est gay. Parfaitement. C'est un gay.

— Dieu du ciel ! Tu veux dire qu'il est homosexuel ?

— Oui.

Ange et moi, on s'est regardées comme si on allait tomber à la renverse. Pour finir, j'ai décidé qu'Ange comprenait sûrement la nécessité d'agir.

— Maintenant, je comprends mieux pourquoi Anna a divorcé.

— Amen.

— Pauvre Anna ! Pendant qu'elle se démène comme une diablesse, sa gosse court le guilledou et son ex n'est même pas fichu de lui calmer les nerfs, si tu vois ce que je veux dire.

— Que oui !

— Pas étonnant qu'elle soit si maigre.

J'ai fait une pause et pris un kleenex pour me moucher avant d'ajouter :

— Ange, j'ai une idée.

— Quoi donc ?

— On va appeler le père Michael et lui demander de rendre visite à Anna.

— Doux Jésus ! Priez pour nous ! Voilà que Miss Mavis a décidé de prendre le taureau par les cornes !

— Aide-moi donc à me relever ! Aïe ! Je ne t'ai pas dit de m'arracher le bras. Bonté divine ! A présent, au boulot.

— Qu'avez-vous l'intention de faire ?

— Appeler le presbytère.

J'ai foudroyé Ange du regard, pour la mettre au défi de m'en empêcher.

— Non ! Je ne peux quand même pas envoyer le prêtre à Anna ! Mais quelle solution adopter, alors ?

— Moi, je vous conseille d'attendre. La prochaine fois que vous voyez la fille qui file avec le voisin, vous me prévenez et je m'en occupe, d'accord ?

27

Maman, les petits bateaux...

En sortant de table, j'avais l'estomac si plein que j'ai cru que je ne parviendrais pas à fermer mon pantalon. Mais j'ai des excuses : le poulet frit de Mlle Ange est un régal absolu ! En rentrant à la maison, j'ai rangé les outils de jardinage en pensant à Arthur. S'il décidait de passer à l'acte, ce soir, devais-je le repousser ? Jamais de la vie ! Même s'il était de bon ton de protester quand un monsieur entreprenait de déboutonner votre corsage – « Oh ! Est-ce bien raisonnable ? » Après quoi, le partenaire ayant deviné que vos objections n'étaient pas sincères, le jeu commençait.

Qu'allais-je porter ? Un truc impossible à dégrafer, façon corset Belle Epoque ? Avais-je seulement une culotte montrable ? Sans doute pas. Ma voix intérieure, qui refusait obstinément de se taire, me répétait qu'Arthur avait tout gâché en me conseillant de ne pas m'attacher. Eh bien ! c'est ce que nous allions voir. A nous deux, mon gaillard !

Après avoir retourné en vain les tiroirs de la commode, j'ai sauté dans ma voiture et filé en ville. En moins de temps qu'il ne m'en avait fallu pour me garer, j'étais de retour à la maison, avec deux ensembles soutien-gorge et slip emballés dans du papier de soie rose. Achetés dans la boutique de lingerie fine, l'un et l'autre étaient susceptibles de provoquer un arrêt du cœur.

J'ai pris une douche, rasé chaque centimètre carré de peau qui en avait besoin, puis inspecté mes aisselles dans le miroir pour m'assurer que je n'avais rien oublié. Après quoi, je me suis enduite de lait hydratant. Je reconnais que ce n'est pas très glamour, mais cela présente l'avantage de repousser les bestioles, qui pullulent sur l'île. J'étais enveloppée dans une serviette, les cheveux encore dégoulinants, en train d'essuyer la condensation sur le miroir de la salle de bains, quand le téléphone a sonné. J'étais si perdue dans mes pensées (Arthur) que j'ai sursauté.

— Allô ?

— Quel ton langoureux ! Vous aurais-je dérangée en pleine action, madame ?

C'était lui. Je me suis éclairci la voix.

— Heu... non, mais je sors de la douche.

— Ah ! Rien de tel qu'une bonne ablution, pas vrai ?

Quel à-propos ! ai-je songé.

— Oui, surtout quand on a bêché la terre...

— Ah ! Oui. A quelle heure se retrouve-t-on, ce soir ?

— Quelle heure est-il ?

— Six heures.

Six heures une, ça te va ? ai-je pensé.

— Quel est le programme ?

Question cruciale...

— J'sais pas. J'avais pensé à un dîner en tête à tête au clair de lune, pour commencer. Si je passe te prendre à sept heures et demie, on pourra admirer le coucher de soleil. Ça te dit ?

— Parfait ! Il faut s'habiller comment ?

— Confortable ; c'est moi qui fais la popote.

— Extra !

On a raccroché. J'étais en train de mettre ma penderie sens dessus dessous quand Emily est rentrée. Elle était couverte de sable et empestait la bière. Il va sans dire qu'elle avait un gros coup de soleil.

— Emily ! Est-ce que tu t'es vue ?

— On a fait une partie de volley devant le Perroquet borgne. On a bien rigolé. Je crois que je vais me coucher. David avait prévu d'aller à une fête, ce soir, mais je suis trop claquée.

— Prends une bonne douche, deux aspirines et allonge-toi.

Je ne connais rien de tel que ce remède en cas d'insolation
– et de gueule de bois.

— Ouais. Bonne idée. Tu sors ?

— Je vais chez Arthur ; il m'a invitée à dîner.

— Passe une bonne soirée. Je suis flapie. Au fait, où est papa ?

— Je crois qu'il est allé voir des amis, mais il finira bien par rentrer.

La porte de la salle de bains s'est fermée et j'ai entendu l'eau couler.

J'ai fini par débusquer un pantalon coupe droite noir en soie pas trop défraîchi malgré son grand âge et un haut sexy moucheté beige et noir, décolleté en V, avec des manches trois quarts. Il était doux au toucher, considération qui l'emportait sur les autres. D'allure a priori innocente, il glissait légèrement sur l'épaule, révélant de temps à autre la bretelle d'une arme de guerre redoutable. Je n'étais qu'une vilaine ! Je me suis fait un brushing et maquillée légèrement, sauf les yeux. Car si je ne soulignais pas outrageusement mon regard, Arthur resterait insensible quand je chercherais à l'hypnotiser : « Tu es détendu. Tu as baissé ta garde. Tu veux tomber amoureux de moi. Je suis irrésistible… » Il fallait que le préambule amoureux, la cour ou je ne sais comment on appelle cela de nos jours soit aussi divertissant que la capture proprement dite. Il y avait longtemps que je ne m'étais pas sentie d'humeur chasseresse. Cette fois, j'ai pris la précaution de mettre des sandales plates.

Il était sept heures et quart. Emily s'était endormie. David avait téléphoné et elle lui avait dit de la rappeler à neuf heures pour voir si elle était encore vivante et, le cas échéant, désirait sortir manger une glace. Un programme raisonnable. Je suis allée la border et j'en ai profité pour fermer les volets. Quand j'ai entendu vrombir la voiture d'Arthur dans l'allée, je suis sortie dare-dare, pour qu'Emily ne soit pas réveillée par le bruit.

— Salut ! Emily récupère ; elle a une insolation.

— Salut ! On y va ?

Arthur m'a reluquée des pieds à la tête, l'air légèrement embarrassé et nerveux. C'était plutôt bon signe. Tout en roulant, on s'est mis à parler de choses et d'autres. Chaque fois que je le surprenais en train de me zieuter, il regardait ailleurs.

— J'ai mis la table sur le ponton.

Très romantique !

— Quelle bonne idée !

Lorsque nous sommes entrés dans la véranda, j'ai constaté qu'il avait pris la peine de planter un décor accueillant. Au bout de l'estacade, une table en fer et deux chaises attendaient. Sur le plateau, trônait un rutilant seau à glace d'où dépassait une bouteille. Un gril japonais, posé au bord de l'eau, envoyait des signaux de fumée. A côté, une glacière qui m'avait tout l'air de contenir le dîner protégeait la nourriture des bestioles – et nous de la salmonellose. Il flottait une odeur de liquide allume-feu qui me rendait nostalgique de l'époque où les gens se servaient de briquettes, ne redoutant pas à tout bout de champ d'attraper le cancer. Une planche à découper recouverte d'un torchon servait de plateau à des amuse-gueule.

C'est alors que j'ai aperçu l'engin amarré.

— Tu as préparé un pique-nique d'enfer !

— Ouais.

Arthur a rempli deux verres et m'en a tendu un.

— Merci. A qui est le bateau ?

— Au fils des voisins.

C'était un machin flambant neuf : coque en fibre de verre avec plage avant et arrière, cabine de couchage, robuste siège pour la pêche.

— Regarde le ciel, a dit Arthur en passant un bras autour de ma taille.

A l'ouest, le soleil couchant déversait des flots de lumière pourpre et or, et une ligne de feu s'étirait au-dessus de l'horizon en miroitant tel un brasier. Autour de l'astre, le ciel s'auréolait d'immenses taches rouges et fuchsia. Plus il faisait chaud, plus ce moment éclatait de couleurs extravagantes, semblables aux joyaux opaques de la palette d'un peintre de génie. Et comme cela arrivait quand j'admirais le spectacle du jour finissant depuis le balcon de Lucy, je suis restée bouche bée.

— Quelle merveille ! Devant autant de splendeur, on ne peut pas s'empêcher de méditer.

— Sur quoi ?

— Sur tout.

— Est-ce l'heure des discussions sérieuses ?

— Non, il est trop tôt pour philosopher. Sans compter que j'ai une faim de loup et que tu m'as promis à dîner.

— J'aime les femmes qui ont de l'appétit.

— Dans ce cas, tu vas m'adorer.

— C'est précisément ce qui m'inquiète.

Sans relever, j'ai enchaîné :

— Je mange autant qu'un homme. Et, bien sûr, je suis la femme idéale.

Voyant que mes propos avaient cloué le bec à Arthur, je l'ai pincé pour le dérider. Il a souri et moi aussi.

— Vraiment ?

— A ton avis ?

— J'ai hâte que tu m'énumères les qualités de la *femme idéale*.

— Disons que sur le marché de l'offre et de la demande, je suis plutôt bien placée. Primo, j'ai passé l'âge d'aller à l'université.

— Ce qui signifie...

— Que trop de mecs prennent en chasse des gamines qui pourraient être leurs filles.

— Quelle horreur ! Est-ce possible ?

— Bien sûr. Tu le sais, du reste. Le problème, c'est que ces mômes ignorent tout de la musique des années soixante-dix, et que leurs parents et toi partagez les mêmes souvenirs d'enfance.

— Ouille !

— Mais passons. Secundo, je n'attends rien de toi.

— Vraiment ?

Arthur m'a attirée contre lui et ramené les bras derrière le dos pour me retenir prisonnière. Il s'est mis à me donner de légers coups de langue dans la nuque qui me faisaient frissonner de la tête aux pieds.

— Enfin, si ce n'est une ou deux choses...

On a échangé un petit sourire entendu, puis il m'a relâchée.

— Je mets les côtes de veau à cuire. A point ?

— C'est toi le chef. Tu vois, en plus, je ne suis pas difficile, alors que la plupart des nanas sont grincheuses et autoritaires.

— Je ne supporte ni les jérémiades ni les reproches.

— Moi non plus. J'ai été élevée par les bonnes sœurs et une grand-mère qui ne pouvait pas me voir en peinture, principalement parce que je ressemblais à ma mère, qu'elle détestait.

— Ah ! Enfin une faiblesse ! Un manque affectif !

— Je garde mes problèmes pour moi. D'ailleurs, j'ai tourné la page depuis belle lurette.

— Vraiment ? Tu n'as pas de souvenirs douloureux ?

(A compter de cette réplique, le rôle de la séductrice est joué par une menteuse.)

— Aucun.

— Ouah !

— Qui plus est, je n'ai pas l'intention de m'attacher. J'accepte d'avoir un petit copain et certains privilèges...

— Des *privilèges* ?

— Oui, enfin...

Dans la lumière faiblissante, j'ai vu Arthur qui souriait comme quelqu'un qui vient de trouver un bon filon.

— Ça me semble raisonnable. Nous sommes deux adultes consentants, non ?

— Exactement.

J'ai sorti la salade de la glacière, je l'ai assaisonnée, puis j'ai rempli de nouveau nos verres et regardé Arthur s'affairer jusqu'à ce que le soleil ait disparu à l'horizon. Le dîner était carrément divin. En nous restaurant, nous avons parlé. S'il y a une chose que la vie m'a apprise, c'est que les hommes adorent s'attarder sur eux-mêmes.

— Alors, comme ça, tu as atterri à Charleston parce que tu t'ennuyais à mourir, l'été, à New York ?

— Oui. Les habitués des restaurants se réfugient à Long Island dès le vendredi et parfois même le jeudi soir, et la ville se retrouve livrée aux touristes. Et puis, il y avait longtemps que je voulais voir Charleston et c'était l'époque rêvée.

— Et quelle est ton impression ?

— Je pense que Charleston est le secret le mieux gardé de l'Amérique. La ville a bonne réputation, mais les gens sont loin de s'imaginer à quel point la vie y est agréable. Si mon fils ne vivait pas à New York, je m'installerais ici. Enfin, ça arrivera peut-être un jour. Et puis les autochtones sont adorables.

— C'est vrai ; nous sommes des êtres délicieux...

Le dîner terminé, je me suis levée pour débarrasser. Dans mon esprit, on allait tout fourrer en vrac dans la glacière et la rapporter à la maison. Après quoi on ferait la vaisselle et on s'installerait sur la véranda. Avec un peu de chance, je réussirais à attirer Arthur dans le hamac avec moi. Mais il avait d'autres plans en tête. Quand j'ai tendu la main pour prendre son assiette, il m'a saisie par le poignet.

— Minute ! On est bien.

Il m'a prise sur ses genoux.

Et voilà. On a remis ça. Sans me laisser le temps de dire ouf, il a étalé un drap de bain sur le ponton et on s'est allongés. Dieu merci, il faisait nuit. Car en moins de temps qu'il ne faut pour le dire, on s'est retrouvés nus comme des vers et prêts à passer à l'action, ici même, sur l'estacade ! C'était trop osé pour moi !

— Arthur !

— Quoi ?

— On ne peut tout de même pas faire ça ici, comme ça !

— Pourquoi pas ?

Comme je ne répondais pas, il s'est levé et m'a aidée à me remettre sur mes pieds.

— Monte à bord.

C'était la meilleure solution. Sans un mot, on a grimpé dans le bateau, qui était effectivement équipé d'une cabine avec une banquette convertible. Après avoir repoussé les coussins, on a repris les choses là où on les avait laissées. Les deux heures suivantes se sont passées en soupirs, acrobaties et je vous laisse deviner le reste.

— Arthur.

— Anna.

Conversation minimale, mais j'adorais la façon dont il prononçait mon nom, comme s'il avait dit « toi, enfin ». Cela me suffisait. Pas besoin de longues dissertations. Vous connaissez le dicton : « Les actes valent mieux que les grands discours. » Arthur était un type étonnant. Et le fait que nous nous retrouvions dans ce minuscule espace à bord d'un bateau ballotté par les flots ne faisait qu'ajouter à l'excitation... Plutôt que d'entrer dans les détails, disons que tout se passait à merveille. Sauf qu'à un moment donné, mon cœur s'est mis à battre si fort que j'ai cru que j'allais mourir. Quant à Arthur, s'il y avait eu une épreuve olympique d'endurance, il aurait remporté la médaille d'or. Passons...

On s'est laissé bercer par le mouvement de la marée montante. Il flottait dans la cabine une odeur exquise, la nôtre. De temps à autre, j'entendais le cri des mouettes et le lapement des vagues sur la coque. Pour finir, aux environs de deux heures du matin, je me suis endormie.

J'écrasais quand, subitement, j'ai entendu comme un son de corne. Arthur s'est redressé d'un bond.

— Tout va bien ?

— Oh !

J'ai jeté un coup d'œil par le hublot et aperçu une vedette de garde-côte avec deux agents de patrouille. En fait, nous avions dérivé à notre insu jusqu'au pont Ben Sawyer de Sullivan's Island. Il faisait jour. Arthur et moi étions dans le plus strict appareil, sans rien, pas même une serviette ou un tee-shirt, pour nous couvrir. Prise de panique, j'ai saisi un coussin et l'ai plaqué devant moi en priant le ciel pour que les policiers ne viennent pas à bord. Peine perdue.

— Vous voulez bien enfiler un pantalon, monsieur ?

L'homme qui avait parlé ne se tenait qu'à quelques pas, sur la plage avant.

— Il semblerait que je l'aie oublié sur le ponton et que nous ayons dérivé... et... ma femme est à l'intérieur, monsieur l'officier et... elle est dans la même situation. Anniversaire de mariage.

Ma *femme* ? Anniversaire de *mariage* ? Par pitié, que le gars ne tente pas de vérifier par lui-même !

— Je vois, a dit le garde-côte, qui aurait pu réduire ma vie à néant si l'envie lui en prenait. Veuillez démarrer le bateau, je vous prie.

— Euh... Il appartient à mon voisin. Je n'ai jamais navigué.

J'aurais voulu mourir. Pas de rideau. Rien de rien, hormis un coussin de canapé. Et voilà que je découvre que je suis avec le roi des andouilles, un type qui n'est même pas fichu de maîtriser ce maudit rafiot. Je nous voyais déjà faisant la une du journal local, avec un titre du style : « Des amants arrêtés nus à bord d'un bateau. »

— Abaisse le moteur et tourne la clé ! ai-je crié. Vous n'auriez pas un tee-shirt à me prêter, par hasard ?

— Harry ! Donne-moi mon K-Way, a lancé l'officier.

J'ai vu un coupe-vent fendre les airs et atterrir non loin de mes pieds.

— Dites donc, il y a un bail que je n'ai pas vu ça ! Conduisez-moi chez vous, que je procède à une vérification.

J'ai étiré la jambe et saisi le vêtement de l'extrémité des orteils. L'arrestation pour vol de bateau, attentat à la pudeur et Dieu sait quoi encore nous pendait au nez. Je ne vous cache pas que j'ai envisagé le suicide. J'ai enfilé le K-Way et, au même moment, j'ai aperçu un rouleau de sacs-poubelles grand format. J'en ai attrapé un, dans lequel j'ai fait un trou dans le fond pour la tête et deux sur les côtés pour les bras ; puis à l'abri des regards, derrière la paroi contiguë à la porte, j'ai ôté le K-Way et enfilé le déguisement. Super, la petite robe noire ! Si Jim me voyait ! J'ai répété l'opération avec un autre sac, que j'ai tendu à Arthur.

— Mets ça, fils d'Adam.

— Merci.

Le policier riait sous cape. Bon, s'il trouvait la situation comique, tout espoir n'était pas perdu. J'ai décidé de la jouer cool, songeant que si je parvenais à le dérider un peu, il serait moins méchant une fois revenu à quai. Je suis montée sur le pont dans toute ma splendeur plastique. J'avais les cheveux en pétard et les lèvres enflées par les baisers. Une vision de rêve, en somme.

— Pouvez-vous démarrer cet engin, madame ?

— Bien sûr ! Je suis d'ici, moi, pas comme mon Yankee de mari !

J'ai tourné la clé, abaissé le moteur et mis les gaz.

— Tu peux remonter les flotteurs, s'il te plaît, chéri ? Et l'amarre ?

Arthur a tiré l'ensemble par-dessus bord.

— Mon cœur, quand on sera à la maison, je vais te tordre le cou.

— Je suis navré, chérie. J'aurais dû m'assurer que le bateau était solidement arrimé.

— En tout cas, je ne suis pas près de l'oublier, cet anniversaire de mariage.

— Depuis quand êtes-vous mariés ? s'est enquis le garde-côte.

— Dix ans.

— Douze, a renchéri Arthur.

— Au fait, monsieur l'officier, quel est votre petit nom ? ai-je demandé le plus naturellement du monde.

— Mille excuses, madame. Je suis le commandant Bill Benton. Joyeux anniversaire.

— Merci, commandant. Toutes ces années n'ont été que du bonheur.

J'ai enfilé le canal à toute vapeur en priant le ciel pour ne pas rater l'embranchement. Arthur, qui était debout à côté de moi, m'a donné un léger coup de coude quand le moment a été venu de ralentir et de prendre le virage. Benton m'a aidée à faire les manœuvres d'accostage. Quand il a vu la table et nos affaires étalées sur le ponton, il a souri en hochant la tête. On est remontés à terre et on lui a serré la main.

— Le bateau appartient aux voisins, a précisé Arthur en montrant leur maison du doigt. Quelle heure est-il ?

— Cinq heures et demie. Je ne vais tout de même pas tirer ces pauvres gens du lit. Bon, tout m'a l'air en règle. Ah là là ! Si j'avais fait ça avec ma Patsy, il y a trente ans, elle aurait adoré.

— A moi aussi, sur le coup, cela m'a semblé une bonne idée, a dit Arthur.

— Il n'est peut-être pas trop tard ! ai-je ajouté, comme si nous étions de vieux amis, Benton et moi.

Il m'a décoché un clin d'œil.

— Allez. Tous mes vœux de bonheur !

335

Il a fait signe à son collègue d'approcher du quai et ils sont repartis en rigolant.

Arthur s'est tourné vers moi et on s'est mis à rire, à rire jusqu'à en avoir les larmes aux yeux. J'ai enfilé ma petite culotte en me contorsionnant comme une possédée, passé une jambe de pantalon puis l'autre et, enfin, mon tee-shirt.

— Dommage qu'on n'ait pas apporté d'appareil photo. Si tu avais vu ta tête !

— Et toi la tienne ! Quand tu es sortie emballée dans le sac-poubelle, j'ai failli exploser de rire !

— Je le trouvais assez seyant. Sacré anniversaire de mariage, en tout cas !

— Tu veux divorcer ?

— Tu plaisantes ? J'ai trop hâte de voir ce que tu nous réserves pour le prochain.

De retour à la maison, je suis entrée en catimini. Dieu merci, Emily et Jim dormaient. J'ai pris une douche et, comme il était très tôt, je suis allée m'étendre sur le canapé. Je pensais à Arthur et à nos ébats. Cette fois, j'étais mordue, amoureuse dingue. La fille qui ne s'attache pas, hein ? Bon courage !

28

Contre toute attente

Il était neuf heures quand j'ai réussi à me traîner jusqu'au salon. J'étais soulagée que personne n'ait rien su de mon escapade nocturne, mais malgré tout déçue de devoir taire ma folle « croisière », car c'était de loin l'expérience la plus délirante qu'il m'ait jamais été donné de vivre. Cependant, j'ai tenu ma langue.

— Voici ton planning de la journée, m'a dit Lucy en me tendant une liste. Tu as une mine de papier mâché, ma pauvre chérie. Qu'as-tu fichu hier soir ?

— J'ai vu mon maître fromager.

— Les hommes !

La mystérieuse plante livrée la veille était posée à terre à côté du bureau de Lucy.

— Tiens, au fait, qui nous a envoyé ça ?

— Pas la moindre idée. Il n'y avait pas de carte.

— Qui est le fleuriste ?

— Belva.

— Quand tu auras une minute, appelle-le, s'il te plaît, et tâche d'apprendre le nom de l'expéditeur.

Dès que je me suis mise au boulot, le sujet m'est sorti de l'esprit. J'ai réussi tant bien que mal à tenir le coup sans rien laisser voir de ma fatigue. A trois heures, Arthur a appelé.

— Salut ! Quoi de neuf ?

— Rien que du vieux. Et toi ?

— Je pensais à toi. A hier, et tout.

— Jamais plus tu ne me feras monter sur un bateau.

Il a éclaté de rire et, instantanément, j'ai eu l'impression de revivre nos ébats passionnés. Quelle conduite devais-je adopter ? Devais-je cesser de fréquenter Arthur ou, au contraire, le tenir en laisse ? La vérité, c'est que je le désirais follement et que j'étais accro.

— Hou ! hou ! tu m'écoutes ?

— Excuse-moi, Arthur, je me remémorais la soirée. On ne s'entend pas parler, ici. Tu disais ?

— Je ne travaille pas jeudi. On en profite pour se voir ?

— Bien sûr. Tu veux qu'on se fasse une petite bouffe ou qu'on aille au ciné ?

Soudain, j'ai réalisé que Jim partait ce jour-là.

— J'ai repéré un restaurant sympa en ville.

— Ça me paraît jouable.

— Au fait, Anna…

— Oui ?

— C'était super. Je me suis vraiment éclaté.

— Moi aussi.

En raccrochant, j'étais si fumasse que j'aurais pu cracher du feu. *Monsieur s'était éclaté*. Et moi, alors ? J'étais quoi ? Son dessert ? Je lui avais offert mon corps et mon âme, et m'étais retrouvée emballée dans un sac-poubelle, mortifiée au-delà de toute description, et ce malotru me remerciait comme si je lui avais donné une part de gâteau. Il s'était *éclaté*.

Bon, il m'avait rappelée, ce qui, de la part d'un type comme lui, revenait presque à du harcèlement. Du *harcèlement* ? Etais-je en train de me faire du cinéma, de monter en épingle un événement sans importance ? Probablement. Ces innombrables ronds de jambe finissaient par me faire douter de moi.

Pour me changer les idées, j'ai réfléchi à la soirée que je comptais mettre sur pied pour le départ de Jim. Le pauvre, sa visite chez les parents de Gary s'annonçait difficile et il avait besoin qu'on lui remonte le moral. Au lieu de me focaliser sur Arthur, j'aurais dû me préoccuper de choses plus sérieuses. J'ai décidé d'organiser un barbecue dans le jardin.

A tout hasard, j'ai appelé Frannie – au cas où elle aurait pu se joindre à nous et faire la surprise à Jim. Je mourais d'envie qu'elle vienne. Il y avait des lustres qu'on ne s'était pas vues.

— Salut, Frannie ! C'est moi. Tu as une minute ?

— Salut, fillette ! Mais où diable étais-tu passée ? Pas moyen de te joindre ! Tu as une nouvelle maison et un commerce. Quand je pense que je ne t'ai même pas envoyé un bouquet ! Je suis en dessous de tout. Qu'as-tu de beau à me raconter ?

Je lui ai relaté les dernières péripéties, sauf mon odyssée nautique. Puis j'ai évoqué l'état de santé de Gary et ajouté que Jim avait décidé de se rendre à son chevet.

— Je crois qu'il aura besoin de notre soutien, Frannie.

— Quelle tuile ! Bien entendu, Trixie n'est au courant de rien ?

— Je suppose que non. Je n'ai pas demandé à Jim s'il lui en avait parlé. Je vais le contacter et l'inviter à dîner mercredi.

— Tu souhaites savoir si je suis libre ce soir-là ?

— Oui. Tu ne l'es pas, c'est ça ?

— Voyons… J'ai un séminaire à Raleigh vendredi – le lobby du tabac. Je pourrais prendre l'avion mercredi pour Charleston. Puis-je passer la nuit chez toi ?

— Bien sûr !

— Comme ça, je repartirais jeudi soir. Je vérifie qu'il existe un vol et je te rappelle.

Une heure plus tard, c'était réglé. Frannie serait des nôtres.

J'ai convié papa – non sans avoir préalablement tâté le terrain du côté de Lucy. Ils filaient de nouveau le parfait amour. J'ai fait signe à Brigitte et à Bettina et son mari, et je supposais qu'Emily et David se joindraient à nous. J'aurais pu proposer à Arthur, mais il était probablement pris. Chacun a promis de me donner un coup de main et nous nous sommes mis d'accord pour faire la surprise à Jim.

En rentrant du salon, Emily et moi sommes sorties dresser l'inventaire dans le jardin. Je n'avais ni terrasse ni hamac, juste un minuscule barbecue. Je n'avais à offrir qu'un carré d'oyat, la plante côtière qui tient lieu de gazon, et un appentis, ainsi que des fleurs et des buissons à profusion. J'ai jeté un coup d'œil à mon compte en banque : pas franchement excitant. Cela dit, j'avais une carte de crédit avec une réserve confortable dans laquelle je ne puisais pour ainsi dire jamais. Une fois de plus, j'ai décidé de faire sauter la banque.

— Emily, on va passer chez Lowe pour voir comment on pourrait meubler ce maudit jardin.

— On peut faire un crochet par Taco Bell ?

— Tope là.

Six tacos et deux Pepsi light plus tard, nous déambulions dans les allées de Lowe. Je pouvais acquérir une table avec un parasol, six chaises, un barbecue au gaz huit couverts et un hamac en macramé pour un peu moins de mille dollars. L'ensemble Sydney ne figurait peut-être pas dans le catalogue *Lifestyles*, mais il ferait l'affaire.

— Au diable les varices, a lâché Emily. Achète, maman.

J'ai écouté ma fille. Pour quarante dollars de plus, j'ai pris assez de torches à la citronnelle pour transformer la soirée en *luau* hawaiien.

— Je ne voudrais pas avoir l'air d'insister, maman, mais tu as prévu six sièges pour dix invités.

— On complétera avec ceux de la maison.

— Et pour la bouffe ? Tu as pensé à ce qu'on allait faire, au moins ?

— Un barbecue, au cas où tu n'aurais pas compris ! S'il te plaît, ne me mets pas de mauvais poil. Je donnerais ma chemise pour Jim.

— Sauf que tu n'en as pas.

— Eh bien, si j'en avais une.

— Je me tais.

Le mercredi matin, grâce aux bons soins de Bettina et Brigitte, le menu était prêt. Sept livres de travers de porc marinaient dans le réfrigérateur de Lucy. J'avais aussi prévu des crevettes pour picorer pendant que la viande cuirait. Brigitte apportait la salade et le dessert, Bettina se chargeait des boulettes et Lucy des cocktails.

Et puis j'avais convié Trixie. Voici comment s'était déroulée la conversation.

— Trixie ? C'est Anna.

Soupir, suivi d'un silence et d'un nouveau soupir.

— Bonjour, ma chère. Comment vas-tu ?

Trixie réservait l'expression « ma chère » aux personnes

qu'elle considérait comme légèrement nauséabondes. Mais peu importait ; j'allais l'inviter, et à Dieu vat.

— Très bien, merci. Très occupée. Vous vous en doutez.

— Oui, et c'est tant mieux.

— La raison de mon coup de fil est que Jim part jeudi et...

— Comment ! Et il ne m'en a rien dit ? Il rentre en Californie ?

— Oui. Aussi Emily et moi désirons-nous marquer le coup avec une petite fête d'adieu, mercredi soir. Pouvez-vous vous joindre à nous ?

— Je dois consulter mon agenda. Au fait, j'allais sortir quand le téléphone a sonné. Je te rappelle plus tard.

C'est ça. A la saint-glinglin, ai-je songé.

— D'accord. A plus.

C'est drôle comme certaines personnes prennent un malin plaisir à vous faire culpabiliser. Etait-ce ma faute, si Jim n'avait pas prévenu sa mère de son départ ? Après la scène qu'elle avait faite à Emily, j'aurais dû m'en tenir à des échanges de cartes de vœux avec elle. Mais non. La bonne petite catholique que j'étais se sentait obligée de tendre l'autre joue. Et la Reine de la nuit qui sommeillait en Trixie n'attendait qu'une occasion de distribuer des taloches. Elle était aussi encline à infliger la souffrance que moi à chercher la réconciliation. Malgré cela, je voulais qu'elle ait sa place dans la vie d'Emily. En outre, je n'avais pas oublié qu'elle m'avait tendu la main, jadis, et me sentais une dette envers elle.

Pour finir, elle a annoncé sa venue. Pouvait-elle apporter quelque chose ? Le nombre de convives s'élevant à présent à onze, je lui ai demandé de prévoir une chaise.

Le mercredi, j'ai envoyé Jim faire des petites courses à droite et à gauche, histoire de le tenir éloigné de la maison jusqu'au soir. A trois heures, Lowe a téléphoné, annonçant que la commande était prête à être livrée. Lucy et Emily sont aussitôt parties réceptionner la marchandise. A mon retour, j'ai trouvé la table et les chaises installées et astiquées, le parasol ouvert, le hamac suspendu et les torches fichées en terre. La soirée se présentait sous les meilleurs auspices, si ce n'est que j'étais sans nouvelles de Frannie. Elle était censée arriver à quatre heures. J'ai donc prié Emily de contacter l'aéroport, en quête d'informations.

— Le vol a été retardé pour cause d'intempérie, maman.

— Mon œil ! Le thermomètre affiche trente degrés et il n'y a pas un nuage en vue. Bon, espérons que le trafic sera rétabli d'ici ce soir.

Lucy est rentrée chez elle se doucher, puis elle est revenue à six heures et demie en compagnie de David, parfumé comme s'il avait pris un bain d'eau de Cologne. Il dévorait littéralement Emily des yeux. Il faut dire que l'après-midi même, elle avait supplié Brigitte de lui faire une décoloration blond platine. Ouf ! Elle avait enfin repris figure humaine. Ce changement d'apparence était-il annonciateur d'un changement d'attitude ? Probablement, car Emily portait un haut rose layette et un short blanc – sans doute repêchés au fond de sa penderie. Bien que ce dernier ait été un peu court à mon goût, je me suis abstenue de toute remarque. Avec ses cheveux clairs et ses yeux émeraude, ma fille était à croquer.

— Aurais-tu un drap blanc ? m'a demandé Lucy.

— Pour quoi faire ? Une toge *party* ? a répliqué Emily.

— Non, une réunion du Ku Klux Klan, ai-je renchéri.

Emily m'a foudroyée du regard.

— Pour l'amour du ciel, Emily. Une nappe, évidemment !

Lucy et moi avons échangé un coup d'œil faussement excédé qui en disait long sur le fond de notre pensée : « Les adultes n'ont pas le droit de faire des blagues qui ne soient pas à cent pour cent politiquement correctes. Les adultes n'ont pas à pratiquer le même humour que les adolescents. Les adultes doivent reconnaître qu'ils sont vieux et ennuyeux, et sont priés de rester dans leur coin et de la fermer. Sauf que les ados ont besoin de fric, des clés de la voiture, et de diverses autres bricoles qu'ils ne peuvent pas se procurer par eux-mêmes. »

— Les jeunes ! a soupiré Lucy.

Bettina et Bobby sont arrivés. Muni de maniques, Bobby portait une cocotte qui semblait bouillante. Il avait devancé Bettina, qui fourrageait dans le coffre.

— Salut !

— C'est toi, Anna ? J'ai beaucoup entendu parler de toi.

— Enchantée, Bobby. Bettina est un ange !

— Chouette jardin, a lancé Bobby, avec un hochement de tête en direction des parterres de fleurs. Où est-ce que je peux mettre ça ?

— Oh ! Laisse-moi te débarrasser !

— Non ! C'est trop lourd. Je vais poser ce truc à la cuisine.

Ouah ! Viril, ce mec ! Quel macho ! ai-je songé.

— J'ai apporté des CD et un ampli, a dit Bettina en passant comme une flèche devant moi. Ainsi que ma compile de tubes des années quatre-vingt.

Apparemment, on aurait droit à une séance de trémulation.

Brigitte est arrivée peu après, avec une énorme pastèque évidée, qui formait un panier contenant la salade de fruits.

— C'est toi qui l'as fait ?

— Il faut bien compenser la misère sexuelle d'une manière ou d'une autre. Une poussée d'hormones et hop ! te voilà en train de sculpter des radis.

— J'ai beau être célibataire, je serais incapable d'une telle prouesse, même si ma vie en dépendait. En revanche, je jardine.

— Ça revient au même.

La pastèque posée en équilibre sur la hanche, Brigitte a inspecté les végétaux qui grimpaient à l'assaut de la façade et des fenêtres en haussant un sourcil.

— Ma parole, on se croirait dans le jardin botanique de Charleston, ici !

— Tout tient à la qualité du terreau.

— Sans blague ?

— Donne-moi le dessert.

— Tiens. Je retourne chercher la salade.

— D'accord ; rejoins-nous.

Je suis entrée dans la maison et sortie de l'autre côté par la cuisine.

J'avais rempli la glacière de canettes de bière et de bouteilles de vin blanc. Emily était en train d'étaler un drap à carreaux roses et gris sur la table, qui s'accordait parfaitement avec les coussins de chaises rayés gris et blanc.

— Au début, je n'ai pas fait gaffe, j'ai pris un drap-housse. Et puis j'ai trouvé celui-ci. Il est parfait, non ?

Lucy déballait les gobelets et les assiettes en plastique, les serviettes en papier. Dès que papa est arrivé, le mixeur s'est mis en route. On a installé le gril à côté de la table pliante que Lucy avait apportée et peu après, une délicieuse odeur de sauce barbecue et de porc grillé s'est répandue dans l'air. Je ne connais rien de plus appétissant que le parfum du sucre roux caramélisé, mêlé à celui de la moutarde et de la viande en train de cuire.

Quand Trixie est arrivée, d'une humeur de chien, papa, en parfait diplomate, s'est mis en quatre pour la dérider. Pour finir, elle a daigné adresser la parole à Emily.

— Mais tu es belle comme un cœur !

— Merci, grand-maman, a répondu Emily. J'ai décidé que le blond était plus seyant, l'été. Je voulais ajouter des mèches bleues, mais je n'ai pas eu le temps.

Je l'ai agrippée par le bras.

— J'ai entendu. Etait-ce vraiment nécessaire ?

— Oui. Bien jeté, non ?

— N'oublie pas que tu es ma fille, lui ai-je glissé à voix basse.

— Dressée à obéir au doigt et à l'œil, c'est ça ?

Emily s'est dégagée de mon étreinte et a filé rejoindre David, qui cassait de la glace pour la mettre dans la glacière.

Je me suis retournée et j'ai vu Trixie qui soupirait, une main posée sur la poitrine, et Doc qui hochait la tête.

— Ces jeunes ! Ils ne peuvent pas s'empêcher de nous provoquer, commentait-il.

— Hum ! s'est contentée de rétorquer Trixie, le menton relevé et les lèvres pincées.

Papa l'a prise par le bras et entraînée près du buffet, où Lucy versait du rhum et des fruits dans le bol du mixeur, qu'une interminable rallonge électrique orange reliait à la prise de la cuisine. C'est ça, donne donc un petit remontant à Trixie, Lucy, un de ces mélanges explosifs dont tu as le secret. Et que ça lui remette les idées en place ! ai-je songé.

Bettina avait branché la sono et dansait avec Bobby, qui se trémoussait tel le jumeau de John Travolta dans *La Fièvre du samedi soir*. Et voilà ! La mode yankee avait commencé à envahir les Basses Terres, et sauf les purs et durs, comme Trixie, nous étions tous menacés de perdre notre identité culturelle. Enfin, de vous à moi, j'aurais préféré me balader nue plutôt que de m'emmailloter, comme Trixie, dans un ensemble vert pastèque.

Quand Jim est arrivé, la soirée battait son plein.

— Surprise ! lui a-t-on crié en chœur.

— Vous êtes tombés sur la tête ou quoi ? D'où viennent ces meubles ?

— A ton avis ?

Je l'ai pris par le bras et entraîné vers le reste des convives.

— Ce n'est pas trop tôt, a lâché Trixie. Je me demandais si tu te déciderais à arriver.

— Salut, maman ! a lancé Jim en lui faisant la bise. Tu es l'image même de l'été !

Trixie a souri en minaudant et en jouant avec son collier de perles.

Jim était aux anges. Tout le monde s'est approché pour lui souhaiter bon voyage, le porter aux nues, lui dire combien il allait nous manquer, lui demander quand il comptait revenir. Il a aperçu Emily avec sa nouvelle couleur et souri, visiblement satisfait du résultat.

— Tu es très jolie, Emily. Faites bien attention, jeune homme, a-t-il poursuivi en se tournant vers David, qui avait passé un bras autour des épaules d'Emily. C'est ma fille unique que vous enlacez. Ce n'est pas parce que je m'en vais que je ne vous garde pas à l'œil.

— Papa ! a soupiré Emily.

Il suffisait qu'elle l'appelle ainsi pour qu'il fonde.

— Bref. Tu vas me manquer, ma chérie.

Il l'a prise par les épaules et serrée contre lui.

— Tu connais mon numéro de portable ?

— Par cœur.

— Dans ce cas, n'hésite pas à me téléphoner. En particulier si tu sens que tu risques de commettre une bêtise.

Il a décoché un regard appuyé à David.

— Mais nous ne faisons rien de mal, monsieur, a protesté celui-ci en rougissant.

Emily l'a pris par la main et emmené plus loin.

J'ai ôté les derniers morceaux de porc du gril et les ai disposés sur un plat de service au centre de la table.

— Que ça sent bon ! a lancé une voix familière.

Je me suis retournée. C'était ma plus vieille amie.

— Frannie ! Enfin !

— Pour rien au monde je n'aurais raté une telle occasion ! Tu as une maison, maintenant. Et ce jardin ! Comment as-tu réussi à te débrouiller sans moi ?

— Jim m'a filé un coup de main.

— Où est-il, ce vieux cabot ? Ne me dis pas que j'ai fait tout ce chemin pour rien ?

— Il est ici et va avoir une attaque quand il te verra ! Frannie, je suis si heureuse de te voir. Ma parole, tu as réduit de moitié ? Tu as perdu combien de kilos ?

— Cent mille ! Tu sais ce que c'est : le stress, un nouveau jules, Weight Watchers. Moi aussi, je me réjouis de te retrouver !

Je l'ai prise dans mes bras.

— Il n'est pas marié, au moins ?

— Non... Enfin, il est en train de divorcer...

Je lui ai décoché un coup d'œil désapprobateur, auquel elle a répondu par un sourire en coin.

— C'est sérieux, cette fois... Tu n'as pas idée du nombre de menteurs que j'ai croisés à Washington. Et puis ce n'est pas si facile que ça à notre âge. Il faut vivre d'espoir et se dire qu'après tout, c'est eux qui auront des remords, pas nous.

— Je ne sais pas. En tout cas, aimer est un supplice. Viens prendre un verre et allons chercher Jim.

— Ma parole, Frannie ! s'est exclamé papa en fendant l'assemblée, Lucy pendue à son bras. Ça alors ! Quelle bonne surprise !

— Docteur Lutz. Ça me fait plaisir de vous revoir !

Ils se sont serré la main. En voyant Lucy, Frannie a eu l'air incrédule. Mais Lucy n'a pas tardé à mettre les points sur les i.

— Bonjour Frannie, je suis Lucy. J'habite à côté et Dougle est mon chéri d'amour.

— Ah ! a lâché Frannie, avant de se tourner vers moi en esquissant un ouah ! silencieux. Au fait, ce verre ?

Jim était en train de pêcher une bière au fond de la glacière.

— Salut, l'affreux ! a lancé Frannie en lui tapotant l'épaule. Alors, c'est quoi ce travail ? Tu abandonnes la côte Est ?

— Oh ! oh ! Une revenante ! Approche que je t'embrasse, mocheté !

— Non mais, qu'est-ce que c'est que cette infâme gélatine sur tes cheveux ? Va te doucher, garnement !

— Tu t'es regardée ? Jamais tu ne mets les pieds chez le coiffeur ?

— Va te faire voir !

— Toi aussi !

Ils ont continué ainsi jusqu'au moment où ils ont décidé de se parler vraiment. Ils se chambraient en rigolant, tels deux gosses. J'étais si contente que nous soyons tous les trois réunis que j'avais envie que les autres s'en aillent – chose impossible.

Dès que les grillades ont été servies, les invités ont rappliqué avec leurs assiettes. Certains se sont installés à table, tandis que d'autres restaient debout à côté du buffet. Les bavardages allaient bon train. Lucy et papa étaient aux petits soins pour Trixie, de même que Jim, qui se joignait à eux de temps en temps. J'estimais qu'ils lui faisaient trop d'honneur. Quiconque s'en prenait à ma fille chérie perdait à jamais mon estime et il était hors de question que je me prête à ce jeu de faux jeton.

Mais peut-être Jim pensait-il que de mon côté j'accordais plus d'importance à mon père qu'il n'en méritait. Nous trouvons, ainsi, des excuses pour nos parents, alors que nous nous montrons intraitables vis-à-vis de nos beaux-parents.

J'ai regardé autour de moi, en quête d'Emily. Elle berçait David, qui se prélassait dans le hamac. Ils parlaient et riaient – probablement à propos de ce tas de croulants –, et semblaient trouver la soirée sympa. David était un garçon bien, qui exerçait une bonne influence sur ma fille.

Vers onze heures, le signal du départ a été donné. Brigitte, Bettina et Bobby ont alors offert un cadeau à Jim.

— Ouvre-le !

— Je précise que je n'ai rien à voir là-dedans, a signalé Bobby en roulant des yeux.

C'était un tee-shirt, avec notre logo imprimé sur le devant et le dos et, sur la poche de poitrine, en lettres roses : « Big Jim, le roi de la banane ».

— Avec un truc pareil, je vais faire un carton dans les soirées branchées de San Francisco ! a commenté Jim avec naturel.

— Zut ! C'est vrai ! s'est exclamée Bettina. Je n'y avais pas pensé !

— Bon, ce n'est pas tout ça, a enchaîné Brigitte, mais je vous signale qu'on bosse demain, les filles.

— Tu fais bien de nous le rappeler, ai-je ajouté. En tout cas, merci d'être venus.

On est restés un moment comme ça, au clair de lune, à se congratuler. On formait désormais une tribu ; tous pour un et un pour tous. Même Lucy. Emily. Jim. Anna's Cabana avait permis à des individus disparates de tisser des liens. Si j'avais su que le commerce provoquait de telles montées d'adréna-line, je me serais lancée dans l'aventure bien avant.

Chacun ayant regagné ses pénates, Frannie et Jim ont remis de l'ordre dans la cuisine, pendant que Lucy et moi nettoyions le jardin. Trixie ayant déclaré qu'elle n'aimait pas passer, de nuit, devant les clodos qui avaient élu domicile au pied du pont de Cooper River, papa avait proposé de la suivre avec sa voiture jusqu'à Charleston. Emily et David restaient invisibles. Ils avaient dû chiper un pack de bière et filer sur la plage.

Une heure plus tard, Lucy était toujours en train de siroter un verre de vin. Au début, cela m'a contrariée qu'elle s'incruste, car j'avais envie de me retrouver seule avec mes copains. J'ai pris ma première bière de la soirée dans le réfri-gérateur et suis sortie dans le jardin retrouver Frannie et Jim. C'était un vrai bonheur de les voir assis en train de papoter. Sauf qu'ils avaient l'air graves. Vraiment graves.

— Ma parole, vous en faites une tête. On veille un mort ou quoi ?

— Non, a répondu Frannie, mais attends-toi à avoir un coup quand Lucy t'aura dit ce qu'elle vient de nous révéler.

— Quoi donc ? C'est au sujet d'Emily ?

— Non. Assieds-toi, a repris Jim. Je n'ai pas envie de devoir te ramasser dans l'herbe.

Je les ai regardés l'un après l'autre. Il s'agissait manifestement d'une révélation gravissime.

— Que s'est-il passé, Lucy ?

— Anna, tu ne vas pas en croire tes oreilles.

— Parle !

— Sur ma tête, Anna, je te jure que je n'ai pas cherché à m'immiscer dans ta vie privée.

— Je t'en prie, viens-en au fait.

— Tu te rappelles quand je t'ai dit que je m'étais servie d'Internet pour rechercher mes parents.

— Tu les as retrouvés ! C'est for...

— Non. Mais j'ai trouvé Everett Fairchild.

— *Quoi !*

— Je suis allée sur Google, tout simplement, et j'ai tapé son nom. Il est marchand de bateaux à Clearwater, en Floride.

Heureusement que j'étais assise, car j'arrivais à peine à respirer.

— Ce n'est pas tout.

— Là, tu risques d'avoir un choc, a glissé Jim.

— Il a raison, a renchéri Frannie.

J'ai attendu.

— Il vient ici en août pour représenter la marque Sea Pro à la foire commerciale de Wild Dunes. Tout est expliqué sur le site de la société.

— Frannie... Jim... Vous serez ici, en août, j'espère...

— Non. Il fait trop chaud, l'été, a dit Jim.

— Il se paie ta tête, Anna. Bien sûr qu'on sera là. Mais il faut qu'on parle et qu'on élabore un plan.

Cette bonne vieille Frannie n'avait pas changé : toujours prête à prendre le taureau par les cornes.

— Je n'arrive pas à y croire !

J'ai avalé une longue gorgée de bière.

— J'ai besoin de réfléchir sérieusement à tout ça. Lucy, papa ne sait rien, au moins ?

— Tu veux rire ! J'ai passé la nuit à me demander

comment t'annoncer ma découverte ! Je n'ai pas pipé mot, je te le jure !

— Tant mieux. S'il te plaît, continue. Il vaut mieux ne pas ébruiter l'affaire, pour l'instant, en tout cas. Je savais que ça finirait par arriver un jour.

— Enfin, j'ai retrouvé la carte qui était attachée à la plante, a ajouté Lucy. Elle avait dû tomber et glisser sous mon bureau.

— Et alors ?

— Mystère et boule de gomme. Elle est signée d'un certain Jack Taylor. Qui est-ce ?

— Le petit copain d'une de mes clientes. Et que disait-il ?

— « J'ai été ravi de faire votre connaissance, Sheena. Soyons amis. Jack Taylor. »

— Allons bon ! Il ne manquait plus que ça !

29

Plan d'attaque

Une fois sa bombe larguée, Lucy nous a quittés. Frannie, Jim et moi étions sonnés. On est restés un moment à humer l'air du soir en cherchant un sens à la vie. Jim a débouché une bouteille de chablis qu'il avait mise de côté pour la bonne bouche. Frannie a sorti un paquet de Parliament, qu'elle cachait entre les plis de son pantalon de lin.

— C'est un drôle de numéro, cette Lucy, a dit Jim. Je vous sers un verre ?

On a secoué la tête. J'étais trop abasourdie pour avaler une gorgée de plus.

— Ouais, un sacré numéro, et un fin limier, a acquiescé Frannie en tirant sur sa cigarette.

Bien que j'aie eu une envie folle d'en griller une, moi aussi, j'ai secoué les puces à Frannie.

— Quand vas-tu te décider à arrêter de fumer ? Tu sais que ça tue ?

— Si tu turbinais, comme moi, vingt-quatre heures sur vingt-quatre, tu en ferais autant, a répliqué Frannie en prenant une longue bouffée. J'ai apporté mon ordinateur portable. Que diriez-vous si nous jetions un coup d'œil au site web de qui vous savez ?

— On y va, a lancé Jim en se levant.

J'ai frissonné de la tête aux pieds. J'avais la nausée à l'idée de revoir la tête de celui qui, en l'espace d'une soirée, avait bousillé mes projets d'avenir.

— Je ne suis pas certaine d'avoir envie de savoir ce qu'il est devenu, ai-je répondu en refermant la porte grillagée derrière moi.

Il y a eu une minute de silence. Mon pire cauchemar allait de nouveau se matérialiser. Etais-je à même d'affronter l'épreuve ?

Dans ma relation avec Emily, j'avais fait abstraction d'Everett. Il ignorait tout de l'existence d'Emily et m'avait sans doute effacée de sa mémoire. Il ne pouvait pas se douter qu'il avait une fille ravissante, qui avait hérité de ses yeux inquiétants et de ses cheveux. Et quand bien même on irait le traquer dans sa tanière, quel intérêt ? Etait-il souhaitable que le spectre d'Everett Fairchild ressurgisse dans nos vies ? Quelles seraient les répercussions pour Emily ? Bien qu'elle ait émis des doutes quant à la paternité de Jim, elle ne risquait pas de supposer qu'elle était le fruit d'un viol. Une fois Everett débusqué, nous serions obligés de lui avouer la vérité.

— Tu n'es pas forcée de regarder, a glissé Jim.

— Tu as les boules ? a demandé Frannie.

— Oui. C'est normal.

— Bien sûr, à ta place, je serais dans le même état. Mais la curiosité l'emporterait.

— Oui, mais toi, tu as du cran. Pas moi. Ecoutez, j'ai tiré un trait sur ce sale type il y a des années – grâce à vous, soit dit en passant. Je n'ai pas envie de découvrir qu'il nage dans la réussite. J'espère même que sa vie est un enfer.

— C'est peut-être le cas, a noté Jim.

— De plus, a ajouté Frannie en serrant hargneusement les mâchoires, il ne tient qu'à toi de transformer son existence en enfer.

— Voilà un argument qui mérite qu'on y regarde de plus près ! a renchéri Jim en faisant mine de ricaner et de se frotter les mains.

— Vous avez raison. (J'ai pris une longue inspiration.) C'est maintenant ou jamais. De deux maux, autant choisir le moindre : j'aime mieux que ce soit avec vous qu'avec Lucy.

— Ça fait plaisir à entendre, a dit Frannie en allumant son ordinateur après l'avoir relié à la prise téléphonique. Démarre ! J'ai horreur d'attendre.

— Je vais chercher des chaises, a enchaîné Jim. Les portables mettent un temps fou à s'allumer.

Je suis sortie avec lui. La nuit était fraîche et calme. On entendait la rumeur de l'océan et l'air embaumait le pin, le jasmin et le sel. Comment était-il possible que le monde autour de moi soit si paisible alors que j'avais les boyaux noués ?

— J'ai peur que nous ne soyons en train de commettre une bêtise.

— Quand l'avenir est incertain, mieux vaut ne pas se voiler la face. Depuis quand es-tu une dégonflée ?

— Depuis toujours.

— C'est ça... Comme Eleanor Roosevelt.

On a rapporté deux sièges, qu'on a eu du mal à passer par la porte. Je sentais l'appréhension monter en moi.

— Et si Emily rentre à l'improviste ?

— On cliquera sur MSN. Allons, inutile de te mettre la rate au court-bouillon. On jette juste un coup d'œil au site.

Frannie a commencé par taper « Bateaux de plaisance », puis la marque dont Fairchild était concessionnaire. Une fois sur le site officiel, elle est allée sur « Concessionnaires », puis « Floride » et « Clearwater ». Le tour était joué.

Everett Fairchild est apparu, avec quelques années de plus, certes, mais bronzé et souriant. Arborant une paire de Ray-Ban et un polo à manches courtes, il posait devant une rangée de bateaux montés sur remorque. Si je l'avais croisé dans la rue, je l'aurais reconnu au premier coup d'œil. Il y avait son numéro de téléphone, son adresse, ainsi qu'un plan d'accès au magasin, quelques témoignages de clients satisfaits et une galerie de photos avec différents modèles d'embarcations. Une poignée de minutes avait suffi pour que ressurgisse celui qui avait brisé ma jeunesse – et qui viendrait sur l'île durant la deuxième semaine d'août.

— C'est lui.

J'avais la voix blanche.

— Il a toujours l'air aussi con, a commenté Frannie.

— Il l'est, a insisté Jim. Anna, qu'en penses-tu ?

— Je crois que je devrais aller me coucher. J'ai la nausée.

— Moi aussi, a repris Frannie en éteignant l'ordinateur. Jim, c'est toi qui écopes du canapé, ce soir. Désolée.

— Pas de problème. J'ai déjà fait mes bagages.

— Bonsoir, tout le monde !

A peine une demi-heure plus tard, Emily s'est effondrée dans le lit, à côté de moi. Elle empestait la bière.

— Tu sais quoi ?

— Quoi ?

— Quand tu bois en cachette, brosse-toi au moins les dents pour ne pas m'infliger ton haleine de barrique.

— Pardon, maman.

— Je ne suis pas contente. Pas contente du tout. Comment ça se passe avec David ?

Il était temps que je fasse la morale à ma fille.

— Il est *fabuleux*. Vraiment *génial*.

En clair, elle nageait dans le bonheur.

— C'est bien, ma chérie. Et maintenant, dodo.

J'ai senti que le sommeil aurait du mal à venir. Consciente que je passerais une bonne partie de la nuit à me triturer la cervelle, j'ai commencé à prier. N'allez pas croire que j'implore le Seigneur à tort et à travers. Certes pas. Mais compte tenu du caractère désespéré et exceptionnel de la situation, je me suis dit que la Providence daignerait peut-être me venir en aide. Et je vous le donne en mille : à peine avais-je étiré le bras pour brancher le radio-réveil qu'on était déjà le matin. Je me suis réveillée fraîche comme une rose. J'avais dormi à poings fermés, par la grâce de Dieu.

Le petit déjeuner est le dernier repas que nous avons pris en commun, Frannie, Jim et moi. Emily roupillait. Les ados sont de véritables marmottes. Ce jour-là, c'était céréales et pain grillé, mais le café était délicieux et aussi fort que la conversation. Frannie a commencé à dresser des plans pour leur retour en août.

— Tu sais, dans ma profession, cette période-là correspond à la saison morte. Ces beaux messieurs les politiciens courent se réfugier à Long Island ou sur le yacht d'un riche bienfaiteur du parti, sous prétexte de mettre au point des plans de campagne.

— Je hais le monde politique. Je me demande comment tu

arrives à supporter ces mégalomanes nombrilistes qui ne pensent qu'au fric et au pouvoir.

— C'est facile. Le fait que je sois bien payée m'aide à oublier que j'ai les pieds dans la fange. C'est un sale boulot, mais il faut que quelqu'un le fasse, de toute façon. Alors, autant que ce soit moi. C'est un gagne-pain, pas une vocation.

— Au fond, tu as raison. Moi, je prends plaisir à embellir mes clientes. Vraiment. Mais ça ne suffit pas à nourrir mon âme.

— Je ne crois pas qu'il y ait beaucoup de gens qui aient la chance d'exercer un métier qui leur permet de faire bouillir la marmite en les comblant spirituellement, a répliqué Frannie. A part les artistes, les stars de cinéma, de théâtre ou de rock, les journalistes-vedettes...

Jim a ajouté son grain de sel.

— Les médecins qui traitent des maladies graves, les chanteurs d'opéra, les conservateurs de musée, les galeristes de Madison Avenue, les photographes de mode, les grands cuistots, les sommités universitaires, les anthropologues...

— Tout le monde sauf nous, en somme.

— En gros, ouais, a conclu Frannie.

— Vous oubliez les négociants en vins d'Europe, de Napa et Sonoma, a lancé Jim. Non seulement les pinards nourrissent leur homme, mais ils abreuvent l'âme et comblent les sens. Et les architectes d'intérieur ? Nombre d'entre eux roulent sur l'or et adorent leur boulot ! Et les antiquaires !

— Ouais ! a repris Frannie. C'est pénible de devoir se lever chaque matin pour se rendre à un job qui ne vous emballe pas. Du coup, je me dis que je suis utile à ces types en costard-cravate. Je les aide à éviter les embûches du lobbying. Grâce à moi, ils obtiennent ce qu'ils veulent.

— Tu aurais dû être ténor au barreau, a répliqué Jim. Tu serais capable d'émouvoir une pierre.

— Mais oui, bien sûr, comme s'il n'y avait pas déjà pléthore de juristes.

— Moi, je ne sais pas ce que je ferais, si je pouvais recommencer ma vie à zéro. Je tenterais peut-être de devenir architecte paysagiste.

— Moi, j'ouvrirais un complexe hôtelier sur une île

lointaine, Fidji, par exemple, a renchéri Frannie. Toi, Jim, tu t'occuperais du restaurant, et toi, Anna, tu te chargerais des plates-bandes et des palmiers. Après quoi, on finirait la journée affalés dans des rocking-chairs en lisant des romans.

— C'est mortel, ton truc. Je préfère encore m'occuper de mon salon et préparer des cocktails de fruits frais aux clientes. Mais j'accepte que tu m'envoies des cartes postales.

— Moi aussi, a ajouté Jim. A part des embrouilles avec le fisc, je ne vois pas ce qui m'inciterait à m'installer dans les mers du Sud.

— En attendant, a repris Frannie, je ne dirais pas non à un week-end prolongé sous les tropiques, avec un bon bouquin. Ce serait génial qu'on se retrouve tous les trois comme au bon vieux temps.

— C'est vrai, a acquiescé Jim. J'ai l'impression que d'ici le mois d'août, j'aurai besoin qu'on me remonte le moral.

— Ecoutez ! On va faire le serment de se voir plus souvent.

J'ai regardé Frannie puis Jim.

— Anna a raison. C'est vrai, quoi ! Les années défilent. La vie est en train de nous passer sous le nez à toute vitesse. Bientôt, nos boîtes aux lettres regorgeront de publicités pour les protections énurétiques ! *Aahh !*

— C'est vrai, a admis Jim. Frannie n'a pas de mari. En fait, aucun de nous n'en a, mais Anna a Arthur. Comment ça va, vous deux ?

— Super, si ce n'est qu'il ne veut pas s'attacher. Et si vous voulez tout savoir, il est *génial* ! On doit se voir ce soir.

J'ai pris mon assiette et l'ai rapportée à la cuisine.

— Vous voulez encore du café ? Je dois filer au boulot.

— Non, merci, a répondu Jim. On va descendre sur la plage. D'accord ?

— Jim et moi avions prévu d'y passer la matinée, a précisé Frannie. Et j'aurais bien aimé faire un saut au salon, cet après-midi, pour que tu me donnes un coup de peigne avant mon départ.

— Avec plaisir ! Il y a des lustres que je rêve de m'attaquer à ta tignasse, ma vieille ! Va à la plage et on se retrouve à trois heures. Il est hors de question que tu repartes sans avoir vu mon antre, de toute façon !

— Je peux vous accompagner à la plage ? a demandé Emily.

Elle venait d'émerger de la chambre, bâillait et peinait à garder les yeux ouverts.

— Pas question ! me suis-je exclamée. Et tu as de la chance que je ne te botte pas les fesses, après ce qui s'est passé hier soir.

— Oh, la mère supérieure ! Arrête un peu, veux-tu ! a protesté Jim. Laisse-la venir ! Ce n'est pas si souvent qu'on a l'occasion de se voir, elle et moi. Si tu veux, je la conduirai au salon à midi. Je dois être à l'aéroport à deux heures. Tu as encore fait les quatre cents coups, coquine ? a-t-il ajouté, tourné vers Emily.

— Non, a menti Emily en rougissant jusqu'aux yeux.

— Elle a filé à l'anglaise avec David, un pack de bière sous le bras. Quand elle est rentrée, à minuit passé, elle sentait la boisson à plein nez.

— Qu'entends-je ? s'est offusqué Jim. Incapable de pourvoir lui-même au ravitaillement, le jeune maraud t'aurait réduite au pillage ? Que le diable l'emporte ! a-t-il lancé en claquant des doigts. Au fait, Emily n'a pas l'âge de boire de l'alcool ?

— Pas encore, a dit Frannie. Mais nous ne l'avions pas non plus, quand nous avons commencé à le faire.

— C'est vrai, ai-je concédé, contrainte de reconnaître que nous étions tous passés par là. D'accord, Emily. Mais je veux que tu sois au salon à midi, compris ?

— Ouais. C'est comme tu le sens.

Il n'était pas tout à fait neuf heures et demie quand j'ai poussé la porte d'Anna's Cabana. En voyant Bettina et Brigitte en grande conversation avec Lucy, j'ai compris que j'avais été trahie. Malgré ses belles promesses, Lucy avait vendu la mèche et livré les détails de l'affaire Everett Fairchild ! Mon sang n'a fait qu'un tour. Non, je ne rêvais pas. Toutes trois avaient l'air agitées et dans leurs petits souliers.

— Bonjour, Anna, a dit Brigitte en s'éloignant des deux autres et en faisant mine de se moucher. Désolée. Allergie. C'était super, hier. Merci.

— Ouais ! a renchéri Bettina. Je n'avais encore jamais vu

Bobby s'empiffrer comme ça ! Les crevettes étaient *fantastiques* !

Lucy a filé vers les toilettes, tel un serpent dans la vase.

— Bonjour tout le monde ! ai-je rétorqué en jetant mon sac dans mon vestiaire et en faisant claquer la porte. Lucy, je peux te voir une minute ?

Silence.

— Bien sûr ! Laisse-moi juste le temps de me repoudrer le nez.

Elles savaient que je fulminais. Je me suis regardée dans la glace et ai effacé une traînée de mascara. L'espace d'un quart de seconde, j'ai imaginé que j'en inventais un spécial climat humide qui ne coule pas. Puis j'ai commencé à me donner de grands coups de peigne énergiques.

— Je t'attends. Quelqu'un aurait le planning de la journée ?

— Non, a dit Bettina.

— Le voici.

Brigitte me l'a tendu.

— Ça s'annonce chargé.

Au même moment, les deux premières clientes sont entrées, au grand soulagement de Brigitte et Bettina, qui se sont empressées vers elles. J'attendais toujours Lucy, qui était restée enfermée assez longtemps dans les toilettes pour les retapisser. Pour finir, je me suis approchée de la porte et ai frappé doucement.

— Faut-il que j'appelle le plombier ?

Le battant s'est ouvert, dévoilant Lucy en train de pleurnicher dans un mouchoir, la poitrine secouée de sanglots silencieux. Elle tout craché.

— Viens avec moi, Judas. J'ai à te parler. Et pour commencer, calme-toi. Je te signale que nous avons des clientes à recevoir.

Je l'ai entraînée vers l'aire de stationnement située sur l'arrière du magasin. J'étais si furieuse que j'aurais pu la frapper.

— Je te demande pardon, Anna...

— Tais-toi, sans quoi je vais m'énerver. *Ecoute-moi bien !* Ce n'est pas parce que je t'ai mise au courant de certains détails de ma vie privée que je t'ai autorisée à les crier sur les toits. C'est l'existence de ma fille et la mienne qui sont en jeu. Ce secret n'appartient qu'à moi. Et je ne suis pas certaine de pouvoir te renouveler un jour ma confiance. Tu vas rentrer chez toi, et quand je me serai calmée, on en reparlera.

Lucy semblait pétrifiée.

— Je suis… virée ? Mon Dieu ! Je suis désolée ! C'est sorti tout seul !

— *Ben voyons !* L'idée a surgi dans ta tête, roulé sur ta langue, comme sur un toboggan. Non, tu n'es pas *virée*, mais je suis beaucoup trop contrariée pour te supporter. *Dégage !*

Quand Lucy est retournée chercher ses affaires, ses épaules s'agitaient si violemment que les clientes ont dû penser qu'elle avait eu un deuil. A présent que l'histoire avait été éventée, elle finirait par remonter jusqu'aux oreilles d'Emily. J'étais si oppressée que j'ai cru que j'allais tomber raide morte.

J'ai regardé la traîtresse franchir la porte du salon et se diriger vers sa voiture. Si seulement Jim avait pu rester, et Frannie ! J'avais tant besoin de m'épancher. Je ne pouvais rien raconter à papa, car il serait allé demander des explications à Lucy et aurait aggravé la situation Je devais trouver le moyen de couper court aux rumeurs.

Durant les deux heures qui ont suivi, j'ai répondu au téléphone, accueilli les rendez-vous et me suis efforcée de vaquer normalement à mes occupations. Pendant les pauses, Brigitte et Bettina m'évitaient, comme si elles avaient été en présence d'une bombe nucléaire à deux doigts d'exploser. Ni l'une ni l'autre n'ont osé me demander où était Lucy. Au bout d'un moment, j'ai réussi à me calmer assez pour les prendre à part. La cliente de Brigitte était sous le casque et celle de Bettina attendait que ses ongles sèchent en sirotant un cocktail de fruits. Je leur ai fait signe de me rejoindre dans la buanderie.

— Ecoutez. Emily va arriver d'une minute à l'autre. Un seul mot, un seul regard bizarre, et elle va me bombarder de questions auxquelles je n'ai pas envie de répondre. J'ignore ce que Lucy vous a dit, mais elle aurait dû tenir sa langue. Cette histoire ne la regarde pas.

— Je suis d'accord, a répliqué Brigitte. D'ailleurs, je n'avais pas envie de savoir.

— Lucy est idiote, ce n'est pas sa faute, a ajouté Bettina. Le monde regorge de nanas comme elles. Il ne faut pas lui en vouloir, Anna. On aurait probablement fini par apprendre la vérité tôt ou tard. Tu nous l'aurais dite, non ? Non ?

Elle nous a regardées l'une après l'autre. Brigitte a haussé les épaules, embarrassée.

— Possible, mais Lucy aurait dû la boucler.

— Si ça peut te rassurer, a repris Bettina, on va faire comme si on ne savait rien. Et je te promets que ce soir tu pourras nous remettre l'oscar de la meilleure actrice. Pas vrai, Brigitte ?

— Oui. Emily ne remarquera rien, promis.

— Parfait ! Dans ce cas, au boulot.

Quand Emily est arrivée, on l'a mise à l'accueil et je suis sortie parler un moment avec Jim, qui avait fait ses adieux à tout le monde. Le soleil était au zénith et la chaleur insoutenable. Jim est monté dans sa voiture de location pour mettre la climatisation en route et est ressorti.

— Tu as le nez rouge.

— Parce que j'ai un teint d'aristocrate.

— Naturellement !

— Dans cinq minutes, on se croira comme dans une glacière, là-dedans, a-t-il dit en me souriant. S'il y a une chose que les constructeurs maîtrisent, à Detroit, c'est la clim. Pas comme les Allemands.

— Jim, je regrette que tu doives partir. La mèche a été vendue et j'ai besoin de toi.

— Quelle mèche ?

Je lui ai tout raconté.

— Cette mèche-là ! Ecoute, Anna. Toi et moi, on se serre les coudes depuis qu'on est hauts comme trois pommes. C'est un coup dur de plus à encaisser. Ce n'est ni le premier ni le dernier. Tu survivras.

— D'accord. Mais pourquoi Lucy a-t-elle ouvert sa grande gueule ?

Il n'existait pas de réponse à cela, simplement, j'avais

besoin que Jim me dise comment protéger Emily jusqu'au jour où nous déciderions de lui révéler la vérité.

— Parce que c'est la reine des gourdes, voilà pourquoi. Ne t'inquiète pas. Je vais réfléchir à la question et je te rappelle demain. Ça te va ? Parles-en à Frannie et demande-lui ce qu'elle en pense. Cette Lucy est bien gentille, mais alors... a-t-il conclu en secouant la tête.

— Tu vas me manquer. En tout cas, bonne chance pour ton voyage dans l'Ohio. Je penserai à toi.

Je savais que Jim se rongeait les sangs à propos de Gary.

— Tu sais, je suis assez philosophe. Je pense que les choses finissent par s'arranger. Pour tout le monde, toi compris. Allez, cesse de faire cette tête, ça te donne des rides.

J'ai acquiescé. Il est monté en voiture et a passé la marche arrière. Puis il a abaissé la vitre.

— Je t'aime, Anna. Sois-en sûre.

— Moi aussi, je t'aime, Jim.

J'ai déposé un baiser sur le bout de mes doigts et lui ai caressé la joue. Il a braillé, puis s'est empressé de remonter la vitre. J'ai poussé un cri et bondi en arrière en riant. On s'est fait au revoir de la main, et quand il a démarré, j'ai pensé que je n'aurais jamais de meilleur ami que lui et que je compterais les jours jusqu'à son retour.

Ensuite, je n'ai pas vu le temps passer. Frannie est arrivée et a salué tout le monde avec effusion. Elle était la pièce manquante, celle sans laquelle le puzzle aurait été incomplet. Avec son humour pince-sans-rire et son calme olympien, elle s'entendait à merveille à la fois avec Bettina et Brigitte. Elle ne tarissait pas d'éloges sur le salon. Au bout d'un quart d'heure, après avoir avalé un cocktail de fruits et un cappuccino, elle s'est installée dans un fauteuil.

— Pendant que je feuilletais ce magazine, je me suis demandé si tu ne pourrais pas me faire la même tête que Julia Roberts. Après quoi, je me suis orientée vers Elizabeth Taylor. Sais-tu qu'à l'époque de sa splendeur, on la surnommait la femme aux yeux de velours ? Et puis, là encore, j'ai renoncé. Trop de travail. Que dirais-tu d'une coupe façon top-modèle ?

— D'accord. Je vais désépaissir les côtés. Je te sers un autre cappuccino ?

— Pourquoi pas ?

— J'y vais ! a lancé Bettina. Ensuite, je te fais les ongles ! Ça te tenterait, un motif Brad Pitt sur le petit doigt ?

— Elle est impayable, cette Bettina ! a dit Frannie.

— C'est vrai. Mais revenons à nos moutons, tu veux bien ?

J'ai ôté l'élastique qui retenait l'énorme chignon de Frannie. Ses cheveux épais et soyeux, mêlés de fils d'argent, sont retombés sur ses épaules. Je me serais damnée pour en avoir de semblables.

— Regarde-moi cette toison ! Depuis combien de temps n'as-tu pas mis les pieds chez le coiffeur ?

— Ça remonte au passage du père de Bush à la Maison-Blanche. Que veux-tu, je suis sans arrêt sur la brèche !

— Tu m'accordes une heure et demie ? Bon, c'est parti !

J'ai opté pour une légère coloration acajou, destinée à faire ressortir les reflets naturels de la chevelure de Frannie. Puis je l'ai séchée à la brosse, lui faisant gagner trois bons centimètres. Le résultat était superbe.

— Ma vieille, tu as trop de cheveux ! Tu en as assez pour quatre têtes !

— Dans ce cas, tu n'as qu'à les couper !

— Je te peins les ongles en rouge, a glissé Bettina. C'est la couleur qui convient à une fille dotée de ton bagout !

J'ai à nouveau mouillé les cheveux de Frannie, puis commencé à les couper pour les faire remonter juste au-dessus des épaules, en laissant un peu de longueur sur le devant. Une fois secs, ils brillaient et ondoyaient gracieusement.

— Ouah ! s'est exclamée Frannie. Cette fois, je pars à la chasse à l'homme ! Ce serait dommage de ne pas en profiter !

— Tu es magnifique, ai-je dit, tandis que Bettina partait s'installer au chevet d'une autre cliente. Tu vas monter dans l'avion, faire payer ton voisin de siège pour qu'il ait le plaisir de voler à ton côté et m'appeler dès que tu seras installée à l'hôtel. J'ai à te parler.

— Il s'est passé quelque chose ?

— Ouais.

— Lucy a lâché le morceau ?

— Ouais.

— Je m'en doutais. Je te téléphone dès que je suis arrivée.

Frannie m'a serrée contre elle puis elle est partie. Et j'ai commencé à me faire du souci pour Emily. Si David et elle avaient prévu de se voir chez Lucy, ce soir, cela risquait de tourner au vinaigre. J'ai repensé à la trahison de Lucy et senti la moutarde me monter au nez.

J'ai appelé papa, pour voir s'il ne voudrait pas inviter Lucy à sortir ou même simplement aller lui rendre visite. Elle n'oserait pas parler à Emily en sa présence. Elle se ferait belle et préparerait des martinis, et avec un peu de chance, une fois pompette, oublierait ce qu'elle savait, fût-ce l'espace d'une soirée.

Je suis sortie sur le parking et ai appelé Doc de mon portable.

— Papa, je suis à nouveau dans la panade. J'ai besoin de ton aide.

— Qu'est-ce qui ne va pas, ma chérie ?

— J'ai un problème avec Lucy, qui a une langue longue comme d'ici au Golden Gate.

Papa s'est gratté la gorge et j'ai réalisé qu'il était déjà au courant.

— Elle m'a téléphoné, il y a une heure. Le problème avec les femmes, c'est qu'elles ne savent pas garder un secret.

— Pas toutes. Mais celle-là, oui. Elle se sent obligée de déballer les choses telle la presse à scandale. J'ai failli lui tordre le cou, tant j'étais enragée.

— Je te comprends. Mais il n'est pas dit que tu sois obligée de tout raconter à Emily. Pas encore, du moins.

— Non, mais bientôt. Le diable ne va pas tarder à réclamer son dû, ai-je répliqué.

— Attends. Je pense qu'il doit y avoir un moyen de tenir le démon à l'écart. Pour l'instant, tu es si contrariée que tu es incapable de penser calmement.

— Pas du tout, je suis en pleine possession de mes moyens, ai-je rétorqué, furieuse que Doc sous-entende que j'étais hystérique. Mon problème est le suivant.

Je lui ai expliqué que j'avais prévu de voir Arthur, mais que je redoutais qu'Emily se retrouve seule.

— Tu comptes sur moi pour faire diversion, c'est ça ? Très bien. J'appelle Lucy pour l'inviter à dîner.

— Parfait. Comme ça, je m'inquiéterai à l'idée qu'Emily et David soient sans chaperon.

— Bon sang, Anna ! Est-ce que tu t'entends parler ? De quoi as-tu peur ? Des rapports non protégés ? Quel âge a Emily ? Tu la crois vraiment dévergondée au point de sauter dans le lit du premier inconnu venu ?

— Elle est assez grande pour faire ce qu'elle veut, de toute façon. Simplement, je n'ai pas envie de lui fournir l'occasion de commettre une bourde en la laissant dans une maison où il y a un lit par pièce. C'est une invitation à la débauche.

Papa a éclaté de rire et j'ai réalisé que je tenais le même discours que ma grand-mère. Du coup, j'ai ri moi aussi.

— Je suis vraiment stupide ! Violette réincarnée !

— Toi... Franchement... pas besoin d'un lit, une banquette de voiture suffit. Les jeunes trouvent toujours le moyen d'avoir des rapports quand ça les démange.

— Très bien. Tu emmènes Lucy dîner, tu la ramènes chez elle et tu t'incrustes un peu, d'accord ?

— D'accord. Calme-toi. Il va falloir qu'on parle de tout ça, parce qu'un jour viendra où il faudra bien dévoiler la vérité à Emily.

Papa avait raison. Si je m'étais tue, jusqu'alors, c'est parce que je n'étais pas certaine qu'Emily soit en mesure d'accuser le choc. J'avais espéré que Jim et moi pourrions la rendre assez heureuse pour qu'elle ne se pose pas de questions.

— Tu m'écoutes ?

— Oui, papa. Désolée. Tu disais ?

— Je te rappelle plus tard. D'accord ?

— Oui, merci. Papa ? Je t'aime. De tout mon cœur.

— Il faut que tu apprennes à pardonner, Anna. L'erreur est humaine. Lucy ne l'a pas fait exprès.

C'était vrai que je n'étais pas encline au pardon. Mais lui non plus.

Plus tard ce soir-là, après un somptueux dîner bien arrosé, je me suis retrouvée au lit avec Arthur. Je lui ai raconté ce qui s'était passé avec Lucy et de fil en aiguille, j'en suis venue à lui parler d'Everett. Quand j'ai eu fini, j'ai attendu qu'il dise quelque chose, mais il est resté étrangement muet.

— Qu'en penses-tu ?

— C'est le genre de truc qui me fait fuir.

Il a reculé dans le lit et, appuyé sur un coude, m'a regardée.

— Tu comprends ce que je veux dire ?

— Non.

J'ai senti qu'il s'apprêtait à exprimer des choses qui n'allaient pas me faire plaisir.

— C'est toujours le même cirque. Pas moyen d'avoir une relation sans histoire. Tôt ou tard, sous prétexte qu'ils ont couché ensemble, les gens se sentent obligés de se décharger de leurs problèmes sur l'autre.

J'avais commis une grave erreur en croyant qu'Arthur voulait apprendre à me connaître.

— Je ne sais pas, mais… Il me semble que devenir amants suppose un certain degré d'intimité, non ? On se rapproche. Physiquement. Spirituellement. Ça ne se passe pas comme ça, à New York ?

— Non, là-bas les femmes sont indépendantes, a-t-il répondu avec une petite moue dégoûtée. Bien sûr, tu n'es pas aussi collante que certaines nanas que j'ai pu rencontrer – et dont tu ne voudrais pas que je te parle, du reste.

Je me suis levée et rhabillée. La comédie était finie.

— Tu peux penser ce que tu veux de moi : que je suis hypersensible ou autre. Tu m'as blessée. Et si tu veux connaître le fond de ma pensée, certaines filles se contentent de peu, parce que c'est mieux que rien. Je crois que le stoïcisme yankee n'a rien à voir là-dedans.

Arthur m'a regardée boutonner ma chemise.

— Je ne voulais pas te blesser, Anna. Je t'avais dit de ne pas t'attacher. Je n'aime pas les histoires de cœur.

— Ah ouais ? Dans ce cas, pourquoi couche-t-on ensemble ?

— Parce qu'on en a envie. Parce qu'on est attirés l'un par l'autre. Parce qu'on se plaît. Ça ne suffit pas ?

Il s'est levé et est allé à la salle de bains. Je ne lui ai pas répondu. Non, cela ne suffisait pas. Ce type avait besoin d'une bonne leçon de « savoir-aimer ». J'ai jeté un dernier regard à la chambre. J'avais hâte de partir. J'ai pensé : Je prends Arthur comme il est ou je disparais avant qu'il ne me brise le cœur. Jusqu'à ce qu'il fixe les « conditions » de notre relation, j'avais vécu dans l'illusion qu'il tomberait amoureux de moi. L'entendre me répéter qu'il n'était pas du genre à s'attacher m'avait aiguillonnée. Etais-je en manque d'affection au point d'accepter n'importe quoi ?

— Viens. Je te ramène chez toi.

Je n'ai pas desserré les dents de tout le trajet. Une fois devant la maison, Arthur a murmuré :

— Tu sais, Anna, tu n'y es pour rien. Le problème vient de moi. Mon mariage m'a bousillé. Je suis navré, mais je me suis juré de ne plus retomber dans le panneau.

— C'est comme tu le sens.

Je suis sortie de la voiture.

C'était la réplique favorite d'Emily. Celle qui tue. Tiens, à l'occasion, il faudrait que je lui dise qu'elle m'avait appris quelque chose. Arthur était peut-être imbattable au plumard, mais il devrait tirer un trait sur ma petite culotte.

30

Le choc des cultures

— Coucou, Anna ! Sœur Frannie à l'appareil. Le confessionnal est ouvert. Je suis au Ramada Inn de Raleigh, bien calée dans mon plumard, avec deux canettes de Coca light et un paquet de clopes.

— Salut, Frannie !

— Vas-y, je t'écoute.

On était samedi soir et, comme promis, Frannie me téléphonait. Je m'apprêtais à passer la soirée en tête à tête avec un vieux film et un sachet de pop-corn. J'avais briqué la cuisine (non parce que je m'attendais à voir débarquer Arthur, mais parce qu'elle en avait bien besoin) et sirotais un verre de vin provenant de la réserve personnelle de Jim. Arthur n'avait pas rappelé – rien d'étonnant, me direz-vous. Emily avait rejoint David, qui faisait l'inventaire chez Barnes & Noble, et je ne l'attendais pas avant minuit. Lucy passait la soirée à Myrtle Beach avec Dieu sait qui et c'était tant mieux, car je n'avais aucune envie de la voir.

— Je ne sais pas par quoi commencer. Lucy ou Arthur ?

— Etant donné que je n'ai jamais vu le fameux Arthur, je propose que nous démarrions avec Lucy. J'ai pas mal cogité dans l'avion.

— Et alors ?

— Qu'elle crève !

— C'est ce que je me suis dit sur le coup. Après quoi, j'ai estimé que ce serait trop bête de finir derrière les barreaux pour avoir zigouillé une cervelle de piaf. J'ai aussi songé à l'endormir et à lui couper la langue.

— Berk ! C'est dégoûtant.

— Je pourrais faire appel à un spécialiste.

— Pas idiot. Attends, je vais chercher de la glace.

J'ai entendu Frannie s'affairer pendant un petit moment, puis elle a repris le téléphone.

— Ces chaînes hôtelières sont franchement bizarres. J'avais exactement la même chambre à Peoria, le mois dernier, avec vue sur le parking. C'est inouï.

— Je serais incapable de te dire quand je suis descendue à l'hôtel pour la dernière fois.

— Ça aussi, il faut que nous en discutions. Tu ferais bien de partir décompresser un peu, loin de Charleston. Mais bon, revenons à Lucy. Tant que l'affaire Everett n'était connue que de nous, tout allait bien. Maintenant que notre Einstein de service en a fait un sujet d'actualité brûlant, il y a toutes les chances pour que ça remonte aux oreilles d'Emily. Et puis, que va-t-on faire quand Fairchild débarquera à Wild Dunes ?

— Je n'ai pas encore trouvé le temps d'y réfléchir.

— Si tu veux mon avis, on dispose de deux possibilités. Ou on laisse faire le hasard ; le risque que vous vous croisiez, lui et toi, sont infimes. Ou tu réclames vengeance et détruis son existence. J'opterais pour la seconde solution, parce que tôt ou tard, tu devras dire la vérité à Emily, non ?

— Mais quel rapport entre ça et réduire sa vie en miettes ?

— Quand Emily saura, c'est *ton quotidien* qui sera bousillé – temporairement, du moins.

— Voilà pourquoi jusqu'alors je me suis tue.

— Anna, un jour viendra, pas si éloigné que ça, où Emily fondera une famille. D'un point de vue médical, il est essentiel qu'elle connaisse l'identité de son père. Et quand elle l'aura apprise, il n'est pas impossible qu'Everett tente un retour en force dans ta vie. Une fois le premier choc passé, il se tapira sans doute dans sa tanière. Je trouve scandaleux qu'il ait pu continuer à mener une vie normale comme si de rien n'était après ce qui s'est passé. C'est vrai à la fin ! Pour qui se prend-il, ce type ?

— Frannie, avec le temps, ma colère s'est émoussée. Je me

suis consolée en pensant qu'Everett ne pouvait ni nous toucher, ni nous parler, ni assister aux spectacles de danse et de théâtre d'Emily ou à ses remises de diplôme. J'ai eu Emily rien que pour moi pendant des années. Si j'informe Everett qu'il a une fille, je serai obligée de la partager avec lui.

— Tu plaisantes ! Emily est majeure. C'est à elle de décider si elle veut ou non le rencontrer. Et puis, même si c'est peu probable, il n'est pas exclu qu'il soit marié et père de famille. Au fond, on n'en sait rien. Peut-être est-il redevenu un bon chrétien. Dans ce cas, nous lui donnerons une suée, histoire de le préparer aux flammes de l'enfer.

— J'hésite, Frannie. Tu n'imagines pas à quel point cette histoire m'angoisse.

J'ai senti mon estomac se nouer comme si j'allais vomir.

— Il faut qu'on établisse un plan d'attaque. Tu sais ce que je ferais, si j'étais toi ? Je mettrais Brigitte et Bettina dans le coup. Elles ne sont pas stupides. Bettina est un peu effrontée, je te l'accorde, mais elle a du répondant. Et puis elles sont déjà au courant.

— Le problème, c'est qu'Emily risque d'avoir la puce à l'oreille.

— Attends, ce n'était qu'une suggestion. Bon, et si on parlait d'Arthur ?

Quand j'ai raconté à Frannie ce qui s'était passé lors du dernier rendez-vous, elle a poussé des hauts cris.

— Les hommes sont des porcs ! Dis-lui d'aller se faire voir ! Plutôt mourir que de le rappeler ! Il a l'intention d'en casser combien, des nanas, sous prétexte que son mariage a échoué ? Comment est-il, à part ça, au plumard ?

— Si je te le disais, tu ne me croirais pas.

— Parle ! Je ne suis pas une oie blanche.

— Frannie, tu sais que je ne dévoile jamais ces choses-là. Les filles bien ne se répandent pas à propos de leurs amants.

— Elles n'ont rien à raconter, pardi !

Elle a réussi à me faire rire.

— Bon, si je te l'avoue, tu me promets d'oublier aussitôt ?

— Je le jure.

— Ecoute, de ma vie entière, je n'ai pas connu un type qui fasse l'amour comme lui. *Pas un*.

369

— Est-ce à dire qu'il est... tordu ?

— Pas du tout ! Simplement, quand on a eu fini j'étais sur les rotules !

— Quoi ? Que t'a-t-il fait, bon sang ? Il t'a retournée, avec les pieds en l'air ?

— Mais non, voyons ! Ce que tu peux être bête ! Il a... Il a pris son temps ! Et c'était *fabuleux* ! J'avais l'impression de flotter dans les airs. Sérieux, Frannie ! J'étais en nage !

— Tu étais... *en nage ?*

Frannie a hurlé de rire si fort, que par moments son nez se bouchait.

— *Oui !*

— Tu veux dire que ça ne t'était jamais arrivé ? a-t-elle repris en gloussant de plus belle.

— Quoi donc ?

— De transpirer ?

— Non !

— Ne quitte pas une seconde, je vais chercher un mouchoir.

Je l'ai entendue s'éloigner en disant : « Ce n'est pas croyable ! Il va falloir que je l'emmène au Club Med, ma parole ! » Elle s'est mouchée, a toussé, ri, s'est mouchée de nouveau.

— Je ne vois pas ce qu'il y a de drôle, Frannie. Déjà que j'ai du mal à parler de ces choses, si tu rigoles, par-dessus le marché...

— Pardon. Désolée. Vas-y, raconte.

— En fait, je voudrais savoir s'il est normal de sortir avec un type juste pour la gaudriole et surtout, s'il est possible de ne pas s'attacher ?

— Les mecs se comportent bien ainsi, eux.

— Tu crois ? Remarque, c'est vrai, au fond.

— Les femmes font l'amour pour être aimées, les hommes pour le plaisir.

— Mais où est donc passé l'amour ?

— Anna... Pour ça, tu as Jim. Il rapplique à Charleston, décore ton salon, renouvelle ta garde-robe, te dit que tu es géniale, qu'Emily est une perle et ta maison un bijou. Ce n'est pas de l'amour, ça ? Je crois que c'est Harry Truman qui prétendait que pour avoir de l'amour, il fallait adopter un chien. Et puis je suis là, moi aussi. Je t'aime comme une sœur. Quant à cet Arthur...

— Eh bien ?

— La prochaine fois, ne te contente pas de transpirer. Fais-le suer à grosses gouttes !

— D'accord.

— Dis-toi qu'aucun type ne te donnera entière satisfaction. On ne peut pas tout avoir : les sentiments, le sexe et l'argent.

— Je sais. Les beaux gosses sont gay et les gars bien, mariés.

— Absolument. Mais le plus grave, c'est que nous sommes en plein dans la tranche d'âge où ces derniers sont encore casés – avec des garces – et attendent que leur dernier gamin entre à l'université. D'après mes statistiques, d'ici cinq ans, la situation devrait se débloquer.

— Ouais, sauf que dans cinq ans, ces spécimens-là ne voudront plus de nous.

— Ne sois pas pessimiste. On ferait mieux de se venger sur Everett Fairchild et Arthur.

— Excellente idée ! Au fait, bonne chance pour tes conférences, et merci d'être venue. Jim était aux anges.

— Il a appelé ?

— Non, mais tu le connais. Il disparaît pendant des jours puis refait surface. Je pense qu'il se manifestera quand il sera de retour à San Francisco.

— Tu as raison. Ça m'a fait chaud au cœur de vous revoir, Emily, ton père et toi. Dis-moi, crois-tu que Lucy et Doc couchent ensemble ?

— Tout le monde me pose la question. Mais nos parents n'ont pas de sexe, Frannie, voyons, tels Barbie et Ken.

On a ri, on s'est promis de se rappeler pour dresser le plan de campagne contre Fairchild, puis on a raccroché.

J'avais beau avoir acquiescé lorsque Frannie m'avait conseillé de ne fréquenter Arthur que pour la bagatelle, je n'étais pas sûre de moi. J'avais si envie de le revoir que je n'arrêtais pas de lorgner du côté du téléphone. Je devais résister pour ne pas saisir le combiné et l'appeler. Mais pour lui dire quoi, au juste ? « Salut, Arthur ! Tu te souviens de ce que je t'ai dit, jeudi soir, quand tu m'as déposée devant chez moi : "C'est comme tu le sens" ? En réalité, je n'ai rien contre le fait qu'on ait une relation sans lendemain, toi et moi... »

J'ai jeté un coup d'œil à la pendule. Il était onze heures et quart. Les cuisines fermaient à onze heures. Arthur serait bientôt chez lui. Je me suis remise à gamberger et en suis venue à la conclusion que j'étais trop impatiente. Dès l'instant qu'Arthur n'était que de passage, il était logique qu'il refuse de s'attacher. Peut-être en aurait-il été autrement s'il avait vécu ici à l'année. Et si j'allais l'attendre sur son perron, avec un pique-nique de minuit ? Bonne idée ! Autour d'un verre de vin et d'un petit quelque chose à grignoter, j'essaierais de le convaincre qu'il faisait fausse route, mais sans le brusquer. Et si notre aventure se résumait à un feu de paille, ce ne serait pas le premier homme avec qui cela n'avait pas marché. J'avais eu tort de me draper dans ma dignité sous prétexte qu'il ne m'avait pas juré le grand amour dès le deuxième rendez-vous.

Cette pauvre Frannie était d'un cynisme à toute épreuve. Trop d'histoires de cœur ratées l'avaient échaudée. Moi, je persistais à croire que l'amour existait, même s'il fallait du temps pour construire une relation durable et si les couples heureux se comptaient sur les doigts de la main. Arthur exerçait un pouvoir d'attraction irrésistible sur moi. J'allais retenter ma chance, tant pis si j'essuyais un second refus. Le jeu en valait la chandelle. Cette fois, je jouerais sur du velours. Si je ne demandais rien à Arthur, il ne se sauverait pas en courant. Pour la bonne raison que lui aussi se sentait attiré par moi. Pas qu'un peu, du reste.

J'ai enfilé un jean blanc et un polo bleu marine, et remonté mes cheveux. J'ai laissé un mot à Emily pour l'informer que je serais de retour deux heures après. Puis je suis montée dans ma voiture avec une bouteille de vin blanc et, faute de mieux, un paquet de Doritos goût citron vert.

La bagnole d'Arthur était dans le jardin. Il avait dû finir son service de bonne heure. Les chiens ont aboyé quand j'ai fait claquer la portière et la lumière de la véranda a brillé.

— Coucou ! Je peux ?
— Bien sûr. Entre, j'arrive à l'instant.

Arthur m'a tenu la porte ouverte. J'ai gravi les marches et lui ai effleuré la joue d'un baiser. J'ai commencé à me diriger vers la cuisine, mais il m'a attrapée par le bras et... Ses lèvres ! Ce type savait vraiment embrasser !

— Vous savez quoi, monsieur le maître fromager ?

— Quoi, madame ?

— J'adore quand tu m'embrasses. J'ai apporté un véritable festin, ai-je ajouté en brandissant le sachet de Doritos.

— J'allais faire des œufs. Ça te dit ?

— Non, merci. J'ai aussi du vin, une cuvée sélectionnée par Jim. Un sauvignon blanc néo-zélandais : Fairhall Downs. Tu n'aurais pas un tire-bouchon ?

— Et après ?

— Je ne suis pas venue pour une partie de jambes en l'air, ai-je précisé en déchirant le paquet de Doritos. Berk ! Je te les déconseille... ai-je poursuivi en mordant dans une chips. Ça va pour faire un brin de causette.

— Dommage, a répondu Arthur en prenant l'air déçu et en fourrageant dans le tiroir. Passe-moi la bouteille. Dois-je comprendre que tu ne veux plus qu'on couche ensemble ?

— Les hommes ! Mais vous ne pensez donc qu'à ça ?

— Non ! On pense aussi au foot, au catch, au fric, au pouvoir... Nous ne sommes pas tous des obsédés, matérialistes et sans scrupules, tu sais.

— L'important, c'est de savoir à quoi s'en tenir.

— Si on s'installait dans la véranda ?

La brume était si épaisse qu'on n'arrivait pas à distinguer le ponton.

— Le bateau est au mouillage ?

— Celui de notre lune de miel ?

— Quelle aventure !

Je me suis laissée choir dans le même fauteuil que la fois précédente et Arthur m'a tendu un verre.

— C'est le truc le plus incroyable qui me soit jamais arrivé.

Il a saisi une chips dans le sachet.

— Ouais, la tête du garde-côte valait son pesant de nougat. Berk ! Tu as raison. Ces trucs sont infects !

On s'est tus quelques minutes, pour savourer le mystère de la nuit, puis je me suis lancée :

— Au fait, Arthur, j'ai réfléchi.

— Vraiment ?

— Ouais. On devrait être amis, toi et moi. Je ne suis pas en train de dire qu'on ne devrait pas coucher ensemble, mais je pense que l'amitié doit l'emporter sur le reste.

— N'est-ce pas déjà le cas ?

— Si, mais ce serait idiot qu'on arrête de se voir à cause d'un malentendu. Tu ne crois pas ? J'avais pris bêtement la mouche. Tu ne fais que passer. En août, tu seras reparti.

— S'attacher à quelqu'un qui vit à des milliers de kilomètres, c'est ridicule. Et complètement irréaliste.

J'ai senti mon cœur chavirer, mais j'ai tenu bon.

— C'est pourquoi je propose qu'on tire un trait sur cette histoire d'attachement. Après tout, il n'est pas impossible qu'un jour, en revenant dans le coin, tu aies besoin d'un canapé pour dormir...

— Un *canapé* ? C'est tout ce que tu as à m'offrir ?

— Non. Sauf si Emily est à la maison. Il se pourrait aussi que je débarque à New York, un de ces quatre. Ce serait sympa qu'on se revoie sans qu'il y ait de ressentiment entre nous.

— Je suis content que tu sois revenue sur tes positions. Sincèrement, j'ai regretté de t'avoir parlé comme je l'ai fait, jeudi dernier. J'ai dû passer pour un affreux égoïste.

En effet, un sale égoïste, monsieur moi d'abord, les autres je m'en fiche, ai-je pensé. Mais je l'ai détrompé.

— Pas du tout ! Si tu vivais ici, je verrais peut-être les choses autrement. Mais ce n'est pas le cas, alors...

— Alors quoi ?

— On est amis ?

— D'accord.

Sur ce, ce bon Arthur se lève et me tire de mon fauteuil pour me prendre dans ses bras. Je jubilais tant intérieurement que j'ai dû me pincer pour ne pas éclater de rire. A la place, je l'ai laissé m'embrasser. Il tenait mon sein gauche emprisonné dans sa main, ce qui n'était pas pour me déplaire, mais j'avais le choix entre finir au pieu avec lui ou lui donner un peu de grain à moudre. Dans la plus pure tradition du flirt à la mode sudiste, je l'ai laissé monter en température, puis une fois qu'il a eu atteint le degré désiré, je me suis défilée.

— Arthur, tu me donnes des frissons partout et j'aurais bien envie de jouer les prolongations, mais je dois partir.

— *Partir ?*

— Hélas ! Tu as beau être le type le plus sexy de la planète, j'ai une ado qui, à l'heure qu'il est, doit être en train d'écluser ma cave. En outre, je démarre de bonne heure demain matin.

— Mais demain, c'est dimanche, poupée d'amour.

— C'est vrai, mais j'ai fait le serment d'assister à la messe à neuf heures et demie. Bonsoir, chéri. On essaie de se voir un soir en semaine ?

— Au fait, le salon est ouvert, le lundi ? Je crois que j'ai besoin d'une bonne coupe.

— Je le crois aussi ! N'hésite pas à faire un saut !

Je te garantis qu'on va s'occuper de toi, mon mignon, me suis-je dit. Si Arthur arrivait à trouver le sommeil après cela, je voulais bien lui payer des frites. J'avais livré ma première bataille et en étais ressortie victorieuse. Le Yankee au cœur de pierre avait été mis KO par la belle du Sud. Ouille ! Le malheureux ignorait qu'il avait affaire à forte partie. Je ne connais pas une fille de chez nous qui n'ait réussi à obtenir ce qu'elle voulait d'un homme simplement en lui refusant ses faveurs.

31

Eloge de la cire

Titillé par le désir, Arthur m'a relancée deux fois cette semaine-là. Le lundi, il est passé au salon pour se faire couper les cheveux. Tout en mastiquant éperdument du chewing-gum, Bettina lui a répété qu'elle était de New York.

— En fait, moi, je suis du Connecticut, a répliqué Arthur avec condescendance.

— C'est kif-kif, a insisté Bettina, qui n'en démordait pas.

— Pas vraiment, a renchéri Arthur.

Pourquoi diable réagissait-il de façon aussi puérile ? Je craignais que Bettina ne finisse par se vexer, mais elle faisait exprès de l'asticoter. C'était sa manière à elle de le sonder.

Lorsqu'il est parti, elle s'est approchée et m'a dit :

— Le Connecticut ! Bien sûr ! La terre des hommes-singes !

— Je vois que tu as une haute opinion de lui.

— Très haute.

Lucy et moi avons fini par nous rabibocher. Nous n'avions pas vraiment le choix, de toute façon, et puis j'ai bien vu qu'elle était désolée d'avoir mis les pieds dans le plat. Me fâcher durablement avec elle me semblait aussi incongru que d'en vouloir à un chien qui, empêché de sortir parce qu'il pleut à verse, aurait fait ses besoins à l'intérieur. Cela étant, je l'ai quand même menacée de lui sceller les lèvres à la glu si elle recommençait. Du coup, elle a prêté serment.

— Croix de bois, croix de fer, a-t-elle murmuré d'une voix haletante. Plutôt mourir.

— Très bien. Cette fois, prends garde !

Une bonne semaine s'était écoulée quand Jim s'est décidé à appeler.

— Dis donc, l'affreux ! J'ai bien cru que tu n'allais jamais téléphoner ! Comment ça s'est passé dans l'Ohio ? Tu es à San Francisco ?

— Oui. La maison me semble atrocement vide. En un mot, ça s'est très mal passé. Les parents de Gary sont désemparés, maintenant qu'ils savent que la mort de leur fils est inéluctable. Contre toute attente, ils se sont montrés plutôt accueillants ; Gary leur a expliqué que je ne portais aucune responsabilité dans sa maladie. Mais dans un tel cas, les rapports sont très compliqués, tu t'en doutes.

— Oui.

— J'ai contacté l'association Hospice.

— Gary est au bout du rouleau ?

— Je ne sais pas. Il semble s'être fait une raison. Et j'ai lu quelque part que c'est généralement ce qui se produit quand les malades sentent que la fin est imminente. En revanche, ses proches sont dans un état épouvantable. Sa mère passe ses journées à pleurer et son père ne desserre pas les dents. C'est pour eux que j'ai appelé Hospice, qui a mis en place une cellule de soutien psychologique, et aussi parce que Gary a besoin de soins palliatifs.

— Jim, je suis de tout cœur avec toi.

— Merci. Et même si Gary n'a pas toujours été tendre avec toi par le passé…

— Non, c'est moi qui me suis torturée seule.

Jim s'est tu pendant un moment. A quoi pensait-il ?

— C'est vraiment sympa de ta part, Anna.

— N'oublie pas que tu peux compter sur moi.

— Je le sais, et ça m'aide énormément. Comme je suis toujours en voyage, mon univers a rapetissé et en dehors de Gary, il n'y a guère qu'Emily, Frannie et toi. Je ne connais pas de liens plus forts que ceux qui nous unissent.

— C'est vrai. C'est un peu comme si nous formions une nouvelle sorte de famille. Un assemblage de personnalités disparates mais unies dans le combat quotidien.

— Oui. Bon, je te donne des nouvelles bientôt.

377

On était en juillet et les hordes de touristes commençaient à déferler sur l'île. Le soleil, implacable, brûlait la peau. En fin de journée, de gros nuages noirs apportaient des pluies soudaines et diluviennes, puis cela s'éclaircissait de nouveau jusqu'au coucher du soleil.

Emily et David passaient leur temps à se chamailler et se réconcilier. Mais ils formaient malgré tout un couple plutôt bien assorti. J'avais fini par laisser ma fille aller et venir à sa guise. Je n'aurais pas dû, je le sais, mais j'avais l'impression qu'elle mûrissait chaque fois que je lui disais : « Réfléchis avant d'agir. » Dans l'immédiat, mon seul souci était de la faire grandir au maximum avant qu'Everett Fairchild ne débarque sur l'île. Je n'avais pas encore décidé de ma conduite, quand le sort s'en est mêlé.

Comme Arthur ne m'avait pas donné de nouvelles depuis un bout de temps, j'ai pensé que nous avions recommencé à jouer au chat et à la souris. Un soir, début août, je suis allée jusque chez lui. J'ai frappé à la porte, déclenchant les aboiements des chiens. Après quelques minutes, un homme en pantalon de pyjama et tee-shirt est sorti sur le seuil en se grattant la tête. Je l'avais visiblement tiré du lit.

— Oui ? a-t-il dit en me scrutant pour voir s'il me connaissait.

— Je suis désolée ! Je cherche Arthur.

— Il est rentré à New York. Je peux faire quelque chose pour vous ?

Je suis restée plantée là, comme une idiote. Pour finir, j'ai réussi à articuler :

— Euh… Non, merci. Pardon de vous avoir réveillé.

Je commençais à descendre les marches de la véranda quand l'inconnu m'a crié :

— S'il appelle, voulez-vous que je lui transmette un message ?

— Oui. Dites-lui qu'Anna n'est nullement surprise.

Compte tenu de mon humeur du moment, j'avais plutôt bien réagi. Ainsi, Arthur, le lâche, s'était débiné sans même prendre la peine de me passer un coup de fil. Mais peut-être était-il arrivé quelque chose à son fils et comptait-il revenir. Qu'il aille au diable ! Je n'allais pas le pleurer jusqu'à la fin de mes jours. Quand on approche de la quarantaine, comme moi, et qu'on a l'habitude d'encaisser les coups durs, on finit par se faire une raison. J'avais l'intime conviction que chacun pouvait trouver chaussure à son pied, même si, la plupart du temps, la première se révélait trop étroite ou le second trop grand. Je perdrais mon temps en essayant d'analyser les raisons du départ d'Arthur. Il avait proclamé qu'il refusait de s'attacher et tenait promesse. Sans compter que je ne disposais pas d'assez d'éléments pour le juger.

C'est pourquoi, après avoir pleuré toutes les larmes de mon corps – je le confesse –, j'ai décidé de reporter ma frustration sur Everett Fairchild. La semaine suivante, le salon n'a pas désempli. Un soir, à neuf heures, Brigitte et moi venions de coiffer les dernières clientes. Alors que nous étions en train de fermer boutique, je lui ai proposé que nous dînions ensemble :

— Ça te dirait d'aller casser une petite graine ?
— Pourquoi pas ?
— Sans être affamée, je mangerais bien quelque chose. Des ailes de poulet marinées ?
— Chez Dunleavy ?
— Je te suis.

Là-dessus, nous sommes montées dans nos voitures respectives pour nous rendre au pub de Sullivan's Island qui faisait l'angle de la Station 22 et de Middle Street. Comme toujours, nous avons dû tourner avant de trouver une place de stationnement. Dès que nous avons poussé la porte de l'établissement, Vicky, la barmaid, nous a chaleureusement saluées.

Vicky, belle plante au buste avantageux, était irlandaise jusqu'au bout de son nez criblé de taches de rousseur. Elle était pleine d'esprit et tout le monde l'adorait. Ce jour-là, le Dunleavy était plein à craquer. Debout dans les allées, les clients regardaient les quatre écrans de télévision suspendus au plafond, tandis que marmaille et labradors se pourchassaient entre les tables. Au milieu de cette joyeuse cohue, Vicky réglait le trafic et prenait les commandes.

Nous avons réussi à débusquer une table depuis laquelle nous devrions aboyer pour nous faire servir.

— Et pour ces dames ?

— Pour moi, une Harp et une douzaine d'ailes de poulet épicées.

— Une assiette de crevettes roses et un verre de chardonnay, a renchéri Brigitte.

Vicky a pris note sur son calepin et lancé :

— Vous avez vu le beau gosse, là-bas ?

Nos yeux se sont tournés vers l'endroit qu'elle désignait et où se trouvait effectivement un garçon beau comme un dieu.

— Celui avec la chemise bleue ?

— Ouais. S'il est encore ici à onze heures, je vais – enfin, peut-être – lui donner le frisson de sa vie.

— Moi aussi, a ajouté Brigitte en plissant les paupières pour mieux détailler le gars. Sapé comme ça, ce ne peut être qu'un touriste.

— Quelle importance, du moment qu'il est bien foutu ?

— A vos marques ! a glissé Vicky. Je vous apporte les plats tout de suite.

C'était drôle de se retrouver entre filles et de tenir le même langage sur les hommes qu'eux sur nous. On plaisantait, évidemment. Encore que...

Tandis que Brigitte et moi nous restaurions dans la bonne humeur, le bar a commencé à se vider suffisamment pour que nous arrivions à parler sans beugler.

— Au fait, Brigitte, je voulais te demander...

— Quoi donc ?

— Tu sais qu'Everett Fairchild arrive dans deux semaines, n'est-ce pas ?

— Oui. Et je suis bien contente que tu aies abordé le sujet. Dis-moi, que comptes-tu faire ?

— La question est : que *puis-je* faire ?

— Pour ne rien te cacher, j'ai pas mal ruminé, durant les soirées que je passe en solitaire.

— *Ruminé ?* Joli mot.

— Merci. Mon père était prof.

— Ah !

— Voilà. Si tu étais une peau de vache, ce serait facile. Tu n'aurais qu'à expédier un album de photos d'Emily à Fairchild, assorti d'une formule du genre : « Cette tête t'évoque-t-elle quelqu'un ? Prière d'appeler ce numéro. » Mais ce n'est pas ton style. Et puis tu ne le connais pas vraiment et tu ne sais rien de sa vie, si tu vois ce que je veux dire. Il se peut qu'il soit devenu un type bien ou ait épousé une femme formidable, quoique j'en doute. En tout cas, à ta place, je brûlerais d'envie de savoir ce qu'il en est.

— Tu as raison. Je n'ai pas le droit de briser la vie d'une famille. Je n'en tirerais aucun plaisir. Mais c'est vrai que je suis curieuse de savoir comment Everett a tourné.

— C'est pourquoi j'ai pensé qu'on pourrait aller trouver les organisateurs de la foire commerciale de Wild Dunes et proposer une journée complète de soins corporels, en guise de gros lot d'une tombola, par exemple – couleur, coupe, manucure, pédicure. Bref, la totale pour l'heureuse gagnante du tirage au sort. Ainsi, on pourrait découvrir la femme de Fairchild – si elle existe. On la photographierait alors en compagnie d'Emily, pour des clichés « avant », « après », qu'on expédierait à son domicile.

Mon cœur s'est mis à battre.

— En tout cas, si on arrive à l'attirer jusqu'au salon, Bettina lui soutirera des informations sur sa vie de couple.

— Oui ! Tu apprendras ce que Fairchild mange au petit déjeuner...

— Imagine qu'il ne soit pas marié ?

— Ou qu'il le soit

— Et si ce n'est pas sa femme qui remporte la tombola ?

— Anna, du calme. On fera en sorte qu'elle gagne.

— Je m'en doutais. Mais je voulais juste te l'entendre dire.

Vicky s'est approchée de la table.

— Je vous remets la même chose ?

— Un Cosmopolitan.

— C'est redoutable, ces trucs-là, a commenté Brigitte.

— Mais nous vivons dangereusement, rappelle-toi.

— Alors ? s'est impatientée Vicky. Je vous signale que j'ai un homme qui m'attend.

— Un Cosmo pour moi aussi, a dit Brigitte.

— Parfait.

Vicky s'est éloignée, le crayon glissé derrière l'oreille.

Brigitte était un vrai cerveau. Tout en sirotant, nous avons

établi le plan de campagne, à la fois génial et d'une simplicité enfantine. Pendant que l'épouse d'Everett se ferait
bichonner, je déciderais de poursuivre, ou non, l'opération.
Si elle était intelligente et charmante – vraiment *charmante* –, je lui révélerais la vérité. Une compagne intelligente
et intuitive serait plus à même de comprendre la situation
qu'une autre qui manquait d'assurance et doutait de son
mari. Brigitte était d'accord avec moi sur ce point.

— Tu as raison. Si la nana n'est pas à la hauteur, elle
risque de créer des ennuis à Emily, ce qui n'est pas le but de
l'opération. La vie est déjà assez compliquée comme ça.

— Certes. Je n'ai pas envie qu'une harpie risque d'empoi-
sonner l'existence de ma fille. Elle a une grand-mère qui s'en
charge. La mère de Jim n'a pas sa pareille pour la faire
culpabiliser.

— Moi, c'était ma tante, a signalé Brigitte en levant les
yeux au ciel. Bon, si nous nous trouvons en présence d'une
personne sympathique, équilibrée et que nous avons à la
bonne, que faisons-nous ? On ne peut pas lui balancer les
choses comme ça, à brûle-pourpoint ? Comment procède-
t-on pour que l'information remonte jusqu'à Fairchild ?

— Bonne question. Malheureusement – et à moins que tu
n'aies une meilleure idée –, je crois que je devrai décrocher
le téléphone pour la lui communiquer. L'idéal serait que
l'épouse détecte une ressemblance entre les yeux d'Emily et
ceux d'Everett, mais c'est tiré par les cheveux.

— Te sens-tu le courage de parler à ce type ?

— Tu rigoles ? J'aurais une peur bleue !

— Non, je ne rigole pas, Anna. Et je serais morte de
trouille, à ta place. Mais si on y réfléchit bien, c'est à lui de
pétocher, car tu peux lui coller un procès sur le dos.

— Et s'il affirme qu'il ne me connaît pas ?

— As-tu entendu parler des tests de recherche de paternité ? Rien de plus simple à obtenir d'un juge. Mais si la
ressemblance avec Emily est à ce point évidente, il n'y aura
peut-être pas besoin d'y recourir.

— Bon, admettons que je me dégonfle, je pourrais glisser
quelques photos dans le sac de Mme Fairchild, non ?

— Je crains que tu ne doives t'y résoudre. Quand elle

rentrera chez elle et les trouvera dans ses affaires, elle bombardera son mari de questions et le mettra au pied du mur. Tu ne crois pas ?

— Si. Elle ne doit pas ignorer qu'il a fait ses études ici et il ne faut pas un gros effort d'imagination pour en venir à la conclusion qu'il a peut-être laissé un paquet encombrant derrière lui.

— Tu sais ce qu'on pourrait faire, aussi ?

— Une coupe gratuite et un massage pour homme...

— Ainsi, Fairchild tomberait dans le piège... Je ne suis pas certaine de tenir le choc.

— Moi non plus. La vodka a parlé. On ferait mieux de rentrer, sinon on serait fichues de lui faire livrer des pizzas à trois heures du matin.

— Ce n'est pas une mauvaise idée, a commenté Brigitte, rendue joyeuse par l'alcool.

— On demande l'addition ?

A partir de ce jour, et jusqu'au moment où la femme d'Everett a franchi la porte du salon, j'étais dans un état de nerfs tel qu'aucun médicament n'a réussi à me calmer.

Naturellement, j'avais exposé mon plan à Frannie et Jim. Celui-ci devait retourner dans l'Ohio et n'arriverait à Charleston qu'à la dernière minute. Gary était proche de la fin et l'avait supplié de venir. Comme toujours, en dépit de ses malheurs, Jim avait eu une idée de génie.

— Fais tirer une photo en couleur du salon avec le personnel, encadre-la et glisse-la dans le sac d'échantillons que tu remettras à Mme Fairchild. Comme ça, ça n'aura pas l'air louche. Tu pourrais ajouter un mot du style : « Avec les remerciements de l'équipe d'Anna's Cabana ». Arrange-toi pour qu'Emily soit au centre du groupe et demande à la personne qui prendra le cliché de faire un gros plan sur elle.

— Super. Les filles du supermarché nous donneront un coup de main et on empruntera l'appareil digital de Lucy. Tu as raison. C'est mieux que de glisser des photos dans une enveloppe.

— Oui. N'oublie pas de me consulter chaque fois que tu dois prendre une décision importante.

J'ai appelé Frannie. Elle était tout excitée et m'a prodigué force conseils avec sa faconde habituelle.

— Miséricorde ! Ma grand-mère doit se retourner dans sa tombe. Attends, j'allume une clope ! (Je l'ai entendue farfouiller un petit moment, puis elle a repris le téléphone.) Bon, alors, reprends depuis le début.

Je lui ai répété que Lucy avait appelé le responsable des relations publiques de Wild Dunes pour lui indiquer que nous étions un nouveau salon de coiffure et souhaitions organiser une tombola chaque semaine d'août – avec une journée complète de soins, traitement après soleil, manucure, pédicure, etc., pour la gagnante et dix pour cent de remise pour les autres.

— Le type n'en croyait pas ses oreilles. Il était ravi !

— Vous êtes impayables, a lâché Frannie. Pourquoi n'offrez-vous pas le déjeuner, pendant que vous y êtes ?

— Bonne idée.

— Et une limousine avec chauffeur, champagne et tout le tralala, histoire de délier la langue de Mme Fairchild quand elle arrivera chez Anna's Cabana. Quel genre de questions comptez-vous lui poser ?

— Pas si vite ! Je n'y ai pas encore pensé. A ton avis ?

— Première chose, les enfants ! C'est important de savoir si Emily a des frères et sœurs, non ?

— Ecoute, Frannie, je ne suis pas complètement idiote ! Bien sûr que je veux savoir ! ai-je rétorqué, alors que l'idée ne m'avait même pas effleurée. A part ça, quoi d'autre ?

— Briefe Bettina pour qu'elle interroge Mme Fairchild sur sa vie sexuelle. Et pendant qu'elle essaie de la cuisiner, profites-en pour inspecter ses bijoux, ses chaussures et son sac à main ; ainsi, tu sauras si Everett a de l'argent.

— Franchement, Frannie, la vie sexuelle des Fairchild ne m'intéresse pas le moins du monde.

— Mais c'est essentiel. Parce que si c'est un fiasco, mieux vaut pour Emily qu'elle n'ait rien à faire avec eux. Anna, imagine que cette femme soit la dernière des garces. Ou folle à lier. Ou d'une jalousie maladive. Ou que sais-je encore... Elle est peut-être d'une radinerie à pleurer et refusera qu'Everett verse un sou de pension à Emily.

— Mais enfin, Frannie ! Ce n'est pas une question de fric !

— Dans ce cas, je vais appeler le Vatican et faire apposer ton nom sur la liste des candidats à la canonisation.

J'ai éclaté de rire.

— Ecoute. Si tu parviens à tirer les vers du nez à l'épouse d'Everett Fairchild, tu apprendras quel genre d'homme il est devenu. Partant de là, tu décideras si tu souhaites qu'Emily connaisse son existence.

— Comment ça ?

— Imagine que cette femme soit une crème et que vous vous liiez d'amitié, elle et toi. Jim et toi pourriez prendre Emily à part et lui expliquer que vous avez retrouvé son père biologique.

— En gros, c'est comme ça que j'avais envisagé les choses, raison pour laquelle j'ai insisté pour que Jim soit là. Je ne me sens pas capable de parler seule à Emily.

— Je te comprends. D'ailleurs, ce ne serait pas juste. Et s'il s'avère que la personne en question est une mégère, tu peux peut-être attendre avant de mettre Emily au courant. Elle se doute de quelque chose ?

— Elle croit que je suis sur les nerfs à cause du salon et parce que le roi Arthur est retourné vivre sur ses terres.

— Quoi ?

— Tu as parfaitement entendu. Il a filé à l'anglaise et emporté Excalibur.

— *Excalibur ?* C'est ainsi qu'il se réfère à...

— Mais non, voyons ! C'est de mon cru.

— *Excalibur !* Elle est bien bonne, celle-là !

Pendant que Frannie riait à gorge déployée, moi je me sentais passer par toutes les nuances de la palette des rouges.

— Surtout, fillette, ne va pas te faire claquer un boyau de rire ! Attends d'être ici. Je te raconterai l'histoire par le menu. Enfin, si j'en ai le courage. Je vais finir en enfer.

— Et qui te dit qu'Arthur n'y sera pas, lui aussi ?

— Ouais !

— Avec Excalibur.

— Oui, bon, on a compris !

Le piège était prêt. Désormais, il ne nous restait plus qu'à guetter la proie. Le premier samedi d'août, nous avons eu l'occasion de nous faire la main sur une vieille dame adorable. Le concierge de l'hôtel Wild Dunes avait dressé la liste des clients qui avaient réservé pour la nuit. Il ne nous restait plus qu'à passer la chercher et à la rapporter au salon. On tirait alors un nom de l'urne et on obtenait la gagnante. Après quoi, on rappelait le concierge pour fixer un rendez-vous en lui donnant trois horaires possibles. Mme Dan Gaby, de Birmingham, n'a pas déçu nos attentes. Elle a acheté trois paniers de Mlle Ange pour cinq cents dollars et un flacon à vingt-cinq dollars de lotion à l'aloès pour les coups de soleil de son mari. Cette histoire de tombola avait des retombées économiques auxquelles je n'avais pas songé. Sans compter que Mme Gaby reviendrait sûrement nous voir la prochaine fois qu'elle serait de passage sur l'île. J'aimais recevoir de nouvelles clientes – en particu lier celles qui avaient la langue bien pendue.

— Dan adore la pêche en haute mer. Total, il est revenu rouge comme un homard, a dit Mme Gaby pendant que j'étais en train de lui faire les racines.

— A-t-il attrapé quelque chose ?

Malgré ses soixante-quinze ans bien sonnés, elle a eu un petit rire espiègle.

— A part une insolation et une bonne cuite ? Non. Je l'ai laissé dans la chambre, en train de regarder Golf Channel. Je ne connais rien de plus ennuyeux. Je préfère encore ranger la penderie plutôt que de regarder le golf à la télévision.

— Je suis d'accord. Souvent, la pêche n'est qu'une excuse pour se soûler. Quant au sport à la télé, très peu pour moi. Je pique aussitôt du nez.

— Moi aussi !

Mme Gaby était ravie de la coupe et des emplettes, et nous n'étions plus qu'à une semaine de la venue de Mme Everett Fairchild.

32

La *bomba* !

On était samedi matin, la deuxième semaine d'août, et je rêvais que j'étais avec des copains à bord d'un coupé jaune pâle qui filait vers Fort Moultrie, à Sullivan's Island. Ma mère, assise à l'arrière d'un mini-van, roulait devant nous. Elle portait un tailleur bleu lavande et me souriait en agitant les bras, et moi je répétais : « Regardez, c'est ma mère ! Regardez comme elle est belle ! »

Ainsi, j'évacuais les questions qui me taraudaient durant la journée. Et sans aller jusqu'à dire que les apparitions de maman étaient des visitations spirituelles, je savais par expérience que chaque fois qu'elle m'apparaissait quelque chose d'important allait se produire. De fait, ce jour-là, Joanne Fairchild viendrait au salon.

Faute de temps, Frannie avait dû renoncer à rappliquer pour me soutenir le moral, mais Jim m'avait promis d'être là le soir. Parmi la foule d'interrogations qui se télescopaient dans ma pauvre tête, la plus angoissante était : comment surmonte-t-on son anxiété quand on se trouve en présence de l'épouse de l'homme qui vous a violée ?

J'avais dressé un plan grossier sans vraiment prendre le temps d'en peaufiner les détails. Et maintenant que le jour J était arrivé, j'étais terrifiée. Je voulais que cette femme me prenne au sérieux. Lorsqu'elle apprendrait que son mari était le père d'Emily, elle refuserait de croire qu'il s'agissait d'un viol, nierait les faits. Pour finir, elle prétendrait que si je m'étais retrouvée en cloque, c'est que je l'avais bien cherché, et que je n'étais qu'une petite coiffeuse de rien qui voulait le beurre et l'argent du beurre.

Et le fait est que si j'avais été une neurologue de réputation mondiale qu'elle serait venue consulter parce qu'elle souffrait de migraine, j'aurais été plus à l'aise. Moi qui croyais m'être fait une raison et qui tirais fierté d'être coiffeuse, à défaut de médecin ou avocate ! Jusqu'à ce samedi matin, du moins, car entre-temps, le trac avait pris le dessus.

J'ai retourné ma penderie de fond en comble, sans parvenir à trouver mon bonheur. Excédée, j'ai choisi une robe bain de soleil mi-longue en lin blanc et une chemise bleu clair, que j'ai complétées par quelques bijoux fantaisie imitation turquoise et des sandales blanches à semelle compensée. Pourquoi avais-je privilégié la couleur de la pureté et de l'innocence ? Sans doute en souvenir de ma jeunesse, avant qu'Everett largue l'ogive nucléaire qui avait réduit ma vie en miettes. Jusqu'alors, j'avais à jamais exclu la possibilité de le revoir. En réalité, je doutais que le fait de rencontrer sa femme fasse avancer les choses d'une quelconque manière.

Au vu de l'état de leurs affaires matrimoniales, j'établirais s'il était souhaitable qu'ils apprennent l'existence d'Emily. Sauf que j'étais une vraie loque, que mes mains tremblaient et que je me sentais incapable de prendre la moindre décision. Si seulement Jim avait été présent pour me conseiller !

On avait pris une photo de groupe, avec Emily posant au centre, ses yeux verts bien en évidence. Elle avait été encadrée puis glissée dans un sac-cadeau, avec divers échantillons et un tee-shirt publicitaire. Au cas où Joanne me déplairait, j'avais prévu d'ôter le cliché du paquet avant de le lui donner. Ni vu ni connu. L'équipe se tenait sur le pied de guerre, prête à passer à l'action. Sauf Emily, bien sûr.

A huit heures et demie, le thermomètre affichait déjà trente-cinq degrés et Emily était d'une humeur de chien. La veille, elle s'était disputée avec David et refusait de quitter son lit.

— Ce mec est nul.

— Les filles mûrissent plus vite que les garçons, tu le sais.

— Sauf Lucy. David lui ressemble. Je n'ai pas envie d'aller bosser. J'en ai ras le bol.

Que voulait-elle dire au juste ? Qu'elle refusait de venir au salon, de peur que Lucy ne la harcèle de questions ?

— Chérie, je te rappelle que nous sommes samedi ! Le jour le plus dur de la semaine ! J'ai besoin de toi !

— D'accord, mais à condition que Lucy ne m'adresse pas la parole.

— Parfait.

Au fond, je la comprenais, même si le moment me semblait particulièrement mal choisi pour abandonner le vaisseau.

J'avais les jambes en coton quand nous sommes arrivées à destination. Les filles étaient sur le pont, fourbissant leurs armes. Le plus délicat avait été de ne rien dévoiler à Emily et j'espérais que la journée serait assez chargée pour qu'elle ne voie pas le temps passer. Lucy, Bettina et Brigitte assumaient leur rôle à la perfection. Elles nous ont saluées comme si de rien n'était, alors que Joanne Fairchild devait se pointer vingt minutes après ! Elle venait avec une amie dont le mari disputait une compétition de golf.

La porte s'est ouverte et elles sont entrées. Elles se sont approchées du comptoir de Lucy. L'une des deux était une gazelle, une beauté tout droit sortie d'un magazine, tandis que l'autre était plutôt quelconque. Elle n'était pas difforme, juste attifée comme l'as de pique. Le genre de fille couleur muraille que personne ne remarque. D'après moi, la super-nana à la silhouette de rêve ne pouvait être que Joanne. Et en effet, c'est elle que Lucy a dirigée vers Brigitte.

Elle portait un pantalon de lin bleu avec un dos-nu noir, qui révélait une bonne partie de son ventre plat. A l'extrémité de ses bras musclés carillonnaient des bracelets en or. Tel un phare luisant dans la nuit du bronzage intense, un solitaire de quatre carats jetait des éclairs à chacun de ses mouvements. Ses cheveux noirs étaient tirés en arrière et retenus par une barrette, et j'imaginais que derrière ses grandes lunettes de soleil Chanel se cachaient des yeux sombres et chargés de mascara. Joanne était l'exact opposé de moi.

Premier défaut : folle de son corps.

Je parie que vous vous demandez pourquoi je l'avais abandonnée à Brigitte, pourquoi j'avais laissé filer une occasion qui risquait de ne pas se représenter. Tout simplement parce qu'il fallait jouer sur du velours et que Brigitte me semblait la mieux armée pour cela. Elle était en effet d'un calme olympien et avait le don de poser les bonnes questions au bon moment. Pendant ce temps, je me posterais à deux mètres de là et écouterais ce qui se dirait. Il ne fallait pas m'en demander davantage, j'en aurais été incapable.

Lucy m'a amené l'autre femme, qui répondait au nom de Marsha, puis lui a passé un peignoir. Pendant que Brigitte shampooinait Joanne et que Bettina faisait chauffer la cire dans la cabine de soins, j'ai installé Marsha devant mon poste de coiffage. Lucy lui a donné des magazines et proposé une boisson.

Dès que Marsha a été assise, j'ai senti qu'elle était mal à l'aise. A l'évidence, elle attendait quelque chose de ce rendez-vous. Elle était à mille lieues de se douter que j'aurais voulu disparaître dans un trou de souris ou tomber dans les pommes et me faire raconter ensuite ce qui s'était passé.

— Je crois que... enfin... J'aimerais bien me faire teindre en rousse. Qu'en pensez-vous ?

Pitié ! Pas aujourd'hui ! Pourquoi les cas désespérés me tombaient-ils dessus les jours où j'avais le cerveau en compote ?

— Voyons... ai-je répondu en ôtant l'élastique qui retenait sa queue-de-cheval.

Ses cheveux, mi-longs, sont retombés sur ses épaules tel un tourbillon de duvet lors d'une bataille de polochons. Les femmes qui venaient nous voir s'imaginaient qu'elles savaient ce qu'elles voulaient, mais je pouvais leur offrir mieux que ce qu'elles espéraient. Parfois, une cliente me réclamait une coupe qui aurait peut-être eu du chien sur une rock star, mais pas au-dessus d'un triple menton, d'un teint couperosé ou de verres à triple foyer. N'y voyez aucune médisance de ma part. Mon métier consiste à mettre les femmes à leur avantage, pas l'inverse.

Celles qui se sont tenues à un choix de départ s'en sont mordu les doigts. Il est même arrivé qu'elles fondent en larmes sous mes yeux. Sincèrement, je ne me sentais pas de taille à affronter ce genre de scène.

— Rousse. Oui, bien sûr. J'ai une palette de tons à faire blêmir Rembrandt d'envie.

J'ai pris le temps d'examiner Marsha dans la glace. Elle avait dû procéder à de multiples essais seule, car ses cheveux étaient aussi secs que le foin, à l'exception des racines. Avant tout, elle avait besoin d'une bonne coupe. Et d'un peu moins de bleu autour des yeux.

— Marsha, si vous désirez changer de look, je crois qu'il vaut mieux que vous envisagiez une nouvelle coupe et un soin plutôt qu'une couleur. Mais si vous privilégiez cette dernière, je suggère le blond. C'est en vogue, cette année. Je pourrais vous faire un balayage pour rehausser l'éclat de votre chevelure, et une application pour la gainer et la rendre plus brillante, puis couper ce qui est abîmé.

— L'essentiel est que je ressorte d'ici avec une autre tête.

— Alors on coupe ?

Elle a dit d'accord, puis baissé la voix et ajouté :

— Mon problème, c'est que mon mari, qui est le subalterne d'Everett Fairchild, n'arrête pas de me chanter les louanges de sa femme. Avec lui, c'est Joanne ceci, Joanne cela. J'aimerais qu'il me regarde comme il *la* regarde. Vous comprenez ce que je veux dire ?

J'ai pensé qu'il n'avait pas fallu longtemps à Marsha pour débiner sa copine.

Deuxième défaut : Joanne flirtait avec l'employé de son mari.

— Parfait. Va pour le blond. Je vous montrerai aussi quelques trucs de maquillage, si ça vous intéresse.

— Bien sûr, à condition que ça reste entre nous, d'accord ?

— Pas de problème. Ce fauteuil est aussi sacré que le confessionnal du Vatican. Je reviens.

Je suis allée dans la réserve pour concocter le mélange. En le touillant, je pensais aux femmes qui consacraient plus d'argent et de temps à faire la popote ou du bénévolat qu'à se pomponner. Mais qu'elles siègent dans un conseil d'administration ou préparent la tambouille, les hommes s'en fichaient éperdument. Tout ce qu'ils voulaient, c'était qu'elles soient belles et séduisantes. J'allais donc m'efforcer à ce que la tignasse de Marsha reprenne vie.

Bettina, qui était venue me rejoindre en catimini, était visiblement hors d'elle.

— Tu sais ce que Joanne Fairchild a dit quand Brigitte l'a fait passer au bac de lavage ?

— Pas la moindre idée, ai-je murmuré en continuant de brasser la potion.

— Que de toutes les femmes de son groupe, c'était elle qui avait le moins besoin d'une journée de remise en beauté ! A peine narcissique, la nana !

— Garde ton sang-froid. Caresse-la dans le sens du poil. Il ne faut surtout pas la froisser.

— Je sais, je sais. Mais tu me connais. Avec moi, la première impression est la bonne. Je te jure que je mourais d'envie de lui en coller une ! Je ne supporte pas ce genre de filles !

— Moi non plus. Ne la juge pas, Bettina, sinon c'est la catastrophe. N'oublie pas que ta mission consiste à la faire parler et à obtenir des confidences sur sa vie sexuelle.

— Ouais. Je sens qu'elle va tout me déballer pendant la séance d'épilation, a-t-elle poursuivi, les yeux soudain pétillants de malice.

Elle a inspiré profondément, s'est redressée, puis éloignée comme si de rien n'était. C'est ça, arrache-lui les poils un par un et coupe-lui les peaux jusqu'au sang ! ai-je songé.

Défaut numéro trois : égocentrique.

Je suis retournée auprès de Marsha, qui était en grande conversation avec Lucy.

— J'étais en train de dire à Marsha qu'elle avait besoin d'égayer sa garde-robe. Marsha, ma chère, vous êtes trop jolie pour porter du beige ! Vous vous souvenez de l'émission *Et si on se relookait ?* Moi, je pense qu'un haut rose fluo et...

— Quelle est cette émission ? a demandé Marsha.

— Sans importance, ai-je répliqué. Lucy, Marsha va changer d'apparence, alors ne perds pas ton temps ! Reviens quand j'aurai terminé la couleur, d'accord ?

— Bien sûr ! Suis-je bête ! Chez nous, l'hiver c'est le printemps !

— Comment ça ?

— C'est une vieille histoire, ai-je enchaîné en souriant à Marsha. Prête pour le grand changement ?

— Go !

Tout en continuant à battre la mixture comme pour faire monter une mayonnaise, je réfléchissais au meilleur moyen de métamorphoser Marsha sans qu'elle sombre dans la dépression nerveuse. Sa chevelure était dans un tel état que pour bien faire il aurait fallu la raser. Cela dit, Marsha avait un beau visage ovale, avec les pommettes saillantes. Un maquillage léger mettrait ses yeux en valeur.

— Bien. Parlez-moi de vous, ai-je repris, retrouvant mes réflexes de professionnelle. Passez-vous beaucoup de temps au soleil ?

— Vous plaisantez ? Je vis en Floride ! Je joue au golf et au tennis, et je fais de la voile. Mon mari vend des bateaux, vous savez ?

— Je vois. Dans ce cas, il vous faut quelque chose de facile à entretenir.

— Oui. Je n'ai pas le temps de m'apprêter ; d'ailleurs, à quoi bon, si c'est pour avoir les cheveux en pétard cinq minutes après.

J'ai commencé à appliquer un blond moyen sur les racines. En voyant la teinte du mélange, Marsha a dû penser que c'était du châtain, mais elle n'a rien dit. Ses yeux ne cessaient d'aller et venir entre le magazine et le miroir. Chaque fois que nos regards se croisaient, elle me décochait un grand sourire. Elle m'était sympathique et j'avais envie de la rendre belle. Brigitte a demandé à Joanne :

— Qu'est-ce qu'on vous fait ?

— Un simple brushing. Je n'ai pas besoin d'une transformation complète, moi.

J'ai grincé des dents en entendant cette réplique.

Malgré les apparences, Marsha et moi ne perdions pas une miette de la conversation qui se tenait entre Joanne et les filles.

— Ouah ! Le beau caillou ! s'est exclamée Bettina en lui ôtant son vernis à ongles. Votre mari doit être un chic type ?

— Il y a pire, a répondu Joanne. Je sais que ce n'est pas

bien de dire ça, mais que voulez-vous, après quinze ans de mariage, même Brad Pitt finirait par me taper sur les nerfs.

— Pas à moi, s'il m'offrait une telle bagouze ! a lâché Bettina. Enfin, je vois ce que vous voulez dire, a-t-elle enchaîné, après que je l'avais foudroyée du regard. Mon mari, Bobby, est parti en mer la plupart du temps, alors forcément, on aime se retrouver. Mais si je devais le supporter au quotidien, je crois que je péterais un fusible !

— Moi, j'estime que rien ne vaut le célibat, a lancé Brigitte, accourant à la rescousse. Je n'ai pas croisé un homme qui n'ait fini par me faire bâiller d'ennui. Alors un mari ! J'ai ma maison, une belle voiture, et personne pour me commander.

— Mon époux, Rhett – c'est un surnom pour Everett –, ne risque pas de me dicter ce que je dois faire.

— Rhett ! Le célèbre Rhett Butler ! Il existe vraiment ?

Bettina est partie d'un rire nasal communicatif.

— Vous plaisantez ! Everett Fairchild n'est pas Rhett Butler, tant s'en faut. Il est capable de déployer des trésors de charme quand il vend un bateau, parce qu'il y a un gros chèque à la clé, mais quand il rentre à la maison, il est pantouflard ! Sitôt le dîner expédié, il file se coucher. De toute façon, la maison est mon territoire. Je fais ce que je veux.

Tu m'étonnes, ai-je pensé en jetant un coup d'œil dans le miroir à Marsha, qui a tordu la bouche d'un côté, en signe d'assentiment.

— Bien parlé, a dit Bettina. Je vous refais une manucure ?

— Oui.

— Et où habitez-vous, sans indiscrétion ? Vous avez des gosses ?

— Surtout pas ! Merci ! Nous habitons à l'extérieur de Clearwater.

— Les mômes, quel calvaire ! a renchéri Brigitte. Ce n'est pas que je ne les aime pas ; j'ai un tas de neveux et de nièces que j'adore. Mais quand ils viennent à la maison, j'ai hâte qu'ils rentrent chez eux.

— Oui. D'ailleurs, nous connaissons de nombreux couples sans enfants qui sont très heureux ainsi. C'est un fait, dès qu'on a des gamins, adieu la vie !

Le défaut suprême : *n'aime pas les enfants.*

— Moi, je voudrais en avoir six, a placé Bettina. Mais je peux comprendre qu'on n'ait pas envie d'être clouée à la maison, a-t-elle poursuivi, retrouvant ses esprits, après que je lui avais lancé un coup d'œil assassin. Les gosses, c'est un boulet !

— Absolument ! Moi qui passe mon temps par monts et par vaux, j'aime avoir les coudées franches.

— Moi aussi, a approuvé Brigitte. Et vos sorties préférées, c'est quoi ?

— Bah, le lèche-vitrine, les déjeuners entre copines. Mais je fais également partie du club de tennis, d'un cercle de lecture et d'un club d'investissement. Plus quelques occupations bénévoles ici et là. Cette année, j'ai été élue présidente du comité chargé de la collecte de fonds de la bibliothèque. On a invité Pat et Sandra Conroy à notre gala !

— Sans blague, a répliqué Brigitte, sincèrement impressionnée.

Le minuteur a sonné et j'ai commencé à peigner les cheveux de Marsha pour répartir le produit jusqu'aux pointes.

— Encore cinq minutes.

— Pas de problème. J'ai de quoi m'occuper, avec ce test de *Cosmo* : « Comment savoir si votre petit ami vous trompe. »

— Attendez un peu qu'il vous retrouve ce soir ! Les yeux vont lui sortir de la tête.

— J'ai hâte d'y être !

Brigitte, qui en avait fini avec la chevelure parfaite de Joanne, a fait pivoter son fauteuil en lui présentant le miroir pour qu'elle se voie de dos.

— Bien, a laissé tomber Joanne, sans la moindre trace de gratitude.

Bettina et Brigitte en ont eu le sifflet coupé. Elle avait lâché « bien » comme quelqu'un qui récupère sa commande au drive-in.

Enième défaut : l'ingratitude.

— Bon ! a lancé Bettina. Et si on passait à l'épilation ?

— Je vous suis, a répondu Joanne. Ça vous ennuierait de demander à la gamine qui est en train de gober les mouches, là-bas, de se remuer le popotin et d'aller me chercher un Coca à côté ?

J'ai senti mes joues s'empourprer. Je te signale que la gamine en question est ta belle-fille, ma vieille, et ma fille, ai-je pensé en fulminant. Je me suis tue.

Autre tare : s'imagine que le monde entier est à sa disposition.

— Bien. Marsha, on va passer au rinçage.

Je l'ai installée au bac de lavage et ai fait signe à Emily d'approcher.

— Qu'est-ce que tu veux, maman ? J'aide Lucy à mettre le mailing à jour.

J'ai fouillé dans ma poche et lui ai tendu un dollar.

— File à côté et rapporte-moi un Coca, s'il te plaît, chérie.

— Tout de suite.

Marsha a fait une drôle de tête.

— C'est votre fille ?

— Oui, c'est Emily. Elle est étudiante à l'université et passe l'été ici.

— Oh !

J'ai compris qu'elle avait remarqué les yeux d'Emily et leur ressemblance avec ceux d'Everett. Malgré sa stupéfaction, elle n'a pas posé de questions. Pourvu qu'elle ne fasse pas tout capoter, ai-je songé. Mon cœur s'est mis à battre un peu plus vite et j'ai senti la transpiration perler sur ma nuque.

Quelques minutes plus tard, Marsha est retournée s'asseoir à sa place et Emily est revenue avec la commande.

— C'est pour qui ?

— Verse le Coca dans un verre avec de la glace et apporte-le à la dame qui est en cabine. N'oublie pas de frapper avant d'entrer.

— Oui, chef.

Marsha écarquillait les yeux, comme si elle avait vu un fantôme.

Sans y prêter attention, j'ai glissé :

— Bien, je vais vous faire un spray lumière et raccourcir au maximum.

J'aurais dû être joueuse de poker professionnelle.

Au final, Marsha s'est retrouvée avec une coupe dégradée

superbe et dix ans de moins. J'avais travaillé l'arrière pour lui donner du volume, et laissé une longue frange droite et effilée sur le devant.

— Ouah ! J'adore ! s'est écriée Marsha. Comment pourrais-je vous remercier ?

— En parlant de nous à vos amies. Ça vous va à merveille. Si on passait au maquillage ?

Joanne n'avait pas remarqué les yeux d'Emily et Marsha avait gardé ses réflexions pour elle. Au moment de partir, elles ont acheté chacune une corbeille tressée et une montagne de soins pour la peau et les cheveux. Joanne n'a donné aucun pourboire.

Dernier défaut : pingre.

Marsha, en revanche, s'est montrée généreuse avec les filles, y compris Emily, gratifiée de cinq dollars.

— Pourquoi ? s'est enquise celle-ci.

— Parce que tu le mérites.

Quand elles ont franchi la porte, on a poussé un soupir de soulagement. Puis trois clientes qui n'avaient pas rendez-vous sont entrées. Le téléphone a sonné. C'était David, qui voulait parler à Emily. Elle a emporté le combiné au fond du salon. Pendant ce temps, on se congratulait les unes les autres, fières de notre mise en scène. Brigitte avait raison. Il fallait embaucher une troisième coiffeuse sans tarder. Peut-être même deux.

Lorsque Emily est revenue, elle était tout sourire. David s'était excusé et l'avait invitée au cinéma.

— Je peux, maman ?

— Oui. A condition que tu rentres à une heure décente.

— Je t'adore !

A six heures, on a baissé le rideau, puis mis de l'ordre pour que tout soit prêt lundi.

— Et alors, a dit Lucy, quelle est votre impression au sujet de cette Joanne ? Je ne l'ai pas trouvée sympa.

— En tout cas, pas question qu'elle s'approche de ma fille !

— Elle est odieuse, a renchéri Bettina. Vous ne devinerez jamais ce qu'elle m'a raconté.

— Quoi donc ?

— A peine était-on en cabine qu'elle me balance : « Vous

avez déjà eu une aventure ? – Comment ça une *aventure* ? Vous voulez dire, depuis que je suis mariée ? – Ben ouais. – On voit que vous ne connaissez pas mon Bobby ! Il me laisserait sur le carreau, s'il apprenait que je le trompe ! » Elle s'est mise à rigoler avec un petit rire de fouine. Alors je lui ai demandé : « Et vous, vous avez déjà eu une aventure ? » Et vous ne savez pas ce qu'elle m'a répondu ?

— Quoi ? a-t-on lâché à l'unisson, Brigitte, Lucy et moi.

— « Moi, vous plaisantez ? Jamais je ne ferais une chose pareille. » Sauf que quand elle a dit ça, avec son air de ne pas y toucher, j'ai compris qu'elle couchait avec le mari de sa copine Marsha.

— Je l'ai tout de suite cataloguée, a tranché Brigitte.

— Elle a de ces poils. Un vrai gorille, a signalé Bettina. Berk ! On la croirait sortie du zoo. Mais je vous prie de croire que je n'y suis pas allée de main morte. Et pour les plus coriaces, j'ai abusé de la pince à épiler.

— Bien fait !

— Bettina ! C'est vrai qu'à moi aussi, elle m'a fait mauvaise impression, ai-je admis.

— Mais la goutte d'eau, c'est tout de même le pourboire ! Vous avouerez ! On s'occupe d'elle à l'œil – manucure, épilation, brushing – et cette bique ne laisse pas un sou ! s'est insurgée Lucy. S'il y a une chose que je ne supporte pas, c'est l'avarice.

J'avais commencé à éteindre les lumières quand, soudain, j'ai presque crié :

— Misère de Dieu !

— Quoi donc ? a demandé Brigitte.

— La photo d'Emily, je l'ai laissée dans la pochette ! Il ne manquerait plus qu'Everett la trouve ! Pitié ! Je refuse de devoir m'expliquer avec cette virago ! Pas question que cette maudite bonne femme côtoie Emily !

— Ça n'arrivera pas ! a rétorqué Brigitte.

— C'est ce que tu crois, mais j'ai le chic pour collectionner les tuiles !

— Anna, calme-toi ! Joanne a déjà probablement fichu le cliché à la poubelle, a dit Lucy.

— Ouais, mais elle a gardé le cadre... a persiflé Bettina.

— Je ne demande qu'à vous croire.

J'étais complètement retournée.

En rentrant à la maison, j'ai trouvé un message de Jim sur le répondeur. Il ne pouvait pas venir, car Gary le réclamait. Il me rappellerait dès que possible.

33

L'amour toujours

Les affaires marchaient du tonnerre, mais de mémoire d'homme on n'avait pas connu un mois d'août aussi chaud. Charleston, disait le type de la météo, n'était séparé des flammes de l'enfer que par une moustiquaire. Imaginez une de ces chaleurs humides, oppressantes, avec des orages en fin de journée et des nuées d'insectes. Jamais l'office du tourisme ne vous en soufflera mot, mais un bon conseil : si vous venez en vacances chez nous, ne mettez pas de parfum. Et du spray antimoustique ? Pfft ! Les maudites bestioles s'en régalent comme s'il s'agissait de cocktail.

Donc, par une de ces soirées étouffantes et solitaires (David et Emily étaient sortis et je n'avais pas d'homme pour me tenir compagnie), j'étais affalée sur mon vieux sofa, en train de me tordre comme une baleine en regardant Steve Martin et Dan Aykroyd faire leur numéro à la télévision, quand le téléphone a sonné. C'était Jim.

— Gary est décédé, a-t-il annoncé d'une voix émue.

Mon cœur s'est serré. On avait beau savoir que la mort de Gary était inéluctable, on avait du mal à l'admettre. Pauvre Jim.

— Je suis désolée.

— Et moi donc.

On a parlé des parents de Gary, de ses derniers instants. Jim lui avait tenu la main jusqu'au bout et semblait traumatisé par ce qu'il avait vu.

— Tout le monde ne meurt pas de sa belle mort.

— Le pauvre vieux. Quand son corps a décidé que c'était fini, il a eu beau essayer de lui tenir tête – Dieu sait s'il était obstiné –, ça n'a pas marché. Il n'avait plus que la peau sur les os, Anna. Je ne supportais pas qu'il soit dans cet état. C'était un type formidable. Personne ne mérite de disparaître ainsi.

— Je sais, Jim. Si seulement je pouvais t'aider.

— C'est impossible. Mais merci quand même. Ça me fait du bien de te parler.

On a encore bavardé quelques minutes, puis je lui ai dit :

— Au fait, veux-tu savoir à quoi ressemble Joanne Fairchild ?

— C'est vrai ! Ça s'est passé comment ?

Quelques minutes ont suffi pour que je lui décrive la visite de Joanne au salon, événement qui, il faut le reconnaître, semblait dérisoire à côté de la disparition de Gary.

— Bon sang, Jim, tu te rappelles que nous avions envisagé les moindres détails ? On s'imagine toujours qu'il suffit de dire la vérité pour tout arranger, pas vrai ? Eh bien la vérité, c'est que Mme Fairchild est une pimbêche narcissique et cupide. Pour rien au monde je ne la laisserai approcher Emily. D'après ce que j'ai cru comprendre, elle trompe son mari.

— Super ! On aura au moins essayé. Et puis, qu'est-ce que ça change, au fond, qu'elle soit la dernière des garces ? Dès l'instant que tu sais qui est le père de ta fille, Emily a le droit de l'apprendre.

— C'est vrai. Mais je n'ai pas trouvé comment lui annoncer la chose. Ni quand. En tout cas, si elle ne pose pas de questions, rien ne sert de se précipiter.

— Je ne sais pas. Je n'arrive pas à me projeter dans l'avenir, même proche.

— Les obsèques ont lieu quand ?

— Mardi.

— Veux-tu que je vienne ?

Pour Jim, j'aurais fait n'importe quoi.

— Non. Je te remercie.

— Ça te dirait, ensuite, de rester quelques jours avec nous ? Pour décompresser ?

— Non. C'est gentil, mais je dois absolument rentrer à San

Francisco. Appelle Frannie et propose-lui de nous retrouver pour Labor Day[1]. Je suis attendu le 5 septembre en Bourgogne pour une dégustation de vin et je prends l'avion le 3.

— Dans ce cas, fais un crochet par ici !

— Dans ce cas, j'irais à Charleston et en profiterais pour saluer Trixie. Elle n'a pas le moral, ces temps-ci.

— Et pourquoi ?

— Va savoir. La canicule. Ou la solitude. Elle se lamente sans cesse, alors qu'elle a tout pour être heureuse. Elle n'est jamais contente. Bref. Je pourrais la voir avant de m'envoler pour la France.

Trixie n'était probablement pas au courant du décès de Gary. Mais sans doute le jugerait-elle sans intérêt lorsqu'elle l'apprendrait. J'ai dit à Jim que ma maison était la sienne et que je serais aux petits soins pour lui. Ensuite, il m'a demandé des nouvelles d'Arthur. A l'annonce que celui-ci avait pris la tangente sans un mot d'adieu, il m'a lancé :

— Un de perdu, dix de retrouvés ! Quand je serai là, on écumera les bars, toi et moi.

— Tu n'es pas un type ordinaire, Jim Abbot. Même quand tu as le moral dans les chaussettes, tu trouves le moyen de me faire rire. N'empêche que je l'ai eu mauvaise. Arthur ne s'est pas donné la peine d'appeler ne serait-ce qu'une fois.

Cette dernière remarque a inspiré de sombres pensées à Jim.

— Ecoute. Il est tordu et mal dans sa peau, pas toi. Il est incapable de s'impliquer dans une vraie relation. Il invoque des excuses et fuit. Tu es trop grande, trop petite, trop grosse, trop maigre, trop moche, trop belle, trop intelligente, trop stupide, trop riche, trop pauvre... La seule personne qui trouve grâce à ses yeux, c'est lui. Ce type est en état de faillite affective.

— Continue !

Quand Jim montait sur ses grands chevaux, il partait au triple galop.

— Je suis sérieux.

---

1. Fête du travail, célébrée le premier lundi de septembre aux Etats-Unis. (N.d.T.)

— Je sais. Mais il me manque.

— Tu en pinçais vraiment pour lui ?

— Ouais. *Vraiment*. Le salaud !

— Je te retrouve enfin !

— Jim, pourquoi les gens vont-ils si mal ?

En disant cela, je l'invitais à en remettre une couche, mais cela le soulageait, et moi aussi.

— Je l'ignore. Je crois qu'ils n'arrivent pas à communiquer et manquent de vrais repères. Ils privilégient leurs intérêts et passent à côté de l'essentiel. Gary va me manquer jusqu'à la fin de mes jours, a-t-il poursuivi après un soupir. Et jusqu'à la fin de mes jours, je me réjouirai de lui avoir tenu la main à l'instant ultime. Les êtres qui nous aiment sincèrement ne pullulent guère.

— C'est vrai, ai-je répliqué en pensant que j'aimais Jim de tout mon cœur. (Et papa. Et Emily. Et Frannie.) Je peux les compter sur les doigts de la main.

— Ces personnes-là connaissent nos défauts et nous accordent leur affection malgré tout. C'est pour elles que tu dois t'accrocher. Les autres, les don Juan, ne méritent pas le détour.

J'avais beau me raisonner, l'absence d'Arthur me pesait. Je mourais d'envie qu'il m'appelle et me dise, mettons, qu'il était justement en train d'acheter un diamant pour moi quand, bing ! il avait reçu un coup sur la tête et s'était retrouvé à l'hôpital, frappé d'amnésie.

Le dimanche, j'avais pris l'habitude d'aller à la messe puis de cueillir de quoi garnir les vases de la maison, mais aussi ceux du salon de Lucy et des sœurs Lafouine. Le jardin donnait une telle profusion de fleurs qu'elles repoussaient quasiment du jour au lendemain.

Le dimanche qui a suivi la conversation avec Jim, j'ai déjeuné chez Miss Mavis puis, de retour à la maison, je me suis attelée au jardinage pendant qu'Emily et David étaient à la plage. En remuant la terre, j'ai repensé à la délicieuse tarte aux pommes que Mlle Ange avait préparée pour le dessert.

Pendant le repas, nous avions évoqué la vie sur l'île à l'époque bénie où il y avait encore un champ de foire avec une grande roue, un manège, de la barbe à papa et une loterie géante. J'ai ri quand Miss Mavis a raconté qu'à la place de pions, on se servait de haricots pour remplir les grilles de loto. Les lots étaient des ours en peluche, des transistors ou des lampes hideuses. Maman, alors jeune mariée, était allée plusieurs fois à la fête avec elle. Elle avait gagné une glacière.

— Elle aurait remporté le tiercé qu'elle n'aurait pas été plus heureuse ! Ses yeux pétillaient littéralement quand elle est allée retirer l'objet. Je crois me rappeler que l'homme qui appelait les numéros, un dénommé Gabe, était italien. Il a dit : « B-12 ! et O-64 ! » d'une voix sonore. Quand il a décoché un clin d'œil à ta mère, elle ne savait plus où se mettre. On a rigolé comme tu n'as pas idée !

Je me suis souvenue de la glacière, avec sa poignée légèrement rouillée en haut et en bas. On l'avait installée dans la véranda, sur l'arrière de la maison, et je m'asseyais dessus quand elle était pleine pour avoir les fesses au frais.

Miss Mavis a encore raconté que ses parents s'étaient épris de l'île et s'y rendaient en tramway depuis Charleston.

— Je n'étais pas née, mais ils m'ont tant parlé de ces années-là que je pourrais les avoir vécues. Ils prenaient le ferry-boat, le *Sappho*, en contrebas de Cumberland Street. Je les imagine traversant le port, maman les cheveux au vent et papa tenant son chapeau vissé sur son crâne pour l'empêcher de s'envoler. Ils emportaient toujours un panier de victuailles pour le pique-nique et leurs costumes de bain. Une fois débarqués à Mount Pleasant, ils prenaient le tram qui remontait Railroad Avenue – l'actuel Jasper Boulevard – et les conduisait jusqu'ici. Le 4 juillet, il y avait un feu d'artifice à couper le souffle, affirmait maman. Mais aussi des attractions, des hommes qui sautaient en parachute. Une fois, il s'est produit un drame qui a marqué les esprits. Un des cascadeurs s'est tué !

« Mes parents se promenaient sur la jetée, le soir, puis ils dansaient au son de l'orchestre, installé dans le pavillon, jusqu'à ce qu'il soit temps qu'ils attrapent le dernier tramway pour rentrer à la maison.

« Ils aimaient tant l'île qu'ils avaient été parmi les premiers à y faire construire un bungalow d'été. Il n'y avait ni le chauffage ni l'eau courante, juste l'électricité. Habituée que j'étais à mon petit confort, je ne comprenais pas qu'on prenne plaisir à vivre ainsi. Je n'en admirais que plus ces gens pour qui la beauté du site l'emportait sur le reste.

J'ai pensé qu'il n'y avait rien de plus précieux que les souvenirs des aînés. Pourtant, la plupart d'entre nous passaient à côté de cette mémoire. Car de nos jours, seule comptait la jeunesse et les femmes de soixante ans voulaient en paraître trente, de peur que des jeunettes ne leur fauchent leur mari.

Pour autant que je pouvais en juger, l'île n'avait pas encore succombé à la mode du jeunisme et de la consommation effrénée. Les autochtones continuaient à rendre visite à leurs voisins plus âgés, non parce qu'ils s'y sentaient obligés mais parce qu'ils prenaient un réel plaisir en leur compagnie. Et cela faisait chaud au cœur de constater que personne n'était laissé à l'écart. Ici, chacun avait sa place.

Lucy et papa avaient recollé les morceaux et semblaient bien partis pour une relation durable. Lucy avait beau être une adepte du Botox, des injections de silicone, de la liposuccion, des sites de rencontre, du look Barbie, sans parler de l'excès d'alcool et de l'usage occasionnel de psychotropes, je n'arrivais pas à lui en vouloir. Doc était séduit par sa plastique et considérait le reste comme un à-côté. Lucy, quant à elle, ne pouvait qu'attirer un homme d'âge mûr – et déployait des trésors d'énergie pour rester la femme jeune et désirable qu'il convoitait. Car si bedonnants, chauves et décatis soient-ils, la plupart des messieurs recherchaient les jolies créatures. De la même manière que certaines femmes commettaient l'erreur de dépendre entièrement des mecs, d'aucuns ne parvenaient à assumer leur virilité qu'au contact d'une bombe sexuelle. Telle était la dure réalité, même si j'avais du mal à l'accepter. Nul ne souhaitait mourir – à part les grands dépressifs. Tous ces comportements, en apparence névrotiques et superficiels, n'étaient qu'un réflexe de survie. Et les conseils de beauté que je prodiguais à mes clientes étaient calqués sur ce modèle. Comme cela avait été le cas avec Marsha.

De fil en aiguille, j'en suis venue à penser à Joanne Fairchild. Avait-elle jeté la photo ? Au même moment j'ai relevé la tête, découvrant Emily et David qui remontaient de la plage. David courait pieds nus sur l'asphalte en portant deux transats et une glacière. Emily, qui avait eu la bonne idée d'enfiler des sandales, le suivait en riant de ses contorsions. Elle trimballait les serviettes de bain. Ils rayonnaient d'insouciance et de bonheur. Emily avait beau me répéter qu'ils n'étaient qu'amis, je la connaissais assez pour savoir qu'elle était amoureuse.

— Je vais me doucher chez Lucy, d'accord ?

— Bonjour ! m'a lancé David. L'eau est délicieuse ! Vous devriez aller piquer une tête !

Lucy avait eu la bonne idée d'installer des douches à l'extérieur pour les affreux qui revenaient de la baignade couverts de sable. J'aurais dû en faire autant ; cela m'aurait permis de garder ma fille à l'œil...

— Bonne idée ! Rince-toi et rentre à la maison. Tu es cramoisie !

— J'arrive. Dans dix minutes !

J'appréciais qu'Emily et David soient sur un pied d'égalité. Il avait beau être son aîné d'un an, elle était plus mûre que lui. Il conduisait, mais c'était elle qui le guidait sur l'île. Ils étaient presque de la même taille, minces et élancés, toniques, et parfaitement assortis. Il la taquinait, elle répliquait, et ils partageaient les dépenses. Ils adoraient le cinéma et la lecture, et avaient vu tous les films sortis cet été et dévoré les bouquins figurant sur leur liste de vacances. Le dimanche après-midi, ils s'installaient dans un hamac avec le *New York Times*, acheté le matin chez Barnes & Noble, et faisaient les mots croisés : « Un flemmard à trois doigts, en deux lettres ». S'ils n'étaient pas amoureux, cela y ressemblait.

Dès le premier regard, ils avaient sympathisé et Emily avait jeté son masque d'arrogance pour redevenir ma fille adorée.

Quel été nous avions passé ! Je me suis levée et cambrée pour m'étirer en contemplant le soleil. Un plongeon me ferait sans doute du bien. Je suis allée mettre un maillot et en ai profité pour appeler Lucy.

— Ça te dirait d'aller nager ?

— Oui ! Avec cette chaleur ! Attends-moi, je me change.

Cinq minutes plus tard, Lucy était à la porte, en bikini et chemise rouge déboutonnée. Elle arborait un gigantesque chapeau de paille et d'immenses lunettes de soleil à monture pivoine. Il va sans dire que ses sandales étaient aussi dans le ton. Elle était prête à conquérir la Croisette.

— Regarde ! Je suis la femme écarlate ! s'est-elle exclamée.

— Lucy, ma parole, tu es l'apparition la plus sexy sur cette plage depuis l'époque des squaws SeeWee !

Je portais un ensemble noir bain de soleil, des nu-pieds, une casquette de base-ball et des Ray-Ban. Au dernier moment, j'ai attrapé un tee-shirt, au cas où ma peau me picoterait.

— Les *quoi* ?

— Quand les Anglais ont débarqué à Awendaw, les squaws SeeWee ont couru à leur rencontre. Elles portaient une jupette en fibre végétale avec, tiens-toi bien, rien en haut !

— Non ?

— Sans blague. On y va ?

Au passage, j'ai pris deux transats dans la remise, puis on a marché jusqu'aux dunes et cherché un coin où s'installer. La mer commençait à monter, réduisant la plage à une bande de sable. On a décidé de se poser face à Sullivan's Island, à l'ouest. Le ciel se couvrait, signe que d'ici une heure, l'orage éclaterait, apportant un peu de fraîcheur. Au-dessus de Sullivan's Island, la nue était dégagée et limpide. Au bout d'un moment, Lucy et moi avons papoté.

— Il y a un an de ça, si tu m'avais dit que je trouverais un homme et un boulot en même temps, je t'aurais traitée de folle.

— Et moi, si tu m'avais raconté que j'achèterais une maison et un salon de coiffure, je t'aurais prise pour une dingue.

— Et que je tomberais amoureuse du père de ma patronne !

— Et que ma fille s'enticherait de ton neveu !

— Et que je retrouverais la piste d'Everett Fairchild !

Je suis restée sans voix pendant une demi-seconde.

— Qu'y a-t-il ?

— Rien. Je pensais à sa femme. J'avais espéré qu'elle serait différente. Alors, je suis déçue.

— Tu sais, j'ai pas mal gambergé, ces temps-ci. En fin de compte, on l'a attirée dans un piège. Elle ignorait qu'on la testait. Si elle avait su dans quel guêpier elle mettait les pieds, sans doute se serait-elle montrée sous un autre jour.

J'ai regardé Lucy, bouche bée. Une fois encore, elle avait analysé la situation et aboutissait à la bonne conclusion. Dès le départ, nous avions – ou plutôt, j'avais – décidé que Joanne était une garce. Nous l'avions entraînée à son insu dans un jeu sarcastique et cynique. Mais comment deviner ce que dissimulait son arrogance ? Je n'avais pas été fair-play. Je l'avais détestée au premier regard.

— Tu m'en bouches un coin, Lucy. Pourquoi n'y avais-je pas pensé ?

— Attention ! Si ça se trouve, Joanne Fairchild est la pire de toutes. Elle n'a pas laissé un sou de pourboire, rappelle-toi.

— C'est vrai.

Cela m'a ôté un poids. Lucy apportait de l'eau à mon moulin, me confortait dans l'idée que j'avais eu raison de comploter contre Joanne. Que voulez-vous, j'avais mes faiblesses, comme le reste de l'humanité.

On s'est tues, puis, sans savoir pourquoi, j'ai lâché :

— Je suis allée à la messe de neuf heures et demie. Le chœur était fantastique.

— Quand j'étais gosse, je chantais à l'église. Il y a des années que je n'ai pas assisté à l'office.

— Le plus délirant dans tout ça, tu sais ce que c'est ?

— Non.

— Enfin… Délirant n'est peut-être pas le mot qui convient. Parfois, je songe que la vie ressemble à un parcours de saut de haies, pas toi ? Il fut un temps où je me disais : « Le jour où je serai propriétaire de ma maison, ma vie reprendra ; celui où j'aurai mon salon de coiffure, je serai indépendante ; dès que j'aurai fait ça, je ferai telle ou telle autre chose. » Maintenant, ne me demande pas pourquoi je n'avais pas mis les pieds à l'église depuis si longtemps ; la raison m'échappe. Ce matin, j'ai réalisé que j'avais eu beaucoup de chance et remercié le bon Dieu de m'avoir tant donné. Et d'un coup, je me suis sentie mieux… en communion.

— Je comprends ce que tu veux dire. Quand je viens ici, sur la plage, et que je regarde le soleil se coucher, je pense à ma vie. Et je me dis que j'ai eu du pot, moi aussi, malgré tout.

Nous nous sommes tues et avons regardé les oiseaux qui se rassemblaient au bord de l'eau, puis se mettaient à courir pour échapper aux rouleaux qui déferlaient sur le sable. Ils étaient tout affairés à chercher leur pitance.

— Anna ?

— Oui ?

— Si on organisait une fête pour Labor Day ? Frannie et Jim doivent venir, non ?

— Oui.

— Tu te souviens de la soirée pour Jim ? On pourrait remettre ça. Il en a tant bavé. Et toi aussi, avec ce stress, cette histoire de Joanne, le déménagement, l'ouverture du salon… J'en profiterais pour inviter ma sœur. Quand Emily retourne-t-elle à la fac ?

— La rentrée est prévue le 9 septembre. Emily partira le 3, à moins d'un bombardement ou Dieu sait quoi.

— Malheur, Anna ! Ne pense pas à ces choses-là !

— Tu as raison. Ça propage de mauvaises vibrations dans l'univers.

— Exact ! Franchement, une fête, ce serait super, non ? On pourrait même convier les deux mémés d'à côté ! On ne travaille pas, au moins, ce jour-là ?

— Non, mais il y a un problème, Lucy.

— Lequel ?

— Si tu te charges de la bouffe, on va tous finir à la morgue.

On a éclaté de rire.

— Bon sang ! C'est vrai ! Tu te rappelles quand j'ai fait votre connaissance et que je vous ai servi cette infâme ragougnasse qui attendait depuis deux ans dans le congélateur ? OK, je suis nulle en cuisine, mais j'ai une proposition à te soumettre.

— Vas-y.

— Je m'occupe des courses et tu prends le relais. On va

demander aux autres d'apporter les entrées et les desserts. Dougle se chargera du barbecue et on fera un buffet ; comme ça, pas besoin de s'ennuyer avec le service.

— D'accord. Pas question qu'on se tape la compile disco de Bettina.

— Non, optons pour la musique de plage. A la mode de chez nous ! Alors, c'est bon ? Je prépare les invitations ? Eh, au fait !

Lucy s'est redressée sur le transat.

— Quoi ?

— As-tu jamais rappelé ce Jack Taylor pour le remercier de son horrible plante ?

— Surtout pas ! Il a probablement épousé Caroline entre-temps !

— Pourquoi ne leur ferait-on pas signe, histoire d'en avoir le cœur net ? Ce serait sympa de recevoir des clientes, tu ne crois pas ?

— OK. Tu fais une liste et tu les appelles. Jim donnera un cours de danse à Bettina… Super ! Ta maison ou la mienne ?

— Les deux ! Ma cuisine est plus vaste. Et j'ai une terrasse. Mais on pourrait partager le jardin ; et admirer le coucher de soleil en chœur. Je viens d'acheter un nouvel appareil photo numérique. Je prendrai tout le monde. On pourrait proposer à Harriet de se joindre à nous !

— Ça ne va pas, la tête !

— Ce n'était qu'une idée en passant.

— Pas question de subir Harriet. Il faut conclure l'été en beauté.

— Si tu réunis des clientes et des employées, on passera les factures en frais professionnels.

Cette chère vieille Lucy ne perdait pas le nord.

Dimanche 1er septembre : Jim ronflait sur le canapé, Frannie dans la chambre d'Emily, et celle-ci dans mon lit. Tenue éveillée par ces multiples ronflements, je me suis levée à six heures. Il y avait des valises partout. Les reliefs du dîner de la veille s'étalaient sur la table : verres sales, sachets de chips, emballages de Burger King. Jim avait parlé jusqu'à l'épuisement de la mort de Gary, tandis que Frannie et moi l'écoutions et nous efforcions de le consoler. A mesure que les

410

heures défilaient, la discussion devenait de plus en plus philosophique. Nous en sommes venus à nous dire que ce n'était pas le hasard si le destin nous avait placés sur la route les uns des autres. Après coup, j'ai réalisé que nous avions forcé sur le vin.

Le jour venait de se lever, la lumière filtrait à travers les volets, projetant des losanges de lumière qui devenaient de plus en plus vifs. J'ai décidé d'aller acheter le journal et de me balader sur la plage. J'ai contourné le désordre sur la pointe des pieds, mis la cafetière en route, puis une fois habillée, j'ai rempli un thermos de café et suis sortie sans bruit par la porte de la cuisine. Dehors, j'ai ramassé le *Post & Courier* et l'ai déposé sur le seuil.

J'ai jeté un coup d'œil aux plates-bandes et aux haies. Jim avait qualifié le jardin d'« éden turbo ». La bougainvillée et le jasmin avaient, en effet, pris d'assaut les deux côtés de la maison, développant une multitude de fleurs roses. J'ai repensé à Miss August, morte depuis plusieurs années, et me suis dit que, depuis le paradis, elle présidait à l'exubérance des végétaux. J'avais l'impression de l'entendre rire comme si elle avait été à côté de moi.

Bien que la communion fût forte entre nous autres, gens des Basses Terres, et l'au-delà, nous n'abordions pas le sujet avec les touristes. Ils nous prenaient pour des piqués, même s'ils raffolaient de nos recueils d'histoires de fantômes et les collectionnaient comme s'il s'était agi de livres de contrebande émanant d'une société secrète ! Quand des clientes originaires de l'Indiana ou d'ailleurs m'interrogeaient sur la légende de l'homme gris de Pawley's Island ou les lumières de Summerville, mes réponses terre à terre leur donnaient l'impression que je cherchais à leur cacher un secret. Mais pour nous, autochtones, ces récits allaient de soi.

Dans le jour naissant, toutes sortes de pensées m'ont assaillie. A commencer par l'émerveillement qui s'emparait de moi chaque fois que je traversais les dunes et me retrouvais devant la plage déserte. Miss August me regardaitelle ? J'ai décidé que dorénavant, pour me mettre de bonne humeur, j'aurais une pensée pour elle chaque matin. Ensuite, j'ai songé à ma mère. Elle me manquait. Pourquoi ? Peut-être parce que, outre notre ressemblance physique, elle ne m avait guère laissé de souvenirs. Avais-je le caractère de mon père ou celui de ma grand-mère ? Je me rappelais que maman aimait jardiner et qu'elle était ambitieuse. Si elle n'avait pas été élue reine de beauté, elle n'aurait pas épousé papa ; quelle vie aurait-elle menée, alors ?

En se mariant, elle avait fait preuve de bravoure. Elle n'était qu'une enfant, à l'époque, une gamine de l'âge d'Emily. Elle avait décidé de tenter sa chance mais avait commis une erreur. Elle s'était retrouvée enceinte et prisonnière de l'île, comme l'avait si bien analysé Miss Mavis. Fallait-il que son existence soit morne pour qu'elle saute de joie après avoir gagné une glacière à la loterie.

J'ai regardé du côté de Sullivan's Island. Il n'y avait pas une âme en vue. Je me suis remémoré la rencontre avec Arthur. S'il était tel que Jim l'avait décrit, il ne reviendrait pas. A propos, en parlant d'hommes, Lucy avait invité Caroline et Jack Taylor au barbecue. Ils avaient répondu qu'ils viendraient. Mais j'en doutais. Riches comme ils l'étaient, ils avaient sans doute mieux à faire que de s'éclater avec des coiffeuses et leurs relations. Je me suis demandé si Susan Hayes serait accompagnée par son petit ami. Je ne l'avais jamais vu, mais j'avais l'impression de le connaître, tant j'en avais entendu parler !

J'ai longé le rivage. La plage m'appartenait. J'avais une fille adorable, des amis formidables, des voisins chaleureux, un père affectueux, et l'île. Que désirer de plus ?

34

Bringue d'enfer

En fait, il ne manquait qu'une chose à mon bonheur : un traiteur. Quand Lucy m'a montré la liste des invités, j'ai failli tomber à la renverse.

— Soixante-quinze ! Ça ne va pas, la tête ?

Frannie et Jim étaient présents. Ils ont écouté ce que Lucy avait à dire pour sa défense.

— Tu sais comment sont les gens. Tu les appelles et ils te disent : « Mon frère et sa femme doivent venir passer le week-end avec les enfants. » Alors tu leur réponds qu'ils sont tous les bienvenus !

— Tu as bien compté ? a demandé Frannie.

Lucy a serré les mâchoires et plissé les yeux.

— Arrondissons à quatre-vingts.

— Je file chez Lowe, a dit Jim. Frannie ?

— Je te suis.

— Mon Dieu ! On ne s'en sortira jamais ! me suis-je exclamée.

— Mais si ! Lucy et toi allez acheter le ravitaillement, les assiettes en carton et les boissons, et Frannie et moi nous chargeons du reste. Laisse faire ce bon vieux Jim.

— Vous êtes des anges, ai-je répliqué en leur envoyant un baiser.

J'ai aussitôt appelé Brigitte.

— Tu peux d'ores et déjà immoler trois pastèques. On a un régiment qui se pointe demain.

413

— Tant mieux, ça va m'occuper les mains. C'est bon pour l'anxiété. As-tu besoin d'une table pliante ?

— Oui. Et des chaises qui vont avec.

— J'en emprunterai à la bibliothèque. Veux-tu que je contacte Bettina ?

— Oui, s'il te plaît ! Demande-lui de prendre un gâteau de fête chez Sam.

— C'est comme si c'était fait. Je vais lui dire d'acheter des brownies, une tonne d'ailes de poulet et de chips de maïs, et des litres de sauce tex-mex.

— Parfait. N'oublie pas de récupérer les factures. Merci, Brigitte.

— Je te dois bien ça. Tu ne te rends pas compte que sans toi, j'aurais passé la soirée à feuilleter de vieux numéros de *National Geographic*, à la recherche de photos d'indigènes nus.

— Là, c'est grave, en effet.

— Ouais, d'autant plus que je viens d'écrémer un catalogue de sous-vêtements masculins. Je te téléphone plus tard.

— Tu es sérieusement en manque...

— Non ! Tu crois ? Depuis que j'ai dit à Evan de débarrasser le plancher, il y a comme un grand vide dans ma vie.

Brigitte avait décidément le sens de la répartie. J'ai raccroché. Rongée d'anxiété, Lucy se mordillait les lèvres.

— Arrête de te biler. Tout va bien se passer. Et sors ton carnet d'adresses. Si on ne trouve pas une victime expiatoire pour Brigitte d'ici demain soir, sa petite culotte va prendre feu.

— C'est-à-dire ?

— Un *homme*, Lucy. Il lui faut un *mec* de toute urgence.

— D'accord ! J'en ai quelques-uns sous le boisseau, mais je croyais qu'on devait aller faire les courses ? Il y a une promotion sur les sodas chez le Cochon zélé et une sur les assiettes en carton chez Harris Teeter.

— On y court ! Où est Emily ?

— Chez moi, avec David. Ils sont vautrés devant la télé tels deux zombies.

— S'il te plaît, prie-les de s'occuper du jardin. Il faut passer un coup de râteau, et nettoyer la table et les chaises.

414

— Très bien. J'y vais et je reviens. Pendant que j'y pense, quand tu auras un moment, peux-tu porter ça à Mlle Ange ?

— Qu'est-ce que c'est ?

— Mille deux cents dollars. La recette des paniers vendus.

— Ouah ! J'avais remarqué qu'ils partaient comme des petits pains, mais ça fait un joli paquet, dis donc !

— C'est vrai, mais ils ne sont pas donnés. D'ailleurs, ça me fait penser qu'il faut renouveler le stock, on n'en a plus un seul.

Tandis que Lucy regagnait ses pénates en trottinant, j'ai dressé la liste de ce dont nous aurions besoin. Après quoi, j'ai filé chez Mlle Ange. Elle a mis un bout de temps à m'ouvrir la porte.

— Ce n'est pas un Témoin de Jéhovah, au moins ?

— Non, mais je vous apporte tout de même une bonne nouvelle, ai-je rétorqué en lui tendant l'enveloppe. Vous allez devoir nous fournir des paniers.

Elle a chaussé ses lunettes et commencé à compter les billets.

— Entre. Mon pit-bull est chez le toiletteur.

— Vous avez un pit-bull ?

— Mais non, je plaisante. Tu veux un thé glacé ?

— Non merci, je dois filer faire des achats à Mount Pleasant. On attend près de soixante-quinze invités demain.

— Tu préférerais que je dise à Miss Mavis de ne pas venir, c'est ça ?

— Pas du tout !

— Dans ce cas, j'apporterai deux cakes. J'ai rêvé que tu allais à un enterrement.

— Non !

— Pas d'affolement, petite. Ça veut simplement dire que tu vas tourner une page de ton existence. Depuis combien de temps vis-tu ici ?

— Depuis toujours !

Je me suis jetée au cou de Mlle Ange et l'ai serrée dans mes bras.

— Vous êtes formidable ! Vous êtes un ange ! Ils vont tous tomber raides quand ils vont goûter votre gâteau !

— Et comment ! Tu ferais bien d'inviter un médecin, au cas où.

— C'est déjà fait. Il y en aura même trois. Je me sauve. A plus tard.

Deux heures après, Lucy et moi avions fait le plein de victuailles chez Mr B, le roi du barbecue : grillades, haricots blancs braisés, salade de crudités mayonnaise et scones seraient livrés tout prêts avec des chauffe-plats. Le coffre de la voiture était plein à ras bord d'assiettes en carton, serviettes en papier, gobelets et couverts en plastique, boissons gazeuses, bières et vin. J'avais prévu assez d'insecticide pour éradiquer la population d'insectes de l'Amazonie. Je trépignais presque d'impatience. Il y avait si longtemps que je n'avais pas participé à une vraie fiesta.

Le lendemain après-midi, le jardin, pomponné, attendait les invités. Papa suspendait les guirlandes et les lampions que Jim avait achetés chez Pottery Barn.

— Il nous faudrait une estrade, a-t-il suggéré. Une terrasse en teck, car le sol est vraiment très inégal. Surtout si tu envisages de donner des sauteries de ce genre tous les quatre matins. On pourrait te construire une petite cuisine d'été, avec un gril, un évier et un réfrigérateur intégrés dans un plan de travail maçonné, flanqué de casiers de rangement. En vis-à-vis, des bancs et des pergolas permettraient aux invités de se poser.

— Tu as raison, ai-je répliqué en lui donnant un baiser sur la joue. Si tu veux me l'offrir pour mon trentième anniversaire, ne te gêne pas.

— Il y a belle lurette que tu as soufflé tes trente bougies.

— Et que m'as-tu donné ?

— Je ne m'en souviens pas.

— Précisément.

Il a éclaté de rire.

— Dans ce cas, que dirais-tu d'aller faire un tour chez Home Depot ou Lowe, la semaine prochaine.

— Super !

— Que penserais-tu d'un jacuzzi ?

— C'est à Lucy qu'il faut offrir un bain bouillonnant. Tu

me vois, seule, en train de lire le journal dans une marmite qui fait des bulles ?

— Lucy ? C'est une sacrée bonne idée !

J'ai émis un petit grognement suggestif en songeant à papa et Lucy en train de faire trempette ensemble, tels Adam et Eve.

Mais toujours est-il que pour l'heure, nous n'avions ni jacuzzi ni terrasse. David avait apporté tous les pots de fleurs qu'il avait pu trouver chez sa tante et moi pour aménager un décor autour des tables. Ce gosse était un amour, toujours prêt à se rendre utile. Emily aspergeait les buissons d'insecticide pour éloigner les bestioles.

— Je suis en train de me faire dévorer ! s'est-elle écriée en râlant.

— Mets-en un bon coup, ne t'arrête pas, surtout !

J'ai entendu un camion qui se garait dans l'allée et suis allée voir.

Ce n'était pas le livreur de chez Mr B. La camionnette était celle d'un certain Taylor Slack, « *beach music unlimited* ». Un beau gosse a émergé de la cabine pour venir à ma rencontre.

— Je suis bien chez Mme Abbot ?

— C'est mon mari qui vous envoie ? ai-je demandé en hochant la tête.

— Ce doit être ça, en effet. Il est là ?

— Viens par ici, Taylor ! lui a lancé Jim. Quoi ? On fait la fête, oui ou non ? a-t-il poursuivi en me décochant un regard faussement contrit.

— Tu es impayable !

— Je suis venu de bonne heure pour installer l'estrade tranquillement. Quelqu'un pourrait-il m'aider à mettre les vérins en place ?

— Pas de problème, petit, suis-moi.

Une piste de danse ?

Une autre fourgonnette, de la jardinerie Margaret Egan, cette fois, est arrivée peu après. Je suis ressortie, Jim sur les talons.

— Où dois-je mettre les quarante hibiscus rouges et jaunes, et les vingt palmiers ?

— *Les quoi ?*

417

J'étais abasourdie.

— T'inquiète, a fait Jim. Je les ai loués pour la soirée. Tu n'aurais pas des guirlandes électriques ?

— Non, mais Lucy en a peut-être.

A cinq heures, je suis allée me doucher et passer la robe de femme fatale que je portais le soir où Arthur et moi avions dérivé ensemble sur la rivière.

— Miam, tu es à croquer ! s'est exclamé Jim en me voyant.

— Vas-y, croque !

— Par moments, j'en ai vraiment envie.

— Ne te gêne pas !

— Hum ! Plutôt que de bousiller une relation platonique idéale, tu ne crois pas qu'on ferait mieux de jeter un coup d'œil aux installations ?

— D'accord !

J'ai braqué un pistolet imaginaire sur Jim, puis soufflé sur mes doigts pour disperser la fumée.

— Allons-y !

Comme toujours, Jim avait fait des miracles. Avec cette débauche de végétaux illuminés, on se serait cru à une réception de mariage. La piste de danse, surélevée de quelques dizaines de centimètres, était parfaitement d'aplomb grâce aux plots ajustables, et munie de marches pour que les danseurs montent et descendent sans se casser le cou. Sous l'œil intéressé d'Emily, le beau Taylor agrafait un jupon de crépon autour de l'estrade, tandis que Jim disposait les jardinières pour créer une haie lumineuse. Des torches à la citronnelle avaient été plantées un peu partout pour éloigner les insectes.

— C'est fabuleux ! s'est extasiée Lucy.

— Mon Dieu ! a dit Frannie. Elle m'a fait suer sang et eau, pire que la sœur qui nous apprenait les tables de multiplication ! J'ai besoin d'une bonne douche.

— Je propose qu'on effectue un ultime tour d'inspection avant que je file me faire une beauté, a suggéré Lucy, imperturbable.

Le disc-jockey avait eu la bonne idée de se munir d'un groupe électrogène. En cas de panne de courant, je n'avais pas envie que la soirée se finisse aux urgences, à cause d'yeux au beurre noir et d'abattis cassés. Ce gars était paré contre toute éventualité. Il avait même apporté des maracas, des colliers de fleurs, des chapeaux de paille, des lunettes de soleil surdimensionnées et des liens luminescents. Tel que je connaissais Jim, il était fichu d'organiser un concours de danse acrobatique !

Mr B avait livré le ravitaillement, la bière était au frais dans la glace, à l'intérieur d'une poubelle géante, et les boissons sans alcool dans une autre. Tout était prêt.

Au même moment, Brigitte est arrivée, chargée d'une pastèque sculptée.

— C'est drôle. J'ai une impression de déjà-vu.

— J'ai six mecs en lice pour toi, lui a signalé Lucy.

— C'est un bon début, a répondu Brigitte, impassible. Tenez, prenez ça, j'en ai deux autres qui attendent dans la voiture.

Bettina et Bobby se sont pointés à ce moment-là.

— J'ai hâte que ça commence, s'est écriée Bettina en faisant claquer la portière de la Yacht.

Elle était jolie comme un cœur, avec son ensemble panta-court et débardeur blanc, complété d'une chemise en denim bleu ciel.

— J'ai apporté un seau de sauce tex-mex ! A cinq dollars quatre-vingt-dix-neuf, on aurait eu tort de s'en priver ! Et aussi cinq paquets de Doritos, dix douzaines de brownies et un gâteau de fête aux couleurs du drapeau américain. Vous pensez que ça suffira ?

— Ça fait une semaine qu'elle me rebat les oreilles avec la fête, a soupiré Bobby en me faisant la bise. Même scénario que la dernière fois ?

— Ouais. Merci.

Les invités ont commencé à arriver, la musique a démarré. Les gens allaient et venaient entre le jardin et le balcon de Lucy, d'où ils admiraient le coucher de soleil. Bientôt, la fête est montée en régime. Les mixeurs de Lucy se sont mis à ronronner et elle a dansé le shimmy sous le regard fasciné de papa.

Miss Mavis et Mlle Ange se sont faufilées entre les haies de lauriers, portant des assiettes remplies de cake coupé en tranches. Je suis allée les accueillir.

— Miam ! Ça m'a l'air délicieux ! Merci mille fois, Mlle Ange ! Dites-moi, Miss Mavis, vous êtes en beauté !

— Prends plutôt ce plateau et trouve-moi un endroit où je puisse m'asseoir. A mon âge, on risque de mourir à tout moment.

— Il y a des années qu'elle n'a pas assisté à une fête, a glissé Mlle Ange.

— Comment ? a beuglé Miss Mavis.

— J'ai dit : *votre robe vous va bien*, a hurlé Mlle Ange.

— Oh... Merci, Ange.

Je les ai débarrassées de leur fardeau et conduites jusqu'à la table assortie d'un parasol.

— Est-ce que je peux vous offrir quelque chose à boire ou à manger ?

— Ne t'occupe pas de nous, Anna, va retrouver tes amis. Nous nous débrouillerons toutes seules, a dit Mlle Ange. Ah ! J'aime bien cette musique !

— Comment ? a glapi Miss Mavis.

Mlle Ange m'a décoché un coup d'œil excédé puis s'est tournée vers elle.

— J'ai dit : *j'aime cette musique*.

— Va danser, qu'est-ce que tu attends ? Moi, je reste ici. Il ne manquerait plus que je me casse le col du fémur.

Je les ai laissées se chamailler. Le jardin était noir de monde. Il y avait des personnes que je n'avais pas vues depuis des lustres et d'autres que je ne connaissais ni d'Eve ni d'Adam. Probablement des amis de Lucy. Toutes paraissaient bien s'amuser et c'était le principal.

J'ai aperçu Carla Egbert et me suis frayé un chemin jusqu'à elle.

— Carla !

— Eh ! Anna ! J'adore ta maison ! C'est gentil à toi de m'avoir invitée !

— Je suis contente de te revoir ! Comment ça va ? La vieille Harriet m'en veut toujours à mort ?

— Anna, je ne la supporte plus ! Tu n'aurais pas un boulot pour moi ?

C'était exactement ce que j'avais envie d'entendre.

— Quand peux-tu commencer ?

— Sérieux ?

— Et comment ! Une place de réceptionniste, ça t'intéresse ?

— N'importe quoi !

— Précisément, Carla. Je sais que tu peux faire absolument tout ! Envoie Harriet au diable et présente-toi demain au salon !

— Sans blague ?

Pouvais-je prendre Carla au mot ou était-elle en train de plaisanter ?

— Oui. On ouvre à neuf heures.

— Tope là !

On s'est donné l'accolade et j'ai pensé que la soirée serait une réussite.

Tout le monde s'est mis à danser, tandis que la canicule cédait peu à peu la place à l'exquise fraîcheur nocturne. La brise marine s'était levée et, malgré la sono qui jouait à plein volume, on entendait le rugissement des vagues. Comme Jim l'avait promis, il apprenait le shag à Bettina, tandis que Frannie faisait de même avec Bobby. Ils portaient tous un sombrero et riaient à gorge déployée.

Armé du nouvel appareil photo de Lucy, David mitraillait la scène, Emily à son côté. Une fois la carte mémoire pleine, il téléchargerait les images sur ordinateur, puis recommencerait à bombarder. La semaine suivante, on exposerait les clichés au salon pour ceux qui voulaient les acheter. Une idée géniale ! J'ai levé les yeux vers l'estrade et vu papa qui esquissait un pas de fox-trot avec Miss Mavis. Elle était aux anges !

— Vite, prends-les ! ai-je lancé à David.

Comprenant qu'il s'agissait d'un scoop, il a aussitôt braqué l'objectif sur eux.

Trixie est arrivée, vêtue d'une robe sans manches jaune paille. Elle s'est frayé non sans mal un chemin à travers la foule pour me rejoindre.

— Bonjour, Anna.

Je lui ai fait la bise.

— Trixie, je suis si contente que vous soyez venue !

— J'ai cru comprendre que mon fils avait traversé une passe difficile.

L'haleine de Trixie sentait le gin. Or, il n'y avait aucune boisson de ce genre.

— Vous voulez parler de Gary ?

— Evidemment, de qui d'autre ?

Trixie était soûle.

— Euh… Gary était son meilleur ami. C'est une bonne chose que Jim l'ait accompagné jusqu'au bout. Je crois que ça a soulagé ses parents.

Trixie a écarquillé les yeux comme si elle ne comprenait pas un traître mot de ce que je racontais – au point que je me suis demandé si je ne venais pas de gaffer en lui révélant une chose que Jim ne voulait pas qu'elle sache.

— Je vois, a-t-elle répliqué. Jim est un être très dévoué.

— C'est la crème des hommes, Trixie, et il a beaucoup fait pour notre fille et moi.

— *Notre* fille ? Allons, Anna, il est temps de cesser ces simagrées.

Je l'ai regardée bien en face et ai lâché :

— Donnez-moi vos clés de voiture.

Elle a ouvert son sac et s'est exécutée.

— Pourquoi, je suis mal garée ?

— Pas question que vous preniez le volant dans cet état.

— En voilà des manières ! Comment oses-tu !

— Emily est *notre* fille, Trixie, que vous le vouliez ou non. Et ce que vous pourrez dire n'y changera rien.

Comme je sentais la moutarde me monter au nez, j'ai préféré m'éloigner. Trixie ne gâcherait pas l'ambiance ! Qu'elle consulte un psy, si elle avait des problèmes. J'avais réussi à faire environ dix pas quand je suis entrée en collision avec Jack Taylor.

— C'est une soirée d'enfer !

— N'est-ce pas ? ai-je répliqué en m'efforçant de retrouver ma bonne humeur. Tiens, pendant que j'y pense, je n'ai pas trouvé le temps de vous remercier pour la plante. C'était très gentil à vous. Mais il ne fallait pas. Où est Caroline ?

— Quelque part par là. Vous dansez ?

— Pourquoi pas ?

J'ai balancé les clés de Trixie à Jim en disant :

— Tiens, garde-les précieusement !

Jack et moi évoluions sur *Carolina Girls* depuis à peine deux secondes quand le disc-jockey a mis un slow des Righteous Brothers. Je n'ai pas eu le temps de dire ouf que Jack avait passé un bras autour de ma taille et me serrait de si près que je sentais son after-shave. La sensation n'était pas désagréable. Prudence, Anna ! ai-je songé. Je me suis légèrement redressée. Il m'a regardée.

— Qu'est-ce qui ne va pas ?

— Rien ! Simplement, je n'ai pas envie que Caroline me tombe sur le paletot.

Bravo, Anna, me suis-je dit. Voilà une réflexion très distinguée dans la bouche d'une dame.

Jack a éclaté de rire.

— Vous plaisantez ! Tenez, regardez, là-bas !

Je me suis retournée. Caroline draguait l'un des prétendants éconduits de Lucy et dansait comme si elle avait cherché à déchiffrer les motifs gravés sur le ceinturon de son partenaire. Néanmoins, il ne me semblait pas correct de lui souffler son mec.

— Nous ne sommes rien de plus que de bons amis, elle et moi, a précisé Jack. Avant nous étions plus que ça, mais nous avons décidé que l'amitié était préférable. Et vous ? Ce n'est pas votre mari que j'aperçois ?

— Si. Nous sommes divorcés. Il est gay.

— Ah ! Je comprends mieux, maintenant.

Mieux *quoi* ? Je n'ai pas cherché à savoir.

La musique s'est arrêtée.

— Merci. Désirez-vous quelque chose à boire ? s'est enquis Jack.

— Avec plaisir. Je vous accompagne.

Nous nous sommes dirigés vers le bar. Il a pris une bouteille de vin dans la glacière et rempli deux gobelets. Il portait une chemise blanche dont il avait retroussé les manches et un pantalon bleu marine qui ne présentait pas le moindre faux pli – signe qu'il était un poil maniaque. Pourtant, quand Brigitte est arrivée, elle aussi tirée à quatre épingles comme si elle sortait du pressing, cela ne m'a pas fait le même effet. Et puis, pourquoi Jack ne m'avait-il pas proposé une bière ? Estimait-il que les femmes devaient s'en tenir au vin ? Cela m'a contrariée. Presque aussitôt, je m'en suis voulu de lui en vouloir.

— Et voilà, a-t-il lancé en levant son verre. Santé !

— Santé !

Nous avons trinqué.

Décidément, quelque chose ne tournait pas rond chez moi. Un homme charmant, célibataire, et médecin de surcroît, me faisait des avances et je restais de glace. J'aimais bien son parfum, ses manières et son physique, mais il ne m'attirait pas. Je le trouvais même rasoir. Comme tous les toubibs, du reste, y compris papa. Nous n'avions pas échangé deux mots, mais j'avais déjà décidé qu'il n'était pas pour moi.

— Agréable fraîcheur.

— Oui, heureusement. Il a fait une chaleur à crever, aujourd'hui.

Ma vie dût-elle en dépendre, je n'arriverais pas à jouer les femmes du monde.

— Je voudrais vous inviter à dîner, si le cœur vous en dit, naturellement.

Jack avait déballé cela tout de go, puis s'était emmêlé les pinceaux. C'était la première fois qu'il se comportait humainement. Donne-lui sa chance, ai-je pensé.

— Bonne idée. En fait, cette semaine me conviendrait. Ma fille repart demain pour l'université et j'aurai besoin de me changer les idées.

— Vous avez une fille ? Où est-elle ?

Je lui ai montré Emily du doigt et il s'y est repris à deux fois pour la reluquer.

— Elle s'appelle Emily et va à la fac à Georgetown.

Puis, en mère possessive qui se respecte, j'ai décidé que c'était à mon tour de poser des questions et demandé, avec la plus exquise politesse :

— Quelle spécialité exercez-vous ?

— Pourquoi ? Vous ne vous sentez pas bien ? Voulez-vous que je vous prenne le pouls ?

— Non ! Simple curiosité.

— Je suis dermatologue. Diplômé de l'université de

Caroline du Sud. Et de Citadel. Je me ferai un plaisir de vous montrer mes références, un de ces quatre.

Il souriait.

— Il vaut mieux prendre ses précautions quand un tueur en série vous invite à dîner.

— Absolument ! Mais je vous rassure, ma carrière de psychopathe est terminée. Pour l'heure, je m'efforce de gagner deux points sur mon handicap. Vous jouez au golf ?

— Au golf ! Non ! Plutôt me crever un œil !

— Très bien. Dans ce cas, pas question que je vous emmène sur les links ! On s'en tiendra au dîner.

Sur les links ? Mais quel âge avait ce type ? Mille ans ?

Au même moment, j'ai aperçu Marilyn et Billy Davey qui venaient à notre rencontre.

— Eh ! Ma négociatrice immobilière préférée !

— Anna ! Je te présente mon mari, Billy.

— Enchanté. Je ne sais pas pourquoi elle raconte ça partout, alors qu'on n'est même pas mariés.

— Ça fait déjà trente ans que tu m'as passé la bague au doigt !

— Faux ! a riposté Billy en serrant la main de Jack. Vous êtes le mari d'Anna ?

— Pas encore. Vous pensez que je devrais lui demander sa main ?

— Surtout pas ! Mariez-vous, et du jour au lendemain, vous vous retrouvez enchaîné à une vieille râleuse.

— Billy Davey ! Tu me fais honte ! a lâché Marilyn en tournant les talons pour s'éloigner.

— Marilyn ! Attends ! Reviens, chérie ! Je plaisantais ! Marilyn, mon amour...

Jack et moi avons éclaté de rire.

— Le couple parfait, en somme. Ce type est un mufle.

— On croirait entendre Susan Hayes quand vous dites ça. Au fait, où sont-ils ?

Jack a consulté sa montre et jeté un coup d'œil circulaire à la foule.

— Les voilà !

Il leur a fait signe.

Susan et Simon se sont approchés, rayonnants, détendus, le teint hâlé.

— Merci de nous avoir invités, a dit Susan. Quelle soirée ! Vous avez déjà testé le buffet ? Je meurs de faim !

— Susan est toujours affamée ! a commenté Simon, avant de se présenter.

— Vous êtes Anna ? Moi, c'est Simon. C'est très gentil à vous de nous recevoir.

— Comment avez-vous deviné qui je suis ?

— Parce que ce vieux coureur de Jack m'a affirmé que je le trouverais au bras de la plus belle fille de la soirée.

— Vous au moins, vous n'êtes pas avare de compliments.

— Je sens que je vais défaillir si je ne me mets pas quelque chose sous la dent, a repris Susan. Anna, il faut vous nourrir. Vous n'avez que la peau sur les os.

Tandis que Susan et moi nous éloignions bras dessus bras dessous, je lui ai glissé :

— Epousez Simon. Il est adorable.

— Surtout pas ! Je n'ai pas envie de laver ses chaussettes pendant le restant de mes jours. Hum ! Ce barbecue sent délicieusement bon ! C'est vous qui avez tout préparé ?

Elle a commencé à remplir son assiette.

— Oui... Avec l'aide de Mr B, de Coleman Boulevard. J'aime cuisiner, mais pas pour un régiment. Vous voulez un petit pain ?

— Non, merci. Pas de sucre. Je suis le régime Atkins.

Elle a pris un morceau de viande et l'a englouti.

— Ouh ! Ch'est ch'aud ! Délicieux, vraiment. Au fait, en quel honneur, cette fiesta ?

Susan a pris une longue gorgée de vin.

— La fin de l'été. Je voulais remercier celles et ceux qui m'ont aidée à démarrer.

— Quelle bonne idée ! Comment trouvez-vous la vie sur l'île ?

— Extra !

— Il fait si chaud en ville ! Il n'y a pas un poil d'air ! A tel point que Simon et moi songeons sérieusement à nous installer ici... quand nous aurons décidé de faire le grand saut.

— Venez, que je vous présente Marilyn Davey, mon agent immobilier. C'est un amour.

— Marilyn Davey ? Mais elle et moi nous connaissons depuis le bac à sable ! On est allées à Bishop England ensemble, puis à Stella Maris ! Elle est très sympa. Son mari est un peu loufoque, mais drôle.

— Sans blague ? Vous saviez que j'avais fréquenté Bishop et Stella Maris, moi aussi ?

— Non !

— Le monde est vraiment petit.

Lorsque nous avons retrouvé Marilyn, Susan et elle ont entamé une joyeuse conversation, qui allait probablement se conclure par une vente d'immeuble.

— N'oubliez pas de m'inviter à la noce, ai-je dit avant de les laisser en tête à tête. Excusez-moi, je dois récupérer mon père.

— Il faudrait qu'on sorte ensemble, un de ces soirs ! a suggéré Susan. Un truc en couples.

— Super !

Si Jack m'invite demain soir et que Susan et Simon se joignent à nous, ce sera le pompon, ai-je songé.

J'ai croisé Brigitte.

— Lucy t'a-t-elle dégoté un prétendant potable ?

— Non ! Ce sont de braves types, mais pas mon genre. Le seul qui aurait pu faire l'affaire s'est trouvé une autre nana.

— Lucy a un agenda épais comme ça rempli de bonnes adresses. On va poursuivre la quête. Je cherche papa.

— Mais oui… Un jour, mon prince viendra…

J'ai trouvé Doc chez Lucy. Ils étaient à la cuisine, en train de faire boire du café à Trixie. J'allais m'esquiver sur la pointe des pieds quand Lucy m'a aperçue. Elle a ouvert la porte.

— Entre, Anna ! Tu veux un café ?

— J'ignorais que Trixie était là, ai-je murmuré aussi bas que possible.

— Elle est hors d'elle ! Que lui as-tu donc fait ? a chuchoté Lucy en retour.

— Ne te mêle pas de ça.

J'ai pénétré dans la pièce, décidée à ne pas m'en laisser remontrer par Trixie.

— Ma chérie ! s'est exclamé papa. Belle soirée. « Complètement schlass », m'a-t-il fait en remuant les lèvres et en désignant Trixie.

Comme si je n'avais pas remarqué.

— Tiiiiens donc ! Une re… venante ! a lâché Trixie en manquant presque de tomber de sa chaise.

— En voilà assez, Trixie ! Vous êtes ronde comme une queue de pelle et je ne discute pas avec les ivrognes. Vous devriez avoir honte de paraître ainsi devant votre petite-fille. Et je ne veux plus que vous veniez chez moi pour répandre votre venin sur les uns et les autres, vous m'entendez ? J'en ai par-dessus la tête de vos histoires.

— Je vous ai parfaitement entendue, madame *Abbot*.

Ses yeux dansaient dans leurs orbites, incapables de se fixer.

— Anna ? a glissé papa. Que s'est-il…

— Reste en dehors de ça, papa.

Je me suis à nouveau tournée vers Trixie.

— Vous êtes un vrai démon, Trixie Abbot. Quand vous aurez cuvé votre vin, si vous vous souvenez de cette scène, vous pourrez m'appeler pour me faire des excuses. Sinon, inutile de décrocher le téléphone.

— Jim est gay, figurez-vous, a-t-elle répliqué. Il avait un amant.

Elle s'est mise à pleurer.

— Je sais, ce n'est un secret pour personne, Trixie. Mais Jim est aussi le type le plus intelligent, le plus drôle et le plus généreux de la terre. Alors qu'il soit de la Gay Pride ou pas, Emily et moi, on s'en fiche royalement.

— Mais c'est humiliant !

— Pas du tout, a placé Lucy.

— Oh, vous, vous… Qu'en savez-vous, d'abord ? Espèce de traînée !

— *Quoi !* a glapi Lucy.

— Je vais vous donner un calmant, a repris papa. Comment une femme comme vous peut-elle se mettre dans un tel état ?

Il a saisi Trixie par le coude pour l'aider à se lever.

— Je ne suis pas une *traînée*, a riposté Lucy, furieuse.

— Viens, Lucy.

A la porte, je me suis arrêtée malgré moi pour lancer une dernière pique à Trixie.

— Trixie, on est en 2006, peut-être ne l'avez-vous pas remarqué. De nos jours, les femmes comme Lucy sont infiniment mieux élevées que vous ne l'avez jamais été !

Lucy et moi avons dégringolé les marches de la véranda et rejoint les autres.

— Quelle teigne, cette bonne femme !

— Elle est jalouse, Lucy.

— Comment ça ?

— Elle en pince pour Doc.

— Je vais lui arracher les yeux !

— Bien parlé !

On a éclaté de rire. Aucun risque pour que papa troque une belle nana comme Lucy contre une garce comme Trixie.

J'ai jeté un coup d'œil à la piste. Frannie dansait le slow avec un beau gosse.

— C'est Jake, a signalé Lucy. C'est à lui que je faisais appel, dans le temps, quand j'avais des fuites.

On s'est regardées et on a de nouveau éclaté de rire.

Brusquement, le disc-jockey a changé de disque.

— Il fait une chaleur à crever, ici ! Je crois que je vais ôter le haut ! a lancé quelqu'un.

L'instant d'après, Jim m'a saisie par le bras et posé un chapeau de paille sur la tête, et nous avons commencé à faire la chenille en entraînant les autres dans notre sillage. Tous ont suivi, à l'exception de Miss Mavis, qui roupillait sur une chaise, et de Mlle Ange, qui se tenait à côté d'elle et frappait dans ses mains en riant, la tête rejetée en arrière.

La dernière voiture est partie après onze heures. Emily et David se sont mis à débarrasser, motivés par les cent dollars que je leur avais promis, car Emily rechignait à la tâche.

— Je suis crevée ! Et puis je te signale que je pars demain et que j'aimerais passer un peu de temps avec David !

— Cent dollars, ça ne se refuse pas. C'est ce que je gagne

429

en trois jours, a signalé David. Il nous faut une heure pour ranger. Viens, Emily, relève tes manches !

Ce môme était un *amour*.

Frannie, Jim et moi nous sommes assis autour de la table avec Lucy et papa.

— C'était très réussi, a dit papa. Dommage que Trixie soit dans la chambre d'amis de Lucy. Elle dort comme un sonneur.

— Je m'en fiche, a rétorqué Lucy.

— Elle a forcé sur la bibine ? a demandé Jim.

— A peine... ai-je répondu.

— Ouais, a renchéri Frannie. J'étais tranquillement en train de flirter avec Jake, quand Trixie s'est pointée et a commencé à se trémousser !

— Ouah ! J'ai manqué quelque chose.

— Rassurez-vous, a signalé David. J'ai pris des photos !

On a ri, puis on est passés à autre chose. La cuite de Trixie ne présentait qu'un intérêt limité.

— Allez, mon vieux, a repris Lucy en tirant papa par le bras pour le faire lever. J'accepte que tu restes dormir à condition que tu me dises que je suis la reine de l'île !

— Majesté ! a lancé Doc en s'inclinant devant elle.

Puis il nous a fait au revoir de la main.

— Bonsoir tout le monde !

En les regardant s'éloigner, j'ai pensé que Lucy était une chic fille et que papa aurait pu tomber plus mal.

— C'est une affaire qui a l'air de tourner, a commenté Jim.

— Mieux que pour nous, en tout cas !

— Parle pour toi, a objecté Frannie. Demain, je dîne avec Jake et je lui annonce la grande nouvelle.

— Quelle grande nouvelle ?

— Que je vais l'épouser.

— Attends au moins que vous vous soyez vus trois fois, a conseillé Jim. Les hommes n'aiment pas qu'on leur fasse du gringue.

— Il m'a annoncé qu'il désirait se marier cette année.

— Dans ce cas, c'est différent, ai-je admis. Mesdames, messieurs, les jeux sont faits ! Enfin, presque.

— Je vais t'aider à trouver un anneau de nez, a plaisanté Jim. Allez, les filles, au lit.

J'étais à deux doigts de sombrer dans le sommeil quand Emily s'est glissée à côté de moi.

— Maman ?

— Hmm ?

— Je ne veux pas retourner à Washington. Je vais demander mon transfert à l'université de Caroline.

— Amoureuse ?

— Ouais. A fond.

— On en reparlera demain matin, d'accord ? Bonne nuit, trésor.

— Je ne plaisante pas, maman. J'aime vraiment David. Et il m'aime.

— Je sais, ma chérie. Ça saute aux yeux. Mais on en reparlera demain.

— Tu ne comprends pas. Il me l'a dit.

— C'est super, ma chérie.

— Je ne retourne pas à Washington.

— Si. Il le faut. A présent, dors.

— Tu ne peux pas m'obliger.

— Si.

J'ai senti qu'Emily donnait des coups de poing rageurs au matelas.

— Génial ! Je hais ma vie !

— Quand j'avais ton âge, je disais la même chose.

Elle s'est tue pendant quelques minutes puis a reniflé. Elle pleurait. Au bout d'un moment, elle a ajouté d'une petite voix :

— Le problème, c'est que je ne suis pas libre d'agir. Je l'aime, maman. Sans lui, je mourrai.

Je me suis retournée et lui ai frictionné doucement le dos entre les omoplates.

— Ecoute, trésor, personne ne va mourir. La nuit porte conseil. Alors, dormons.

Ma pauvre petite fille adorée ne m'aurait sans doute pas crue si je lui avais dit que je la comprenais, moi qui avais mis plus de trente ans à prendre le contrôle de mon existence. J'ai gambergé à propos de Trixie, Jack, Jim, Lucy et papa. Et

Carla, qui se présenterait demain au salon pour travailler. Comment l'annoncerais-je à Lucy ? J'ai pensé aux confidences qu'Emily me faisait chaque soir avant de s'endormir. Ces moments d'intimité me manqueraient. Ils me manquaient déjà.

Je me suis levée pour aller chercher un verre d'eau. Sur le canapé du séjour, Jim ronflait. Je suis passée sur la pointe des pieds pour ne pas le réveiller. Il nous avait vraiment gâtées, Emily et moi. Il voulait que nous gardions de beaux souvenirs de notre installation dans la maison et désirait faire partie de notre vie. Quoi qu'il puisse arriver, je savais qu'il serait toujours avec nous, au plus près de notre cœur.

35

Adieu cauchemars !

Le mardi 3 septembre a démarré comme n'importe quel autre jour, si ce n'est qu'avant même de sortir du lit, j'étais déjà *kaputt*. Sans compter que je n'avais aucune envie de conduire les deux personnes que j'aimais le plus au monde à l'avion – j'avais l'intime conviction que ces engins ne tenaient en l'air que grâce à mes « Je vous salue, Marie », et doutais de pouvoir en dire deux fois plus en y mettant deux fois plus de conviction et de sincérité.

Il était six heures et demie quand nous sommes partis pour l'aéroport, Emily et moi dans ma voiture et Jim dans l'autre.

— Tu n'es pas obligée de venir, m'avait dit Jim, je peux emmener Emily.

— Je sais, mais j'ai envie d'être là.

— Maman croit que je vais retourner à l'université. Mais elle se fourre le doigt dans l'œil.

Jim et moi avions réussi, non sans mal, à la convaincre de boucler ses valises et de rentrer à Washington.

L'avion de Jim pour Newark décollait à huit heures et celui d'Emily, qui voyageait sur US Airways, une demi-heure après.

Une fois les bagages enregistrés, Jim a acheté des magazines, puis on est allés prendre un petit déjeuner. Je n'avais pas le cœur à manger, mais j'ai tout de même commandé un œuf poché, servi sur un muffin grillé. Jim a pris une omelette avec des frites et des scones. Emily n'arrivait pas à se décider.

— Je crois que je vais opter pour les pancakes. Au cas où

il y aurait des turbulences, mon estomac résistera mieux aux secousses.

— Vous avez raison, a confirmé la serveuse avant d'aller chercher le café.

Pour convaincre Emily de ne pas abandonner la fac, nous avions argué que si d'ici à Noël David et elle ne supportaient plus d'être séparés, elle envisagerait un transfert de dossier.

— Ne vous bilez pas, a soudain lâché Emily. David et moi serons toujours ensemble dans un million d'années.

Elle testait les différentes sonneries de son téléphone portable, cadeau d'anniversaire anticipé de Jim.

— Au fait, maman, tu as mon nouveau numéro ?

— A ton avis ?

Jim et moi avons échangé un sourire. Qu'y avait-il de plus beau que d'être amoureux, à l'âge d'Emily ? Moi-même, j'avais dix-huit ans quand j'avais épousé Jim.

— Si ce garçon a un tant soit peu de bon sens, Emily, il ne te laissera pas filer, a noté Jim. Allons ! Il faut que j'embarque.

Emily et moi l'avons accompagné jusqu'au terminal B et longuement serré dans nos bras. Je hais les adieux. L'été avait été long et chaud, rempli de joies, mais aussi de chagrins et d'embûches. Le souvenir des semaines passées en famille nous aiderait à tenir jusqu'à Thanksgiving. Pour tout dire, j'avais hâte d'y être.

— Je t'aime, mon papa adoré.

— Je t'aime aussi, ma chérie.

Jim était au bord des larmes. Depuis la mort de Gary, il s'émouvait plus facilement.

J'ai sorti un mouchoir de mon sac et le lui ai tendu.

— Tiens. Appelle-moi quand tu seras en France, pour que je sache où te joindre.

— Pardon. Ce que je peux être fleur bleue ! a-t-il dit en se mouchant. J'étais disposé à partir, puis en vous voyant là, toutes les deux, j'ai songé que j'avais une sacrée veine.

Du coup, j'ai craqué moi aussi. J'ai éclaté en sanglots et me suis jetée à son cou.

— Non, Jim. C'est nous les veinardes ! Tu n'as pas idée à quel point.

434

— Bon, ça ira comme ça ! s'est fâchée Emily. Reprenez-vous ! On vous regarde !

On a ri et Jim a pris une profonde inspiration.

— Je vous téléphone demain, d'accord ?

Emily et moi n'avons pas bougé jusqu'à ce que Jim disparaisse de notre vue, porté par le tapis roulant.

— Il est trop sympa, a commenté Emily.

— Oui, c'est un ange.

Nous sommes reparties bras dessus bras dessous, vers le terminal A, cette fois.

— On a passé un été formidable, non ?

— Oui, maman. Tu sais, j'aime notre bicoque.

— Vraiment ?

— Oui, parce que c'est la nôtre. Tu crois que Doc va épouser Lucy ? a-t-elle ajouté de but en blanc.

— Pas la moindre idée.

— S'ils se marient, David et moi serons cousins.

On a éclaté de rire.

— Qu'est-ce que ça change ?

— Rien. Au fait, est-ce qu'on pourra repeindre ma chambre pendant les vacances de Thanksgiving ?

— De quelle couleur ?

— Tu as dit que je choisirais ce qui me plaisait.

— Et je le maintiens. Il faut y aller, ma chérie. Je t'aime de tout mon cœur.

Je l'ai embrassée sur le front, puis regardée dans les yeux.

— Moi aussi, maman. Je t'appelle dès que je suis arrivée.

Je lui ai tendu son sac de voyage et l'ai serrée une dernière fois dans mes bras.

Sur le trajet du retour, j'avais le bourdon. Emily et Jim me manquaient déjà, mais j'aurais un emploi du temps si chargé jusqu'en novembre que je ne verrais sans doute pas le temps passer.

J'ai fait un crochet par la maison pour me changer avant d'aller au salon. Fidèle à ses promesses, papa avait fait venir une équipe de chez Charles Blanchard Construction pour prendre les mesures de la future cuisine d'été. Ce vieux Doc, si près de ses sous, avait décidé de desserrer les cordons de la bourse et le changement était partout visible.

La voiture n'était plus là et j'ai aperçu Lucy dans le jardin, qui ramassait le journal du matin sur la pelouse.

— Lucy, il faut que je te parle !

— Une sacrée bringue, hein ?

— Ouais ! Dis-moi, tu te souviens de Carla ?

Lucy n'a pas tiqué. Au contraire.

— Ça tombe bien, a-t-elle répliqué, parce que pour être franche, je préférerais m'occuper de la gestion des stocks plutôt que de répondre au téléphone. Les marchandises partent à une de ces vitesses ! Et puis, je pense que ce serait bien qu'on ait notre propre ligne de produits. Tu te souviens des échantillons parfumés au fruit que Jim avait apportés ? Bien sûr, dans un premier temps, tu peux compter sur moi pour mettre Carla au courant et la seconder. Ensuite, j'aimerais être plus libre, pour reprendre certaines activités, dont des cours d'aérobic. Tu n'as pas l'impression que je suis en train de m'empâter ?

Lucy mettant Carla au courant ? C'était la meilleure. Pourvu que Carla le prenne bien !

— On en reparlera, ai-je répondu, soulagée.

En voyant la bagnole de Trixie stationnée dans l'allée, je me suis souvenue de son attitude indigne de la veille. Je n'avais pas éprouvé autant de ressentiment envers une femme depuis que Violette était, du moins le supposais-je, partie rôtir en enfer.

Je suis arrivée au salon à neuf heures moins vingt et j'ai levé la grille. Carla arriverait d'une minute à l'autre. Je savais qu'elle prendrait les choses en main en un rien de temps et me déchargerait d'une multitude de tracas. Mais aussi qu'elle amènerait des clientes dans son sillage et m'aiderait peut-être à trouver deux autres coiffeuses. Une vision optimiste de la situation s'est imposée à moi : le salon plein à craquer, la caisse débordant de billets, les stocks de marchandises s'écoulant comme des petits pains... « Non, désolée, Mme Snodgrass, mais je ne peux pas vous obtenir de rendez-vous avec Anna avant deux mois... Une manucure avec Sonia, mais bien sûr. Oui, c'est une nouvelle... » Carla, pour l'amour du ciel ! Vite !

J'allais prendre une tasse de café quand je me suis aperçue

qu'il n'y avait plus de sucrettes. J'ai filé à côté pour en emprunter une boîte. Cinq personnes s'incrustaient devant la télévision.

— Quoi de neuf ?

Ma première pensée était qu'un cinglé avait peut-être décidé de commémorer les événements du 11 Septembre avec une semaine d'avance.

— Rien que du vieux, a rétorqué un homme.

— J'aime mieux ça.

— On annonce quand même un ouragan au large des îles Vierges, a ajouté une femme de derrière le comptoir. Vous voulez un muffin aux myrtilles ? Ils sortent du four.

— Je sais que je ne devrais pas, mais pour une fois...

J'ai choisi un gâteau et dès que j'ai senti la texture chaude et moelleuse à travers le film plastique, l'eau m'est venue à la bouche.

— Merci.

J'ai tendu un dollar à la commerçante et jeté la monnaie qu'elle m'a rendue dans la coupelle posée à côté de la caisse, puis je suis ressortie. Il était désormais courant qu'une sébile trône sur le comptoir, incitant le consommateur à laisser la pièce. En échange, quand il lui manquait de quoi faire l'appoint, il pouvait piocher dans la cagnotte. Pour moi qui avais passé ma vie à racler les fonds de tiroirs en quête de mitraille, ce geste n'allait pas de soi. Pourtant, force m'était de reconnaître que c'était une pratique saine et équitable. Le monde moderne manquait de chaleur. Les rapports humains étaient de plus en plus distants. Internet triomphait. C'était e-business, e-mail, e-bay, boîtes vocales et compagnie ! Certes, on n'en était pas encore arrivé, comme Jane Jetson, à fourrer la tête à l'intérieur d'une machine pour en ressortir avec une coupe de cheveux programmée sur ordinateur. J'avais la chance de vivre dans un monde peuplé d'hommes.

De retour au salon, je suis restée un moment à regarder autour de moi. D'innombrables détails, pleins de fantaisie et d'humour, rappelaient le passage de Jim – machine à café, enseigne, lambris en bambou, banquettes, peignoirs, turbans. Jim était un inventeur, un oiseau rare, un être d'exception, beau, intelligent, cultivé. Pas étonnant que je n'aie jamais réussi à tomber amoureuse d'un garçon depuis qu'il m'avait ouvert la porte de son cœur. Pourtant, j'aurais dû me décider à aller voir ailleurs. Cesserais-je un jour de tenter de le séduire ? Lui faire des avances était grotesque, je le savais. Peut-être étions-nous comme sainte Claire et saint François d'Assise ou Héloïse et Abélard, ou un couple de décadents modernes, mélange de tradition et de corruption. Toujours est-il que nous étions fidèles l'un à l'autre et à jamais unis.

Le téléphone a sonné. C'était Jack Taylor.

— Anna ? Comment allez-vous ?

— Euh... Ce matin, j'ai conduit Emily et Jim à l'aéroport, alors...

— Il fut un temps où j'adorais prendre l'avion. Mais de nos jours, c'est une vraie corvée.

— Vous avez raison, plus rien n'est comme avant.

J'ai surpris mon reflet dans le miroir. J'avais des cernes sous les yeux. Je devais me maquiller.

— Je ne vous le fais pas dire. Et ce dîner ?

— Oui !

— Pas ce soir, malheureusement. Ma mère, qui a quatre-vingt-quatre ans, ne se sent pas bien. Elle vit à Monck's Corner. Je me suis engagé à passer la voir – si vous m'autorisez à modifier mes plans.

Etait-il sérieux en prétendant qu'il ne rendrait pas visite à sa mère si cela compromettait un rendez-vous avec moi ? Etait-ce un tordu ? « Stop ! m'a ordonné ma petite voix intérieure. Jack Taylor se montre juste courtois. » Depuis qu'Arthur m'avait laissée tomber comme une vieille chaussette, j'avais perdu le sens des convenances. Dans un sens, j'aurais dû me réjouir qu'il soit parti.

— Pas de problème, ai-je rétorqué. Remettons ça à une autre fois. Allez voir votre mère. Elle est très mal ?

— Chère madame, c'est vraiment très aimable à vous. Je vous remercie. Que diriez-vous de demain soir ?

— Parfait.

La sonnette de la porte a tinté, marquant le début de la journée. Bettina et Brigitte sont arrivées en même temps. Pas de maquillage, les cheveux en queue-de-cheval.

Bettina s'est répandue en éloges sur la soirée. Brigitte se contentait de répondre par monosyllabes – hum, ouais, bien sûr –, ajoutant de temps à autre un « comment ? » qui relançait aussitôt la machine. On s'est dit bonjour, puis on a fait du café et partagé le muffin. C'est alors que Lucy est arrivée.

— Salut ! a-t-elle lancé. Ma parole, vous avez l'air d'avoir fait le voyage de l'enfer jusqu'ici à dos de mule !

— Bah ! a lâché Brigitte. Nous, au moins, on a une bonne raison d'avoir une mine de papier mâché. A quelle heure arrive ma première cliente ?

— A dix heures, a répondu Lucy. Je vais veiller à ce que vous ne manquiez pas de café ! Vous enchaînez jusqu'à ce soir.

— Quelqu'un aurait de l'anticerne ? J'ai une de ces têtes !

— Je sens que je vais me tartiner la figure de plâtre pour remplir les fissures ! a dit Bettina. J'ai les pieds en compote !

A neuf heures pile, la porte a tourné sur ses gonds et Carla est entrée, suivie de deux jeunes coiffeurs arrachés à l'enfer d'Institu'Tif. Elle trimballait un énorme sac.

— Salut, les noceuses ! Voici les renforts ! Je vous présente Raymond et Eugène.

— Carla ? Mais qu'est-ce que...

— Quand j'ai annoncé à Harriet que je m'en allais, elle a piqué une crise. Ils ont rigolé et elle les a fichus dehors. Tu n'auras peut-être pas besoin d'eux aujourd'hui, mais tu ne pourras pas t'en passer la semaine prochaine.

Elle a ouvert son sac et en a sorti un Rollodex.

— C'est celui de Harriet. Où est la photocopieuse la plus proche ?

On a ri si fort qu'on a dû nous entendre jusqu'à Columbia, peut-être même Greenville.

A la fin de la journée, Eugène et Raymond avaient été adoptés, le Rollodex de Harriet entièrement copié, puis secrètement remis en place par le biais d'une amie, et Carla avait pris assez de rendez-vous pour nous permettre de tenir une année entière. Je rêvais de me coller au lit et dès que l'occasion s'est présentée, je me suis esquivée.

Arrivée à destination, j'ai aperçu des piquets et des tendeurs sur le côté de la maison. Je suis allée jeter un coup d'œil sur l'arrière, là où la terrasse devait trouver place. Je ne me rappelais pas avoir parlé d'une véranda. Pour l'heure, j'étais trop crevée pour penser.

Assise sur les marches de son perron, Mlle Ange tressait des paniers.

— Bonsoir ! Je travaille !

— Mademoiselle Ange ! Ça tombe bien, on est en rupture de stock.

— Dis-moi, tu fais construire une terrasse ou quoi ?

— Oui, ça m'en a tout l'air.

— Ta fille est partie ?

— Oui, mais non sans mal. Elle est amoureuse.

— L'amour ! L'amour ! Il n'y a rien de plus beau.

— C'est bien vrai. A plus !

Je venais de finir la lessive et je commençais à lorgner sérieusement du côté de mon lit quand le téléphone s'est mis à sonner. Emily était bien arrivée, et Frannie prévenait qu'elle était de sortie avec Jake et rentrerait tard. J'ai dîné d'un sandwich au beurre de cacahuète et me suis couchée, sans même prendre la peine de plier les draps propres.

La semaine a défilé comme un rêve et la suivante aussi. Frannie est retournée à Washington en se jurant de revenir à Charleston pour épouser ce type qu'elle venait de rencontrer.

— Je ne plaisante pas, Anna. Jake est vraiment différent.

— Est-ce qu'il te fait transpirer ?

— Rien que de penser à lui, je suis en nage !

— Ouah !

Le samedi d'après, j'ai travaillé tard. En rentrant, à neuf heures, j'ai vu qu'il y avait de la lumière. Lucy et papa m'attendaient à la maison, installés sur le canapé.

— Qu'y a-t-il ?

N'était-ce pas ainsi que cela se passait quand on vous annonçait un décès ?

— C'est Emily, a dit papa, elle est…

Je ne lui ai pas laissé le temps de finir sa phrase. Je me suis mise à hurler :

— *Quoi ?*

— Elle est revenue, a complété Lucy. Elle va très bien. Elle dort comme une souche.

— Bon sang !

Je me suis affalée dans un fauteuil.

— Elle te ressemble, Anna. Une vraie tête de mule, a commenté papa en souriant. Elle m'a appelé ce matin et je lui ai envoyé un billet d'avion. Elle n'a pas fermé l'œil depuis le 11 et est à bout de forces. Elle a plaqué la fac et veut vivre ici, avec nous. Elle a fait transférer son dossier à Charleston.

— Tu as fait *quoi* ? Tu ne peux pas la laisser...

— Anna, m'a coupée Lucy. Avant de te mettre en colère, écoute ce qu'Emily a à te dire. Il ne s'agit pas que de David.

Je savais qu'il n'était pas question que du garçon que ma fille aimait, ou croyait aimer, et que je devais entendre ses arguments.

— Elle prétend que sa place est ici, a repris papa. Tu es bien placée pour savoir ce que ça signifie, Anna.

— Oui.

— Elle pense que tu as besoin d'elle au salon, pour te donner un coup de main.

— C'est vrai que je n'ai pas trop d'une paire de bras supplémentaire, ai-je admis en souriant.

— Je lui ai ouvert avec ma clé, a précisé papa. Et Lucy a pensé qu'on ferait mieux de t'attendre pour t'expliquer la situation.

— Oui, pour que tu ne tires pas Emily du lit pour la remettre dans le prochain avion à destination de Washington.

— Merci.

— On va te laisser. Si tu veux, passe prendre un verre à la maison.

— Non, merci. J'ai besoin de... réfléchir un petit moment. Ça ne vous ennuie pas ?

Papa s'est levé et m'a embrassée.

— Emily est une brave petite, Anna. Essaie de la comprendre. Elle a un cœur gros comme ça.

— Oui, papa. Merci du conseil.

Dès qu'ils ont été partis, j'ai filé dans la chambre d'Emily. Elle dormait paisiblement, blottie entre les draps lavande, sa chevelure blonde étalée sur l'oreiller. Je me suis penchée pour l'embrasser.

— Bienvenue à la maison, ma chérie, ai-je murmuré.

J'étais si émue que j'ai dû sortir humer l'air du soir, puis j'ai fondu en larmes. Le sable était frais sous mes pieds et j'ai marché un moment sur la plage. J'ai levé le nez vers les étoiles et les souvenirs se sont mis à défiler dans ma tête. D'abord ceux de mon enfance, quand j'avais quitté l'île pour Mount Pleasant, et changé d'amis et d'école, puis l'épisode Everett Fairchild, la naissance d'Emily, mon mariage avec Jim. Jusqu'à présent, je n'avais jamais eu confiance en moi. Et peut-être qu'Emily cherchait justement cela pour prendre le contrôle de sa vie.

Grâce à Frannie et à Jim, à cette chère vieille Lucy et à mon père, mon existence avait radicalement changé – grâce à moi, aussi, ne l'oublions pas, car je n'avais pas ménagé ma peine. Quoi qu'il en soit, et en dépit de la folie du monde qui s'étirait là-bas, de l'autre côté du canal, j'avais une belle vie.

J'ai pensé à Jim, probablement à table, quelque part en France, en train de lire une carte des vins, et à Emily, qui rêvait sans doute.

J'ai continué à marcher en direction de Sullivan's Island, fixant la lumière du phare, qui à chaque révolution jetait des rayons dorés sur les flots. Que me réservait l'avenir ? Je me suis assise sur une souche de palmier, ai pris une poignée de sable et l'ai laissée courir entre mes doigts. Pour arriver à vivre comme on le désirait, il fallait beaucoup d'énergie, un peu d'imagination et de la chance. L'humour aidait. L'amour aussi.

Je me suis levée et étirée en regardant à nouveau le ciel. Il était si beau et grand que j'en avais des frissons jusque dans les orteils. J'ai pris le chemin du retour. J'étais prête à me coucher et à m'endormir.

Le lendemain, Emily et moi parlerions des raisons qui l'avaient incitée à quitter Washington. Je mourais d'envie de lui dire de rester. Allons... Je lui dirais qu'elle *pouvait* rester *aussi longtemps* qu'elle le désirait.

Quand Jim reviendrait, pour Thanksgiving, nous dévoilerions les circonstances de sa naissance à Emily, sans préciser que j'avais été violée. J'avouerais juste que je m'étais conduite comme une idiote. Je ne voulais pas que ma fille passe le reste de sa vie avec un fardeau sur les épaules. Il était inutile d'entrer dans les détails.

Avant de me glisser entre les draps, je suis allée jeter un coup d'œil dans la chambre d'Emily. Elle écrasait, bercée par la même brise marine que celle qui avait bercé mon enfance.

La maison était petite, le salon de coiffure aussi, et je n'avais qu'une fille. Mais à cet instant, j'ai réalisé que c'était beaucoup. C'était l'essentiel.

36

La tribu au grand complet

Emily a plaidé sa cause et gagné. Elle allait, toutes affaires cessantes, s'inscrire à la faculté de Charleston et avait de bons arguments pour cela.

— Maman, c'est décidé, je ne veux pas retourner à Washington. Quand j'ai vu les commémorations du 11 septembre, j'ai failli craquer. Je veux rester en dehors de cette folie. Je n'arrive pas à me concentrer. Si j'allais à l'université de Caroline, il faudrait que je trouve à me loger et ça coûte cher, tu le sais bien. De toute façon, ma place est ici. Tu n'as pas idée comme tu m'as manqué.

— Toi aussi. Je n'ai rien contre la fac de Charleston, mais tout dépend de la filière que tu as choisie.

— Je sais que tu vas me dire que je suis folle, mais j'ai envie de devenir écrivain et il se trouve que dans ce domaine, il y a d'excellents...

— *Ecrivain ?* Mais tu vas crever de faim !

— Non. Je veux écrire des sitcoms. Charleston propose une formation complète. Et figure-toi qu'il existe une nouvelle revue littéraire totalement excellente, *Crazy Horse...*

— Si tu veux qu'on te prenne au sérieux, commence par bannir « totalement excellent » de ton vocabulaire. Des sitcoms ? Quelle horreur !

Après tout, du moment qu'Emily ne visait pas la médecine...

— C'est comme tu le sens. Et puis, la fac de Charleston offre plus d'ateliers d'écriture qu'aucune autre. Sans compter que tu auras besoin que je te donne un coup de main et que je verrai David chaque week-end.

J'ai appelé Jim. Coup de bol, il était chez lui. Il ne voyait aucun inconvénient au choix d'Emily.

— Anna, tu vas penser que je suis un angoissé de première, mais sincèrement je suis content qu'Emily quitte Washington. J'avais beau me dire que rien ne pouvait lui arriver, je me faisais un sang d'encre. En outre, si elle n'arrive plus à dormir ou à étudier, quel intérêt ?

L'affaire était classée. Emily a commencé les cours et Frannie a expédié ses affaires à la maison, et même si le Pentagone n'avait pas décrété l'état d'urgence, j'étais rassurée que ma fille soit auprès de moi.

Jack Taylor m'a invitée plusieurs fois et on commençait à prendre des allures de couple, lui et moi. Sauf que je n'étais pas prête à franchir le pas. J'avais découvert que Jack était plus vieux que moi et je n'avais aucune envie de savoir à quoi ressemblait l'amour physique avec un quinquagénaire.

La semaine précédente, Jack et moi avions eu une discussion à ce sujet. Il m'avait emmenée dîner – divinement – au Cypress, puis nous étions rentrés chez lui pour prendre un verre. Nous étions dans le living, en train de flirter, quand j'ai réalisé que si je n'y mettais pas le holà, nous finirions sur le tapis persan.

— Jack, j'ai l'impression que nous précipitons les choses.

— Il m'avait semblé qu'on s'entendait bien, toi et moi ?

— Oui, mais je ne veux pas m'engager dans une relation juste pour ne pas être seule. Et coucher pour coucher, ça ne m'intéresse pas.

Il s'est redressé d'un bond et s'est passé la main dans les cheveux.

— Voilà pourquoi ça n'a pas duré entre Caroline et moi.

— Que veux-tu dire ?

— Tu sais, je suis un peu vieux jeu. Elle cherchait l'aventure, alors que je rêvais de fonder un foyer et même d'avoir un autre enfant. Mais je reconnais que la plupart des hommes ne raisonnent pas comme moi.

OK, je parie que vous pensez que je suis définitivement fichue, sans espoir de rémission. *Un enfant ?* Alors que j'approchais de quarante ans ! Le plus grave, c'est que Jack Taylor n'avait plus aucun mystère pour moi. Ce n'était pas un crime, notez bien, mais cela manquait de piquant.

Je n'ai pas couché avec lui ce soir-là, ni aucun autre. Il m'a envoyé des fleurs deux fois et n'arrêtait pas de me téléphoner. Plus je me refusais à lui, plus il me comblait d'attentions – ce qui n'était pas désagréable, du reste. Simplement, il n'était pas l'homme de mes rêves.

Et puis c'est arrivé. La dernière semaine de septembre, le roi Arthur a reparu à Charleston. C'était en fin de journée. On s'est retrouvés sur la plage et on a parlé. Il ne s'était pas écoulé dix minutes que ce pauvre Arthur, incapable de se contrôler, m'a entreprise. De mon côté, j'étais si tourneboulée que mon corps et mon esprit se livraient un combat sans merci.

Comme l'auraient dit les bonnes sœurs si elles avaient connu les affres de la tentation charnelle, les phéromones ignorent les limites de la bienséance. A la seconde même où j'avais revu Arthur, je m'étais mise à le désirer comme une folle. Je l'avais dans la peau. Enfin ! Non, pas question !

— Je suis désolé de ne pas t'avoir appelée, a-t-il dit. J'ai reçu une offre de travail de Citarella, un restaurant de New York. Mon vieux pote de chez Bouley, Dominique Simon, a repris les cuisines là-bas et avait besoin d'un maître fromager... J'ai sauté dans le premier avion.

— Tu n'es qu'un sale type.

— Et toi, tu es la quintessence de la féminité.

— Ça va, Arthur. S'il te plaît. Mais au fait, pourquoi es-tu revenu à Charleston ?

— Parce que j'ai réalisé que j'y étais heureux. Et tant pis si je ne gagne pas autant d'argent. J'aimerais bien ouvrir un resto, si j'arrive à trouver des bailleurs de fonds.

Arthur n'était pas de retour parce que je lui manquais. Mais il m'avait rappelée. Etait-ce un signe ?

— Minute ! Je croyais que tu n'étais pas du genre à t'impliquer ? N'est-ce pas aller à l'encontre de tes principes ?

— Si, mais ils sont en train de changer. J'en ai assez de

raisonner comme un Yankee. Et puis, j'ai eu beau tout faire pour tenter de t'oublier, Anna, je n'y suis pas arrivé. Je n'ai pas réussi à t'extirper de ma tête.

Bien. Excellent. Il n'empêche qu'Arthur resterait un Yankee, qu'il le veuille ou non.

— Tu es retourné vivre chez Mike ?

— Ouais. C'est vraiment un chic type. Quand je pense qu'il m'a prêté sa maison alors que je ne l'avais pas vu depuis des lustres, sans rien me demander en retour. Il a été bien plus sympa avec moi que je ne l'ai été avec toi, alors que nous avions couché ensemble. Ça m'a donné à réfléchir.

— Et quelles sont tes conclusions, maître de l'introspection ?

— Que je te devais des excuses, miss Premier prix de poésie. Ecoute, j'aimerais qu'on reparte de zéro, toi et moi.

Je l'ai regardé bien en face. Quand j'ai vu qu'il était sincère, mon sens pratique a repris le dessus. Il n'était pas médecin, comme Jack. Il ne portait pas de beaux costards, comme Jack, et ne conduisait pas une Mercedes. D'ailleurs, il ne possédait pas de voiture. Il utilisait celle de Mike. Il était fromager. Point. Si j'épousais Jack – ce qui aurait pu arriver si je l'avais vraiment voulu –, je jouerais au golf (Dieu m'en préserve !) et mènerais une vie respectable et ennuyeuse. Mais si je me mariais avec Arthur – sauf que là, je ne pouvais jurer de rien –, je m'exposais à avoir le cœur brisé et étais certaine de devoir travailler toute mon existence. Mais pourquoi pas ? J'adorais mon métier ! Et à quoi bon chercher un homme riche dès lors que je gagnais ma vie ? Ce qu'il me fallait, c'était un compagnon, pas quelqu'un qui m'entretienne !

— Eh bien ? Tu ne dis rien ?

— Il n'y a rien à dire.

— Vraiment ? S'il te plaît !

— Laisse-moi finir ! Il n'y a rien à dire, si ce n'est : « Allons chez Mike ! »

— Mais il est à la maison.

— Refile-lui dix dollars et expédie-le au cinéma.

Le retour d'Arthur a marqué la fin de ma relation avec Jack, qui avait conscience que nous n'étions pas faits l'un pour l'autre. Car entre lui et moi il manquait l'essentiel : l'alchimie. Je lui ai expliqué que je voyais quelqu'un que j'avais aimé voilà très, très longtemps et que j'avais besoin de réfléchir.

— Ce n'est pas grave. Passe-moi un coup de fil si tu changes d'avis, d'accord ? a-t-il répondu.

Une seconde surprise de taille m'attendait. Frannie m'a appelée durant la deuxième semaine d'octobre pour m'annoncer qu'elle s'installait à Charleston.

— Génial !

— Je suis si amoureuse de Jake que je n'arrive plus à réfléchir.

— L'amour !

— Tu l'as dit. Il m'a rendu visite trois fois et on se téléphone chaque soir. Bon, ça ne se terminera peut-être pas par un mariage, mais je me dis que si je ne tente pas ma chance, je risque de le regretter le restant de mes jours.

— Je peux faire quelque chose pour toi ?

— Tu connais un agent immobilier ? J'ai mis mon appartement en vente et je pense que je vais accepter un poste chez Joe Riley. Il ne nous reste plus que quelques détails à négocier.

— Tu es venue à Charleston pour passer un entretien d'embauche et tu ne m'as rien dit ?

— J'aurais dû t'appeler, mais j'ai fait l'aller et retour dans la journée. Tout est arrivé si vite. J'ai trouvé l'annonce sur Internet, téléphoné, faxé mon curriculum vitæ et été convoquée. J'en ai assez de cette maudite course du rat. Que fais-tu pour Thanksgiving ?

— Un dîner en votre honneur, Jake et toi ?

— Avec beaucoup de patates, j'espère ?

— Absolument ! Si la déesse irlandaise vient dîner, il y aura une montagne de purée ! Et je vais contacter Marilyn Davey. Elle vient de dénicher une maison à Wild Dunes pour mes amis Susan et Simon. Ils se marient le 7 décembre.

— Je me souviens d'eux. Elle est adorable.

— Oui, ils m'ont invitée à la noce. A charge pour moi de

coiffer le cortège de la mariée. Je te parie que j'y retrouverai Caroline au bras de Jack.

— Emmène Arthur et mets ta robe bleue.

— Totalement excellent !

— Toi, tu as passé trop de temps avec ta fille.

— Tu ne connais pas la meilleure ?

Je lui ai annoncé que Lucy et papa vivaient dans le péché. On a été prises d'un fou rire tel qu'on ne pouvait plus s'arrêter. Il n'empêche que je n'avais encore jamais vu mon père aussi heureux. Quelques semaines plus tard, pendant que Lucy était en train de se préparer, Doc et moi nous sommes installés sur ma terrasse toute neuve pour siroter un thé glacé. Il m'avait acheté une friteuse géante et nous débattions de la meilleure façon de faire frire une dinde. Ce qui, en clair, signifiait qu'il avait choisi le menu de Thanksgiving.

— Je sais que c'est délicieux, papa, mais toute cette huile bouillante ! Ça ne risque pas de se renverser ?

— Mais non. Regarde !

Il m'a montré la marmite, dont le fond avait été lesté.

— J'ai compris. C'est moi qui me chargerai de la bestiole !

— Ce que tu peux être grincheux, ai-je répliqué en l'embrassant sur la joue.

— Les femmes !

Il s'est tu pendant un petit moment, puis a soupiré.

— Tu sais, Anna, parfois je songe que nous n'aurions jamais dû quitter l'île quand tu étais petite.

Allons bon !

— C'est vrai que c'est un coin extra.

— Sens-moi cet air marin ! Je crois que je vais finir par m'attacher à cet endroit autant que toi. Si tu n'étais pas venue t'installer ici, je n'aurais pas rencontré Lucy.

— Tu es mordu, pas vrai ?

— Avec elle, je me sens rajeunir. Je vais t'avouer quelque chose, mais tu ne le répètes pas, juré ?

— Juré.

— Elle me trouve sexy.

J'ai recraché ma gorgée de thé.

— *Papa !* En voilà des manières !

— Et ton Arthur, il ne te trouve pas *sexy*, peut-être ?

— Touché.

— Quoi qu'il en soit, je vais lui demander sa main. Tu crois que je suis trop vieux pour goûter au bonheur ?

— Pas du tout. C'est formidable, au contraire ! Lucy deviendra ma belle-mère !

Dans une semaine, on célébrait Thanksgiving, ce qui signifiait pas mal de remue-ménage. J'avais une théorie concernant cette fête. Ma table était ouverte à ceux qui le désiraient. La famille était si restreinte que je rêvais de convives innombrables. Au fil des ans, la tradition m'avait permis de nouer des amitiés. Chaque participant mettait la main à la pâte. On cuisinait ensemble, puis on s'amusait et on regardait le football à la télévision. Cette année, nous fêterions paisiblement Thanksgiving au bord de l'océan, bercés par le bruit des vagues.

Quelques jours plus tôt, nous étions dans le séjour, en train de discuter des préparatifs. La liste d'invités comprenait Emily, Frannie, Carla, Brigitte, Bettina, Jim, David et Jake. Brigitte avait accepté, mais Bettina avait hésité, puis finalement décidé d'aller chez ses parents, à New York. Carla m'a annoncé qu'elle était déjà prise :

— Ma mère, l'infatigable et pétulante Mme Joyce Hahnebach, prépare un millier de plats différents pour Thanksgiving, et le monde entier se précipite chez elle. Ses tartes, en particulier, sont très prisées. Si mon mari et moi nous défilons, ça va créer un incident diplomatique.

— Dans ce cas, n'hésite pas. Et rapporte-nous de la tarte vendredi.

— Nous, on a décidé de prendre le train pour rejoindre New York, a dit Bettina. Au début, Bobby voulait qu'on s'y rende en voiture, mais j'ai refusé. Il a alors suggéré qu'on prenne l'avion. Je rêve ! Au prix que ça coûte ! Dans le train, on peut roupiller. Il paraît que maman est aux fourneaux depuis un mois. J'ai hâte de voir ça ! Mes cousins seront là. Ça va être géant.

— J'aimerais t'accompagner ! Eclate-toi, prends des milliers de photos et dis à tout le monde qu'on adore New York, d'accord ? Tu vas nous manquer.

— Ouais. Vous aussi.

Je m'étais tant attachée à Bettina et Bobby que j'en étais venue à les considérer comme des membres de la famille. J'étais toujours un peu inquiète quand les gens voyageaient et me raisonnais en me disant que tout irait bien.

Le matin de Thanksgiving, il faisait gris et humide, puis vers onze heures, le soleil s'est mis à briller et le vent du large a chassé les nuages. Lucy et moi avons décidé de préparer la tambouille dans sa cuisine, plus spacieuse et mieux équipée que la mienne, puis de rapatrier ensuite les plats à la maison. On a commencé par faire des sandwiches pour tenir jusqu'au dîner. Papa, comme prévu, était préposé à la préparation de la dinde.

A une heure, Brigitte est arrivée, apportant dix-huit oranges évidées et fourrées à la purée de patate douce.

— Je parie que ça t'en bouche un coin ! Joyeux Thanksgiving !

— Merci ! Merci mille fois ! Tu es incroyable. Tu n'as pas de marshmallows ?

— Si, ils sont dans la voiture. Je n'ai pas encore tout déchargé. Dois-je stocker l'ensemble dans la cuisine de Lucy ?

— Tant qu'à faire.

— J'ai aussi concocté un velouté aux huîtres. Et un gâteau Lady Baltimore.

— Génial ! La dernière fois que j'en ai mangé, j'étais haute comme trois pommes !

— Sans matière grasse.

J'ai ri.

— Je te crois...

— Je t'assure.

Brigitte a filé chez Lucy et je suis retournée m'occuper des décorations.

Jim et Arthur avaient accroché des guirlandes lumineuses autour de la terrasse et installé la chaîne stéréo dehors. Emily et David regardaient la parade de Macy's à la télévision avec le volume à fond. Je leur avais confié le soin de débarrasser la table à la fin du repas et de ranger.

— Cinquante dollars.

— Ça marche, a acquiescé David tandis qu'Emily ronchonnait.

— D'accord.

Ils n'avaient plus cours depuis mardi et continuaient à s'entendre à merveille. La veille, ils avaient ramassé des coquillages et du bois sur la plage. Ces trésors, complétés par de grosses bougies multicolores, des calebasses et des noix de pécan disposées dans des nids de mousse, serviraient à décorer les deux tables pliantes que je m'étais finalement décidée à acheter. En guise de nappes, j'avais prévu deux panneaux de tissu indien.

— Comment ferait-on sans Pier Import ? ai-je lancé, une fois que tout a été mis en place.

— Bonne question, a renchéri Jim. Anna, j'aimerais te dire deux mots.

— A quel sujet, mon trésor ?

— Hum ! a fait Arthur.

J'ai suivi Jim jusqu'à la cuisine.

— C'est au sujet de Trixie. Je crois qu'elle déraille. Je sais bien qu'elle a un grain et qu'elle est mauvaise comme la gale, mais il ne s'agit pas de ça.

— De quoi, alors ?

— Elle se plaint que je ne viens jamais la voir, ce qui est nouveau. Tu la connais. Elle ne supporte pas la vie que je mène.

— Peut-être qu'avec l'âge elle est en train de changer. Regarde papa. Du jour au lendemain, il s'est métamorphosé. Je l'ai toujours connu radin comme pas deux ! Et voilà qu'il m'offre une terrasse et une véranda, et les services d'un architecte paysagiste ! Et en prime, une friteuse géante !

— C'est vrai. Mais je crois que Trixie perd la boule. La semaine dernière, je l'ai appelée pour lui annoncer mon arrivée et rappelée le lendemain pour lui demander si elle voulait que je lui rapporte quelque chose de San Francisco. En général, elle me réclame du pain au levain ou des chocolats Ghiradelli. Eh bien, elle avait oublié que je lui avais téléphoné. Ça ne lui ressemble pas.

— Quel âge a-t-elle ?

— Je ne peux pas te le dévoiler, sous peine de me faire égorger, mais disons qu'elle peut bénéficier des avantages réservés aux personnes du troisième âge depuis un bout de temps déjà.

— Sans blague ! Franchement, ce n'est pas évident.

— Encore heureux, vu ce que lui prend son chirurgien esthétique !

— Tu es vache ! ai-je rétorqué en agitant mon index sous le nez de Jim. Trêve de plaisanterie. La mémoire fout le camp, quand on vieillit.

— Je sais. On retombe aussi en enfance. Bref, tout ça pour dire qu'hier, je ne sais pas ce qui m'a pris, mais j'ai loué une maison en ville...

— Quoi ! Ce bon vieux Jim est de retour !

J'ai saisi son visage entre mes mains et planté deux gros baisers sonores sur ses joues. Puis je me suis lancée dans une danse d'Indien.

— Arrête, par pitié, tu te trémousses comme un chausse-pied.

— Tais-toi, je danse comme personne !

— *Moi*, je danse comme personne.

— Méchant ! Affreux ! Je t'aime, je t'aime, je t'aime !

— Oui, moi aussi, je t'aime ! Ecoute, je serai dans le coin beaucoup plus souvent. Avec le fax, Fed Ex et le fleuron de la technologie moderne, j'ai estimé que je travaillerais aussi bien ici. Evidemment, je me rendrai à Napa et Sonoma de temps à autre, mais je ferai l'aller et retour en avion. D'ailleurs, depuis que Gary n'est plus... Emily et toi me manquez. J'ai besoin de me retrouver en famille.

— C'est la meilleure nouvelle que j'ai entendue depuis un million d'années, Jim.

— Tu crois que je suis ravagé, hein ? Mais le temps passe à une telle vitesse !

— C'est vrai. Et tu n'es pas *ravagé*. Simplement, tu as besoin de te sentir entouré. Tente l'expérience ; si elle est concluante, c'est tant mieux pour Emily et moi, et pour Frannie. Et même Trixie.

— Ouais, j'ai mauvaise conscience vis-à-vis de ma mère. Je vais en toucher un mot à Frannie, si jamais elle avait envie de planter sa tente chez moi. J'ai deux chambres. Et si Emily a des cours en soirée, elle squattera chez son papa.

— Je crois que Frannie va partager le tipi de Jake.

— J'avais oublié. Quand déménage-t-elle ?

— Le 1ᵉʳ décembre.

— Je jouerai la cinquième roue du carrosse, alors.

— Tu auras peut-être la chance de rencontrer quelqu'un. Emily va être folle de joie, Jim. J'ai une idée.

— Laquelle ?

— Appelle Trixie et invite-la à se joindre à nous.

— C'est déjà fait, mais elle a un dîner de prévu. Quand je lui ai précisé que l'invitation venait de toi, elle a paru se radoucir.

— Tu crois qu'on va réussir à raccrocher les wagons ?

— Hé ! Vous deux, là-bas ! C'est quoi ce conciliabule ? a demandé Emily en entrant par la porte de derrière. Maman, il faut agrandir cette cuisine.

— A cheval offert, on ne regarde pas les dents, ma chérie.

— Ta mère a raison. J'étais en train de lui annoncer que j'avais loué une maison à Charleston, avec une minuscule cuisine, pire que celle-ci.

— *Non !*

— Si. Du coup, je vais être obligé d'acheter une voiture et de trouver quelqu'un qui s'en occupera quand je serai en déplacement. Je pense choisir une décapotable...

Les cris de joie d'Emily étaient si perçants que j'ai pris le sécateur dans le tiroir et suis sortie voir s'il n'y avait pas des roses à couper. Au même moment, une belle bagnole étrangère est passée lentement devant la maison puis s'est arrêtée. Je l'ai ignorée, songeant que c'était quelqu'un qui cherchait la plage. Quand j'ai entendu la portière claquer, j'ai levé les yeux.

Everett Fairchild se dirigeait vers moi.

37

Les chiens sont lâchés

Everett Fairchild était dans le jardin, tenant la photo.

— Anna ? Anna Lutz ?

— Comment as-tu fait pour me retrouver ?

— Il y a un numéro d'appel en urgence sur la porte de ton salon. J'ai épluché l'annuaire téléphonique jusqu'à trouver l'adresse correspondante. Le nom indiqué était A. Abbot, mais j'ai quand même tenté le coup.

Il y a eu un long silence. Qu'étais-je censée faire ? L'inviter à entrer pour partager le repas de Thanksgiving ? Et puis quoi encore !

Il avait l'air hésitant.

— J'ai passé une mauvaise nuit...

— Moi aussi... il y a dix-neuf ans.

— C'est de l'histoire ancienne.

Je ne saurais décrire le sentiment qui s'est emparé de moi. Je crois que si j'avais eu un flingue à la main, j'aurais descendu Everett. Mais pourquoi diable lui avais-je fait parvenir le cliché par le biais de Joanne ? Et maintenant qu'il se trouvait devant moi, comment devais-je réagir ?

— Tu ne pouvais pas tomber plus mal.

— Je serais tombé très mal de toute façon. Ecoute, je sais que tu penses que je suis le dernier des...

— Absolument.

J'étais si hors de moi que j'aurais pu le frapper à coups de sécateur. Je voulais le voir se vider de son sang et s'effondrer à mes pieds en se tordant de douleur.

— Tu te trompes, et sur toute la ligne.

Il a détourné les yeux, pris une longue inspiration et dit d'une voix à peine audible :

— C'est ma fille ?

— Non. C'est *ma* fille.

Après toutes ces années, je me suis remémoré qu'Everett m'avait cassé le nez et n'avait pas pris la peine d'appeler pour s'excuser. Soudain, ma colère s'est muée en haine. J'ai senti que je perdais le contrôle. Tant pis si je me mettais à hurler et à gesticuler comme une folle, et que les flics rappliquaient pour me passer la camisole.

— J'aimerais la voir.

— Hein ! Parce que tu t'imagines que tu peux débarquer, comme ça, vingt ans après, en pleine fête de famille et fiche nos vies en l'air ?

— Anna, je comprends que tu m'en veuilles à mort. Mais j'ai une fille et je souhaiterais faire sa connaissance.

Il s'était exprimé d'une voix calme et mesurée, comme s'il s'était entraîné à prononcer « je souhaiterais faire sa connaissance » un millier de fois.

— Tu n'as aucun droit sur elle. Dégage ! Ouste ! Tire-toi avant que j'appelle la police ! Et que je ne te revoie jamais !

Mais Everett Fairchild n'était pas le genre de personne à se laisser éconduire aussi facilement.

La porte de la maison s'est ouverte et Jim est sorti.

— Il y a un problème ?

Dès qu'il a vu Everett, il a compris. Satan était de retour, en costard du dimanche, pour une visite amicale.

— Tiens, tiens, mais n'est-ce pas notre ami M. Fairchild ? a-t-il dit en lui tendant la main.

Je lui en ai tant voulu que j'ai eu envie de lui trancher le poignet.

— Jim, tu ne peux pas faire la paix avec cette crapule !

— Anna, va donc chez Lucy pendant que je parle à ce monsieur.

— Très bien. *C'est ça !* Occupe-toi de ce fumier ! ai-je craché.

J'ai tourné les talons. Après tout, si cela les amusait de patauger de concert dans la fange.

Lucy était dans la cuisine en compagnie de Brigitte. Elles sirotaient un verre de vin en épluchant des pommes de terre, qu'elles jetaient au fur et à mesure dans une bassine remplie d'eau. Dès qu'elles m'ont vue, elles ont su que quelque chose de terrible était arrivé.

— Quoi ? Douglas a eu un problème ? s'est enquise Lucy en venant vers moi.

— Qu'y a-t-il ? a renchéri Brigitte.

— Everett Fairchild. Il est devant chez moi, en train de s'expliquer avec Jim. Je crois que je vais exploser.

Je me suis accrochée des deux mains au comptoir pour ne pas flancher.

— Allons, trésor, viens t'asseoir, a murmuré Lucy en m'entraînant vers le séjour.

Brigitte nous a suivies. Elle tenait un verre d'eau et me l'a offert en demandant :

— Mais comment a-t-il...

— Il a compulsé l'annuaire, ai-je répondu en éclatant en sanglots. Et il fallait que cela arrive aujourd'hui, par-dessus le marché !

Lucy a jeté un coup d'œil au-dehors, du côté de chez moi.

— Voici Frannie qui arrive avec Jake et Arthur.

— J'ai conseillé à Everett d'aller au diable et de ne jamais revenir. Je n'imaginais pas à quel point ce serait horrible de le revoir.

Brigitte s'est approchée de la fenêtre pour observer Jim et Everett.

— Et il a bien choisi son jour. Quel culot de se pointer en plein Thanksgiving !

Lucy m'a tendu une boîte de kleenex pour que je m'essuie les yeux et le nez.

— Qu'est-ce que je vais faire ? Je ne peux quand même pas le laisser gâcher la fête.

— Trop tard, a répliqué Brigitte. A qui est cette voiture ?

Je me suis levée pour regarder par la fenêtre.

— Oh, non ! C'est celle de Trixie !

— Je vais supplier Douglas de s'en occuper, a glissé Lucy en dévalant les marches de la véranda.

— Cette fois, je n'ai plus qu'à me tirer une balle dans la tête !

Je me suis mise à arpenter la pièce.

— Comment est-ce possible ? Pourquoi faut-il que ça m'arrive à moi ?

— *Anna ! S'il te plaît ! Arrête !*

C'était Frannie. Elle s'est plantée sur le seuil, les mains sur les hanches.

— Ah ouais ? Je voudrais t'y voir, toi !

— Si j'étais toi, je songerais que je n'ai rien à me reprocher, si ce n'est, peut-être, de ne pas avoir prévenu ma fille à temps. Emily est une gamine adorable et tout le mérite t'en revient, car tu l'as élevée seule. Alors cesse de jouer les victimes et reprends-toi. Everett a répété au moins vingt fois qu'il ne partirait pas sans avoir vu Emily. Alors de deux choses l'une : ou tu racontes un gros bobard à Emily et aux autres, et tu perds toute crédibilité ; ou tu te comportes en adulte et tu assumes.

— Et Trixie ? Elle va faire une scène épouvantable ! Emily va nous... nous détester !

— Pour l'instant, Trixie prend un verre sur la terrasse avec Lucy, Douglas, Miss Mavis et Mlle Ange. Une seule réflexion désagréable et je promets que je lui botte les fesses. Je ne vois pas pourquoi tu serais la seule à te défouler. Qu'en penses-tu, Brigitte ?

— Je pense que si j'avais déjeuné à la cafétéria, j'aurais raté quelque chose. Ecoute, Anna, pour commencer, essaie de te calmer.

— Je suis *calme*. Simplement, j'ai eu un gros choc et maintenant, je suis en rage. Je ne m'attendais pas à voir ce mec surgir sans crier gare.

— A ta place, j'aurais déjà vomi tripes et boyaux, a avoué Brigitte en hochant la tête. Bon, on va le trouver en chœur et on le ramène ici pour avoir une discussion sensée entre adultes. On va le prier de revenir demain.

Frannie a hoché la tête, convaincue que c'était la meilleure solution.

— Essuie ton mascara et on y va.

— Rien à fiche de mon mascara.

Juste au moment où on sortait, Emily a brutalement émergé de la maison à reculons et, dans son élan, a presque failli renverser Everett. C'était comme regarder un film au ralenti dans lequel une mère voit son enfant tomber en travers des rails alors qu'un train arrive à toute allure. *Noooooooooon !* Avant que j'aie pu m'élancer pour rattraper Emily, Everett l'avait saisie par les épaules pour la remettre d'aplomb. Je me suis arrêtée net. Ils se sont fixés, comme s'ils se voyaient dans un miroir. Jim s'est approché pour faire les présentations, mais Emily a levé la main pour lui intimer de ne pas bouger. Je n'étais qu'à cinq mètres.

— Je sais qui vous êtes, a dit Emily, abasourdie. Ben alors !

Pour finir, j'ai retrouvé l'usage de mes jambes. Je me suis approchée et ai passé un bras autour des épaules d'Emily.

— Je crois qu'on devrait aller chez Lucy pour discuter en privé, ai-je suggéré.

Je voulais tenir Trixie et papa en dehors de cette affaire, car si celui-ci apprenait qu'Everett était ici, il risquait de sortir de ses gonds et, qui sait, de l'agresser.

Emily n'a pas bougé.

— Vous êtes mon père biologique, n'est-ce pas ?

Elle a pouffé dans sa main, puis est partie d'un grand rire.

— Quelle coïncidence extraordinaire que vous soyez venu aujourd'hui. Sans blague ! Je n'en reviens pas ! Nous avons les mêmes yeux, vous et moi ! Quand je vais dire ça à David, il va tomber à la renverse ! Vous restez déjeuner, bien sûr ?

— Je ne pense pas. C'est Thanksgiving. Mais je reviendrai demain ou plus tard.

— Pas question de vous laisser partir ! Au fait, comment vous appelez-vous ?

— Everett Fairchild. Tu peux m'appeler Rhett. Et toi ?

— Emily.

— C'est un joli nom. Et il te va bien.

— Merci. Bon, puisque c'est Thanksgiving, c'est le moment où jamais de faire connaissance, non ? Sacré truc, la génétique ! Moi qui croyais être un monstre de la nature, avec mes pupilles vertes. La preuve que non, puisque vous avez les mêmes !

Emily a ri et Everett souri. Pour la première fois de son existence, il partageait la joie de sa fille de dix-huit ans.

Pendant ce temps, Frannie, Brigitte, Jim, Arthur et moi les observions, sidérés. Nous avons échangé un regard. Je continuais à bouillir intérieurement. Je voulais qu'Everett disparaisse. Je m'étais attendue à ce qu'Emily pique une crise de nerfs. Mais non. Tout au plus avait-elle manifesté de la curiosité. Je pensais à mille choses à la fois. Papa. Trixie. Qu'allais-je leur dire ?

— Jim ?

— Ouais ?

— Que va-t-on raconter à Trixie ?

— Rien du tout. Elle n'aura qu'à tirer ses propres conclusions.

— Mon Dieu ! Elle va faire un de ces cirques ! Dommage que je n'aie pas de tickets à mettre en vente, a plaisanté Frannie.

— Je ne trouve pas ça drôle, ai-je répliqué.

Tout le monde s'est tu.

— Maman ? Je me fiche de ce que peut penser Trixie. Viens, il faut rajouter un couvert.

— Attends ! Pas si vite !

— J'entends hurler les patates, a glissé Frannie. Allons chez Lucy.

J'ai regardé Everett et lancé :

— Il n'y a rien que tu puisses dire que j'aie envie d'entendre. Vous n'avez qu'à filer chez Lucy, vous autres. Toi aussi, Emily ! Allez ! Du balai !

Comment Everett osait-il se pointer, la gueule enfarinée ? Qu'imaginait-il ? Qu'on l'accueillerait comme le messie ? « Salut, vieille branche ! Comment va la vie ? » Je savais que la blague de Frannie à propos de Trixie n'était qu'une manifestation de son anxiété. Effectivement, ce que pensait cette dernière n'avait pas la moindre importance.

Je les ai regardés s'éloigner. Ils ont fait entrer Everett chez Lucy, comme s'il s'était agi de n'importe qui. *N'importe qui !* Ce type m'avait droguée, violée, frappée et laissée enceinte. Et mes meilleurs amis et ma fille le traitaient comme si rien ne s'était passé ! Je ne voulais pas de lui ici.

Emily semblait avoir déjà pris les choses en main. En fait, tout le monde avait pris les choses en main, sauf moi. Je sentais que j'allais réagir de manière terrible.

Je suis rentrée dans la maison vide. J'ai fouillé sous l'évier et sorti un marteau. Je suis ressortie pour repérer où étaient les autres. Ils se tenaient sur la terrasse ou chez Lucy. J'ai reluqué un instant la Mercedes-Benz SL600 flambant neuve d'Everett et j'ai foncé. J'ai démoli un feu avant. J'ai frappé un grand coup et le verre a volé en éclats. J'ai relevé la tête pour voir si quelqu'un avait entendu. Rien. J'ai remis ça avec le second feu. Je transpirais à grosses gouttes. Après quoi, je me suis défoulée sur le capot, puis sur la portière côté passager, le toit, le pare-choc arrière, le coffre, et j'ai recommencé en tapant comme une brute. Enfin, je me suis approchée de la porte du conducteur pour la matraquer. Au sixième coup, les uns et les autres se sont mis à crier :

— Anna ! Arrête !

— Jim ! Quelqu'un ! Calmez-la !

— Anna ! Par pitié !

— Maman !

Je me suis retournée ; mes invités me fixaient, pétrifiés. Une expression de terreur a envahi leurs traits. J'ai éclaté en sanglots et lâché l'outil. Puis je me suis laissée glisser le long de la carrosserie et effondrée sur la chaussée, la tête enfouie entre les bras. Mes pleurs convulsifs résonnaient à mes oreilles.

L'instant d'après, j'ai senti qu'on me tirait par un bras, puis par l'autre pour m'aider à me redresser. Qu'avais-je fait ? J'ai levé le nez, et vu Jim d'un côté et Arthur de l'autre.

— C'est fini, ma chérie, tout va bien, a dit Arthur.

— L'un de vous aurait un calmant ? a demandé Jim.

Frannie, Lucy, Trixie et Brigitte ont filé me chercher un cachet. Je me suis retournée pour jeter un coup d'œil à la Mercedes. Elle était en miettes. Rien à fiche. Avant que j'aie pu dire un mot, Everett s'est approché. Il a regardé l'épave et m'a dit :

— Je te comprends, tu sais. Si seulement j'avais su, pour Emily... Les choses se seraient passées différemment. Ne pense pas à la voiture. Tu vas bien ?

— Lâche-moi, Everett. Dégage. Je me sens mieux. Je ne te dois aucune excuse.

— Je n'en attends pas, Anna.

A la stupéfaction générale, Everett Fairchild a fondu en larmes, puis il est remonté dans sa caisse et a verrouillé les portières.

— Miséricorde ! s'est écriée Trixie.

— Bon sang ! Allez-vous m'expliquer ce qui se passe ? a renchéri papa.

— Viens, chéri, a susurré Lucy en le prenant par le bras. Allons chercher le mixeur. Vous êtes tous les bienvenus chez moi ! a-t-elle poursuivi en se tournant à demi. Vous aussi, Miss Mavis et Mlle Ange. Ce n'est pas parce que vous mettrez les pieds dans mon antre que vous tomberez raides mortes ! On va vous expliquer.

Le groupe a suivi le mouvement, à l'exception d'Emily, Jim et Arthur, qui m'ont ramenée à la maison, et d'Everett, qui continuait à chialer au volant. Qu'il reste donc là à pleurer jusqu'au réveillon, si cela lui chantait !

Je me suis affalée sur le canapé, les jambes surélevées, les pieds nus. Jim m'a apporté un verre de vin et Arthur tendu une boîte de mouchoirs en papier. Emily se tenait devant moi, visiblement choquée. C'est elle qui a pris la parole la première.

— Maman ? Tu as perdu la boule ou quoi ? Qu'est-ce qui t'a pris de...

— Tais-toi, Emily, a coupé Jim. Ta mère a fait ce qu'elle devait.

— Ouais, Everett a de la chance qu'elle ne lui ait pas démoli le portrait, a renchéri Arthur.

J'ai remarqué, à l'expression d'Emily, que la lumière commençait à se faire dans sa tête. Si Everett était son père biologique et que j'avais défoncé sa bagnole, c'est qu'il y avait eu un gros problème quelque part.

— Everett a drogué et violé ta mère le jour de son premier bal, a lâché Jim. Elle s'est retrouvée enceinte mais n'a pas engagé de poursuites et je l'ai épousée. Après ça, on n'a plus jamais entendu parler du monsieur et on n'a pas cherché à le retrouver. On ne savait pas comment s'y prendre pour t'avouer la vérité. Maintenant, c'est fait. Je suis désolé.

— Tu m'étonnes que tu aies voulu démolir la bagnole !

Jim avait avoué qu'il s'agissait d'un viol. Cette fois, les dés étaient jetés. Il n'y avait plus rien à cacher. Je me suis un peu détendue.

— Prends une gorgée de vin, m'a conseillé Arthur.

— Non, merci. Je vais mieux.

— Anna, a repris Jim, personne ne t'en veut d'avoir agi ainsi. Au contraire. On aurait bien voulu te donner un coup de main.

— Il y a autre chose qu'il faut que tu saches, Anna, a enchaîné Arthur. Tu le lui dis ou je m'en charge ?

— Je commence, a décrété Jim. Tu me corriges si je me trompe.

Chez Lucy, Everett leur avait tout raconté. Bettina avait vu juste. Joanne était une épouse infidèle, qui trompait son mari avec un de ses salariés. Il l'avait découvert en apercevant leurs deux voitures sur l'aire de stationnement d'un motel.

— Il est allé frapper à la porte de la chambre et l'amant, ce crétin, lui a ouvert. Joanne s'est redressée dans le plumard et l'a fixé comme s'il tombait du ciel.

— Tu imagines la scène ? a demandé Arthur. Il faut avoir du souffle pour oser aller frapper à la porte.

— Ouais, et aussi pour se pointer ici, a insisté Jim. Everett a admis qu'il n'y a pas réfléchi à deux fois avant de se manifester. Tu te rends compte ! La caisse de Joanne était garée dans le parking, bien en vue, avec sa plaque minéralogique estampillée *Carpe Diem*, « Cueille le jour ». Maintenant, la garce n'a plus qu'à dénicher un bon avocat.

— Everett a viré son employé sur-le-champ, après quoi il a ajouté : « Tout est fini entre nous, Joanne. »

— Elle l'avait bien cherché, ai-je glissé.

— Mais qui est Joanne ? a demandé Emily.

— La femme de ton père. Je te raconterai tout dans une minute.

— Enfin, bref, a repris Jim. Everett est rentré chez eux, a jeté pêle-mêle les affaires de la traîtresse dans quatre valises, et c'est ainsi qu'il a découvert la photo que Joanne avait rangée dans un tiroir. Il l'a examinée et t'a reconnue, Anna. Il a eu un choc en voyant Emily. Il paraît qu'elle est le portrait craché de sa mère, sauf les yeux. Il a expédié les frusques de Joanne à l'Holiday Inn et a rappliqué ici.

— Quelle histoire ! ai-je soupiré. Le plan a marché, mais pas comme prévu.

— Ce type était un affreux quand il était à l'université, apparemment, a dit Arthur. Il se droguait, à l'époque. Tu le savais ?

— Non. Mais j'aurais dû m'en douter. Sauf que j'étais une oie blanche. Qu'a-t-il raconté d'autre ?

— Qu'il avait été expulsé de Citadel pour avoir dealé et s'était retrouvé en tôle avec des gars qui l'ont fait dérouiller. Puis il s'est repris en main. Il ne boit pas, ne fume pas et ne se drogue pas. Et il tient à payer les études d'Emily.

— Tu plaisantes ?

— Non. Il m'a chargé de te dire qu'il t'appellerait pendant le week-end pour que vous en discutiez.

— Qu'espère-t-il en retour ? Notre reconnaissance ?

— Non, rien. Hormis, peut-être, une dépanneuse…

J'ai regardé Jim et Arthur. Ils paraissaient soulagés. Une ombre de sourire s'esquissait sur leurs lèvres.

— Bon. Demandez à Everett de s'extirper de sa maudite bagnole et de venir me parler.

Ils sont sortis à trois pour aller le chercher.

— Emily ! a lancé Arthur. Que dirais-tu d'aller faire un tour chez Lucy pour voir où en sont les autres ?

— Bonne idée. Il serait peut-être temps de songer à passer à table.

Everett a rappliqué et nous avons commencé à discuter.

— J'ignorais l'existence d'Emily, a avoué Everett. Comment l'aurais-je apprise ?

— Je ne sais pas. En tout cas, la nouvelle a tué ma grand-mère.

— Vraiment !

— Bah, d'une certaine façon ça m'a rendu service. Car c'était une vraie peau de vache.

J'ai adressé un semblant de sourire à Everett et compris, du

464

même coup, que la colère ne paie pas. Le temps était venu de tourner la page. Everett s'était puni lui-même, et devrait gérer sa culpabilité et son chagrin. En fin de compte, j'étais prête à lui pardonner ou, au moins, à lui laisser le bénéfice du doute. Peut-être avait-il changé et se repentissait-il d'avoir agi comme il l'avait fait.

— Jim, s'il te plaît, ai-je poursuivi. Appelle chez Lucy et dis à Emily qu'elle rajoute un couvert.

Si je montrais de la magnanimité à l'égard d'Everett, je gagnerais sans doute quelques points pour le paradis. Je me suis aspergé la figure à grande eau pour essayer d'avoir l'air présentable.

Une heure plus tard, nous étions tous réunis pour le repas de Thanksgiving le plus incongru et stressant de mon existence.

— Si tu peux pardonner, Anna, j'y arriverai moi aussi, m'a confié papa avec calme.

Il m'a serrée dans ses bras, puis est allé chercher la dinde qui avait fini de cuire.

Trixie semblait contente de sa petite personne et choisirait, sans nul doute, le pire moment pour sortir une réflexion qui tue. Mais j'y étais préparée.

Frannie a léché son doigt plein de purée de pomme de terre et lâché :

— Comment est-il possible qu'une simple patate mette à ce point les papilles en émoi ?

— C'est à cause du beurre, a répondu Brigitte. Tout le monde prend un plateau, d'accord ? On y va.

La table de jardin, surmontée du parasol, servait de buffet. Elle ployait littéralement sous les mets. Papa avait disposé la volaille sur une gigantesque planche à découper et officiait, tel l'amiral d'un bateau. Il avait mis un de ces tabliers de fête ridicules, avec, sur le plastron, une dinde habillée en pèlerin brandissant l'écriteau : « Mangez du poulet ! »

— Où as-tu dégoté ce machin ? ai-je demandé en apportant la saucière.

— Je le lui ai acheté, a roucoulé Lucy N'est-ce pas qu'il est chou ?

— Chou tout plein, a repris papa en se raclant la gorge. Je suis un homme digne !

Lucy et moi avons échangé un sourire. J'ai regardé autour de moi et constaté que chacun semblait détendu. Apparemment, le cyclone avait fait ses ravages et commençait à prendre du large. L'assemblée bavardait en se pressant autour du buffet.

Everett parlait avec Brigitte, et c'était tant mieux. Il ne me restait plus qu'à prier le ciel pour qu'il ne s'asseye pas face à Trixie. Mais le sort s'acharnait.

— Disons les grâces, a fait papa.

Le silence s'est imposé et chacun a baissé la tête.

— Cher Père qui êtes aux cieux, merci pour cette belle journée, pour cette réunion et pour cette nourriture. Montrez-nous ce qu'il y a au fond de nos cœurs. Et que Votre volonté soit faite. Accordez-nous Votre grâce et Votre amour afin que nous soyons meilleurs envers Vous et envers notre prochain. Seigneur, bénissez tout spécialement ceux qui...

— Les pommes de terre vont refroidir, a murmuré Frannie.

— Chut ! ai-je répliqué en lâchant un gloussement qui ressemblait à un rire.

— Merci, mon Dieu. Amen.

— Amen !

On a commencé à se servir. Miss Mavis s'était mis en tête de sonder Everett.

— Dites-moi, jeune homme, qui sont vos parents ?

— Ma famille est originaire d'Atlanta, madame, mais je vis à Clearwater, en Floride.

— Où ça ?

— En Floride ! a claironné Mlle Ange. Il faut parler fort, jeune homme, si vous voulez qu'elle vous entende.

Everett a hoché la tête en souriant.

— Je suis allée en Floride, il n'y a pas si longtemps, a dit Miss Mavis. Je cherchais un village du troisième âge où je puisse vivre seule !

— Hum, a reniflé Mlle Ange. Elle ne peut pas rester seule

J'ai regardé du côté de Trixie. Elle semblait contrariée.

— Vous êtes en beauté, Trixie. Je suis heureuse que vous soyez venue.

— Je ne suis pas certaine que tu sois sincère, Anna. Mais...

Le grand requin blanc avait-il perdu ses dents ? J'ai posé une main sur son bras.

— Allons, Trixie, c'est Thanksgiving. On va essayer de passer un bon moment tous ensemble.

— Je n'avais pas envie de rester seule dans mon coin, alors quand Jim a appelé, j'ai pensé que je devais moi aussi faire un effort. Vous êtes ma seule famille.

— Raison de plus pour profiter de l'occasion. Il y a assez de misère comme ça dans le monde.

Le repas se déroulait au mieux jusqu'à ce que, je vous le donne en mille, Trixie se campe juste en face d'Everett et l'inspecte sous toutes les coutures. Il était assis à côté d'Emily. J'ai bien cru que les prunelles de Trixie allaient sortir de leurs orbites et atterrir dans son assiette. Mais non. Elle n'a pas desserré les dents. Un vrai miracle, mais de courte durée, hélas. Car à l'instant de partir – Dieu soit loué, elle a filé la première et bien avant les autres –, elle s'est tournée vers moi et m'a glissé à l'oreille :

— Je le savais.

La vipère ne pouvait décidément pas tenir sa langue.

— Quoi donc, Trixie ? Je ne comprends pas ?

Debout à la porte d'entrée, elle a pris un air pincé et lâché :

— Emily n'est pas de mon sang. *Je le savais.*

— Et c'est tant mieux, ai-je riposté. Sinon, elle aurait pu vous ressembler. Au revoir, Trixie.

Je l'ai entendue qui riait en regagnant sa voiture et j'ai songé : Ce rire semble tout droit sorti de l'enfer.

Papa, David et Lucy étaient retournés porter des assiettes sales chez Lucy. Frannie, Brigitte, Emily, Jim et Everett étaient toujours à table.

— Vous êtes prêts pour le dessert ?

— Pour n'importe quoi, a rétorqué Emily.

— C'est une jeune fille délicieuse, m'a confié Everett.

— Merci. C'est vrai.

J'avais beau essayer de me raisonner, j'avais hâte qu'il s'en aille. Encore fallait-il que sa voiture accepte de démarrer. Je me suis mise à aller et venir pour l'éviter. Il est resté très discret.

Plus tard, lorsque chacun a eu regagné ses pénates, Arthur et moi sommes allés faire un tour sur la plage. Même sans l'arrivée impromptue d'Everett, la journée aurait été épuisante. Mais je ne voulais pas aller me coucher sans m'être baladée.

Des milliers d'étoiles brillaient dans le ciel limpide de novembre. Au début, Arthur et moi avons marché côte à côte sans rien dire, puis il m'a pris la main. L'air commençait à fraîchir et j'ai frissonné. Il s'est arrêté, a ôté son pull et me l'a donné. Je l'ai enfilé et nous avons continué notre promenade, avec son bras autour de mes épaules, cette fois.

— La vie est belle.

— Ouais, si on ne tient compte ni de l'invité-surprise ni des remarques au vitriol de Trixie.

— L'arrivée d'Everett a jeté un sacré froid. Mais tu sais que quand la dépanneuse est arrivée pour remorquer son épave, on s'est serré la main, lui et moi.

Je me suis arrêtée et ai foudroyé Arthur du regard.

— Minute, laisse-moi t'expliquer. Sur le coup, ce geste m'a paru normal, alors je l'ai fait. Ça ne signifie pas qu'on va devenir amis, lui et moi.

— Bonne nouvelle.

— Bon sang ! Je comprends que tu aies la rage au cœur, Anna, mais il faut savoir tourner la page, parfois.

— Tu la tournerais, toi ?

— Non, sans doute pas. Tu as raison. Quoi qu'il en soit, Emily lui a demandé s'ils se reverraient. Et il lui a répondu : « Voici mon numéro de téléphone et mon adresse. Si tu veux venir seule ou avec des amis, tu es la bienvenue. J'ai une grande maison à Clearwater, et je serais heureux d'apprendre à te connaître. Après tout, tu es ma fille ! » Reconnais que ça n'a pas dû être facile pour lui non plus.

— Possible, mais je m'en moque. J'avais déjà bien assez de ma propre angoisse sans prendre sur moi celle des autres.

— Tu as raison. Mais tout bien considéré, c'était la meilleure chose à dire.

— C'est vrai que l'eau est passée sous les ponts. Et qu'à l'époque, j'étais une vraie gourde.

— Plus maintenant.

— Même si j'ai bousillé une bagnole de cent mille dollars ?

— Tu as bien fait. Tu as même eu un trait de génie. Préviens-moi, la prochaine fois que tu piques une crise, d'accord ? J'aurais peut-être intérêt à passer chez Lowe pour acheter une caisse à outils qui ferme à clé.

— Merci.

— Et puis, je ne crois pas qu'Everett ait été plus contrarié que ça. Il se doutait que quelque chose de terrible se produirait.

— Il avait raison. Il a déjà eu de la chance de ne pas s'être pris vingt ans de cabane.

— Ouais, on peut dire qu'il s'en est tiré à bon compte.

— Au fait, tu ne sais pas la meilleure ? Papa va épouser Lucy.

— Sans blague ?

— Si. Qu'est-ce que ça a de bizarre ?

— C'est vrai. Ils s'aiment, au fond.

— Tu veux dire qu'ils s'adorent.

— Et quand les gens s'aiment, ils se marient, non ?

— Es-tu en train de me demander ma main ?

Arthur a toussé, puis bredouillé :

— Quoi ? Mais non ! Enfin, je ne sais pas ! Je veux dire…

— Tu n'es qu'un rat ! Tu n'arrives pas à te décider !

— Possible, mais je sais que je t'aime, en tout cas.

Il s'est raclé la gorge, puis m'a regardée au fond des yeux.

— Qu'est-ce que tu en dis ?

— Tu es sérieux ?

Arthur venait de m'avouer qu'il m'aimait !

— Tu m'aimes ?

— S'il te plaît, on n'est plus au lycée.

— Eh bien ?

— Toi, tu cherches à me tirer les vers du nez.

— *Allez !*

— Je t'aime, Arthur, tu le sais.

— Oui. Et même si je soutenais le contraire, il y a trois mois, je ne peux plus me passer de toi.

— Moi non plus.

On a marché en écoutant chanter la mer qui étincelait sous les étoiles et on s'est dit qu'on avait de la chance de s'être rencontrés. Puis j'ai pensé à la façon dont les événements s'étaient enchaînés dans ma nouvelle vie. C'était incroyable. J'avais quitté papa, trouvé Lucy et David était arrivé pour Emily. Mon amour de la plage m'avait fait rencontrer Arthur. Everett m'avait liée à Emily et Jim pour la vie. La mort de Gary avait ramené Jim parmi nous et Frannie avait trouvé Jake. Et même Miss Mavis et Mlle Ange s'étaient fait de nouveaux amis. Il avait suffi que je quitte la maison de Doc pour que tout change. Comment était-il possible qu'un aussi grand nombre de coïncidences surviennent dans une seule vie ?

Mon existence faisait-elle partie d'un plan beaucoup plus vaste ? Sans doute. Au cours des derniers mois, la cynique qui sommeillait en moi s'était pris des coups. Et voilà que je me découvrais un penchant romantique. J'avais réussi à affronter mes pires ennemis sans faiblir et j'avais survécu.

— Arthur ?

— Oui, ma chérie ?

Ma chérie ? Excellent !

— C'est vrai que la vie est belle. Très belle.

— Allons, viens. Il est tard. On va rentrer et te mettre au lit. Tu as une rude journée qui t'attend demain.

— Bonne idée, ai-je répondu en souriant dans le noir.

J'ai réalisé que cette nuit-là, pour la première fois, je pourrais enfin dormir sur mes deux oreilles. Car la petite chipie des Basses Terres avait trouvé l'amour et s'était réconciliée avec la vie. Maman allait probablement m'apparaître en rêve et se livrer à une danse triomphale. Qui sait ? Elle danserait peut-être le charleston ? Si c'était le cas, j'en ferais autant.

Epilogue

— Elle a les nerfs en pelote, mais je ne vois vraiment pas pourquoi, a dit Maggie. Elle connaît Simon depuis qu'ils sont hauts comme trois pommes.

Maggie – petite robe noire et rang de perles – était la sœur aînée de Susan Hayes, et sa dame d'honneur.

— Ma chère, toute femme normalement constituée a les nerfs à vif le jour de son mariage !

J'étais en train de couper les cheveux de Maggie, Eugène faisait un shampooing à Beth, la fille de Susan, et cette dernière était sous le casque. Le mariage serait célébré à cinq heures en l'église Stella Maris et suivi d'une réception donnée sur la plage devant la maison de famille, Island Gamble. Un grand nombre de demeures portaient un nom et je songeais à celui que j'aurais pu donner à la nôtre. Pourquoi pas Blonde Ambition ? Ou Sanctuaire de la vie sauvage ? Celui-ci était mon préféré. L'existence était *sauvage* et l'endroit, mon *sanctuaire*. Il faudrait que j'en touche un mot à Emily. Baptiser les lieux offrirait l'occasion d'inviter un tas d'amis, d'organiser un barbecue et une cérémonie en grande pompe.

— Je suis sèche ! a braillé Susan.

Je suis allée voir. J'ai tâté sa chevelure, qui était humide.

— Encore un quart d'heure ! Veux-tu un cocktail de fruits ?

— Non, merci ! Bon sang ! Il y a une éternité que je suis sous ce machin !

— Tu as trop de cheveux !

Elle a fermé les yeux et secoué la tête, visiblement excédée.

Bettina, qui lui avait fait une manucure, une pédicure et une épilation, m'a prise à part.

— Il faut qu'on lui accorde une ristourne sur l'épilation. Elle n'a qu'un duvet sur les jambes.

— C'est ma cliente préférée. Je ne vais pas lui réclamer un centime. Ce sera mon cadeau de mariage.

— Sympa. Tu sais quoi, Anna ?

— Quoi ?

— Quand on est sympa, on a tout à y gagner.

— Oui. C'est vrai. La gentillesse, ça change tout.

Susan, Beth et Maggie sont ressorties du salon belles comme des déesses.

— La mariée est superbe, a commenté Brigitte. Dieu la bénisse !

— Amen, a renchéri Bettina.

— En plus, elle épouse un homme en or.

L'après-midi est passé comme un rêve et à trois heures je suis rentrée à la maison pour me changer. Arthur, qui s'était décidé à acheter une voiture, est passé me chercher à quatre heures. J'avais promis à Susan de lui donner un ultime coup de peigne.

— Hum, tu es magnifique ! On en mangerait ! s'est exclamé Arthur en m'embrassant sur la joue. Tu sens bon.

— Bas les pattes, mon garçon ! Je suis en service.

— Oui, mais après, ma petite fleur des îles...

— Une fleur des îles ? De l'espèce grimpante ? En route ! Je vais être en retard !

On a descendu Middle Street jusqu'à Station Nine pour rejoindre Island Gamble et Arthur a garé le véhicule dans le jardin. Les rambardes de la véranda étaient festonnées de tulle, de fougères et de lis géants, attachés par de gros nœuds de bolduc. Du côté façade, deux rangées de torches, enrubannées de blanc, encadraient l'allée menant à la porte principale. Quand je suis entrée dans la cuisine, j'ai failli tomber à la renverse. Deux ou trois chefs aboyaient des ordres à une douzaine de garçons affairés à remplir des coupes et disposer des petits-fours sur des plateaux.

Susan restait invisible.

Arthur et moi nous sommes frayé un chemin jusqu'au salon.

— Ouah !

Les meubles avaient été ôtés, à l'exception d'une table, drapée d'une magnifique nappe damassée. D'emblée, la pièce montée à quatre étages a attiré mon regard. De minuscules roses et gardénias blancs en sucre filé la garnissaient, et un lacis de grelots d'argent, tressés selon un motif en damier, agrémentait sa base. Au sommet, trônaient deux figurines : la mariée lisant un livre, le doigt orné d'un énorme diamant, et le marié en blouse de médecin, et muni d'un stéthoscope. Dans chaque angle de la pièce, juchés sur un piédestal rouge sombre, des vases aux motifs bleus et blancs accueillaient de splendides arrangements floraux. Les énormes bouquets de roses et de gardénias exhalaient leur parfum, embaumant l'espace. Je crois que je n'en avais jamais vu d'aussi gros.

Susan était introuvable.

J'ai pivoté sur mes talons et me suis retrouvée face à la terrasse.

— Viens, m'a dit Arthur. Il doit y avoir quelqu'un dehors.

— Ou au moins un bar.

Juste au moment où nous prenions à gauche du salon, Arthur s'est arrêté.

— Qu'y a-t-il ?

— Le miroir ! Il m'a semblé voir d'autres personnes que nous dedans.

— Mais oui, bien sûr !

Arthur est revenu sur ses pas pour examiner la gigantesque glace bordée d'or qui tapissait le mur du sol au plafond. Un objet ancien de toute beauté.

— Anna, j'ai aperçu une vieille femme noire, avec un homme à côté d'elle. Ils agitaient les mains pour essayer d'attirer mon regard. Je ne te mens pas. *Je le jure !*

J'ai songé qu'Arthur déraillait complètement.

— Va te chercher un coup à boire et installe-toi tranquillement dans un coin pendant que je pars à la recherche de Susan.

— Bon. D'accord. Je te jure que... Enfin, passons !

473

Un bar avait été dressé à chaque extrémité de la terrasse et les mêmes arrangements floraux spectaculaires se déployaient partout. J'ai fini par tomber sur l'un des frères de Susan – je crois qu'il m'a dit qu'il s'appelait Henry –, que j'ai prié de me conduire auprès d'elle.

On a laissé Arthur en plan, le teint blême et le regard tourné vers l'océan. Qu'est-ce qui lui avait pris ?

— Vous attendez beaucoup de monde ? ai-je demandé à Henry.

— Entre cinquante et soixante-dix convives. Tout s'est décidé si vite que si je ne connaissais pas ma sœur, j'aurais juré qu'elle était tombée sur la tête.

— Ça ne risque pas.

Ses yeux ont pétillé.

— Nous y voilà. Je pense qu'elle est ici.

Il a ouvert une porte et Susan s'est retournée. Ça n'a pas raté. Comme chaque fois que je vois une mariée, j'ai senti ma gorge se serrer. Dans la lumière dorée de l'après-midi, Susan était si rayonnante que j'ai failli craquer.

— Susan ! Tu es magnifique ! Je crois que je vais pleurer.

— Pas question ! Aide-moi plutôt à mettre ce fichu machin sur ma tête !

La longue robe de satin ivoire moiré de rose, décolletée en pointe et dotée de manches courtes, était fendue dans le dos et garnie d'une multitude de petits boutons recouverts de satin qui remontaient jusqu'à la nuque. Le « fichu machin » se résumait à une toque munie d'un long voile. Susan portait des perles au cou et aux oreilles. Je n'avais jamais rien vu d'aussi élégant, en particulier sur une femme qui n'était plus dans la fleur de l'âge.

La porte s'est ouverte à nouveau, et Maggie et Beth sont entrées pour s'assurer que tout était parfait.

— Maman ! Comme tu es belle ! s'est exclamée Beth en embrassant Susan.

— Tu es superbe ! a renchéri Maggie en l'embrassant à son tour. Il me semble que nous sommes presque prêtes. A moins que tu n'aies des regrets et décides de fuir à Tahiti...

— Tu plaisantes ? Toute ma vie, j'ai rêvé d'épouser ce type !

Elles se sont mises à jacasser. Soudain, j'ai réalisé que Susan s'adressait à moi.

— Comment ? Excuse-moi, j'étais perdue dans mes pensées.

— Ne t'excuse pas. As-tu amené Arthur ?

— Oui, et figurez-vous qu'il est si excité qu'il prétend avoir vu quelque chose dans le miroir du salon.

Silence de mort.

— Qu'y a-t-il ?

— Que croit-il avoir vu ? a demandé Beth en réprimant un ricanement.

— Je n'ose pas vous le dire. Vous allez penser qu'il est givré.

— Non, non, promis juré. Vas-y, a insisté Maggie.

— Il aurait aperçu une vieille femme noire et un homme qui lui faisaient signe.

— C'est Livvie et Nelson, a laissé tomber Susan d'une voix tremblante en frottant ses bras couverts de chair de poule.

— Ça ne peut être qu'eux, a repris Beth.

— Qui est Livvie ? ai-je murmuré.

Elles ont échangé un regard, puis Susan a dit :

— C'était un monument. Elle ne ratait jamais un grand événement. Je vous parlerai d'elle une autre fois.

— Il me semble que l'orchestre est arrivé et que les musiciens accordent leurs instruments, a noté Maggie. Je ferais bien de vérifier que la limousine est prête.

On a continué à bavarder pendant quelques minutes, et une fois la toque et le voile solidement arrimés, j'ai précisé :

— Tu n'as pas à t'en faire. Même un ouragan ne pourrait pas l'arracher !

Maggie a passé la tête dans l'embrasure de la porte.

— On y va ! L'homme de tes rêves attend !

Henry est arrivé avec le bouquet de la mariée : une gerbe de roses blanches et de fougères nouée avec un ruban de satin ivoire.

— Il est temps que je conduise ma sœur jusqu'à la guillotine. Fichtre, Susan, mais tu es superbe ! On n'a pas l'habitude de te voir aussi bien fringuée !

— Merci, petit. Tu es un amour, a répondu Susan.

Je les ai laissés puis j'ai rejoint Arthur, qui attendait dans le jardin.

— Mission accomplie ! La mariée est prête !

Nous avons parcouru en voiture la courte distance jusqu'à l'église. La nef était illuminée par des myriades de cierges et l'orgue jouait un air magnifique. Nous nous sommes faufilés entre deux bancs et nous sommes assis. Arthur a pris ma main dans la sienne et l'a serrée.

— J'adore les mariages.

— Vraiment ? *Vraiment ?*

— Ouais. Qu'y a-t-il de plus merveilleux que de se marier ?

— Rien, si ce n'est d'avoir des enfants.

Une marche solennelle a retenti, et l'assistance s'est levée comme un seul homme et tournée vers le portail. Beth est entrée la première, portant une gerbe de marguerites multicolores retenues par un nœud de rubans rouge, crème et vert. Dans sa robe vert sombre sans manches, elle était le portrait craché de sa mère à son âge. Maggie a suivi, beauté blonde. Elle tenait un bouquet d'une main et, de l'autre, saluait discrètement les gens au passage. Soudain, la musique a enflé, et Susan et Henry ont fait leur apparition.

— Regarde comme elle a l'air *heureuse* ! m'a glissé Arthur.

Susan a remonté l'allée au bras de Simon et ils ont pris place devant l'autel. La cérémonie a alors débuté, menée par le père Michael.

— Voulez-vous prendre cet homme pour légitime époux ? a-t-il bientôt demandé à Susan.

— Oui ! s'est-elle exclamée.

Elle avait parlé si fort que l'assistance a ri. En moins de temps qu'il n'en faut pour le dire, Susan et Simon avaient été mariés, et nous étions de retour à Island Gamble.

A un moment donné, Arthur et moi nous sommes retrouvés séparés. Puis je l'ai aperçu dans le jardin de devant, en grande conversation avec Caroline et Jack Taylor. Armée de ma robe qui « tue », je me suis approchée d'eux. Jack et Arthur ont tous les deux avalé leur salive, et Caroline a lâché :

— Anna ! Ravie de vous voir !

L'orchestre a commencé à jouer et les mariés sont sortis sur la terrasse. Ils sont descendus pour se joindre aux convives et, tout à coup, Simon a embrassé sa bien-aimée, l'a soulevée de terre et a détalé en direction de la plage en la portant dans ses bras. Les musiciens ont attaqué *I Feel Good* et les convives se sont mis à chanter en chœur en esquissant un pas de danse en direction des dunes pour observer Susan et Simon. Même le père Michael, qui était venu leur présenter ses vœux de bonheur, a dansé le twist.

— Dieu tout-puissant ! Tout le monde à genoux ! C'est James Brown en personne ! ai-je dit.

Arthur m'a dévisagée, puis il a regardé Caroline et Jack.

— Ma parole. Je ne t'avais jamais vue dans cet état ! On dirait que tu as changé ! Tu as l'air d'aimer la vie !

— Je sais. C'est la fille des îles en moi qui s'extériorise.

J'avais l'impression d'avoir des ailes et j'ai embrassé Arthur.

— Du coup, tu me donnes envie de m'extérioriser, moi aussi. C'est contagieux.

Arthur et moi sommes restés jusqu'à ce que Susan et Simon découpent la pièce montée, puis nous nous sommes éclipsés. C'était un mariage vraiment réussi. Les mariés passeraient leur lune de miel à Bangkok et étaient aussi excités que des enfants qui vont à Disney World pour la première fois. Chacun se réjouissait de leur bonheur.

Quand on est rentrés, Arthur m'a demandé :

— Tu es fatiguée ?

— Je devrais l'être, mais non.

— Ça te dirait de venir chez moi ?

— Oui, mais ce ne serait pas raisonnable. Il est tard. David est venu passer le week-end et Emily est sortie avec lui. Je dois être là.

— Et je suppose que je ne suis pas autorisé à passer la nuit chez toi ?

— Ce ne serait pas convenable. Mauvais exemple pour les jeunes... Sans parler des voisins.

— Anna ?

— Oui ?

— J'en ai assez de dormir seul chaque soir, je veux t'avoir à mon côté.

— Dans ce cas, que suggères-tu ?

— Je ne sais pas. A ton avis ?

— Arthur, on est de retour au lycée ou quoi ?

— Tu as vu la façon dont ce Jack te reluquait ?

— Non.

— Bien. Il va falloir qu'on trouve une solution. C'est bientôt Noël et je me suis dit qu'il y avait peut-être quelque chose qui te ferait plaisir. De ma part, s'entend.

J'ai pris le visage d'Arthur entre mes mains et je l'ai embrassé, puis j'ai reculé et j'ai dit :

— Arrête de te faire du mauvais sang. Je t'aime. Tout va bien.

— D'accord.

Je me suis glissée entre les draps, non sans avoir placé sous mon oreiller une part de pièce montée soigneusement enveloppée dans un petit sac en plastique – à cause des bêtes. Cela porte chance. J'ai somnolé jusqu'à ce que j'entende claquer la portière de la voiture de David. Emily était saine et sauve, et de retour à la maison.

Je me suis retournée dans le lit et me suis mise à penser à Arthur. Anna Fisher ? Cela sonnait plutôt bien, non ? Emily a refermé la porte d'entrée derrière elle, puis ouvert celle de sa chambre.

Entendre les bruits familiers de la maison me procurait un immense réconfort. D'autres choses, bien sûr, me donnaient goût à la vie. Je m'étais battue pour les avoir et bénissais le ciel de les avoir obtenues, mais je ne me sentais pas prête à renoncer à mon indépendance.

De fil en aiguille, j'ai songé à maman. J'allais dire une prière pour elle et espérais qu'elle me voyait. J'étais mieux armée pour la vie qu'elle ne l'avait été. J'étais autonome et possédais un peu d'argent de côté – et aussi un marteau sous l'évier. Bien que ma mère n'ait pas vécu assez longtemps pour pouvoir me parler d'elle, elle m'avait donné un peu de son esprit d'entreprise et de son ambition.

Papa, quant à lui, m'avait transmis la pugnacité. Et ce n'était pas rien. Sans elle, j'aurais fané sur pied. « Attendre des jours meilleurs » n'était pas un cliché mais un bon conseil, qui méritait d'être entendu et suivi.

Miss Mavis et Mlle Ange se sont aussi glissées dans mes

pensées. Grâce à elles, j'avais commencé à regarder les choses sous un jour différent, plus tolérant et charitable. Surtout, elles m'avaient appris que le passé est porteur de bienfaits et de vérités. Si maman avait vécu et divorcé de papa – ce qui serait probablement advenu –, serait-elle devenue comme elles ? Quelqu'un se serait-il occupé d'elle ? Je crois que oui.

Tous les gens que nous aimons ne finissent-ils pas par déteindre un peu sur nous, par nous influencer avec ce qu'il y a de meilleur en eux ? Du coup, le meilleur en nous se réveille et marque notre entourage. Je ne parviendrais certes pas à changer le monde comme le faisaient les êtres d'exception, tel Gandhi, mais ma vie avait désormais un sens et je continuerais à suivre la route que je m'étais tracée.

Et Arthur dans tout ça ? J'étais peut-être amoureuse de lui. Comment ça, *peut-être* ? J'étais raide dingue de lui, oui, comme Emily de David et papa de Lucy. Pourtant, rien ne pressait. J'avais passé les deux tiers de ma vie à me ronger les sangs mais, cette fois, j'avais tout mon temps.

— Je suis rentrée, maman ! m'a crié Emily d'une voix ensommeillée.

— C'est parfait, ma chérie ! Dors bien ! A demain !

Emily. Arthur.

J'ai remonté les couvertures par-dessus mes épaules, retapé l'oreiller pour bien caler ma tête et serré les paupières. L'espace d'un instant, je me suis demandé de quoi serait fait demain... puis j'ai décidé de laisser opérer la magie des Basses Terres et de l'île. Car on pouvait compter sur elle. Si seulement les gens savaient ! Mais ils restaient dans l'ignorance et, dans un sens, c'était tant mieux. Car il n'y avait pas assez de place, ici, pour accueillir le monde entier – du coup, peut-être que celui-ci finirait par se décider à évoluer. Si chacun consentait un effort, la terre serait un paradis. Cela ne tenait pas qu'à moi. Et pour ma part, je faisais de mon mieux.

Comment ? Désolée ! J'étais en train de rêver qu'on était demain et que vous étiez de retour dans ce fauteuil.

Oui, ce sont là quelques menues pensées que je tenais à partager avec vous. En somme, et pour conclure, il n'y a vraiment que le premier pas qui coûte. Une fois que vous êtes debout, sur vos deux jambes, vous pouvez faire votre chemin – le vôtre, pas celui de quelqu'un d'autre.

Je sais ce qui va se passer. Demain, vous allez pousser la porte du salon et me supplier de vous faire un brushing. Je vous offrirai un thé glacé ou un expresso, puis nous discuterons de la tenue que vous porterez pour vous rendre à votre soirée. Nous nous raconterons notre vie depuis votre dernier passage chez Anna's Cabana et nous en paierons une bonne tranche. Après quoi, vous vous installerez dans un fauteuil et je m'occuperai de vous. Et quand j'aurai fini et que vous vous regarderez dans le miroir, vous me remercierez. Puis comme chaque fois, vous ferez la coquette, pinaillerez sur la couleur. Et je vous rassurerai : « Non, ma chère, vos racines sont invisibles. »

En revanche, pas les miennes !

Remerciements

Cette histoire a vu le jour grâce à l'amitié et au soutien d'un grand nombre de personnes. Tout d'abord je voudrais remercier les miens – Peter, Victoria et William – pour leur soutien indéfectible et leurs suggestions géniales concernant certaines scènes et dialogues. Ce ne doit pas être tous les jours facile de vivre avec quelqu'un qui passe la moitié de son temps derrière une porte close. Je vous aime plus que je ne pourrai jamais le dire. Je désire particulièrement tirer mon chapeau à ma fille, Victoria, qui m'a aidée à ficeler les chapitres où il est question d'Emily, et à trouver le ton et les mots justes. « Tu veux dire qu'une adolescente de 2002 ne dirait pas "super-dément", "ça boume", ou "saperlipopette" ? Merci, ma chérie, d'avoir remis ta croulante de mère sur les rails ! »

Voici venue l'heure du désaveu : non, Violette Lutz, la grand-mère de ce récit, ne ressemble en rien à ma belle-mère, Hanna Frank, de Dearborn, Michigan. Celle-ci, une sainte, un amour de femme, qui a émigré aux Etats-Unis après la Seconde Guerre mondiale, m'a autorisée à piocher dans ses souvenirs. Elle est saine d'esprit, intelligente et, Dieu merci, dotée d'un solide sens de l'humour. Violette, pour sa part, est une paranoïaque complète.

Naturellement, je voudrais remercier Shannon Gibbons, ma meilleure amie, pour sa relecture attentive des épreuves et son soutien dans les moments de crise. Un grand bravo !

J'ai pensé qu'il serait amusant de prendre modèle sur des êtres réels pour façonner mes personnages. C'est pourquoi je tiens à rendre hommage à ceux qui ont accepté que leur nom soit cité : Big Al, de Shem Creek Bar & Grill, et John et Angie

Avinger, les propriétaires de l'endroit ; Mary Meehan, Mme Helen Clarkin et Mlle Marguerite Stith, qui figurent dans l'ouvrage comme clientes du salon de coiffure The Palms ; Marilyn et Billy Davey, Betty Hudson, Larry Dodds, Patty Grisillo, Brigitte Miklaszewski, Bill le Boucher, Tommy Proctor, Dominique Simon, Ed Williams, Sparky Witte et Mlle Vicki ; et bien sûr, Patty et Bill Dunleavy, les patrons du Dunleavy, qui servent les meilleurs hamburgers du monde. Un remerciement particulier au maire de Sullivan's Island, Marshall Stith, propriétaire du Station Twenty-Two. Je lui ai demandé pourquoi ses crevettes et son gruau étaient aussi bons, et il m'a répondu que c'était probablement à cause du beurre et du mélange crème-lait. Super ! Adieu taille de guêpe ! Bonjour, bourrelets !

Un grand merci également à l'une de mes plus chères amies d'enfance, Francesca Jean Gianaris. Coucou, Fran ! On n'avait pas prévu de passer un week-end revigorant ensemble sur l'île ? A Charlie Moore pour sa bonne volonté ; et à mon frère, Michael Benton, d'Irving, Texas, alias le révérend Ben Michaels, qui a célébré le mariage ! Fichtre, c'était à se demander si ces deux-là allaient finir par se passer la bague au doigt ! Bravo, frangin !

Une pensée pour l'ensemble de la profession des coiffeurs, qui chaque jour accomplit de véritables miracles, et m'a offert quelques précieux conseils et anecdotes : Francis DuBose, de London Hair, Mount Pleasant ; le personnel de Salon and Company, de l'île aux Palmiers ; enfin, le talentueux et désopilant magicien William Howe, de John Barrett, New York.

De même pour Bruce et la bande des sommeliers de Pound Ridge, New York ; grâce à eux, je n'ai pas commis d'erreur sur le choix du vin accompagnant le dîner d'Anna et Jim à High Cotton, Charleston, Caroline du Sud. Facile de planifier un repas ! Ah oui ? Eh bien, pour celui-ci, j'ai dû faire appel aux gens du métier !

Merci à Marjory Wentworth pour son amitié. Madge ! Je t'adore ! Quand est-ce que tu passes par chez nous ? A Michael Uslan, mon ami d'Hollywood et producteur de *Batman* et *Swamp Thing*, qui pense que mes histoires délirantes devraient être portées à l'écran et s'efforce de faire avancer le projet en ayant mille autres fers au feu. Michael, si par hasard on me faisait une proposition sérieuse, tu sais à qui je m'adresserais, pas vrai ? Tant mieux ! Mary Jo McInerny, ton amitié, ta vigilance, ton humour, et tout et tout, font de toi la meilleure cousine et amie qu'une fille peut rêver d'avoir. Sans oublier mon cousin Charles Blanchard Jr. Sans ce beau et talentueux garçon, ma famille n'aurait jamais exploré les canaux côtiers ou dormi sur ses deux oreilles durant l'excursion. Et n'oublions pas Dennis Craver, de Beaufort, un merveilleux ami ! Le roi des huîtres à la vapeur ! Merci également à Alex et Zoe Sanders, et à Jonathan Green, qui nous a fait découvrir des sommets.

Cassandra King, ma copine écrivain, auteur de *The Sunday Wife* – courez vite l'acheter ! –, m'a apporté son amitié, ses conseils, son humour, son soutien, et l'inspiration. Pat Conroy, les Frank t'adorent ! De tous les hommes que nous connaissons, tu es celui envers qui nous sommes le plus redevable. Reviens quand tu veux. Au fait, avez-vous lu son dernier roman, *My Losing Season* ? C'est un conteur fabuleux !

Robert et Susan Rosen, de Charleston, votre attachement et votre soutien sont indéfectibles ; c'est un honneur et un privilège de vous compter parmi nos amis.

Un grand merci aux collectivités locales de l'île aux Palmiers et de Mount Pleasant, qui m'ont fourni de bonne grâce les statistiques et les informations dont j'avais besoin.

Et un grand hip hip hip ! à Berkley Publishing. Alors, par qui je commence ? A Norman Lidofsky et son équipe de magiciens, je propose de cirer leurs chaussures. Bon, d'accord, je parlais au figuré, mais ma gratitude est sincère. Vous savez combien je vous suis reconnaissante. Comme toujours, un grand merci à Joni Friedman, ma directrice de collection, qui sait ce qui est beau, et à Rich Hasselberger, qui s'est dépensé sans compter pour moi.

Naturellement, je baise la terre sur laquelle ma magnifique et intrépide éditrice, Leslie Gelbman, a posé les pieds, et lui sais gré de sa patience extrême, de ses excellents conseils et de son soutien généreux. Liz Perl et Hillary Schupf ? Je vous adore ! Vous êtes toutes les deux brillantes, et avec vous vendre des livres est aussi amusant qu'un jeu d'enfant. Merci,

merci ! Egalement à Matthew Rich, monsieur Relations publiques planétaires ; il y aura toujours une place pour vous dans mon cœur. Et Buzzy Porter ? Un scoop : tous les auteurs du Sud, non, tous ceux en tournée promotionnelle devraient programmer une session de dédicace avec Buzzy chez B & N, à Mount Pleasant, Caroline du Sud. Vous n'avez pas idée comment ce type est capable de vous organiser la chose. Il va sans dire qu'avec lui vous êtes sûr de vendre des bouquins en pagaille. Et en plus, c'est un bonheur de travailler avec Buzzy, qui est la crème des hommes. Cappuccinos et Debbies, miam ! Un nom délirant, mais un mec parfaitement sain d'esprit et super-sympa.

Et, je sais qu'elle en a par-dessus la tête d'entendre tous les jeux de mots qui se font sur son nom, mais n'est-ce pas encourageant d'avoir une éditrice dont le nom est Fortune ? Gail Fortune, avec son talent extraordinaire, se cache derrière tout ce que j'ai pu écrire qui vaille la peine. Non seulement elle est capable de voir dès les premières pages où je veux en venir, mais elle est la boîte à outils qui me sert à accomplir le boulot. Jamais un mot plus haut que l'autre, aucune nervosité, une grande disponibilité. Gail, toi et moi, c'est pour la vie ! Merci encore.

Mon agent, Amy Berkower ? Eh bien, chaque fois que nous discutons, je suis sûre d'apprendre quelque chose de nouveau au sujet de ce monde de fêlés. Amy, ton aide et tes conseils me sont précieux. Et dis bien à Al que je dois tout à son ouvrage *Ecrire son premier roman*.

Pour finir, je voudrais remercier les lecteurs et les libraires ; vos e-mails m'encouragent et je me réjouis d'avoir une place sur vos étalages. J'adore communiquer avec vous et découvrir que mes récits vous donnent envie de me raconter les vôtres. En quelques courtes années, vous m'avez fait appréhender une vérité dont j'ai toujours soupçonné l'existence : en racontant des histoires, on permet aux gens d'apprendre à mieux se connaître et se comprendre. Dans ce monde très imparfait et incertain, un peu plus de tolérance et de compréhension ne peut être que profitable. Merci à tous du fond du cœur.

Table des matières

Composition et mise en pages : FACOMPO, LISIEUX

Achevé d'imprimer sur les presses de

BUSSIÈRE

GROUPE CPI

à Saint-Amand-Montrond (Cher)
en octobre 2006

N° d'édition : C 06496. — N° d'impression : 063668/1.
Dépôt légal : novembre 2006.

Imprimé en France